1 MONTH OF
FREE
READING

at

www.ForgottenBooks.com

By purchasing this book you are eligible for one month membership to ForgottenBooks.com, giving you unlimited access to our entire collection of over 1,000,000 titles via our web site and mobile apps.

To claim your free month visit: www.forgottenbooks.com/free1022901

ISBN 978-0-331-17571-4
PIBN 11022901

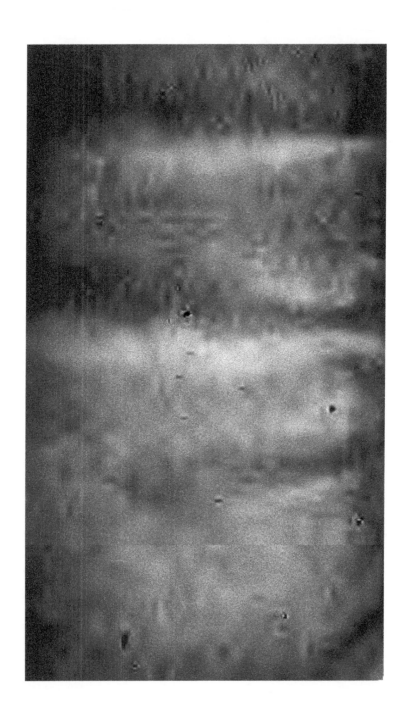

Zeitschrift

für

Völkerpsychologie

und

Sprachwissenschaft.

Herausgegeben

von

Prof. Dr. M. Lazarus und Prof. Dr. H. Steinthal.

Sechster Band.

Berlin,

Ferd. Dümmler's Verlagsbuchhandlung.

Harrwitz und Goßmann.

1869.

Inhaltsverzeichniß.

Zweites Heft.

Drittes und viertes Heft.

Zur Moralstatistik.
Der Einfluß der Wohnung auf das Betragen.

Von

Dr. Etienne Laspeyres.

———

§. 1.

Einleitung.

Unter den vielfachen Bemühungen unserer Zeit, die Lage der
unteren Volksklassen zu verbessern, steht bei denen, welche nicht
Hirngespinnsten nachjagen und nicht politische Zwecke verfolgen,
mit Recht in einer der ersten Reihen die Agitation für Woh=
nungsreform. Sie ist auch obenan zu stellen, weil hier
schon mehr als in anderen Versuchen die unteren Volksklassen
zu heben der richtige Gedanke durchgedrungen ist, daß das Haupt=
übel, an dem die unteren, nur nicht die allerunterften Schichten
der Bevölkerung kranken, nicht der mangelnde Erwerb, sondern
der verkehrte Consum ist.

Seneka sagt: Si quem volueris esse divitem, non est,
quod augeas divitias, sed minuas cupiditates. Wir halten
weder den von Seneka bekämpften, noch den von ihm auf=
gestellten Satz für unbedingt richtig, das Wichtigste ist weder
Vermehrung der Reichthümer, noch Verringerung der Bedürf=
nisse, sondern Steigerung gewisser Bedürfnisse, nämlich der
vom sittlichen Standpunkte wünschenswerthesten. Unter diesen
zu steigernden Bedürfnissen steht das Wohnungsbedürfniß
obenan oder unter den zu weckenden Bedürfnissen das nach
guter Wohnung, denn eine angenehme Häuslichkeit ist die
Mutter aller häuslichen und öffentlichen Tugenden.

Ganz richtig erstrebt die Humanität unserer Tage nicht, den untersten Volksklassen eine Wohnung, wie dieselben bisher hatten, nur für einen billigeren Preis zu verschaffen, damit wäre wenig gewonnen, sondern sie bemüht sich, ihnen Lust an Wohnungen zu verschaffen, welche zwar theurer sind als die bisherigen, aber in weit höherem Grade besser sind, als sie mehr kosten. Die erzielte Ersparniß liegt darin, daß eine gute Wohnung die Bewohner von einer Menge Ausgaben außerhalb des Hauses zurückhält, zu denen bisher die Unbehaglichkeit des eignen, kaum den Namen verdienenden „Daheim" trieb.

Darum kann auch die Wohnungsreform nicht da ihre Hebel ansetzen, wo es am wichtigsten wäre, bei den alleruntersten Schichten der Bevölkerung, sondern muß auf einer etwas höheren Stufe beginnen. Auf der untersten Stufe fühlen die Menschen das Bedürfniß nach einer Wohnung, die über ein Obdach gegen Kälte und Nässe hinausgeht, nicht, fast möchte man sagen Gott sei Dank, denn wenn sie es fühlten, fehlten ihnen doch die Mittel, dasselbe zu befriedigen, die Nahrungssorgen und Nahrungsausgaben überwuchern Alles. Bei den Ständen, welche ihre Bedürfnisse mancherlei Art schon reichlicher befriedigen können, muß die Bemühung, das Wohnungsbedürfniß auf Kosten der anderen Bedürfnisse zu erweitern, angreifen, die Befriedigung anderer dringender und wünschenswerther Bedürfnisse wird darunter nicht lange, wenn überhaupt leiden, denn den schädlichen Bedürfnissen des Lebens, deren Befriedigung man in der Kneipe oder in schlimmeren Häusern sucht, wird dadurch Abbruch gethan. Meiner innersten, auch wirthschaftlichen Ueberzeugung nach tritt aber diese ethische Seite der Bemühungen für die unteren Klassen nicht nur bei der Wohnungsreform in den Vordergrund, sondern bei allen Bemühungen, die sich an den Namen des großen Volksfreundes Schulze-Delitzsch knüpfen. Hebung der Sittlichkeit steht mir bei allen Associationen, mögen sie Rohstoffvereine, Consumvereine, Volksbanken oder wie immer heißen, in erster Linie. Damit verglichen sind die freilich auch nicht zu unterschätzenden wirthschaftlichen Vortheile gering und werden immer geringer werden, je mehr die Association durch ihre Concurrenz die anderen Geschäfte treibt, den

ärmeren Klassen ebenso günstige Kaufs= und Verkaufsbedin=
gungen zu stellen, als die Association ihnen gewährt. Dadurch
schafft die Association sich selbst wieder Concurrenz, um, nach=
dem sie vielleicht Jahrzehnte lang ihre guten Dienste geleistet
hat, sich selbst überflüssig zu machen. Auch diese Associationen
sind bisher vorzugsweise noch nicht für die alleruntersten Klasse,
die sog. Arbeiterklasse berechnet, oder selbst wo sie es sind, wie
die Consumvereine, werden doch die von ihnen gebotenen Vor=
theile noch mehr von den oberen Klassen des Arbeiterstandes,
sowie von dem Handwerker= und kleinen Beamtenstande benutzt.

Sittliche Hebung des Volkes steht mir, wenn es auch der
weiteste Weg zum Ziele scheint, am höchsten, der Weg ist jeden=
falls der sicherste. Sittliche Hebung erreicht man meiner Ueber=
zeugung nach jedoch selten durch bloßes Moralpredigen, sondern
durch äußere Vortheile, und ein solcher äußerer Vortheil, durch
den man einen inneren anstreben soll, ist die Beschaffung
menschenwürdiger Wohnungen.

Ist denn aber, so könnte man fragen, der Einfluß der
Wohnung auf die Sittlichkeit wirklich so sicher, als diejenigen
annehmen, welche für die Wohnungsverbesserung allerwärts so
sehr agitiren? Zur Beantwortung dieser Vorfrage der Woh=
nungsfrage will ich in Folgendem einen kleinen statistischen
Beitrag liefern.

I. Theil.
Das statistische Verarbeitungsmaterial.
§. 2.

Im Jahre 1849 wurde zu Paris in Folge der großen
Noth unter den Arbeitern von der Handelskammer eine En=
quête veranstaltet über die Chambres garnies, in welchen viele
der Pariser Arbeiter und zwar zum überwiegenden Theil die
der untersten Schichten lebten. Die Untersuchung erstreckte sich
einmal auf die Güte der Wohnungen und wurde hier nach
folgenden Gesichtspunkten unterschieden: „Man kann unter den
Leuten, welche an Arbeiter möblirte Wohnungen vermiethen,
drei Hauptklassen unterscheiden. Die erste ist die der Unter=

1*

nehmer oder Arbeiter, welche einen Theil ihrer Wohnung in Aftermiethe an Arbeiter desselben Gewerbes geben, und diese Aftermiether auch zuweilen selbst beschäftigen. Die zweite Hauptklasse ist die der Gargotiers und der Marchands de vin. Die dritte Hauptklasse ist zusammengesetzt aus Individuen, deren einziger oder Haupterwerb im Vermiethen von möblirten Wohnungen besteht. Die von den Unternehmern und Arbeitern vermietheten Wohnungen sind gewöhnlich die am besten gehaltenen, darauf folgen die der Marchands de vin und in dritter Linie die der Vermiether von Profession. Um die Wohnungen nach ihrer Güte beurtheilen zu können, hat man die 2360 Woh= nungen dieser Art in 4 Kategorien getheilt. Die erste „gute" vereinigt die ordentlich gehaltenen Zimmer, reinlich, gesund, von guter Luft, das nöthige Mobiliar in .gutem Stand. Ihre Zahl beträgt 922. Die zweite Kategorie „passabel" umfaßt die, welche zu wünschen übrig lassen nach Seite der Reinlichkeit, Gesundheit und Möblirung, aber welche nichtsdestoweniger in Rücksicht auf Lebensstellung und Gewohnheiten ihrer Bewohner in erträglicher Verfassung sind. Ihre Zahl beträgt 958. Die dritte Kategorie „schlecht" enthält schlecht gelüftete, schlecht erleuchtete, schlecht gereinigte, mit wurmstichigen Meubeln oder Lumpen ausgestattete Wohnungen. Es sind ihrer 230. Die vierte Kategorie endlich „sehr schlecht" ist zusammengesetzt aus wahren Löchern, zuweilen allen Lichtes und aller Luft be= raubt, voll Schmutz und Ungeziefer, mit keinem anderen Mo= biliar als Fetzen und Lumpen, und mit einem pestartigen, erstickenden Gestank, den nur eine lange Uebung ertragen lehrt. Die Zahl dieser ist 250." *) Außerdem wurde in derselben

---

*) Statistique de l'industrie à Paris résultant de l'Enquête faite par la Chambre de commerce pour les années 1847 et 1848. Seite 980. Tableau No. 11.

Für alle nachfolgenden statistischen Angaben, namentlich für die Ta= bellen sei bemerkt, daß eine auf die Ziffer genaue Uebereinstimmung der Zahlen in den verschiedenen Tabellen nicht zu erreichen war. In den Ta= bellen über den Einfluß des Wohnens in Chambregarnie, beim Meister und in eigenen Meubeln nicht, da, um die Zahl der Gewerbe auf die runde Zahl 270 für die Männer und 230 für die Frauen zu bringen, jedesmal einige unbedeutende Industrien ausgelassen werden mußten und zwar nicht

Enquête erhoben, wie das Betragen der in diesen möblirten Wohnungen sich aufhaltenden männlichen und weiblichen Bevölkerung war. Die Gesichtspunkte für die Klassifikation des Betragens sind die folgenden: „Man hat 4 Klassen gemacht. Die erste enthält die Arbeiter, die in ihrer Aufführung regelmäßig sind, arbeitsam, sparsam, nüchtern und sich selten von ihrer Arbeit abziehen lassen. In der zweiten Kategorie hat man zusammengefaßt die Individuen, deren Betragen, ohne besonders regelmäßig zu sein, doch nicht eingewurzelte lasterhafte Gewohnheiten und sehr häufige Unordnungen zeigt, z. B. Arbeiter, welche zuweilen feiern, um sich zu vergnügen (aller à la barrière), die Frauen, welche, ohne in ihren Sitten tadellos zu sein, doch nicht Anstoß erregen und zu arbeiten pflegen. Die dritte Kategorie umfaßt die Individuen, welche sich häufig der Faulheit, Trunkenheit und Ausschweifung überlassen, die Frauen, welche offen von Prostitution, Schuldenmachen und Betrügereien leben. Die vierte Kategorie endlich umfaßt den gesunkensten, verworfensten und gefährlichsten Theil der Chambregarnisten, die Individuen, welche von schändlichen oder unbekannten Mitteln leben, welche offenbar fast niemals arbeiten und die größte Zeit verbringen mit Trinken, Zanken, Raufen, mit einem Wort, Individuen, deren Leben nichts als eine Reihe von Schlechtigkeiten und Excessen aller Art ist." *) Die Enquête enthält

jedesmal dieselben. In den Tabellen, die aus der Chambregarnieenquête des Jahres 1847 berechnet wurden, stimmt das Endresultat nicht immer genau, da einige dieser Tabellen berechnet und verarbeitet waren, ehe die mangelnde Uebereinstimmung in den Hauptsummen bei verschiedener Berechnung mich eine Reihe von Druckfehlern in dem französischen Werk finden ließ. Außerdem mögen noch andere, nicht so bedeutende Druckfehler existiren, welche die Uebereinstimmung nicht zuließen. Die wichtigsten Druckfehler, die ich finden konnte, sind:

Seite 952. 12. Arrd. Quartier St. Jacques lies 1360 statt 1260.
  •   •   •   •   •   de l'Observatoire •   99 • 199.
  •   •   •   •   •   de l'Observatoire • 212 • 312.
Seite 954. 13. Arrd. Quartier St. Jacques • 1556 • 556.
  •   •   •   •   •   de l'Observatoire •   85 • 185.
Seite 958 unten dritte Spalte lies 1317 statt 1319.
  *) Am angeführten Orte S. 979 zu Tabellen 7 und 8.

nun in Tabellen den Antheil jeder Wohnungs= und Betragens=
Kategorie in jedem der 12 Arrondissements, welche Paris bis
zum Jahre 1860 umfaßte, leider ist aber nicht publicirt, wie
jede der vier Betragenskategorien sich auf die vier Wohnungs=
arten vertheilt. Wir wissen also nicht, wie viel betrugen sich
gut, passabel, schlecht, sehr schlecht in guter Wohnung, wie
viele gut, passabel, schlecht, sehr schlecht in passabler Wohnung,
in schlechter Wohnung, in sehr schlechter Wohnung. Den Ein=
fluß der Wohnung auf das Betragen können wir nur dadurch
ermitteln, daß wir gegenüber stellen die Arrondissements mit
vielen Wohnungen einer Gattung und wenigen, und damit ver=
gleichen, wie viele Arbeiter jeder Betragensart auf jedes dieser
Arrondissements kommen. Haben z. B. die Arrondissements
mit den meisten guten Wohnungen auch die meisten sich gut
aufführenden Arbeiter und die Arrondissements mit den meisten
schlechten Wohnungen die meisten Arbeiter schlechten Betragens?
Wäre das Material in der von uns oben gewünschten Art
publicirt, dann würden die Aufschlüsse frappant sein, denn sie
sind schon interessant genug bei der so ungenauen Vergleichung,
welche das Material in seiner jetzigen Gestalt erlaubt (Tabelle I).
Das Material wird noch werthvoller dadurch, daß für jedes
der 12 Arrondissements und mit der einzigen Ausnahme leider
gerade der Wohnungsqualität auch für die 48 kleineren Pariser
Bezirke, die Quartiers, ermittelt ist, ob die Miether nur auf
Tage resp. Nächte mietheten oder auf länger, ob sie dem Ver=
miether die Miethe schuldig waren oder nicht, ob sie verheirathet
waren oder nicht, ob sie augenblicklich Beschäftigung hatten oder
nicht, ob sie von ihrer Arbeit, von öffentlicher Unterstützung,
von Prostitution, von Darlehen ihrer Vermiether, von Bettel
und Diebstahl lebten, und endlich welchen Gewerben dieselben
angehörten, alles Umstände, welche auf das Betragen Einfluß
üben oder ihrerseits vom Betragen beeinflußt werden, ja welche
vielfach indirect Aufschluß darüber geben, wie die Wohnung
auf das Betragen wirkt.

§. 3.

Für unsere Untersuchung liegt außer dem eben beschriebenen Material noch ein anderes quantitativ zwar überreichliches vor, das sich über fast 400,000 Menschen erstreckt, welches aber qualitativ noch Vieles zu wünschen übrig läßt. Wenn es nun im Folgenden gelingt, mit diesem wenig brauchbaren Material die interessantesten Aufschlüsse zu erhalten, wie viel schöner müssen die Resultate dermaleinst bei brauchbarerem Material zu Tage treten. Diese Arbeit kann, wie die meisten der jetzigen statistischen Arbeiten auf ethischem Gebiet, nur andeuten, wie sehr die statistische Untersuchungsmethode gerade auf diejenigen Seiten des Menschen angewendet werden kann, welche der Fassung in Zahlen, also der quantitativen Messung am meisten zu spotten scheinen. Sehen wir uns auch das weitere Material an, mit dem wir zu arbeiten haben. In einer zweiten Enquête, welche die Pariser Handelskammer im Jahre 1860 über die Pariser Industrie anstellte, sind von den Fabrikherren, Handwerksmeistern und sonstigen Arbeitgebern auf industriellem Gebiet unter vielem anderen auch darüber Angaben gemacht worden, wie viele der von ihnen beschäftigten Arbeiter in Chambregarnie wohnen, wie viele in eignen Meubeln, wie viele bei ihrem Arbeitgeber. Diese drei Kategorien von Arbeitern muß ich im Folgenden, so ungeschickt zwei der drei Namen sind, bezeichnen als Chambregarnisten, Eigenmeubler und Meisterwohner. In dem schönen statistischen Werk, das 1864 über die genannte Enquête erschien, Statistique de l'Industrie à Paris resultant de l'Enquête faite par la chambre de commerce pour l'année 1860, sind leider nur für jedes der 274 Gewerbe, in welche die Industrie für die Enquête getheilt wurde, die Resultate zusammengestellt. Z. B. von den 3355 Bäckergesellen, welche von den 930 Bäckermeistern beschäftigt wurden, wohnten 1234 beim Meister, 2056 in eignen Meubeln, 65 in fremden Meubeln. Die detaillirten Angaben der einzelnen Meister sind nicht publicirt.

Neben diesen Angaben jedes Arbeitgebers über die Wohnung ihrer Arbeiter sind Angaben gemacht über das Betragen nach den drei Kategorien „gut", „zweifelhaft", „schlecht".

Auch diese Angaben sind für jedes Gewerbe publicirt; z. B.
unter den 3355 Bäckergesellen hatten 2909 ein gutes, 375
ein zweifelhaftes und 71 ein schlechtes Betragen. Eben solche
Angaben liegen getrennt vor für die weiblichen Arbeiter.

　　Dieses quantitativ so reiche Material ist für die Frage
nach dem Einfluß der Wohnung auf die Sittlichkeit aus meh=
reren Gründen mangelhaft. Wir wissen von jedem Gewerbe
nur, wie viele auf jede der angegebenen Arten wohnen und da=
neben ganz unabhängig davon, wie viele in jedem Gewerbe
sich gut, zweifelhaft oder schlecht benahmen, wir wissen aber
nicht, wie viele von den Chambregarnisten betrugen sich gut,
zweifelhaft oder schlecht, wie viele der Eigenmeubler und wie viele
der Meisterwohner. Das erschwert die Untersuchung ganz wesent=
lich, und wir können nur auf Umwegen (s. S. 32—41) für alle Ge=
werbe zusammen ermitteln, wie innerhalb jeder Wohnungsart das
Betragen procentweise sich vertheilt. Die obigen dürftigen An=
gaben sind nicht einmal tabellarisch zusammengestellt, sondern
finden sich über das ganze Werk zerstreut in den Noten zu den
274 Tabellen, ebenso sind dieselben nirgends in Procenten be=
rechnet, wie überhaupt das ganze schöne Werk fast gar keine
Procentberechnung enthält, wodurch die weitere Verarbeitung
durch den Privatstatistiker wesentlich erschwert wird. Darum
habe ich die absoluten Zahlen und die berechneten Procente in
der großen Tabelle 1 zusammengestellt für die männlichen und
weiblichen Arbeiter jedes Gewerbes. Wo die Reihe ausfällt,
sind entweder keine Männer oder keine Frauen in dem Gewerbe
beschäftigt. Diese Tabelle ist geordnet nach den 15 Haupt=
gruppen, in welche die 275 Gewerbe durch die Enquête ver=
einigt sind. (Siehe die große Tabelle II a. b.)

　　Selbst wenn wir aber das Material so detaillirt hätten,
daß wir die Wohnungsart und das Betragen jedes einzelnen
Arbeiters kennten, so bliebe das Material für eine moral=
statistische Untersuchung doch noch ungenau. Einmal ist die
Güte der Wohnung gar nicht immer charakterisirt durch die
Bezeichnungen, die uns vorliegen, ein Chambregarnie kann
sehr gut, eine Wohnung, in der man seine eigenen Meubel
aufstellt, sehr schlecht sein, ebenso besagt, daß Jemand beim

Meister wohnt, noch gar nicht, ob die Wohnung gut oder
schlecht ist. Welche Qualität jede der drei Wohnungsarten
durchschnittlich hat, müssen wir auch indirect ermitteln. Ein
Vorzug dieser Angaben ist wenigstens, daß nicht jeder Arbeit=
geber unter den drei Wohnungsarten etwas Verschiedenes ver=
stehen konnte. Dieser Vorwurf, daß mit ungleichem Maßstabe
gemessen wurde, trifft in jedem einzelnen Fall die Angabe über
das Betragen. Die Beurtheilung des Betragens ist eine an=
dere je nach der Subjectivität desjenigen, der darüber sein Ur=
theil abzugeben hat. An einem Arbeiter, dessen Betragen der
eine Fabrikant lobt, findet ein anderer Vieles auszusetzen, ja
derselbe Fabrikant hätte an einem anderen Tage, an dem er
anders gestimmt war, sein Urtheil vielleicht wesentlich anders
gefällt. Die Anhaltepunkte für Bestimmung des Betragens,
welche der Fragebogen an die Hand gab, sind sehr unvoll=
kommen. Es heißt in den auszufüllenden Bulletins wörtlich
nur: On demandera s'ils sont économes ou dépenseurs —
rangés ou dissipés, tranquilles ou turbulents, laborieux ou
non laborieux, combien ils travaillent de jours par semaine,
et si leurs chômages sont volontaires ou habituels.*)

Nach welchem Maßstabe dann die Beurtheilung in die
drei Ausdrücke bon, douteux und mauvais concentrirt ist,
findet sich nirgends gesagt, ja ich bin mir nicht einmal darüber
klar, ob dieses Resumé des Urtheils von dem Arbeitgeber oder
von der Handelskammer gemacht wurde. Aber wir stoßen noch
auf weitere Schwierigkeiten: das Betragen wird ganz anders
beurtheilt werden und beurtheilt werden müssen nach den ver=
schiedenen Gewerben. Ein Betragen, das bei einem gewissen
Handwerk als schlecht gilt, kann in einem anderen Gewerbe,
das eine gewisse Rohheit naturgemäß erzeugt, noch als leidlich
oder gar als gut gelten. Ein unregelmäßiger Arbeiter aus
Arbeitsunlust ist weniger zu tadeln bei Gewerben, in welchen
periodische oder zufällige Unterbrechungen gegen den Willen der
Arbeiter oft vorkommen, denn der Arbeiter muß dadurch liederlich
werden. Das Betragen der weiblichen Arbeiter muß ganz an=
ders beurtheilt werden als das der männlichen.

---

*) Statistique de l'Industrie 1860 S. XIV.

Allein troß allen diesen Schiefheiten in der Beurtheilung müssen wir doch immer die moralische Stellung eines Arbeiters nach Angabe „gut", „zweifelhaft" und „schlecht" zu beurtheilen für leichter halten als die Güte der Wohnung nach den obigen drei Angaben, besonders da die Beurtheilung des Betrages, welche in einer Reihe von Fällen zu streng ist, durch die zu milde auf der anderen Seite bei der großen Anzahl von circa 120,000 ausgefüllten Bulletins über fast eine halbe Million Menschen aufgewogen wird.

II. Theil.
Die aus dem statistischen Material gewonnenen Resultate.
§. 4.
Hauptresultat der Tabelle Ia.*)

		Betragen.			
		Männer.		Frauen.	
Stadttheile.	pCt. gut Logis.	gutes Betragen. pCt.	sehr schlechtes Betragen. pCt.	gutes Betragen. pCt.	sehr schlechtes Betragen. pCt.
Die 6 Arrondissements mit den wenigsten guten Logis	35	46	10	20,4	19
Die 6 Arrondissements mit den meisten guten Logis	44,5	50	2,5	21,7	14
Alle 12 Arrondissements	39	48	6,4	21	16,6
Die obigen Zahlen im Verhältniß zu ganz Paris = 100.	89	96	156	97	114
	114	104	39	103	86
	100	100	100	100	100

*) Die ausführlichen Tabellen finden sich alle im Anhang; in den Text sind immer nur die Hauptresultate aufgenommen und zwar meist zu Anfang eines Abschnittes. Nur, wenn ein solches „Hauptresultat" durch den Seitenschluß hätte abgebrochen werden müssen, ist die kleine Tabelle auf den Anfang der nächsten Seite hinübergenommen worden.

Die Untersuchungen an den Daten, welche die Chambregarnieenquête des Jahres 1849 zur Beurtheilung unserer Frage
darbietet, ergaben folgendes Resultat: Auf Tabelle Ia. sind die
12 Pariser Arrondissements in einer Reihe geordnet, von dem
XII. Arrondissement mit dem geringsten Antheil guter Chambregarnies, 98 oder 30 pCt. aller 325 Chambregarnies bis zu
dem VI. Arrondissement mit dem größten Antheil 117 oder
49 pCt. aller 239 Chambregarnies dieses VI. Arrondissements.
Zu dieser in der Reihe wachsenden Procentzahl ist gestellt der
Antheil der männlichen Chambregarnisten, welche in jedem Arrondissement sich gut aufführen und derer, welche sich sehr schlecht
betragen; ebenso der Antheil der weiblichen Einwohner solcher
Wohnungen. Genau dieselbe Anordnung ist auf Tabelle Ib.
gemacht nach der tiefsten Stufe der „sehr schlechten" Chambregarnies. Endlich ist Tabelle Ic. zusammengestellt nach der procentalen Menge von guten und mittelmäßigen Wohnungen,
und dazu die Männer und Frauen, welche sich gut und mittel-
mäßig aufführen. Diese letzte Tabelle zeigt durch Subtraction
von der Gesammtzahl zugleich die Zahl der schlechten und sehr
schlechten Logis mit der Zahl der schlecht und sehr schlecht sich
betragenden Männer wie Frauen.

Die Tabellen lehren uns Folgendes:

1) Zu Tabelle Ia. Je mehr in jedem Arrondissement die
guten Wohnungen mehr Procente aller ausmachen, als im Durchschnitt von ganz Paris, um so öfter oder wenn das nicht, in
um so höherem Grade ist auch der Procentsatz der Männer
und Frauen, die sich gut betragen, über dem Durchschnitt, je
weniger Procent die guten Wohnungen ausmachen, um so öfter
oder um so mehr ist das gute Betragen unter dem Durchschnitt.
Auch der Procentsatz derer, welche sich sehr schlecht betragen,
steht im Verhältniß zur Güte der Wohnung aber im umgekehrten: Je mehr gute Wohnungen, um so seltener oder um so
weniger stark ist das sehr schlechte Betragen über dem Durchschnitt; je weniger gute Wohnungen, um so mehr oder um so
stärker ist das sehr schlechte Betragen über dem Durchschnitt.

2) Zu Tabelle Ib.

Hauptresultat der Tabelle Ib.

Stadttheile.	Logis sehr schlecht.	Beträgen.			
		Männer.		Frauen.	
		sehr schlecht.	gut.	sehr schlecht.	gut.
	pCt.	pCt.	pCt.	pCt.	pCt.
Die 6 Aronbissements mit den meisten sehr schlechten Logis	13,6	9	45	20,2	21,3
Die 6 Arrondissements mit den wenigsten sehr schlechten Logis	6	2,2	52	11,7	21
Alle 12 Arrondissements	11	6,4	48	16,6	21
Die obigen Zahlen im Verhältniß zu ganz Paris = 100.	124	141	94	122	101
	55	34	108	70	100
	100	100	100	100	100

Hauptresultat der Tabelle Ic.

Stadttheile.	Logis gut und erträglich.	Betragen.			
		Männer.		Frauen.	
		gut und erträglich.	schlecht und sehr schlecht.	gut und erträglich.	schlecht und sehr schlecht.
	pCt.	pCt.	pCt.	pCt.	pCt.
6 Arrondissements mit den wenigsten guten und erträglichen Logis	75	70	30	50	50
6 Arrondissements mit den meisten guten und erträglichen Logis	86	81	19	58	42
Alle 12 Arrondissements .	80	74,5	25,5	53	47
Die obigen Zahlen im Verhältniß zu ganz Paris = 100.	94	94	118	96	106
	107	109	71	109	91
	100	100	100	100	100

Je mehr die Zahl der sehr schlechten Wohnungen über dem Durchschnitt ist, um so öfter oder in um so höherem Grade ist das sehr schlechte Betragen über und das gute unter dem Durchschnitt und umgekehrt.

3) Zu Tabelle Ic.

Je mehr die guten und passabeln Wohnungen über dem Durchschnitt von ganz Paris stehen, um so öfter oder in um so höherem Grade stehen auch die Arbeiter, welche sich gut und erträglich aufführen, darüber, und natürlich der Rest, d. h. die sich schlecht und sehr schlecht betragen, darunter. Diese Erscheinung dürfen wir nun nicht so ausdrücken, daß in demselben Verhält=niß, in welchem die Wohnungen eines Arrondissements besser sind, auch das Betragen besser ist, und je schlechter die Woh=nungen, in demselben Verhältniß das Betragen schlechter, denn wir finden eine Reihe von Fällen, in denen ein Arrondissement, das in Güte der Wohnung über dem Durchschnitt steht, in der Güte des Betragens dahinter zurückbleibt. Der Grund ist der: Auf das Betragen wirken so viele Umstände ein, daß das bessernde Moment, welches in einer guten Wohnung liegt, durch ein oder mehrere Momente, welche schlecht darauf influiren, aufgewogen oder sogar überwogen werden kann. Trotzdem übt die Woh=nung, wie manches andere Moment, ihren Einfluß aus, ohne in dem Endresultat jedes einzelnen Falles in Zahlen hervorzu=treten; in der Mechanik sieht man ja auch im Endeffect manche Kraft, welche nachweislich neben anderen parallelen oder ent=gegen wirkenden Kräften mitgewirkt hat, nicht direct.

Um den Einfluß eines Momentes rein zu finden, giebt es an sich mehrere Wege. Einmal könnte man die Fälle heraus=suchen, in denen nachweislich nur eine Ursache thätig gewesen ist, also hier die Fälle, in welchen nur die Beschaffenheit der Wohnung auf das Betragen wirkte. Das ist aber bei socialen, namentlich bei ethisch=socialen Erscheinungen nicht möglich, da fast niemals nur eine Ursache wirkt, und ganz unmöglich wird es in unserm Fall bei qualitativ wie quantitativ unzureichendem Material. Ein anderer Weg ist der, so viele Fälle complexer Wirkung zusammenzunehmen, daß nach der Größe nur der einen Ursache geordnet, alle anderen selbstständigen Ursachen in sehr

großen Gruppen von Fällen einander aufheben. Das können
wir hier thun. Zu dem Behuf sind weiter unten auf den Ta=
bellen Ia. b. c. die Wohnungsgattungen von immer 3 Arron=
dissements zusammengenommen und dazu die Betragensgattungen
eben dieser drei Arrondissements gestellt. Da zeigt sich schon
eine gewisse Uebereinstimmung in dem Betragen und der Wohnung.

Endlich sind wieder je 2 dieser 4 Gruppen vereinigt, also
6 Arrondissements mit den wenigsten guten Wohnungen den
6 mit den meisten gegenüber gestellt, ebenso für die sehr schlechten
Wohnungen und endlich für die guten und passabeln Wohnungen
zusammen. Die Aufschlüsse dieser keinen Tabellen sind sehr
charakteristisch, sowohl was die Wirkung der guten und schlechten
Logis auf das Betragen aller Einsassen betrifft, als was die
Verschiedenheit der Wirkung bei Männern und Frauen angeht.
Gute Wohnung bewirkt unter sonst gleichen Umständen gute
Aufführung und zwar bei den Männern etwas mehr als bei
den Frauen. Ein weiterer Effect ist, daß die gute Wohnung
das sehr schlechte Betragen bedeutend verringert, aber bei den
Männern wieder mehr als bei den Frauen, und zwar in un=
gleich höherem Maße, als es die gute Aufführung bei Män=
nern vermehrt. Die Verschiedenheit der Wohnung ruft nur in
geringem Grade gutes Betragen (96 : 104 bei Männern, 97 : 103
bei Frauen) hervor, denn die 6 Arrondissements mit den meisten
guten Logis differiren nur wenig von den 6 Arrondissements
mit den wenigsten guten Wohnungen, 89 gegen 114. Größer
ist die Differenz der Wohnungen in Bezug auf die sehr schlechten
Wohnungen, 55 : 124, wenn man hier überhaupt noch von
„Wohnen“ reden kann. Sehr schlechte Wohnung wirkt sehr
schlecht auf das Betragen, aber bei Männern in viel höherem
Maße (34 : 141) als bei Frauen (70 : 122). Betrachten wir
nun aber auch umgekehrt die indirecte oder negative Wir=
kung der Wohnung, das will sagen, wie gute Wohnung sehr
schlechtes Betragen und sehr schlechte Wohnung gutes Betragen
verhindert, so finden wir den negativen Einfluß der guten
Wohnung sehr bedeutend, bei den Männern Differenz 156 : 39,
bei den Frauen 114 : 86. Der negative Einfluß der sehr
schlechten Wohnung ist unbedeutend, die Männer mit gutem

Betragen bei viel und bei wenigen sehr schlechten Wohnungen verhalten sich wie 94 : 108, bei den Frauen gar ist kein impeditiver Einfluß bemerkbar, das gute Betragen ist bei vielen schlechten Wohnungen sogar um 1 pCt. über dem Durchschnitt (101 : 100).

Wir nehmen endlich nicht die beiden Extreme von Wohnung, gut und sehr schlecht, sondern gut und passabel gegen schlecht und sehr schlecht. Dann haben die besseren Wohnungen (94 : 107) auf Männer fast den gleichen Effect im guten Sinne (94 : 109), wie auf Frauen (96 : 109) und ist er bei beiden Geschlechtern stärker ausgeprägt, ein Zeichen, daß auch die passabeln Wohnungen, welche einen sehr großen Bruchtheil aller Wohnungen ausmachen, noch wohlthätig auf den Menschen wirken. Dahingegen ist der Effect der schlechten und sehr schlechten Wohnungen nicht so bedeutend, als der Effect nur der allerschlechtesten, ein Indicium, daß die dritte Kategorie der Wohnungen „schlecht" auf das Betragen wenig influirt, die vierte Kategorie „sehr schlecht" aber um so mehr. Der Effect der schlechten und sehr schlechten Wohnungen ist bei den Männern wieder größer, 71 : 118, als bei den Frauen, 91 : 106. Die Gründe dieser zunächst auffallenden Ungleichheiten betrachten wir erst weiter unten.

Schon der Umstand, daß gute Wohnung weniger stark im guten Sinn auf das Betragen wirkt, als schlechte Wohnung im schlechten Sinn, führt uns auf den Gedanken, daß außer der Güte der Wohnung noch etwas Besonderes auf das Betragen einwirkt, oder daß schon in dem Chambregarniewohnen etwas liegt, was die Güte der Wohnung nicht so stark auf das Betragen wirken läßt, als die Mangelhaftigkeit derselben. Zur Ermittelung dieses besonderen Etwas ziehen wir anderes Material in Betracht, das Wohnen in eignen Meubeln und in fremden Meubeln, das Letztere als Chambregarnist oder verbunden mit Leben auch in fremder Kost, beim Meister.

§. 5.

Die Industrie=Enquête des Jahres 1860 unterscheidet 15 Hauptgruppen der Industrie (Tabelle III.).

Hauptresultat der Tabelle III.

Gewerbe.	Männer. Chambregarnie. pCt.	Männer. zweifelhaft und schlecht Betragen. pCt.	Frauen. Chambregarnie. pCt.	Frauen. zweifelhaft und schlecht Betragen. pCt.	Männer. beim Miether. pCt.	Männer. zweifelhaft und schlecht Betragen. pCt.	Frauen. beim Miether. pCt.	Frauen. zweifelhaft und schlecht Betragen. pCt.	Männer. in eignen Möbeln. pCt.	Männer. gut Betragen. pCt.	Frauen. in eignen Möbeln. pCt.	Frauen. gut Betragen. pCt.
5 Hauptgruppen	11	7	3	4	39	6	13	7	51	91	66	89
5 Hauptgruppen	17	11	6	9	1	10	1	13	76	92	89	92
5 Hauptgruppen	27	10	10	12	0,4	11	0,5	7	84,6	89	96	94
15 Hauptgruppen von ganz Paris . .	20	9	7	9	10	9	9	9	70	91	84	91
Verhältniß gegen den Durchschnitt von ganz Paris = 100.												
5 Hauptgruppen	55	78	44	45	390	67	141	79	73	100	79	99
5 Hauptgruppen	85	122	88	101	10	111	12	146	109	101	107	102
5 Hauptgruppen	135	111	147	135	4	122	5	79	121	98	115	104
15 Hauptgruppen v. ganz Paris	100	100	100	100	100	100	100	100	100	100	100	100

Ordnet man diese 15 Hauptgruppen danach, wie viel Procent der Arbeiter im Chambregarnie wohnen, in drei Theile von je 5 Hauptgruppen (Tabelle III.), so findet man, daß in den 5 Hauptgruppen mit durchschnittlich 11 pCt. männlicher Chambregarnisten sich nur 7 pCt. der Männer schlecht auf=

führen, bei 17 pCt. Chambregarnisten aber 11 pCt., also je
mehr Chambregarnisten, um so schlechter das Betragen. In
den dritten 5 Hauptgruppen mit noch mehr Chambregarnisten,
nämlich 27 pCt., ist eine fernere Verschlechterung des Betragens nicht zu finden, sondern eine unbedeutende Verbesserung
von 11 pCt. auf 10 pCt. Hiernach scheint das Betragen nicht
stark von dem Wohnen in Chambregarnie beeinflußt zu sein.
Stärker scheint sich der Einfluß bei den Frauen zu erweisen.
Bei 3 pCt., 6 pCt., 10 pCt. weiblicher Chambregarnisten betrug sich schlecht und zweifelhaft 4 pCt., 9 pCt., 12 pCt., also
beide Reihen sind ziemlich gleich steigend.

Gerade umgekehrt findet sich ein Zusammenhang zwischen
dem Betragen und dem Wohnen beim Meister unter den männlichen Arbeitern, nicht aber unter den weiblichen. Bei 39 pCt.,
1 pCt., 0,4 pCt. beim Meister wohnender männlicher Arbeiter
betrugen sich 6 pCt., 10 pCt., 11 pCt. schlecht und zweifelhaft, also mit abnehmender Zahl der Meisterwohner steigendes
schlechtes und zweifelhaftes Betragen. Bei den Frauen steigert
die abnehmende Procentzahl Meisterwohner 13 pCt., 1 pCt.,
0,5 pCt. das schlechte Betragen nicht, denn bei 13 pCt. ist es
7, bei 1 pCt. 13 und bei 0,5 pCt. wieder 7. Für die dritte,
die Hauptart der Wohnung in eigenen Meubeln, dreht sich das
Verhältniß wieder um. Ein Zusammenhang zwischen dieser
Wohnungsart und dem Betragen zeigt sich bei den Männern
nicht, denn bei 51 pCt., 76 pCt., 84 pCt. Eigenmeubler sind
gute Aufführung 91 pCt., 92 pCt., 89 pCt. Bei den Frauen
hingegen steigt mit der Wohnung in eignen Meubeln 66 pCt.,
89 pCt., 96 pCt. das gute Betragen mit 89 pCt., 92 pCt.,
94 pCt.

Der Einfluß dieser drei Wohnungsarten könnte hiernach
für die beiden Geschlechter ein verschiedener erscheinen, das
Wohnen in fremden Meubeln von Einfluß auf das Betragen
der Frauen, ohne Einfluß auf das der Männer, das Wohnen
in fremden Meubeln und fremder Kost von Einfluß auf das
Betragen der Männer, ohne Einfluß auf das der Frauen, endlich das Wohnen in eignen Meubeln von Einfluß auf das Be-

tragen der Frauen, ohne Einfluß auf das der Männer. Allein
diese Unterschiede oder Gegensätze existiren in der Wirklichkeit
nicht, die gleiche Wohnungsart wirkt bei beiden Geschlechtern
in der Art gleich, nur ungleich in der Stärke. Einzig und
allein die Gruppirung der Industrie in die 15 Abtheilungen
macht es unmöglich, den Zusammenhang klar zu legen. In
jeder dieser 15 Abtheilungen, welche nach rein äußerlichen, weder
wirthschaftlichen noch ethischen Gründen zusammengestellt sind,
finden sich Gewerbe mit zu verschiedener Wohnungsart und
Leute mit zu viel verschiedenem durchschnittlichem Betragen zu=
sammen, so daß das zahlreiche Wohnen einer Art in dem einen
Gewerbe durch ebenso zahlreiche Wohnungen anderer Art in
den andern Gewerben ausgeglichen wird. Dieselbe Vermischung
findet statt im Betragen. Nur bei den in fremder Wohnung
und Kost befindlichen Leuten weichen die drei Hauptgruppen
überhaupt bedeutend von einander ab, weil solche Wohnungsart
fast nur bei Gruppe I. Alimentation und den Industries
non groupées vorkommt. Wir müssen die 15 Hauptindustrie=
gruppen wieder auflösen, müssen alle 275 Gewerbe einzeln
nehmen und diese alle nach den verschiedenen Gesichtspunkten
ordnen.*)

---

*) Ganz ähnlich erscheint auch, worüber Roscher im I. Bande seiner
Nationalökonomie, auf die Löhne nach der Enquête von 1847 Bezug nehmend,
sich wundert, der Lohn für die verschiedenen Gewerbe nicht bedeutend ver=
schieden, wenn wir, wie Roscher thut, nur den Durchschnittslohn dieser
Hauptgruppen mit einander vergleichen. Der niedrigste der durchschnittlichen
Löhne unter den 15 Hauptklassen war (mit Weglassung der zum großen Theil
in natura ausgelöhnten Gruppen Alimentation und Industries non groupées)
im Jahre 1860 für die Männer 3,70 Frs. in der Gruppe Brosserie,
Vannerie, Boisellerie, der höchste 5,31 Frs. in der Gruppe Instruments de
précision, de musique etc. Die Abweichung vom mittleren Lohn =
4,21 Fr. betrug also 12 pCt. nach unten und 26 pCt. nach oben; bei den
Frauen Minimum 1,61 Fr. Gruppe Peaux et Cuirs, Maximum 2,51 Fr.
Gruppe Métaux précieux, Or, argent, platine etc. Abweichung vom Mittel
= 2,02 Fr., 20 pCt. nach unten, 25 pCt. nach oben. Ganz anders die Diffe=
renzen, wenn man alle 274 Gewerbe einzeln nimmt. Bei den Männern
wieder mit Auslassung der theilweise in natura bezahlten Gewerbe Minimum
2,14 Alumettes, Maximum 5,87 Eventails (und zwar nach Auslassung der
noch höher bezahlten, aber schon in das Bereich der Kunst fallenden Graveurs

I. In Chambregarnie.
1. Männer.
Hauptresultat der Tabelle IVa.

	Männer.	
	Chambre-garnie. pCt.	Zweifel-haft und schlecht Betragen. pCt.
90 Gewerbe	5	3
90 Gewerbe	14	9
90 Gewerbe	28	12
270 Gewerbe	20	9

Verhältniß gegen alle 270 Gewerbe = 100.

90 Gewerbe	25	13
90 Gewerbe	70	100
90 Gewerbe	140	133
270 Gewerbe	100	100

Wir stellen alle 275 Gewerbe zusammen, anfangend mit den meisten Procenten Chambregarnisten und endigend mit den wenigsten. Bei solcher Gruppirung zeigt sich für die Männer, daß mit dem Fallen dieser Reihe die Procente des zweifel= haften und schlechten Betragens im Großen und Ganzen sich mindern, allein auch bei wenigen Chambregarnisten kommt viel und bei viel Chambregarnisten wenig schlechtes Betragen nicht

---

sur bois 7,44, Graveurs de camées 6,67, Lapidaires 6,39 und Dessinateurs industriels 6 Fr.). Das ist eine Abweichung vom Mittel = 4,21 Fr., 49 pCt. nach unten, 40 pCt. nach oben. Für die 231 Gewerbe mit weib= licher Arbeit war das Minimum 1,02 Fr. Fabricants de peaux, das Maxi= mum (nach Weglassung der künstlerischen Gewerbe und der drei sehr exceptionellen Préparatrices d'animaux mit 5 Fr.) 3,15 Fr. Doreurs sur bois Abweichung vom Durchschnitt = 2,02 Fr., 50 pCt. nach unten, 56 pCt. nach oben. Also ganz gewaltige Differenzen in den wahren Durchschnitts= löhnen (die Summe aller täglich gezahlten Löhne dividirt durch die Zahl der täglich ausgelohnten Arbeiter), nicht einzelner Arbeiter, sondern aller Arbeiter in einem Gewerbe.

2*

selten vor. Selbst in Linien statt in Zahlen ausgedrückt war
der Zusammenhang nur einem sehr geübten Auge sichtbar.
Wir lassen der Raumersparniß halber diese Gruppirung fort.
Viel deutlicher wird der Zusammenhang schon, wenn wir in
dieser Anordnung immer 10 Gewerbe zu einer kleinen Gruppe
zusammenfassen. Die 275 Gewerbe sind zu dem Zwecke auf
270 reducirt. Es fallen fort: 1) die Maurer, weil für diese
als zu schwankend in der Beschäftigung die Ermittelungen von
Wohnung und Betragen unterblieben; 2) die kalten Bäder
gleichfalls, weil die Angaben fehlen; 3) die Weißzeugunter-
unternehmer, Sous-Entrepreneurs de linge, weil diese nur
durch das schönere Geschlecht vertreten sind; 4) und 5) zwei
Gewerbe mit keinen Chambregarnisten, welche durch das Loos
ausgeschieden wurden. Die übrig bleibenden 270 Gewerbe
finden sich in 27 Gruppen auf Tabelle IV a.

Das Aufsteigen der Zahlen des Betragens ist bei dieser
Zusammenstellung schon viel gleichmäßiger, allein sie ist noch
immer keine constant aufsteigende, die störenden Ursachen neben
dem Einfluß der Wohnung heben in den verschiedenen Gruppen
einander noch nicht völlig auf, denn die Gruppen sind noch zu
klein. Die Ausgleichung findet erst statt, wenn man diese
Gruppen in eine noch geringere Zahl concentrirt. In Tabelle V.
ist die Zusammenstellung gemacht in Gruppen von je 30, 40,
60, 80 und endlich 90 Gewerben. Je mehr Gewerbe zusammengefaßt sind, um so gleichmäßiger steigt die Zahlenreihe oder die
Linie des Betragens auf mit der Chambregarniezahl.

2) Frauen.*)

Wie gestaltet sich das Verhältniß des Betragens zur Wohnung bei den Frauen? Frauen beschäftigt die Pariser Industrie
nur in 231 Gewerben, und auch in diesen 231 Gewerben arbeiten meistens neben sehr vielen Männern sehr wenig Frauen
oder es sind neben sehr wenigen Männern sehr viele Frauen
angestellt, doch ist die Zahl dieser Gewerbe nicht groß. Diese
231 Gewerbe wurden nach Auslosung eines wie oben in
23 Gruppen zu je 10 Gewerben getheilt (Tabelle IV b.). Der

---

*) Vergleiche auch die ausführliche Anmerkung 1 und 2 im Anhang.

Hauptresultat der Tabelle IV b.

Gewerbe.	Frauen.	
	Chambre-garnie. pCt.	zweifel-haftes und schlechtes Betragen. pCt.
110 Gewerbe	—	3
60 Gewerbe	4	6
60 Gewerbe	14	15
Alle 230 Gewerbe	7	9

Verhältniß gegen den Durchschnitt aller 230 Gewerbe = 100.

Gewerbe	Chambre-garnie.	Betragen.
110 Gewerbe	0	33
60 Gewerbe	59	68
60 Gewerbe	206	169
Alle 230 Gewerbe	100	100

Zusammenhang zwischen den beiden beobachteten Erscheinungen ist hier noch kein sehr leicht erkennbarer. Für eine weitere Concentrirung der Tabelle sind die ersten 11 Gruppen, welche gar keine Chambregarnisten aufweisen, also 110 Gewerbe zusammengefaßt, die andern 12 Gruppen aber in 4 Hauptgruppen zu je 30 Gewerben (Tabelle V.). Schon bei diesen sehr kleinen Gruppen zeigt sich neben der constant aufsteigenden Reihe der Chambregarnisten mit 0, 2,5, 5, 9,5, 22 pCt. die Reihe des Betragens gleichfalls ununterbrochen steigend mit 2,7, 5,5, 6,5, 10, 26 pCt., während bei den Männern erst Gruppen von je 90 Gewerben diese Erscheinung rein zeigen. In drei Hauptgruppen von 110, 60 und wieder 60 Gewerben ist der Zusammenhang viel enger als bei den Männern in drei Hauptgruppen.

II. Beim Meister.

1) Männer.

Tabelle VI a. enthält wieder die 270 Gewerbe mit Männer-

Hauptresultat der Tabelle VIa.

Gewerbe.	Männer.	
	beim Meister. pCt.	zweifelhaftes und schlechtes Betragen. pCt.
120 Gewerbe	—	14
80 Gewerbe	0,7	8,6
70 Gewerbe	51	5
Alle 270 Gewerbe	10	9

Verhältniß gegen alle 270 Gewerbe = 100.

120 Gewerbe	—	156
80 Gewerbe	7	95
70 Gewerbe	510	56
Alle 270 Gewerbe	100	100

arbeit in Gruppen von je 10. Dieselbe zeigt schon hier den günstigen Einfluß dieser Wohnungsart, eine bedeutende Ausnahme macht nur die 23. Gruppe, welche bei 7 pCt. Meisterwohnern, d. h. einer überdurchschnittlichen Zahl, 24 pCt. zweifelhaftes und schlechtes Betragen constatirt, also ein sehr bedeutend überdurchschnittliches. Charakteristisch ist ferner, daß die Gewerbe, nach Gruppen von 10 geordnet, noch so gewaltige Differenzen in der Wohnungsart zeigen: 120 Gewerbe haben gar keine Meisterwohner, weitere 80 Gewerbe nur 0,7 pCt. durchschnittlich, die letzten 70 Gewerbe aber 51 pCt. Solche Unterschiede existiren bei keiner anderen Wohnungsart der Pariser Arbeiter, das Wohnen beim Meister ist eben in Paris wie in allen großen Städten die Ausnahme und kommt in größerem Maße fast nur bei den Gewerben vor, welche für den menschlichen Magen im gesunden und kranken Zustande sorgen, sei es, daß sie über die Straße verkaufen, sei es, daß sie bei sich verzehren lassen. Da der Magen nur ein paar Nachtstunden nicht Nachfrage hält, müssen die Verkäufer immer parat sein, und da in vielen Fällen das Product jeden ein oder viele Male neu gemacht sein will, auch die Arbeiter immer an Ort und Stelle sein. Diese Gewerbe sind außer in der Gruppe Alimentation unter den Industries non groupées die Hôtels, Bals et Concert u. s. w. und die Apotheker. Bei diesen den Gewerben eigenthümlichen großen Differenzen in der Wohnungsart fallen die großen Differenzen in dem Betragen auch nicht auf, der Einfluß dieser Wohnungsart auf das Betragen ist ein großer bei den Männern

0, 0,7, 51 pCt. beim Meister,

14, 8,6, 5 pCt. zweifelhaft und schlecht Betragen.

2) Frauen.
Hauptresultat der Tabelle VIb.

Gewerbe.	Frauen.	
	beim Meister. pCt.	zweifelhaft und schlecht Betragen. pCt.
130 Gewerbe	—	9,5
50 Gewerbe	1,6	9,5
50 Gewerbe	40	6
Alle 230 Gewerbe	10	9
Verhältniß gegen alle 230 Gewerbe = 100.		
130 Gewerbe	—	107
50 Gewerbe	17	107
50 Gewerbe	435	67
Alle 230 Gewerbe	100	100

Das Wohnen beim Meister hat auch hier einen guten Einfluß, denn je mehr bei anderen Leuten Kost und Wohnung nehmen, um so besser ist das Betragen (Tabelle VI b.), aber der Einfluß ist nicht so groß als beim männlichen Geschlecht, denn gleiche Unterschiede in den Procenten der Meisterwohner bei verschiedenen Gewerben bewirken in der Aufführung einen geringeren Unterschied als bei den Männern.

Bei 0, 1,6, 40 pCt. weiblichen Meisterwohnern ist das Betragen 9,5, 9,5, 6 pCt. zweifelhaft und schlecht.

Bei der überwiegenden Zahl von Gewerben, nämlich bei 130, sind gar keine wirklichen Kost= und Logisgänger vorhanden, so daß auf die erste Hauptgruppe diese 130 Gewerbe und auf jede der beiden anderen nur 50 kommen. Bei einem viel größeren Wohnungsunterschiede zwischen der ersten und zweiten Gruppe als oben bei den Männern ist hier ein Betragens= unterschied noch nicht ersichtlich, sondern erst bei der sehr großen Zahl von 40 pCt. Meisterwohnerinnen.

III. In eigenen Meubeln.

1) Männer.

Hauptresultat der Tabelle VIIa.

Gewerbe.	Männer.	
	in eigenen Meubeln.	gut Betragen.
	pCt.	pCt.
90 Gewerbe	56	91
90 Gewerbe	80	88
90 Gewerbe	90	93
270 Gewerbe	70	91
Verhältniß gegen alle 270 Gewerbe = 100.		
90 Gewerbe	80	100
90 Gewerbe	114	97
90 Gewerbe	129	102
270 Gewerbe	100	100

Die Männer in 27 Gruppen geordnet zeigen wenige Aus= nahmen von der Parallelität des guten Betragens und dieser Wohnungsart, eine auffallende Ausnahme ist in der 13. Gruppe bemerkbar: obwohl mehr als durchschnittlich, nämlich 80 pCt., in eigenen Meubeln wohnen, ist doch weit unter dem Durch= schnitt das gute Betragen mit nur 62 pCt. Das schlechte Be=

tragen dieser ganzen Gruppe kommt ausschließlich auf ein Gewerbe, die Tapetenfabrikation. Von den 2685 Tapetenarbeitern haben nur 26 pCt. gutes Betragen, obwohl 79 pCt. in eigenen Meubeln und 21 pCt. Chambregarnie wohnen. Mit diesen 2685 Tapetenarbeitern sind 9 Gewerbe von zusammen nur 4366 Arbeiter in Gruppe 13 vereinigt, so daß die Tapeten= arbeiter den Grundton dieser Gruppe bestimmen. Außerdem weichen aber auch die beiden ersten Gruppen sehr ab. Bei nur 54, resp. 18 pCt. Eigenmeublern in der 1. und 2. Gruppe ist das Betragen brillant, beide Mal 98 pCt. gut Betragen. Diese Erscheinung erklärt sich einzig daraus, daß, wo so wenig Eigenmeubler sind, noch viel weniger Chambregarnisten existiren, nämlich 1 resp. 9 pCt., und fast alle beim Meister wohnen, 94 pCt. in der ersten und 73 pCt. in der zweiten Gruppe. Also nicht, weil so wenig in eigenen Meubeln wohnen, ist das Betragen gut, sondern weil so sehr viel beim Meister und so sehr wenig in Chambregarnie wohnen. Dieser gute Ein= fluß des Wohnens beim Meister ist so bedeutend, daß selbst, wenn wir nur 3 Hauptgruppen von je 90 Gewerben machen, neben der aufsteigenden Reihe des Wohnens in eigenen Meubeln das Betragen noch nicht sich bessert. Erst wenn in nur zwei Hauptgruppen unterschieden wird, „viel“ und „wenig“ Eigenmeubler, dann ist das Betragen um so besser, je größer die Zahl der Eigenmeubler ist.

2) Frauen.

Bei der Gruppirung nach je 10 Gewerben haben wir die= selbe Erscheinung wie bei den Männern. Die erste Gruppe von 10 Gewerben hat bei nur 7 pCt. in eigenen Meubeln 95 pCt. gutes Betragen, die zweite bei nur 16 pCt. sogar 99 pCt. gutes Betragen, dafür sind aber auch wieder in der ersten Gruppe 93 pCt. beim Meister, keine in Chambregarnie, in der zweiten Gruppe 80 pCt. beim Meister und nur 4 pCt. Chambregarnie. In der dritten Gruppe ist bei nur 59 pCt. Eigenmeubler das Betragen schon recht schlecht, denn die Zahl der Meisterwohner mit 28 pCt. tritt sehr entschieden gegen die der Eigenmeubler (59 pCt.) und Chambregarnisten (13 pCt.)

Hauptresultat der Tabelle VIIb.

	Frauen.	
	in eigenen Meubeln.	gut Betragen.
	pCt.	pCt.
80 Gewerbe	69,5	87,5
80 Gewerbe	94,2	94
70 Gewerbe	100	97
Alle 230 Gewerbe	84	91

Verhältniß gegen alle 230 Gewerbe = 100.

80 Gewerbe	83	96
80 Gewerbe	112	103
70 Gewerbe	119	107
Alle 230 Gewerbe	100	100

zurück. Abgesehen von der Abweichung in den beiden ersten Gruppen stimmt übrigens die Reihe des Betragens merkwürdig genau mit der des Wohnens in eigenem Mobiliar. Hier genügt auch die Theilung in drei Gruppen vollständig, um die Parallelität zu zeigen, da der Einfluß des Wohnens beim Meister für die Frauen nicht so ausgesprochen günstig ist, als für die Männer, und außerdem der Einfluß des Wohnens in eigenen Meubeln auf das weibliche Geschlecht stärker wirkt, als auf das männliche.

§. 6.
Zutreffen der Erscheinung in einzelnen Fällen.
(Tabelle VIIIa. und VIIIb.)

In dem Obigen sind für jede Wohnungsart und für jedes Geschlecht die gesammten Gewerbe in drei Hauptgruppen zusammengelegt. Bei diesen zeigt sich mit der einzigen unbedeutenden Ausnahme der Männer in eigenen Meubeln (wo erst die Trennung in nur zwei Hauptgruppen genügt), daß mit der Zunahme der Procente, welche auf eine bestimmte Wohnungs=

art kommen, auch das Betragen in einer bestimmten Richtung ab= oder zunimmt. Bei Zunahme der Chambregarnisten Ab= nahme des guten Betragens, bei Zunahme der Eigenmeubler und Meisterwohner Zunahme des guten Betragens! Für jedes einzelne Gewerbe stimmt verhältnißmäßig selten das Betragen mit der Wohnungsart, weil außer der Wohnung noch zu viel andere Momente das Betragen beeinflussen. Es wäre nun zu weitläuftig, für alle einzelnen Gewerbe zu untersuchen, wie viel oder wie wenig das Betragen in jedem Gewerbe bei einem be= stimmten Verhältniß der Chambregarnisten von dem durch= schnittlichen Betragen bei solchem Chambregarnistenverhältnisse abweicht. Wir wollen darum nur untersuchen, in wie vielen Gewerben das Betragen mit der Wohnung übereinstimmt, in wie vielen das Betragen vom Durchschnitt nach oben abweicht und in wie vielen nach unten. Auf der Tabelle VIII a. sind die Wohnungsarten für beide Geschlechter nach den drei Haupt= gruppen der Tabellen IV a. b., VI a. b., VII a. b. der Art ge= ordnet, daß z. B. für die Männer die erste Abtheilung gebildet ist aus allen Gewerben unter 5 pCt. Chambregarnisten, die zweite Abtheilung von 5 bis 28 pCt. Chambregarnisten, die dritte über 28 pCt. Chambregarnisten. Diesen drei Abtheilungen entsprechen nach den obigen Tabellen die Betragenscategorieen unter 3 pCt., 3 bis 12 pCt., über 12 pCt. schlechtes Betragen. Dazu ist gestellt, bei wie viel Gewerben, die unter 5 pCt. Chambregarnisten haben, auch das durchschnittliche Betragen von weniger als 3 pCt. schlecht eingehalten wird. Da finden wir, daß in den 33 Gewerben mit noch nicht 5 pCt. Chambre= garnisten in 26 Fällen das Betragen stimmt, nur in 7 nicht, in denen das schlechte Betragen mehr als 3 pCt. ausmacht. Die Abweichung des Betragens nach unten existirt hier natür= lich nicht, also existirt eine Abweichung nach oben nicht bei den Gewerben mit mehr als 28 pCt. Chambregarnisten, bei denen unter 35 Handwerkern 14 im Betragen den Durchschnitt von mehr als 12 pCt. schlechtes Betragen erreichen, 21 aber da= hinter zurückbleiben. Endlich in der mittleren Abtheilung durch= schnittlich 5 bis 28 pCt. Chambregarnisten stimmen von 202 Ge= werben 77 mit dem durchschnittlichen Betragen von 3 bis 12 pCt.

„ſ ch le ch t" überein, während 49 die 12 pCt. überſchreiten und
76 hinter den 3 pCt. zurückbleiben. In allen drei Abtheilungen
ſtimmen 117 Gewerbe mit dem Durchſchnitt der Hauptgruppe
überein, 56 ſind zu hoch im ſchlechten Betragen und 97 zu
niedrig. Dieſe ſo für die beiden Geſchlechter in allen drei
Wohnungsarten gemachte Tabelle VIII a. giebt viel Stoff zur
Ueberlegung, eine Erforſchung der Gründe, aus denen bald
das Mittel, bald die Abweichung nach oben oder unten ſtark
vertreten iſt, würde aber hier zu weit führen; es ſei daher
neben der Empfehlung dieſer Tabelle nur auf das eine Reſultat
aufmerkſam gemacht, wie für die beiden Geſchlechter Ueberein-
ſtimmung und Abweichung des Betragens mit der Wohnung
ſich vertheilt.

	Männer.			
	Richtig.	Zu viel.	Zu wenig.	
Chambregarnie	117	56	97	
Eigene Meubel	97	108	65	
Beim Meiſter	99	37	134	
Summa	313	201	296	
Verhältniß:	= 39 pCt.	= 25 pCt.	= 36 pCt.	=100pCt.

	Frauen.			
	Richtig.	Zu viel.	Zu wenig.	
Chambregarnie	138	34	58	
Eigene Meubel	120	76	34	
Beim Meiſter	43	24	163	
Summa	301	134	255	
Verhältniß:	= 44 pCt.	= 19 pCt.	= 37 pCt.	=100pCt.

§. 7.
Vertheilung der sich gut, zweifelhaft und schlecht Betragenden auf die drei verschiedenen Wohnungsarten.
Hauptresultat der Tabelle IX a. b.

Gewerbe.	Männer.				
	Beim Meister.	In eigenen Meubeln.	In Chambre-garnie.	Gutes Betragen.	Zweifel-haftes und schlechtes Betragen.
	pCt.	pCt.	pCt.	pCt.	pCt.
90 Gewerbe	1·	74	25	82	18
90 Gewerbe	13	68	19	95	5
90 Gewerbe	28	61	11	100	—
Alle 270 Gewerbe	10	70	20	91	9

Verhältniß gegen den Durchschnitt aller Gewerbe = 100.

Gewerbe	Beim Meister	In eigenen Meubeln	In Chambre-garnie	Gutes Betragen	Zweifelhaftes Betragen
90 Gewerbe	10	106	125	90	200
90 Gewerbe	130	97	95	104	56
90 Gewerbe	280	87	55	110	—
Alle 270 Gewerbe	100	100	100	100	100

Gewerbe.	Frauen.				
	Beim Meister.	In eigenen Meubeln.	In Chambre-garnie.	Gutes Betragen.	Zweifel-haftes und schlechtes Betragen.
	pCt.	pCt.	pCt.	pCt.	pCt.
50 Gewerbe	3,3	86,2	10,5	83,7	16,3
50 Gewerbe	13,7	82	4,3	95,7	4,3
130 Gewerbe	13,2	83,7	3,1	100	—
Alle 230 Gewerbe	9	84	7	91	9

Verhältniß gegen den Durchschnitt aller Gewerbe = 100.

Gewerbe	Beim Meister	In eigenen Meubeln	In Chambre-garnie	Gutes Betragen	Zweifelhaftes Betragen
50 Gewerbe	37	103	154	93	183
50 Gewerbe	149	98	63	106	48
130 Gewerbe	143	100	46	111	—
Alle 230 Gewerbe	100	100	100	100	100

Statt am Ende dieses Abschnittes die drei Wohnungs=
arten für Männer und dann für die Frauen übersichtlich zu=
sammenzustellen, nachdem wir soeben jede Wohnungsart für sich
betrachtet haben, wählen wir einen anderen Weg, der uns diese
Uebersicht an einer Gegenprobe giebt. Bei jeder Wohnungsart
sahen wir, daß zwar in vielen Fällen eine bestimmte Wohnungs=
art mit einer bestimmten Betragensstufe nicht stimmt, dafür
aber in den anderen Fällen um so besser. Da liegt der Ge=
danke nahe, zu forschen, wie vertheilen sich umgekehrt die Ar=
beiter des männlichen und weiblichen Geschlechtes auf die ver=
schiedenen Wohnungsarten, wenn wir die 270 resp. 230 Ge=
werbe nach dem Betragen ordnen, anfangend mit dem, welches
am wenigsten ordentliche Arbeiter hat, bis zu demjenigen, das
sich der meisten erfreut? Für die Männer zeigt das die Ta=
belle IX a.

Von den Arbeitern, die sich gut aufführen, kommen die
Meisten auf die beim Meister wohnenden, Verhältniß 280 : 100
als Durchschnitt, die wenigsten auf die Chambregarnisten,
55 : 100 als Durchschnitt. Von den mit schlechtem und zwei=
felhaftem Betragen kommen die Meisten auf die Chambre=
garnisten, Verhältniß wie 125 : 100, die Wenigsten auf die
Meisterwohner, 10 : 100, also genau dasselbe, was oben ge=
funden wurde. Endlich zeigt sich die Uebereinstimmung auch
darin, daß von den sich gut Betragenden nicht viele auf die
in eigenen Meubeln zu kommen scheinen, sondern nur wenig,
87 : 100, und von den sich schlecht Betragenden scheinbar viel,
106 : 100. Dieser Schein darf uns jedoch auch hier nicht
irre führen; die Zahlen zeigen weder, daß von den sich gut
Betragenden wenig in eigenen Meubeln wohnen, sondern nur,
daß ungeheuer Viele beim Meister Kost und Logis haben, noch
beweisen sie, daß von den sich schlecht Betragenden viele Eigen=
meubler sind, sondern nur, daß wenig Meisterwohner darunter
sind. Aehnlich, wenn auch in geringerem Maße, tragen die
Chambregarnisten Schuld an diesem Schein; die Resultate für
das weibliche Geschlecht werden sogleich für diese Behauptung
eine Stütze bieten. Von den Arbeiterinnen schlechter Aufführung
fallen nach Tabelle IX b. sehr viel, 154 : 100 als Durchschnitt,

auf die Chambregarnisten, also, wohl zu beachten, in stärkerem
Grade, als bei den Männern (nur 125 : 100), ebenso fallen
sehr wenig auf die Meisterwohner, 37 : 100, also, wohl zu be=
achten, ist die Abweichung geringer als bei den Männern
(10 : 100). Den größeren guten Einfluß des Wohnens beim
Meister auf die Männer und den größeren schlechten Einfluß
des Wohnens in Chambregarnie auf die Frauen sahen wir
oben schon. Andererseits sind unter den Weibern guten Be=
tragens wenig Chambregarnisten, 46 : 100, d. h. ungefähr so
viel als bei den Männern (55 : 100) und viele Meisterwohner
(143 : 100), aber viel schwächer als bei den Männern (280 : 100).
Der Zusammenhang zwischen gutem Betragen und dem Wohnen
in eigenen Meubeln tritt bei dieser Gegenprobe für die Frauen
zwar eben so wenig hervor als bei den Männern, er wird aber
doch wenigstens nicht scheinbar in das Gegentheil verkehrt wie
bei den Männern, aus dem doppelten Grunde, daß überhaupt
etwas weniger Weiber beim Meister wohnen, 9 pCt. gegen
10 pCt. Männer, und daß das Betragen dieser weiblichen Meister=
wohner nicht in dem Grade vor dem der anders Wohnenden
sich auszeichnet, als es bei den Männern der Fall ist, der Ein=
fluß dieser einen Erscheinung tritt also nicht so dominirend in
den Vordergrund bei den Weibern als bei den Männern. Bei
sehr verschiedenem Betragen der drei Hauptgruppen mit 16,8,
4,3 und 0 pCt. schlechten Betragens sind in der ersten Gruppe
von 130 Gewerben bei 0 pCt. schlechten Betragens genau die
gleiche Menge in eigenen Meubeln, als im Durchschnitt aller
230 Gewerbe, die 50 Gewerbe mit 16,3 pCt. schlechter Auf=
führung haben nur 3 pCt. Eigenmeubler über dem Durchschnitt
und die letzten 50 Gewerbe mit 4,3 pCt. schlechter Aufführung
nur 2 pCt. Eigenmeubler unter dem Durchschnitt, man kann also
wohl sagen, daß hier die Wohnungsart in eigenen Meubeln in
allen drei Betragensstufen gleich vertreten ist, d. h. nicht schein=
bar wie bei den Männern auf die vielen sich gut Betragenden
wenig Eigenmeubler kommen.

Welchem der Leser hier die Frage aufstoßen sollte, ob die
soeben geschilderten Arten zu wohnen nicht etwa die Wirkung

des Betragens wären, den müssen wir auf das Ende dieses
Aufsatzes verweisen, wo dieser Punkt behandelt werden wird.

§. 8.
Indirecte Ermittelung der sich gut, zweifelhaft und schlecht betragenden Meisterwohner, Eigenmeubler und Chambregarnisten.

Nach Vorführung und Verarbeitung dieses Materials handelt es sich nun vor Allem um Beantwortung der Frage:
Können wir aus den ziffermäßigen Angaben, daß bei bestimmten
Procenten einer Wohnungsart bestimmte Procente guten oder
schlechten Betragens sich zeigen, auf irgend eine Art ermitteln,
wie viele der Chambregarnisten sich gut oder schlecht aufführen,
wie viele der Meisterwohner und wie viele der Eigenmeubler?
Ein wichtiges Hülfsmittel für diese Forschung scheint die zuerst
besprochene Wohnungsenquête des Jahres 1849 über die
Chambregarnies zu bieten, um eine der drei „Unbekannten“,
nämlich das Betragen der Chambregarnisten, durch eine Bekannte
zu ersetzen und so leichter die beiden anderen Unbekannten zu
finden.   Diese Chambregarnies=Enquête hatte ergeben, daß von
den 21,567 männlichen Arbeitern, welche in den untersuchten
Chambregarnies wohnten, 48 pCt. gutes, dagegen 52 pCt.
passables, schlechtes und sehr schlechtes Betragen hatten. Ebenso
waren von den Frauen nur 21 pCt. in der Aufführung zu
loben.   Leider können wir die Angabe, daß 52 pCt. dieser
männlichen Chambregarnisten kein gutes Betragen hatten, nicht
in der Art auf die Zahlen unseres Jahres 1860 anwenden, daß
wir auf die 50,369 männlichen Chambregarnisten 52 pCt. nicht
gutes Betragen, d. h. 26,192 rechnen, denn nach der Enquête
des Jahres 1860 hatten von allen männlichen Arbeitern nicht
einmal so viel schlechtes Betragen, sondern nur 24,439. Auf
die 175,438 Männer in eigenen Meubeln und die 26,171 beim
Meister müßten dann 1753 weniger als gar keine sich schlecht
aufführen. Das ist ein Unding, ganz abgesehen davon, daß allein
die Charcutiers, Cremiers, Boyaudiers und Vanniers 62
Leute schlechten Betragens haben, während gar keiner Chambre=
garnie wohnt, und in andern 33 Gewerben also zusammen in

37 Gewerben, d. h. im siebenten Theil aller Gewerbe 7567
Arbeiter schlechtes Betragen haben, von denen nur 4496 Chambre=
garnie wohnen. In diesen 37 Gewerben kommen also min=
destens 3133 mit schlechtem Betragen auf Arbeiter beim Meister
und in eigenen Meubeln. Aus diesen Zahlen darf man mit
Fug und Recht schließen, was auch aus anderen Gründen ein=
leuchtet, daß in den anderen Gewerben unter den Arbeitern
schlechter Aufführung sich ebenfalls Mancher befindet, der beim
Meister oder in eigenen Meubeln wohnt. Aus dem Obigen
ergiebt sich jedenfalls, daß auch nicht entfernt 52 pCt. der
männlichen und 79 pCt. der weiblichen Chambregarnisten
schlechte Aufführung vorzuwerfen ist. Die Angabe der Enquête
von 1849 können wir nicht einmal brauchen, wenn wir von ihren
vier Betragenscategorieen No. II. „passabel" mit zu gut
rechnen wollten, wo dann in den beiden Categorieen schlecht
und sehr schlecht die Deckung für zweifelhaftes und schlechtes
Betragen der Enquête von 1860 gesucht werden müßte, während
aller Wahrscheinlichkeit nach die Categorie „passabel" mehr
mit der Categorie „zweifelhaft" übereinstimmen wird. Selbst
wenn aber passabel gleich gut wäre, würden schlecht und sehr
schlecht 25,5 pCt. der Chambregarnisten sich betragen müssen,
während wir auf anderem, sogleich zu bezeichnendem Wege nur
13 pCt. schlecht und sehr schlecht finden. Die 52 pCt. Chambre=
garnisten mit nicht gutem Betragen könnten darum für 1849
und für die Wohnungen, welche untersucht wurden, doch richtig
sein, entweder wenn damals das Betragen durchschnittlich schlechter
gewesen wäre, oder wenn unter „gutem" Betragen damals
etwas Anderes verstanden wäre, als 1860, oder endlich, wenn
die der Enquête unterworfenen Chambregarnies, da es nicht
alle waren, gerade die schlimmsten, d. h. diejenigen, welche
Chambregarnisten in Menge professionsmäßig aufnehmen, ge=
wesen wären, während die vielen einzeln in Chambregarnies
wohnenden Leute nicht ermittelt worden sind. Daß der letzt=
genannte Umstand die Differenz mit 1860 hauptsächlich erklärt,
läßt sich z. B. daraus abnehmen, daß die Industrieenquête des
Jahres 1847—1848 unter ¾ der gesammten Pariser Arbeiter=
Bevölkerung 34,311 männliche Chambregarnisten ergab, was

auf die ganze Arbeiterbevölkerung circa 46,000 ausmachen
würde, während die Chambregarnie=Enquête Anfangs 1849
nur 21,567 ermittelte, unter denen noch manche nicht der In=
dustrie Angehörige sich befanden. Im Januar 1849 war nun
allerdings durch die allgemeine Geschäftsstockung die Zahl der
Chambregarnisten kleiner als im Jahre 1848 am 5. Januar,
also vor der Revolution, nämlich 21,567 gegen 27,665, d. h.
nur um 6098, welche Arbeiterzahl von 1848 ein Unbedeutendes
die des Jahres 1847 übertroffen haben mag. Also von den
46,000 Chambregarnisten des Jahres 1847 resp. 1848 mögen
nach demselben Verhältniß (27,665 : 21,567) noch circa 36,000
in Paris Beschäftigung gefunden haben, während die Enquête
in den von ihr durchforschten Chambregarnies nur 21,567 fand.
14—15,000 Chambregarnisten sind der Enquête nicht unter=
worfen worden, folglich auch nicht ihre Wohnungen. Die=
jenigen 14—15,000 Chambregarnisten oder Arbeiter nun, welche
nicht in den Höhlen wohnten, welche die Wohnungsenquête uns
beschreibt, sind aller Wahrscheinlichkeit nach die besseren, welche
derartige meist spelunkenähnliche Aufenthaltsorte fliehen, ebenso
wie die nicht untersuchten Chambregarnies auch die besseren sein
mögen. Es sind die große Anzahl von Wohnungen für ledige
Leute, welche durch Aftervermiethung überflüssiger Wohnungs=
räume erster Miethe überall zu finden sind. Mögen die=
selben auch oft recht schlecht sein, auf gleicher Stufe mit den
der Enquête unterworfenen Wohnungen können sie durch=
schnittlich nicht stehen; diese Chambregarnies sind sämmtlich von
der Enquête eximirt, denn sie fallen unter keine der drei Cate=
gorieen Garnis speciaux, Garnis au mois, Garnis à la nuit,*)
sie können auch kaum in einer solchen Enquête Raum finden.
Die Bewohner dieser einzelnen meublirten Zimmer gehören
unstreitig zu den besseren Arbeitern, das kann man aus der
Zahl gewisser Arten von Menschen ableiten, welche die Garnis
speciaux, au mois und à la nuit fliehen. Es sind das die=
jenigen Chambregarnisten, deren Betragen mit dem Maßstab
des Vermiethers bemessen, Ausnahmen zugestanden, zu dem

---

*) Statistique de l'Industrie à Paris 1849, S. 980—982.

befferen gehört, nämlich die Chambregarnisten, welche zwar auf mehrere Monate oder Jahre, aber doch vorübergehend in Paris sich aufhalten, oder welche niemals heirathen wollen, alte Junggesellen, oder noch nicht heirathen können, natürliche Junggesellen. Zu diesen Leuten sind in großer Anzahl für Paris zu rechnen die Employés et Commis, die Militaires (Mobiles, Ex-militaires, Officiers), die Professions libérales diverses, die Rentiers et Propriétaires und vor Allem die Etudiants aller Art, Juristen, Mediciner, Techniker, Künstler u. s. w. Von solchen Leuten müssen doch eine gewaltige Zahl in Chambregarnies wohnen, allein in den untersuchten Chambregarnies finden sich nur wenig Leute der Art, z. B. Commis 866, Militaires 538, Professions libérales 267, Rentiers et Propriétaires 208 und gar Etudiants aller Art nur 207.[*])

Das Bild, welches uns die Enquête des Jahres 1849 entwirft, ist aus all' diesen Gründen, Gott sei Dank, nur richtig für 21,567 Chambregarnisten, nicht auch für die anderen circa 14—15,000 Chambregarnisten aus den sog. arbeitenden Klassen.

Desgleichen dürfen wir auch bei den Frauen nicht darauf rechnen, aus der Wohnungsenquête des Jahres 1849, welche 79 pCt. aller weiblichen Chambregarnisten als nicht guter Aufführung ergab, zu finden, daß von den 7145 Chambregarnistinnen auch 79 pCt., d. h. 5644 sich nicht gut aufführten, denn dann verblieben von den gesammten 9276 sich schlecht Betragenden nur 3632, d. h. 3,7 pCt. der 97,781 beim Meister und in eigenen Meubeln Wohnenden. Das wäre, wie wir sogleich sehen werden, viel zu wenig. Wollte man meinen, daß die übrigbleibenden 3632 sich hauptsächlich auf die beim Meister Wohnenden vertheilen, indem unter den in eigenen Meubeln Wohnenden keine oder nur sehr wenige sich schlecht betrugen, so kann das aus der Tabelle X a. widerlegt werden. In acht Gewerben nämlich, welche unter 659 Arbeiterinnen nur Eigenmeubler haben, sind 83 oder 13 pCt., d. h. mehr als im Durchschnitt von nicht gutem Betragen. Ebenso sind in ferneren

---

[*]) Statistique de l'Industrie à Paris 1849, S. 959—975.

27 Gewerben (Tabelle X c.), welche zusammen nur 602 beim Meister und 2253 Chambregarnisten haben, 4058 von nicht gutem Betragen, folglich sind in den 35 Gewerben 1276 Frauen schlechten Betragens in eigenen Meubeln, was schon 4,3 pCt. aus= macht, wenn man von der unhaltbaren Annahme ausginge, daß in diesen 27 Gewerben alle Chambregarnisten und alle Meister= wohner sich schlecht betragen. Wir hätten alsdann schlechtes Be= tragen bei sämmtlichen 2855 Chambregarnisten und Meister= wohnern der 35 Gewerbe, außerdem 3810, d. h. 79 pCt. der übrig= bleibenden 4892 Chambregarnisten, Summa 6665 Chambregar= nisten in allen Gewerben und Meisterwohner in den genannten 35 Gewerbe, für alle 93,579 Meisterwohner und Eigenmeubler in den übrigen 199 Gewerben blieben also nur 2611 oder 2,8 pCt., schlechten Betragens, was allein schon durch die genannten 35 Gewerbe widerlegt wird, in denen mindestens noch einmal so viel Procent der Eigenmeubler sich schlecht aufführen, selbst wenn alle Chambregarnisten und Eigenmeubler ausnahmslos schlechtes Betragen hätten.

Die Enquête über das Betragen einer Anzahl Chambre= garnisten im Jahre 1849 kann uns nach dem Vorausgehenden direct zur Erforschung des Betragens aller Chambregarnisten im Jahre 1860 nicht verhelfen, indirect können aber einige Daten aushelfen bei einem anderen Wege, den wir zur Er= forschung des Betragens aller drei Wohnungsarten einschlagen.

Wir lernten soeben 35 Gewerbe kennen (Tabelle X a. und d.), welche zusammen 4131 Frauen nicht guten Betragens haben, während in Chambregarnie und beim Meister nur 2855 wohnen, ein namhafter Theil muß also auf die Eigenmeubler fallen, selbst wenn wir annehmen, daß in diesen 32 Gewerben alle Chambregarnisten und Meisterwohner sich schlecht aufführen. Diese letztere Annahme ist selbstredend falsch. Nehmen wir an, daß $\frac{1}{3}$ oder 33 pCt. der Chambregarnisten und $\frac{1}{8}$ oder 12,5 pCt. der Meisterwohner sich schlecht aufführen, so sind das 750 Chambregarnisten und 75 Meisterwohner, zusammen 825. Diese gehen ab von den 4131 mit schlechtem Betragen und bleiben 3306 auf 29,441 Eigenmeubler, d. h. 11 pCt. Diese An= nahmen stimmen nicht übel mit unserer obigen Zahlenreihe, daß

je mehr Chambregarnisten, um so schlechter das Betragen, und
zwar in hohem Grade, daß je mehr beim Meister und in
eigenen Meubeln wohnen, das Betragen um so besser ist, und
zwar bei den Eigenmeublern in etwas höherem Grade als bei
den Meisterwohnern, was ungefähr heißen würde: die Eigenmeubler sind etwas unter dem Durchschnitt schlecht, die Chambregarnisten bedeutend über dem Durchschnitt schlecht und die
Meisterwohner weder unter, noch über dem Durchschnitt.

Chambregarnie .   33   pCt. $\left.\right\}$ schlechtes und zweifel-
In eigenen Meubeln 11   =   haftes Betragen.
Beim Meister .   12,5   =
_____
Durchschnitt Aller 11,8 pCt.

Mit diesen Zahlen gehen wir an die anderen Gewerbe.
Nach Tabelle X e. haben wir fernere 29 Gewerbe, in denen
2455 schlecht sich aufführen, d. h. 830 mehr als Chambregarnie wohnen (1625), es fallen also wieder Viele auf die
beim Meister und in eigenen Meubeln. Wir vertheilen das
schlechte Betragen wieder in dem Verhältniß wie oben, nur
müssen wir alle Procente gleichmäßig kürzen, denn das durchschnittlich schlechte Betragen der ersten 35 Gewerbe war 12,8
und in den letzten 29 Gewerben nur 8,5, also sind alle Procentsätze auf circa ⅔ zu kürzen.

Das giebt für
Chambregarnisten 22   pCt., d. h. 358 von 1625,
Meisterwohner .   8,3   =   =   521 = 6284,
_____
Summa   879 von 8909.

Diese 879 gehen ab von den 2455 schlechten Betragens
und bleiben 1576, welche auf die 20,932 in eigenen Meubeln
fallen. Auch das ist fast genau ⅔ des obigen Procentsatzes von
11 pCt., nämlich 7,5 (statt genauer 7,3). Nun bleiben noch
übrig 167 Gewerbe, in denen nicht mehr Leute sich schlecht
aufführen, als Chambregarnisten sind. In diesen 167 Gewerben ist das schlechte Betragen durchschnittlich nur halb so
groß als bei den ersten 32 Gewerben, nämlich 6,1 pCt. statt
12,8 pCt. Alle Procentsätze sind darnach zu reduciren auf ½.

Das giebt
für Chambregarnisten 16,5 pCt. von   3267 = 530
 = Meisterwohner . 6,3 = = 2899 = 182
 = Eigenmeubler . 5,5 = = 37,421 = 2058

      Summa 6,1 pCt. von 43,587 = 2770.

Dazu aus den ersten
35 Gewerben Summa 12,8 = = 32,296 = 4131

Dazu aus den zweiten
29 Gewerben Summa 8,5 = = 29,043 = 2455

      Summa 8,8 pCt. von 104,926 = 9356.

Die wirkliche Zahl aller sich schlecht Betragenden stimmt damit fast genau, es sind nach Tabelle IX b. 9276 statt der berechneten 9356. Im Gesammtresultat erhalten wir:

	Beim Meister.	In eigenen Meubeln.	In Chambre-garnie.	Summa.
	pCt.	pCt.	pCt.	pCt.
Erste 35 Gewerbe	12,5 = 75	11 = 3575	33 = 765	12,8 = 4415
Zweite 29 Gewerbe	8,3 = 521	6,7 = 1402	22 = 358	8,5 = 2281
Dritte 167 Gewerbe	6,3 = 182	5,5 = 2058	16,5 = 530	6,1 = 2770
S. 231 Gewerbe	7,9 = 778	7,6 = 7035	22,7 = 1653	8,8 = 9466

Hiernach kämen 9466 mit zweifelhaftem und schlechtem Betragen heraus, in Wahrheit sind es, wie gesagt, 9276, es stimmt also die Zahl bis auf circa 1,2 pCt.

Bei den Männern können wir füglich nicht auf dieselbe Weise berechnen, wie viele der sich schlecht Betragenden auf jede Wohnungsart fallen, denn während wir bei den Frauen unter nur 231 Gewerben 64, also 28 pCt. hatten, in denen die Chambregarnisten von den Weibern schlechter Aufführung übertroffen wurden, haben wir bei 274 Gewerben nach Ta=belle XI d. nur 39, d. h. nur 14 pCt., in denen dasselbe statt=findet, und von diesen 39 Gewerben sind es sogar nur 10, d. h. noch nicht 3 pCt. aller, in denen die sich schlecht Be=tragenden mehr sind als Chambregarnisten und Meisterwohner zusammen, bei den Frauen betrugen diese Gewerbe aber 32, d. h. 14 pCt. Aller.

Von den 39 Gewerben, welche nur 14 pCt. aller 274 ausmachen, oder von den 34,851 Arbeitern, welche gleichfalls genau 14 pCt. aller 251,119 betragen, dürfen wir nicht auf die übrigen 86 pCt. mit derselben Sicherheit schließen, wie von 28 pCt. auf 72. Für die Berechnung der Männer haben wir andere Anhalte.

1) Wir wissen aus Tabelle IX a., daß die Männer, welche beim Patron wohnen, sich besonders gut aufführen, denn das schlechte Betragen stimmt sehr genau mit der geringen Anzahl Meisterwohner und umgekehrt.

2) Aus der Wohnungsenquête von 1849 wissen wir, daß das Betragen der Männer in den Chambregarnies sehr viel besser ist als das der Weiber.

Männer mit gutem Betragen 48 pCt.,
Weiber   =   =   =   21 pCt.

Allein so groß dürfen wir denn doch nicht den Gegensatz für alle Chambregarnisten annehmen, da die Wohnungsenquête 4 Stufen des Betragens hat, bon, passable, mauvais, très mauvais. Von denen, die passable genannt sind, werden manche sein, die in der Dreitheilung des Jahres 1860 bon, douteux, mauvais unter „bon" fallen.

Das Betragen der Männer war 1849 in den Chambregarnies 48 pCt. bon, 26,5 pCt. passable, Summa 74,5 pCt.

Das Betragen der Frauen war 1849 in den Chambregarnies 21 pCt. bon, 32 pCt. passable, Summa 53 pCt.

Das gute und passable Betragen der Männer verhält sich zu dem der Frauen wie 74,5 : 53 oder wie 100 : 71, oder das schlechte und sehr schlechte Betragen der Männer zu Frauen = 25,5 : 47 = 54 : 100. Nach unserer obigen Berechnung fanden wir, daß im Jahre 1860 von allen den Frauen in Chambregarnies 22,7 pCt. sich schlecht betrugen, darnach würde unter den Männern in Chambregarnies 12,5 pCt. (genau: 12,3 pCt.) sich schlecht aufführen 100 : 54 = 22,7 : 12,3. Von den 48,769 Chambregarnisten wären mit 12 pCt. 6096 schlechter Aufführung, dann blieben von den gesammten sich schlecht Betragenden 23,439 Männer, für die 202,350 in eigenen Meubeln und die 17,343 beim Meister Wohnenden. Wie viel sollen

wir davon auf die beim Meister Wohnenden rechnen? Jeden=
falls nur ein paar Procent, denn nach allen obigen Ausfüh=
rungen betragen sich die beim Meister wohnenden Arbeiter
männlichen Geschlechts ganz besonders gut. Nehmen wir nur
2 pCt. an, so sind das 518, es bleiben also für die in eigenen
Meubeln 16,825 oder 9,5 pCt. der 176,438, nehmen wir aber
4 pCt. auf die Meisterwohner, so bleiben für die in eigenen
Meubeln Wohnenden 16,307 oder 9,2 pCt. Ob wir die sich
schlecht aufführenden Meisterwohner hoch oder niedrig annehmen,
macht hiernach für die Eigenmeubler wenig aus, da ja die Zahl
der letzteren siebenmal so groß ist als die der ersteren. Selbst
gesetzt, wir wollten die sich schlecht betragenden Meisterwohner
so hoch nehmen als bei den Frauen, mit 7,9 pCt., so wären
das 2070 und blieben für die Eigenmeubler 15,273 oder
8,7 pCt., allein so hoch dürfen wir das schlechte Betragen der
männlichen Meisterwohner nicht taxiren als das der Weiber,
da nach Tabelle VIa. b. die Unterschiede im Betragen mit den
Unterschieden dieser Wohnungsart bei den Männern bedeutender
als bei den Frauen wachsen.

Bleiben wir bei 4 pCt. sich schlecht betragender Meister=
wohner stehen, so finden wir den Antheil der schlechten Eigen=
meubler bei den Männern höher als bei den Frauen (nämlich
9,2 gegen 7,6 pCt.), was vortrefflich mit dem anderen oben
gefundenen Resultate stimmt, daß mit Zunahme des Wohnens
in eigenen Meubeln das gute Betragen nicht so schnell wächst
als bei den Frauen, es muß ja auch, was im Betragen der
männlichen Chambregarnisten und Meisterwohner besser ist als
in dem der Frauen bei gleichem Durchschnittsbetragen beider
Geschlechter, im Betragen der Eigenmeubler schlechter sein, na=
türlich nur um wenige Procente, da die vielen Eigenmeubler
mit geringem Unterschiede im Betragen den großen Unter=
schieden der wenigen Chambregarnisten und Meisterwohner
leicht die Stange halten.

Das Gesammtresultat für beide Geschlechter wäre:

Es haben zweifelhaftes und schlechtes Betragen:

	Männer:	Frauen:
Beim Meister . .	4 pCt.	7,9 pCt.
In eigenen Meubeln	9,2 =	7,6 =
In fremden Meubeln	13 =	22,7 =

Daß dieses Resultat ganz genau mit der Wirklichkeit stimmt, wage ich nicht zu behaupten, aber sehr groß können die Abweichungen meiner Meinung nach nicht sein, wenigstens nicht für die Eigenmeubler, denn eine geringe Aenderung des Procentsatzes macht hier schon enorm viel aus in den Zahlen, welche dann für die Meisterwohner, welche an Güte im männlichen Geschlecht viel, im weiblichen etwas über dem Durchschnittsbetragen, und für die Chambregarnisten, welche im männlichen Geschlecht viel, im weiblichen sehr viel unter der Durchschnittsgüte stehen.

§. 9.

Zutreffen der gefundenen Procentsätze für die einzelnen Gewerbe.

Mit dem gefundenen Resultate können wir jetzt eine weitere Vergleichung anstellen, nämlich untersuchen, in wie vielen Gewerben das Betragen über dem Durchschnitt stimmt mit der Wohnungsart über dem Durchschnitt, desgleichen wie es unter dem Durchschnitt steht (Tabelle XII a. und b.) Fassen wir zuerst beide Fälle zusammen und fragen, wie steht über- und unterdurchschnittlich schlechtes Betragen zu jeder Wohnungsart, so finden wir, daß bei den Männern Betragen und Wohnen in Chambregarnie stimmt in 188 von 270 Fällen, d. h. in 70 pCt., nicht stimmt in 82 Fällen oder 30 pCt. Bei den Frauen ist das Verhältniß stimmend in 172 von 230 Fällen = 75 pCt., nicht stimmend in 58 Fällen = 25 pCt. Betragen und beim Meister Wohnen stimmt für die Männer in 156 von 270 Fällen, stimmt nicht in 114 Fällen, Verhältniß wie 58 pCt. zu 42 pCt. bei den Frauen, stimmend in 183 von 230 Fällen, nicht stimmend in 47, Verhältniß 80 pCt. zu 20 pCt. Endlich geht in eigenen Meubeln Wohnen und Betragen parallel bei den Männern in 166 von 270 Fällen, und nicht in 104 Fällen = 61 pCt. zu 39 pCt., bei den Frauen parallel in 153 von 230 Fällen, nicht parallel in 77 Fällen, Verhältniß = 67 pCt. zu 33 pCt. Ueberall ist es die weit überwiegende Zahl, in welcher Uebereinstimmung herrscht, als in denen sie nicht herrscht, was jedenfalls mehr als genügt, um den nothwendigen, nicht zufälligen Zusammenhang beider Erscheinungen zu beweisen. Die Zahl der übereinstimmenden Fälle müßte übrigens hier noch eine viel colossalere sein, wenn wir, wie öfters erwähnt, die einzelnen Arbeiter nach diesen zwei Seiten der Wohnung und des Betragens vergleichen könnten. Noch viel auffallender als in den oben genannten Zahlen zeigt sich die Uebereinstimmung speciell für die Fälle, in denen die Wohnungsart unterdurchschnittlich ist. In diesen Fällen beträgt auch das unterdurchschnittliche Betragen:

	Bei Männern:	Bei Frauen:
Chambregarnie	86 pCt.	98 pCt.
Beim Meister	61 =	79 =
In eigenen Meubeln	32 =	35 =

Bei dem überdurchschnittlichen Wohnen irgend einer Art herrscht hingegen vielfach keine Uebereinstimmung mit dem Betragen. Ist die Wohnungsart über dem Durchschnitt, so ist auch das Betragen über dem Durchschnitt nur

bei Männern:	bei Frauen:	
36 pCt.	21 pCt.	Chambregarnie,
40 =	81 =	beim Meister,
69 =	80 =	in eigenen Meubeln

der Fall.

Doch ist diese Erscheinung bei näherer Einsicht nicht auffallend. Fast alle Fälle der Wohnungsart, in Chambregarnie und beim Meister, über dem Durchschnitt sind exceptionelle, es sind nur wenige Gewerbe, in denen eine dieser beiden Wohnungsarten über dem Durchschnitt steht, dann aber auch oftmals sehr bedeutend. Unter dem Durchschnitt jeder Wohnungsart stehen von allen Gewerben nur

bei den Männern:	bei den Frauen:	
33 pCt.	27 pCt.	Chambregarnie,
16 =	16 =	beim Meister,
19 =	11 =	in eigenen Meubeln.

Diese wenigen Fälle großer Abweichungen ergeben mit den vielen Fällen geringer Abweichung den Durchschnitt.

Daß in so exceptionellen Fällen der Wohnung das Betragen öfter nicht stimmt als es stimmt, darf uns nicht wundern, die stark vertretene Art einer Wohnung rührt immer aus speciellen, diesem Gewerbe eigenthümlichen Gründen her, welche auf das Betragen ohne Einfluß sind, oder das stark vertretene Betragen irgend einer Art rührt von Gründen her, welche mit dem Gewerbe, nicht aber mit der Wohnung zusammenhängen. Diese Ausnahmsfälle geben enorm viel zu denken für diejenigen, welche praktisch mit der Hebung des Arbeiterstandes sich befassen.

In der Beschaffenheit des von uns benutzten statistischen Materials liegt der Grund, warum der Zusammenhang zwischen Wohnung und Betragen nicht so deutlich hervortritt, als er in Wahrheit ist, selbst wenn wir aber, wie wünschenswerth ist, von jedem einzelnen Arbeiter Wohnungsart und Betragen untrüglich genau kennten, so würde doch nicht immer schlechtes Betragen mit einer bestimmten Wohnungsart zusammenfallen, was ja die letzte Untersuchung genügend erhärtet hat. Die Wohnung ist nur einer der vielen Factoren, welche auf das Betragen des Menschen Einfluß üben. Unter diesen vielen Factoren nenne ich hier die Höhe des Lohnes, die Stetigkeit der Beschäftigung, also den Wegfall von regelmäßigen und unregelmäßigen in der Natur des Geschäftes liegenden arbeitslosen Zeiten, ferner die Anwendung des Stücklohnes, die Annehmlichkeit oder Unannehmlichkeit der Arbeit, die Localität der Arbeit, ob der Arbeiter in seiner Wohnung bei seiner Familie arbeitet oder mit wenigen zusammen in der Werkstatt des Meisters oder mit vielen zusammen in großen Fabrikräumen. Diesen Punkt kann man noch erweitern, ob in demselben Geschäft Frauen und Männer beschäftigt sind, ob das Geschäft viele oder wenige Arbeiter jeder Art beschäftigt, in welchem Stadttheil das Geschäft liegt. Endlich erwähne ich hier den Grad der Bildung, die jeder Arbeiter besitzt. Ich nenne nur diese Factoren, da wir den Einfluß aller dieser genannten Momente genau auf dieselbe Art feststellen könnten, als den der

Wohnung, denn aus der Industrieenquête können wir gleichfalls berechnen, wie viel Procente in jedem Gewerbe Männer
und Frauen jede bestimmte Lohnhöhe erreichen, wie viel Monate im Jahr die Arbeit ganz oder theilweise eingestellt wird,
wie viele Procente der Arbeiter ständig, wie viele unständig in
Paris sind, wir können weiter ausrechnen, wie viel Procent
Stücklohn statt Taglohn haben, welcher Art die Arbeit ist, ob
harter Natur, ob geisttödtend, gesundheitsgefährlich u. s. w.,
wir können nach der Enquête berechnen, wie viel Procent arbeiten à l'atelier, en ville, en chambre, welches das Verhältniß der beschäftigten Männer, Frauen und Kinder ist, ob das
Geschäft höchstens einen oder keinen Gehülfen beschäftigt, ob
zwischen 2 und 10, ob mehr als 10, endlich das Wichtigste,
wie ihre Bildung beschaffen ist, beurtheilt nach den Procenten,
welche lesen und schreiben oder nur schreiben können. Den
Einfluß all' dieser Momente aus der so wunderbar reichen
Industrieenquête zu ermitteln, würde über die Grenzen des mir
hier gestatteten Raumes und meiner augenblicklichen Arbeitszeit
hinausgehen, dies muß einer größeren, schon in Angriff ge-
nommenen statistischen Untersuchung über die beiden Pariser
Industrieenquêten vorbehalten bleiben. Nur das eine hierfür
schon berechnete Resultat sei erwähnt, daß je höher die Bildung in den Gewerben steht, um so höher der Lohn und um
so besser das Betragen der männlichen Arbeiter ist.*) Den
Einfluß dieser Momente auf die Weiber habe ich noch nicht
analysiren können.

Unsere Aufgabe ist hier nur, den Einfluß der Wohnung
auf das Betragen zu behandeln, nicht den aller Umstände,
deren complexe Wirkung das Betragen des Menschen ist; wollten
wir das Betragen analysiren, dann müßten wir eine große
Fülle anderer Einflüsse noch mit in Betracht ziehen, welche wir
quantitativ meßbar in der Enquête nicht finden, von denen sich
aber auch noch viele in Zahlen bringen ließen, während noch

---

*) Einige Schlußresultate hieraus in Laspeyres, Ueber die Bil-
dung des Kaufmanns und das Studium der Nationalökonomie. Baltische
Monatsschrift 1868, Januarheft, S. 39. 40.

andere allerdings vorläufig der statistischen Verarbeitung sich
entziehen. Wie viele solcher Momente die Statistik erfassen
kann, zeigen die schönen, leider zu wenig beachteten, weil wissen=
schaftlich statistischen Arbeiten von Ducpétiaux*) und le
Play.**) Aus diesem Material, das allerdings nur Roh=
material war, hat Engel†) die interessantesten Schlüsse ge=
zogen, hat aber noch genug Fragen für Andere übrig gelassen.
In einem späteren Hefte dieser Zeitschrift wollen wir gleichfalls
dieses Rohmaterial noch weiter verarbeiten für die Lehre von
der Consumtion; es sind sehr reiche Fundgruben für inductiv
statistische Forschungen.

§. 10.

Rückschlüsse von den für das Jahr 1860 gewonnenen Resultaten auf das Jahr 1847 und somit auf Veränderung in der Moralität der Pariser Bevölkerung.

Sehr zu bedauern ist, daß wir diese Wohnungsfrage nur
aus dem Material herausarbeiten können, welches für eine
Stadt in einem Zeitpunkt erhoben ist. Für andere Städte ist
uns ähnliches Material nicht bekannt, und leider hat auch die
erste große Pariser Industrieenquête des Jahres 1849, welche
sonst fast genau dieselben Erhebungen gemacht hat, das Be=
tragen noch nicht in den Kreis ihrer Umfragen gezogen, we=
nigstens nicht statistisch brauchbar, quantitativ, analysirt. Die
Angaben darüber lauten immer ganz allgemein: „Im Ganzen
ist das Betragen gut, oder im Ganzen nicht gut, oder ein
Theil der Arbeiter beträgt sich schlecht, oder ein Theil macht
blauen Montag, viele sind dem Trunk ergeben." Mit der=
artigen Angaben ist so wenig anzufangen, als mit ähnlichen
allgemeinen Aeußerungen in Handelskammerberichten: „Im
Ganzen hat sich die Production gegen das Vorjahr in Ge=

---

*) Ducpétiaux, Budgets économiques des classes ouvrières en
Belgique. Bruxelles 1855. 4o.

**) Le Play, Les Ouvriers Européens. Paris 1855. in folio und
Les Ouvriers des deux mondes. 4 Bände 8o. Paris 1857—1863.

†) Engel, Die vorherrschenden Gewerbszweige im Königreich Sachsen,
Zeitschrift des sächs. stat. Bureaus 1857, p. 153 ff.

spimmsten gehoben." Sieht man dann in den vorjährigen Bericht hinein, so steht dort die gleiche oder umgekehrte Nichts
sagende Phrase, erhebliche Vergrößernng oder nicht bedeutende
Verringerung.

Quantitativ wie für das Jahr 1860 das Betragen auch
für 1847 zu bestimmen, ist höchstens möglich durch Rückschluß
aus den quantitativen Angaben über die Wohnung, welche schon
1847 wie später für 1860 gemacht sind; leider ist jedoch ein
solcher Rückschluß aus vielen Gründen zu gewagt, um denselben
im Einzelnen als Grundlage für weitere Forschungen zu benutzen: Die socialen und moralischen Verhältnisse sind für Paris
vor und nach der Revolution vielleicht nicht ganz vergleichbar,
außerdem erstreckten 1847 sich selbst die Wohnungsermittelungen
nicht über alle in einem Gewerbe beschäftigten Arbeiter, sondern
bei größeren Abweichungen im Einzelnen, nur über durchschnittlich $\frac{3}{4}$ der Männer und $\frac{5}{8}$ der Frauen. Darum mußten wir es
unterlassen, die Wohnungsangaben für die einzelnen Gewerbe
aus den die Tabellen begleitenden Noten zu sammeln und auf
Procente zu berechnen, die Vergleichung mit dem Jahre 1860
wäre schon darum äußerst schwierig, weil die Eintheilung der
gesammten Industrie in einzelne Gewerbe für beide Jahre
nicht genau dieselbe ist. Wir geben in Tabelle XIII a. und b.
nur die Zusammenstellung nach den Hauptgruppen, wobei
übrigens auch zwei Hauptgruppen des Jahres 1860, VI. acier,
fer, cuivre und XI. Instruments zusammengeworfen werden
mußten, um mit der Gruppe IX. Travail des métaux,
mécanique etc. des Jahres 1847 einigermaßen vergleichbar
zu sein.

Nach diesen Tabellen sind die Veränderungen in den Woh-
nungsverhältnissen während der 13 Jahre für die beiden Geschlechter wesentlich verschieden gewesen. Die Zahl derer, welche
in eigenen Meubeln wohnen, hat leider für beide Geschlechter
abgenommen, d. h. bei den Männern um 5,3 pCt., nämlich
von 75 auf 71 pCt., bei den Frauen um 6 pCt., nämlich von
91 auf 85,5 pCt. Bei den Männern ist also die Verschlechterung nach dieser Richtung hin etwas geringer als bei den
Frauen. Das Wohnen Chambregarnie hat abgenommen bei

den Männern um circa $\frac{1}{20}$, nämlich von 21 pCt. Chambre=
garnisten auf 20 pCt., bei den Frauen zugenommen um $\frac{1}{6}$,
d. h. von 6 auf 7 pCt. Das ist also auch ein schlimmes
Zeichen für die Frauen, wo die Veränderung so groß und
der Einfluß dieser Wohnungsart so viel schlimmer ist. Endlich
hat, was die Hauptsache ist, das Wohnen beim Meister
sich vermehrt bei den Männern auf mehr als das Doppelte
von 4 pCt. auf 9 pCt., bei den Frauen gleichfalls vermehrt
auf das $2\frac{1}{2}$fache, nämlich von 3 pCt. auf 7,5 pCt. Ein Blick
auf diese Zahlen ist wie ein Blick in einen tiefen Abgrund.
Wir wissen, daß in eigenen Meubeln Wohnen so viel heißt
als gute Aufführung, die gute Aufführung könnten wir also
durch Rückschluß finden. Es wäre ein Rückschritt gemacht durch
den Rückschritt in dieser Wohnungsart, und zwar ein größerer
Rückschritt bei den Frauen als bei den Männern. Ein Wohnen
in Chambregarnie bedeutet für beide Geschlechter ein schlechtes
Betragen, die gefundene Abnahme der männlichen Chambre=
garnisten bedeutet darnach moralische Verbesserung. Die be=
deutende Zunahme bei den Frauen, wo Chambregarniewohnen
viel schlimmere Folgen als bei den Männern hat, ein tiefes sitt=
liches Versinken. Endlich ist das Wohnen beim Meister der
Moral günstig, aber bedeutend mehr bei den Männern als bei
den Frauen, die große Steigerung der männlichen Chambre=
garnisten ist also moralische Hebung, ein Lichtblick, aber nur ein
kleiner, die bedeutende Zunahme der weiblichen Meisterwohner tritt
stark zurück gegen die Abnahme der Eigenmeubler und Zunahme
der Chambregarnisten, da die Zahl der Meisterwohner über=
haupt nur eine geringe ist, eine Steigerung um viele Procente
also lange nicht so viel guten Effect hat, als eine Ver=
ringerung der Chambregarnisten oder gar als eine Stei=
gerung der Eigenmeubler um sehr wenige Procente. Der
Gang der Sittlichkeit ist in Paris, so weit man aus der
Wohnung auf das Betragen schließen darf, für das männliche
Geschlecht ein aufwärts, für das weibliche ein abwärts strebender,
denn wenn man nach unseren obigen Sätzen berechnet, wie viel
in jeder Wohnungsart sich schlecht aufführen, findet man für
das Jahr 1847:

4 pCt. der   5661 männlichen Meisterwohner . =   226
9,2 =   = 122,922   =   Eigenmeubler . . = 11,308
13 =   = 34,311   =   Chambregarnisten = 4460

Summa 15,994
= 9,8 pCt. der 162,894 Meisterwohner, Eigenmeubler
und Chambregarnisten.

7,9 pCt. der   2214 weiblichen Meisterwohner . . =   174
7,6 =   = 68,691   =   Eigenmeubler . . . = 5221
22,7 =   = 4158   =   Chambregarnisten . =   944

Summa 6339
= 8,5 pCt. der 75,063 weiblichen Meisterwohner, Eigenmeubler und Chambregarnisten.

Das schlechte und zweifelhafte Betragen der 9,8 pCt.
Männer gegen 9,3 pCt. im Jahre 1860 und der 8,5 pCt.
gegen 8,9 pCt. der Weiber im Jahre 1860 ist uns ein Fingerzeig, wie viel wichtiger, wenn man von politischen Motiven
absieht, für Paris die Arbeiterinnen= als die Arbeiter=
frage ist, und welche Wichtigkeit den Bestrebungen unserer
Zeit sich in erster Linie der weiblichen Arbeiterbevölkerung
anzunehmen, beigelegt werden muß. Ist der von 1847 bis
1860 eingeschlagene Weg der moralischen Hebung im männlichen Geschlecht (von 9,8 pCt. auf 9,3 pCt. schlechten Betragens) in derselben Richtung weiter gegangen und ebenso der
des moralischen Verfalls der Frauen (von 8,5 pCt. auf 8,9 pCt.
schlechten Betragens), so muß schon jetzt der Punkt erreicht sein,
da das weibliche Geschlecht nicht mehr als das moralisch höher
stehende betrachtet werden darf. Hoffentlich sind unsere Be-
rechnungen der Betragensprocente für 1860 und unsere Rück=
schlüsse auf 1847 so ungenau, daß die Verhältnisse nicht so
schlimm sind als sie scheinen, denn sonst würde bei gleichmäßig
fortschreitender Verschlechterung im 22. Jahrhundert in Paris
kein Frauenzimmer mehr sich ordentlich aufführen. Allein
nehmen wir getrost an, daß die Verschlimmerung so groß ist,
als sie nach unserer Berechnung scheint, um die Wohnungs=
frage und die ganze Arbeiterfrage der sorgfältigsten Beachtung
werth zu halten.

III. Theil.
Die Gründe für den Einfluß der Wohnung auf das Betragen.

§. 11.
Die gewonnenen Resultate kein Spiel des Zufalls.

In dem Bisherigen haben wir nur betrachtet, daß die gleichen Arten der Wohnung bei beiden Geschlechtern dieselbe Wirkung haben, mit bloß quantitativen Unterschieden. Wir haben nun den Gründen dieser Erscheinungen nachzuspüren.

Zunächst ist hier eine Vorfrage zu berühren, welche ihre Erledigung freilich erst durch die ganze folgende Deduction finden kann. Ist es nicht Zufall, könnte Mancher fragen, daß in den Gewerben das Betragen um so schlechter ist, je mehr wir unter den Arbeitern dieser Gewerbe Chambregarnisten und je weniger wir Eigenmeubler und Meisterwohner finden? Ich glaube kaum, denn wie sollte dieses Spiel des Zufalls sich 6mal wiederholen für die drei Wohnungsarten in beiden Geschlechtern! Zudem kann man auch die Probe machen. Ordnet man nämlich die Hauptgruppen von je 90 Gewerben nicht nach den Procenten einer Wohnungsart, sondern überläßt die Gruppirung ganz dem Zufall, so daß in diesen drei Hauptgruppen nahezu gleiche Antheile an einer bestimmten Wohnungsart vorkommen, so findet man, daß auch das Betragen in allen drei Hauptgruppen nahezu gleich ist. Zu dem Zweck habe ich die 27 je 10 Gewerbe umfassenden Gruppen der Männer nicht geordnet wie in Tabelle IV a. nach den Procenten der Chambregarnisten, sondern diese 27 Gruppen beliebig durcheinander gemengt und dann in drei Hauptgruppen von je 90 Gewerben getheilt. In diesem Falle finden wir nahezu gleiche Procente Chambregarnisten und nahezu gleiche Procente zweifelhaftes und schlechtes Betragen. Ja, wo in der dritten Hauptgruppe zufällig besonders wenig Chambregarnisten zusammengeloost sind, da sind auch besonders wenig mit schlechtem Betragen zusammengekommen.

Nr. der Gruppen von je 10 Gewerben, welche dieselben in Tabelle IV a. haben, nach der Menge Chambregarnisten geordnet.	Männer.				
	Alle Arbeiter.	Chambre-garnisten.	Zweifel-haftes und schlechtes Betragen.	Chambre-garnisten. pCt.	Zweifel-haftes und schlechtes Betragen. pCt.
I. 7. 18. 1. 27. 19. 24. 9. 10. 16. .	75,864	17,349	8241	22,8	10,9
II. 26. 13. 3. 6. 17. 5. 25. 15. 20. .	80,341	17,497	8068	21,8	10,1
III. 2. 12. 4. 21. 8. 23. 14. 22. 11. .	95,921	15,923	7130	16,6	7,4
Alle 270 Gewerbe	252,126	50,769	23,439	20,1	9,3

Noch einmal durcheinander gemischt und ausgeloost, erhielten wir Folgendes:

I. 3. 27. 6. 13. 15. 25. 9. 1. 7. .	63,171	14,307	5854	22,6	9,3
II. 10. 20. 11. 4. 14. 17. 18. 8. 26. .	84,547	15,043	7760	17,8	9,1
III. 23. 12. 19. 21. 22. 5. 2. 16. 24. .	104,408	21,419	9825	20,5	9,4
Alle 270 Gewerbe	252,126	50,769	23,439	20,1	9,3

Wie anders sehen dagegen die Procente des schlechten Betragens aus in Tabelle IV a.:

Chambregarnie   5 pCt., 14 pCt., 28 pCt.,
Betragen . . 3 =   9 = 12 =

Ueberall haben wir: Wo gleiche Procente Chambregarnisten sind, ist das Betragen gleich, wo ungleiche, ungleich.
Endlich finden wir dasselbe wieder, wo die 27 Gruppen in
einer bestimmten Regelmäßigkeit durcheinandergemengt sind, indem von je drei nächstverwandten der Tabelle IV a. immer
eine in jede der drei Hauptgruppen gebracht werden, wie folgt:

Nr. der Gruppen in Tabelle IV a.	Alle Arbeiter.	Chambregarnie.	Betragen.	Chambregarnie. pCt.	Betragen. pCt.
I. 1. 4. 7. 10. 13. 16. 19. 22. 25. .	83,885	15,697	7981	18,7	9,5
II. 2. 5. 8. 11. 14. 17. 20. 23. 26. .	96,478	19,210	8646	19,9	9
III. 3. 6. 9. 12. 15. 18. 21. 24. 27. .	71,763	15,862	6812	22,1	9,5
Alle 270 Gewerbe	252,126	50,769	23,439	20,1	9,3

Alle diese drei Tabellen sprechen deutlich genug ohne Er=
läuterung und verlangen nicht, daß auch durch die anderen
Wohnungsarten hindurch dasselbe Experiment gemacht wird, nur
für die Frauen möge hier dieselbe Rechnung noch Raum finden.
Bei den Frauen müssen dabei die 11 Gruppen von zusammen
110 Gewerben fortfallen, in denen keine Chambregarnisten vor=
kommen, denn diese sind laut Tabelle IV b. nicht einzeln, son=
dern nur zusammen berechnet. Vertheilen wir die 120 Ge=
werbe in 12 Gruppen so, wie zuletzt die Männer, indem die
ungraden und die graden Gruppen zusammengenommen werden,
so ergiebt sich:

Nr. der Gruppen in Tabelle IV b.	Alle Frauen.	Chambregarnie.	Schlechtes Betragen.	Chambregarnie. pCt.	Schlechtes Betragen. pCt.
I. 12. 14. 16. 18. 20. 22.	47,217	3285	3624	7	7,7
II. 13. 15. 17. 19. 21. 23.	49,548	3856	5426	7,8	10,9
Alle 120 Gewerbe	96,765	7141	9050	7,4	9,3

D. h. da die Unterschiede in der Chambregarnistenzahl unbe=
deutender sind als in Tabelle IV b., so ist auch der Betragens=
unterschied ein geringerer (in Tabelle IV b. bei 4 pCt. Chambre=
garnisten 6 pCt. schlecht Betragen, bei 14 pCt. Chambregar=
nisten 15 pCt. schlecht Betragen.)

Nach dem Loos geordnet ergiebt eine Berechnung:

4*

Nr. der Gruppen in Tabelle IV b.	Alle Frauen.	Chambregarnie.	Schlechtes Betragen.	Chambregarnie. pCt.	Schlechtes Betragen. pCt.
I. 15. 21. 20. 22. 17. 12.	43,607	3733	4259	8,6	9,8
II. 16. 18. 13. 23. 19. 14.	53,158	3408	4791	6,2	9,0
Alle 120 Gewerbe	96,765	7141	9050	7,4	9,3

Eine andere Ausloosung endlich ergab noch geringere Differenzen im Antheil der Chambregarnisten, aber etwas größere im Betragen:

Nr. der Gruppen in Tabelle IV b.	Alle Frauen.	Chambregarnie.	Schlechtes Betragen.	Chambregarnie. pCt.	Schlechtes Betragen. pCt.
I. 22. 21. 15. 19. 18. 12.	37,695	2932	3958	7,8	10,5
II. 23. 20. 14. 17. 13. 16.	59,070	4209	5092	7,1	8,6
Alle 120 Gewerbe	96,765	7141	9050	7,4	9,3

I. Abschnitt.

Gründe für den guten Einfluß des Wohnens in eigenen Meubeln.

§. 12.

Nach diesen Andeutungen, welche sich systematisch erweitern ließen, treten wir zur Erforschung der Gründe für die im vorigen Theil gefundenen Ergebnisse auf die Frage ein: Was heißt in Chambregarnie, in eigenen Meubeln, beim Meister wohnen? Jede dieser drei Wohnungsarten ist der scheinbar einfache Ausdruck für complexe Verhältnisse. In „eigenen Meubeln wohnen" heißt selbstverständlich immer Eigenthum und zwar an Mobiliar haben, in „Chambregarnie" und „beim Meister wohnen" selbstverständlich zum Theil fremdes Mobiliar benutzen, also nicht alles Mobiliar selbst zu Eigen haben. Die in eigenen Meubeln Wohnenden gehören

darum freilich noch nicht nothwendig durchweg zu den Wohl=
habenderen, denn die in fremden Meubeln und vielleicht außer=
dem in fremder Kost Lebenden können leicht größeres Eigen=
thum in anderer Gestalt haben. Die in eigenen Meubeln
Wohnenden sind zugleich in überwiegender Zahl die Verhei=
ratheten, während die beim Meister Wohnenden wohl fast aus=
nahmslos, die in fremden Meubeln wenigstens zum weitaus
größeren Theil ledig sind. Im ersteren Falle muß der Lohn
des Mannes mit den geringeren Zuschüssen aus der Einnahme
von Frau und Kindern meistens eine ganze Familie ernähren,
im letzteren Falle braucht der hohe Lohn des ledigen Mannes,
aber auch der geringe Lohn der ledigen Frau nur für eine
Person zu reichen. Das Verhältniß, in welchem der Lohn des
Mannes, der Frau, der Kinder, und die sonstigen Einnahmen
aus eigenem Besitz oder aus Almosen zu einander stehen, ist
ungefähr das folgende:

| Belgische Arbeiter. *) | Von je 100 Fr. Einnahme rühren her | | | | |
| | aus Arbeit von | | | Mann und Frau und Kindern. | aus anderen Quellen. |
	Mann.	Frau.	Kin=bern.		
48 Familien mit 565 Fr. Ausg.	56,1	11,9	20,9	87,8	12,2
51 ⸗ ⸗ 797 ⸗ ⸗	54,1	10,5	23,5	88,2	11,8
54 ⸗ ⸗ 1198 ⸗ ⸗	50,7	8,1	23,6	82,4	17,6
S. 153 ⸗ ⸗ 866 ⸗ ⸗	52,9	9,4	23	85,3	14,7
†) 47 ⸗ ⸗ 929 ⸗ ⸗	58,5	8,3	14,9	80,5	19,5
Französische Arbeiter. **)					
18 Familien mit 870 Fr. Ausg.	52,9	12,9	21,9	86,8	13,2
19 ⸗ ⸗ 2045 ⸗ ⸗	66,4	15,1	6,9	88,4	11,6

*) Berechnet von Engel nach Ducpétiaux, Zeitschrift des Königl.
sächsischen statistischen Bureau's 1857, S. 168.

**) Berechnet von mir nach den 37 französischen Arbeiterbudgets in
Le Play, Les Ouvriers Européens und den 4 Bänden Les Ouvriers des
deux mondes.

†) Berechnet von mir nach den 47 Budgets von Ducpétiaux,

Darnach steht sich der kräftige, unverheirathete Arbeiter materiell unbedingt am besten, die unverheirathete Arbeiterin am schlechtesten. Vergleicht man mit diesen Angaben die Höhe des Lohnes, z. B. in Paris, welche nach Anm. auf S. 18 für Männer durchschnittlich 4,21, für Frauen 2,02 Fr. beträgt, dann sieht man leicht, daß die beim Meister und in Chambregarnie wohnenden Junggesellen am wohlhabendsten sein könnten, nicht aber, daß sie es sind, und daß die beim Meister und in Chambregarnie wohnenden ledigen Frauen am ärmsten sein müssen. Einen sicheren Schluß auf die Wohlhabenheit können wir aus der Wohnungsart nicht ziehen, außer den ungünstigen für die weiblichen Chambregarnisten und Meisterwohner, und den anderen günstigen, daß die in eigenen Meubeln wohnenden Arbeiter nicht zu den Aermeren gehören können. Zweitens heißt in eigenen Meubeln Wohnen in den meisten Fällen anständig wohnen, denn wer eigene Meubel hat, miethet schwerlich monateweis und gewiß nicht auf Wochen oder gar nur auf Tage, sondern auf länger, und kann darum für das gleiche Geld eine bessere Wohnung bekommen. Leider können wir keinen statistischen Blick thun in die unmeublirt vermietheten Wohnungen der arbeitenden Klassen, wie in die schauerlichen Chambregarnies, welche die Enquête des Jahres 1849 uns aufgeschlossen hat, allein nach den Schilderungen ist es undenkbar, daß die Wohnungen derer, welche eigene Meubel haben, so schlecht sind als die Chambregarnies.

Weiter heißt, wie schon angedeutet, in eigenen Meubeln wohnen meistens verheirathet sein. Wie stimmen damit unsere Zahlen? Daß unter den in eigenen Meubeln Wohnenden fast nur Verheirathete sich befinden, zeigt die Bevölkerungsstatistik von Paris, verglichen mit der geringen Anzahl verheiratheter Chambregarnisten. Von den Männern über 15 Jahre alt verhalten sich die Verheiratheten zu den Ledigen wie 58,3 : 41,7. Von den 251,119 Arbeitern sind also 146,402 verheirathet und 104,717 ledig. Die 25,912 beim Meister Wohnenden

welche nicht unter die drei oberen Kategorieen einbegriffen waren und von Engel unberücksichtigt gelassen wurden.

sind fast ausnahmslos ledig, von den 48,769 in fremden Meubeln sind nach den Ermittelungen der Chambregarnieenquête
berechnet 97 pCt. oder 47,306 ledig. Summa der ledigen
Meisterwohner und Chambregarnisten männlichen Geschlechts
73,218, es bleiben also von den 104,717 Ledigen 31,499 für
die in eigenen Meubeln Wohnenden, d. h. auf 176,438 Eigenmeubler nur 18 pCt. Eine wie große Rolle in dem guten
Betragen, welches aus dem Wohnen in eigenen Meubeln fließt,
das Verheirathet sein spielt, spiegelt sich darin, daß sogar unter
den Chambregarnisten das Betragen in den verschiedenen Stadttheilen von Paris um so besser ist, je mehr Procente der
Chambregarnisten verheirathet sind. Das zeigen die beiden
Tabellen XIII a.b., in denen die 47 Quartiere und die 12 Arrondissements von Paris geordnet sind nach der procentalen
Menge der Chambregarnisten, welche verheirathet sind, wozu
dann die Procente gutes Betragen jedes Quartiers und jedes
Arrondissements gesetzt sind. In Gruppen von 24 resp. 23
Quartieren geordnet haben die Quartiere ein um so besseres
Betragen, je mehr Procente verheirathet sind.

Hauptresultat der Tabelle XIIIa. und b.

| | Chambregarnisten. | | | |
| | Männer. | | Frauen. | |
	pCt. ledig.	pCt. gut Betragen.	pCt. ledig.	pCt. gut Betragen.
24 Stadtquartiere . .	98,5	46,5	95,6	19,5
23 ˶ . .	91,5	51,5	85,5	23,8
47 ˶ . .	96	48	92	21
Verhältniß gegen den Durchschnitt aller 47 Stadtquartiere = 100.				
24 Stadtquartiere . .	102	97	104	93
23 ˶ . .	95	107	93	113
47 ˶ . .	100	100	100	100

Bei durchschnittlich 98,5 pCt. ledigen männlichen Chambregarnisten haben nur 46,5 gutes Betragen, bei 91,5 pCt. ledigen

aber 51,5 pCt. Also wo die Zahl der Ledigen um 7 pCt. größer ist, da ist das gute Betragen um 9 pCt. geringer. Bei durchschnittlich 95,6 pCt. weiblichen ledigen Chambregarnisten ist das Betragen von 19,5 pCt. gut, bei 85,5 pCt. ledigen aber 23,8 pCt. gut Betragen, d. h. wo die Zahl der Ledigen um 12 pCt. größer ist, da ist das gute Betragen um 20 pCt. geringer. Die Procentzahlen der Ledigen differiren von Quartier zu Quartier stärker bei den Frauen, folglich auch die Procent= zahlen des guten Betragens, allein die letzteren differiren noch etwas stärker. Gleichheit wäre, wenn das gute Betragen der Frauen in den Quartieren mit 95,6 pCt. ledigen um 15 pCt. geringer wäre, nach der Proportion $+ 7 : - 9 = + 12 : - 15$. Darnach wäre vielleicht der Einfluß der Ehe auf die Frauen eine Kleinigkeit größer als bei den Männern. Ich sage viel= leicht, denn, wenn wir nicht nach Quartieren, sondern nach ganzen Arrondissements ordnen, erscheint umgekehrt der Einfluß der Ehe bei den Männern größer.

In 6 Arrondissements

mit 98 pCt. ledigen Männern	42,5 pCt.	gutes Betragen,
= 94,3 = = =	56	= = =
= 95,5 = = Frauen	19,6 =	= =
= 87,6 = = =	23,3 =	= =

d. h. wo 4 pCt. mehr ledige Männer sind, sind 24 pCt. weniger gutes Betragen, wo aber 9 pCt. mehr ledige Frauen sind, sind 16 pCt. weniger gutes Betragen. Ein gleiches Verhältniß wäre, wenn im letzten Falle statt 16 pCt. weniger 54 pCt. we= niger sich gut aufführten nach der Proportion $+ 4 : - 24 = + 9 : - 54$. Beide Rechnungen nach Quartieren und nach Arrondissements geben in der Richtung dasselbe Resultat, aber mit quantitativem Unterschiede. Welche Berechnung mag die richtigere sein? Ich bin im Zweifelsfalle für die mit Quar= tieren, da in je 24 Quartieren nicht so Ungleichartiges vereinigt ist, als in je 6 Arrondissements. In letzteren hat der Zufall mehr Spielraum. Ohne großen Fehler dürfen wir den Einfluß der Ehe auf das Betragen gleich hoch ansetzen.

Damit ist jedoch nicht gesagt, daß auch das Wohnen in eigenen Meubeln, dessen eine Ursache nur neben vielen anderen

das Verheirathetsein ist, bei den Männern gleichen Einfluß hat
als bei den Weibern. Die Zahlen der Tabelle IV a. b. zeigen
sogar für Männer einen viel stärkeren Einfluß als bei den
Frauen. Während nämlich die 140 Gewerbe mit den meisten
männlichen Eigenmeublern (87,5 pCt.) und die 130 Gewerbe
mit den wenigsten (64,9 pCt.) zum Gesammtdurchschnitt 72,5
pCt. = 100 gesetzt sich verhalten wie 120,8 : 89,6, stehen die
Frauen im Verhältniß zum Durchschnitt wie 114,5 : 92, da die
120 Gewerbe mit den meisten Eigenmeublern 96 pCt., die 110
mit den wenigsten 77,1 pCt. enthalten gegen den Durchschnitt
von 83,8 pCt. Bei dieser größeren Wohnungsdifferenz der
Männer differirt umgekehrt das Betragen mehr bei den Frauen.
Die 140 Gewerbe mit den meisten Männern in eigenen Meubeln haben 91,8 pCt. gutes Betragen, die 130 mit den wenigsten 89,5, sie verhalten sich zum Durchschnitt von 90,4 = 100
wie 101,5 : 99. Dagegen steht das weibliche Geschlecht gegen den
Durchschnitt gleich 100 gesetzt wie 104 : 97,7, d. h. die 120
Gewerbe haben 95 pCt. gutes Betragen, die anderen nur
89 pCt., alle zusammen 91,2. Der Zusammenhang zwischen
Wohnung in eigenen Meubeln und dem Betragen ist also
stärker bei den Frauen bei gleichem Einfluß der Ehe. Woher
kommt das? In Paris zum Theil gewiß daher, daß unter
den weiblichen Arbeitern, die in eigenen Meubeln wohnen,
wahrscheinlich mehr unverheirathet sind als unter den Männern,
da die weibliche Arbeiterbevölkerung von Paris ungleich seß-
hafter ist als die männliche. In Paris kommen nach Tabelle XIV. von den 10,789 nicht seßhaften Arbeitern nur 26
auf das weibliche Geschlecht. Von den unverheiratheten Frauen
kommt also gewiß ein größerer Theil als von den unverheiratheten Männern auf die Eigenmeubler. Wir schließen das
aus dem Verhältniß der Männer und Weiber unter den Chambregarnisten, die nur 4 pCt. verheirathete Männer, aber 8 pCt.
verheirathete Frauen aufweisen. Von der großen Menge lediger
Frauenzimmer in Paris, von denen die 92 pCt. der Chambregarnie Wohnenden mit 6573 und etwa die sämmtlichen 9785
beim Meister Wohnenden zusammen nur 16,358 hinwegnehmen
würden, müssen nothwendigerweise viele in eigenen Meubeln

wohnen. Das Nähere hierüber enthält die ausführliche An=
merkung 3 S. 102 ff. Unabhängig vom Verheirathetsein wirkt
das Wohnen in eigenen Meubeln, also wohl das Mobiliar=
eigenthum auf das Betragen günstig ein, denn der Einfluß des
Wohnens in eigenen Meubeln ist bei den Frauen, obwohl viele
weibliche Eigenmeubler unverheirathet sind, doch stärker als bei
den meisten verheiratheten männlichen Eigenmeublern. Ober
ist bei den Frauen der Einfluß der Ehe auf die Sittlichkeit,
abweichend von den obigen ja nur für die Chambregar=
nisten gefundenen Resultaten, so groß, daß trotz den vielen
unverheiratheten Eigenmeublern weiblichen Geschlechts das Be=
tragen dennoch besser wäre als das der männlichen, unter denen
wenige Unverheirathete sich befinden? Müßte man diese Frage
bejahen, so würde damit die von gebildeten Frauen so oft be=
strittene Theorie der durch Nichtheirathen verfehlten Existenz
des weiblichen Geschlechts wenigstens in den unteren Klassen
eine Bestätigung finden. Es würde das vom ethischen Stand=
punkte aus in hohem Grade gegen die Bemühungen derjenigen
sprechen, welche die Frauen wirthschaftlich nicht nur so weit
emancipiren wollen, daß sie eine anständige Existenz sich
schaffen können, falls sie nicht zum Heirathen kommen, son=
dern so weit, daß dieselben vom Heirathen durch den besseren
eigenen Erwerb geradezu abgehalten werden. Das Letztere
wäre nur dann zu rechtfertigen, wenn man nachweisen könnte,
daß der eigene größere Erwerb der ledigen Frau einen min=
destens ebenso großen moralischen Aufschwung gäbe, als das
Heirathen in einen dürftigen Hausstand. Hier liegen noch viele
schöne Probleme ungelöst, aber meiner Ansicht nach der in=
ductiven Lösung durch statistische Berechnung fähig.

II. Abschnitt.
Gründe für den schlimmen Einfluß des Wohnens in Chambregarnie.

Der Einfluß des Wohnens in Chambregarnie kann am
tiefsten ergründet werden, da wir für diese Wohnungsart auch
die specielle Chambregarnieenquête des Jahres 1849 verwerthen

können. Dieselbe bietet uns zugleich Stoff, noch einige andere
Momente mit in den Kreis unserer Betrachtung zu ziehen,
welche entweder direct ein gewisses Betragen zur Folge haben
oder nur indirect, indem sie die Wohnungsart und damit das
Betragen bestimmen.

**A. Der schlechte Einfluß des Wohnens in Chambregarnie auf
beide Geschlechter.**

Dafür, daß das Betragen der Chambregarnisten schlechter
ist als das der Eigenmeubler, lassen sich die Gründe unschwer
finden. Sie sind im Ganzen die den Gründen für das gute
Betragen der Eigenmeubler entgegengesetzten, kein Mobiliar=
eigenthum, Ehelosigkeit, unbehagliche Wohnung.
Der Mangel an Mobiliareigenthum liegt schon in den Worten
„in fremden Meubeln"; des Factums der Ehelosigkeit
haben wir schon oben gedacht, nur 8 pCt. der in Chambre=
garnie wohnenden Frauen und gar nur 4 pCt. der Männer
sind verheirathet, das Maximum eines Quartiers ist 33 pCt.
der Frauen und 14 pCt. der Männer. Was die Güte der
Wohnungen angeht, verweisen wir auf den ersten Theil, der
deutlich zeigt, wie die gute oder schlechte Beschaffenheit der
Wohnung wirkt, weil sie den Aufenthalt in derselben angenehm
oder unerträglich macht.

**Einfluß, den das Beisammenwohnen vieler Chambregarnisten
in demselben Stadttheil äußert.**

§. 13.

In Tabelle XVa. und XVb. ist verglichen die absolute
Zahl der Chambregarnisten in jedem der 47 Quartiere von
Paris mit der Zahl derer, welche gutes Betragen haben. Aus
der concentrirtesten Form dieser Tabelle sieht man, daß in den
23 Stadttheilen mit zusammen 4668 männlichen Chambregar=
nisten 2454 oder 52,5 pCt. sich gut betragen, in den 24 Quartieren mit zusammen fast 4mal so viel Chambregarnisten nur
7884 oder 46,6 pCt. sich gut aufführen. Bei den Frauen
stehen sich gegenüber 1238 mit 316 guten Betragens und
5024 mit 1001 guten Betragens, d. h. 25 pCt. gegen 19,9 pCt.

Hauptresultat der Tabellen XV a. b.

Zahl der Stadttheile.	Chambregarnisten.			
	Männer.		Frauen.	
	Durchschnitt- liche Zahl der Chambre- garnisten.	pCt. gutes Betragen.	Durchschnitt- liche Zahl der Chambre- garnistinnen.	pCt. gutes Betragen.
24 Quartiere . . .	194	52,5	52	25,5
24 , . . .	704	46,6	209	19,9
48 , . . .	449	48	130	21
Verhältniß gegen alle 48 Quartiere = 100.				
24 Quartiere . . .	43	109	40	121
24 , . . .	157	97	161	95
48 , . . .	100	100	100	100

Zahl der Chambre- garnisten.			Procent gut Betragen.		
Minimum:	Maximum:		Maximum:	Minimum:	
Männer 4468	16,899 = 100 : 377		52,5	46,6 = 100 : 89	
Frauen 1238	5024 = 100 : 407		25,5	19,9 = 100 : 78	

In Worten: Da die Differenz zwischen der Menge weiblicher Chambregarnisten größer ist als die der männlichen, ist
auch die Differenz im Betragen umgekehrt größer. Ehe wir
nach dem Grund dieses Zusammenhanges forschen, müssen wir
zusehen, ob derselbe auch bleibt, wenn wir die Zahl der Chambregarnisten in jedem Stadttheil reduciren auf die Bevölkerungsdichtigkeit? Die Beantwortung dieser Frage können wir leider
nicht bis zu den keinen Stadttheilen der 48 Quartiere durch-
führen, sondern müssen uns, da wir die Bevölkerungsdichtigkeit
der 48 Quartiere für das Jahr 1849 nicht kennen, mit den
12 Arrondissements begnügen. Zur Vergleichung machen wir
die vorstehende Berechnung nach Quartieren auch nach Arrondissements. Für die 6 Arrondissements mit den wenigsten und
die 6 mit den meisten Chambregarnisten finden wir für die
24 resp. 23 Quartiere, als Resultat nach Tabelle XVI a. b.

Hauptresultat der Tabelle XVIa. b.

Zahl der Stadttheile.	Chambregarnisten.				
	Männer.		Frauen.		
	Durchschnittliche Zahl der Chambregarnisten.	pCt. gutes Betragen.	Durchschnittliche Zahl der Chambregarnistinnen.	pCt. gutes Betragen.	
6 Arrondissements .	1062	49,8	343	17,9	
6 ⸰ .	2533	47,3	701	22,6	
12 ⸰ .	1797	48	522	21	

Verhältniß gegen alle 12 Arrondissements = 100.

6 Arrondissements .	59	104	66	85
6 ⸰ .	141	99	134	108
12 ⸰ .	100	100	100	100

Zahl der Chambregarnisten.	Procent gutes Betragen.
Minimum: Maximum:	Maximum: Minimum:
Männer 6372 : 15,195 = 100 : 238	49,8 : 47,3 = 100 : 95
Frauen 2056 : 4206 = 100 : 205	22,6 : 17,9 = 100 : 79

Hier haben wir ein in sofern vom vorigen verschiedenes Ergebniß, als in der kleinen Tabelle das Maximum und Minimum des guten Betragens und der Wohnung viel weniger differirt als oben. Sehr erklärlich! Bei ganzen Arrondissements sind zu ungleichartige Quartiere in Eins zusammengefaßt, so daß das Minimum und Maximum der Chambregarnisten in der einen Hälfte und in der anderen Hälfte von Paris bei Berechnung nach kleineren Stadttheilen sich wie 100 : 377 für Männer und 100 : 407 bei Frauen verhält, hingegen bei Berechnung nach größeren in sich große Ungleichheiten bergenden Stadttheilen nur wie 100 : 238 bei Männern und gar wie 100 : 205 bei Frauen.

Für den Flächenraum und die Bevölkerung von Paris haben wir die nöthigen Angaben auf der Karte, welche der Enquête von 1847 beigelegt ist (Tabelle XVII.). Daraus finden wir die Dichtigkeit der Bevölkerung in jedem Arrondissement. Die Tafel giebt Stoff zu den Vergleichungen zwischen dem Betragen und der Zahl der Chambregarnisten.

1) Ist das Betragen um so besser oder um so schlechter, je mehr Chambregarnisten auf einem bestimmten Flächenraume wohnen?

2) Ist das Betragen um so besser oder um so schlechter, je mehr Chambregarnisten auf eine bestimmte Einwohnerzahl kommen?

3) Ist das Betragen um so besser oder um so schlechter, je mehr Chambregarnisten auf eine bestimmte Einwohnerzahl gleichen Flächenraums, d. h. auf eine bestimmte Bevölkerungs= dichtigkeit kommen?

ad 1) Das Betragen im Verhältniß zur Chambregar= nistenzahl auf einem bestimmten Flächenraum.

Hauptresultat der Tabelle XVIIIa. b.

Stadttheile.	Chambregarnisten.			
	Männer.		Frauen.	
	Chambregarnisten per Quadrat- Kilometer.	pCt. gutes Betragen.	Chambregarnistinnen per Quadrat- Kilometer.	pCt. gutes Betragen.
6 Arrondissements	413	40	138	16,8
6 "	2160	53,6	528	24,4
12 "	627	48	182	21
Verhältniß zum Durchschnitt aller 12 Arrondissements = 100.				
6 Arrondissements	66	83	76	80
6 "	344	112	290	116
12 "	100	100	100	100

Auf Tabelle XVIIIa. b. sind die Arrondissements danach geordnet, wie viel Chambregarnisten auf einem Quadratkilometer wohnen und dazu das Betragen gestellt. Die 6 Arrondisse= ments mit den wenigsten Chambregarnisten auf gleichem Flächen-

raum, durchschnittlich 413 Männer und 138 Frauen, sind zu
40 resp. 16,8 pCt. guten Betragens. Die 6 Arrondissements
mit den meisten Chambregarnisten, 2160 Männer und 528
Frauen, haben 53,6 resp. 24,4 pCt. gute Aufführung. An=
ders ausgedrückt: Wo bei den Männern der Unterschied der
Chambregarnisten auf gleichem Flächenraum = 100 : 523 ist,
stellt sich der Unterschied im Betragen = 100 : 134. Hingegen
giebt bei den Frauen ein Dichtigkeitsverhältniß von 100 : 383,
ein Betragensverhältniß von 100 : 145. Bei beiden Geschlechtern
ist qualitativ dieselbe Wirkung, quantitativ eine verschiedene,
und zwar eine höhere Wirkung auf das Betragen bei den
Frauen trotz geringerer Unterschiede in der Zahl von Chambre=
garnisten per Quadratkilometer. Sollte die Wirkung bei den
Männern gleich sein wie bei den Frauen, so mußte das Be=
tragen zu einander statt 100 : 134 sich verhalten wie 100 : 198.
Läßt man den quantitativen Unterschied bei Seite und fragt
nur nach den Gründen der Wirkung überhaupt, so ist an sich
Nichts zu finden, was eine directe Wirkung der „viel Chambre=
garnisten per Quadratkilometer" auf das Betragen her=
vorrufen könnte. Die Sache scheint vielmehr so zu sein: Die
größere Dichtigkeit der Chambregarnie wohnenden Arbeiter=
bevölkerung und das damit parallel gehende bessere Betragen
sind beide die Wirkung eines dritten Umstandes, nämlich des
industriellen Fleißes gewisser Stadttheile. Ein Blick auf den
Plan von Paris zeigt, daß die Quartiere mit dem guten Be=
tragen und den vielen Chambregarnisten per Quadratkilometer
einen Paris im Mittelpunkt durchschneidenden Streifen von
Nordosten nach Südwesten einnehmen auf der kleinen Axe der
Ellipse, welche Paris bildet. Die Quartiere sind aber gerade
die industriellsten, am meisten Arbeiter beschäftigenden Stadt=
theile von Paris.*) Zwar in absoluten Zahlen ist, wie Ta=
belle XVIII. Spalte 6 und 6 zeigt, die Menge der männ=
lichen Arbeiter in den 6 Arrondissements mit der dichtesten

---

*) Vergleiche Laspeyres, Die Gruppirung der Bevölkerung und
der Industrie in den verschiedenen Stadttheilen von Paris, im Berliner
Gemeindekalender für das Jahr 1869.

Chambregarnie-Bevölkerung fast genau die gleiche, wie in den 6 mit wenigsten Chambregarnisten, nämlich durchschnittlich 16,332 gegen 16,532 Arbeiter per Arrondissement, und auch bei den Frauen ist der Unterschied nur 11070 in den dicht und 7744 in den dünn besetzten Arrondissements. Ganz anders, da die Arrondissements in dem mittleren Streifen von Paris die kleineren sind, wenn wir, wie in Spalte 6 und 6 geschehen ist, auch die Zahl der in einem Arrondissement beschäftigten Arbeiter nicht per Arrondissement, sondern per Quadratkilometer berechnen. Dann finden wir: In den 6 Arrondissements mit nur 5187 männlichen Arbeitern per Quadratkilometer ist die Chambregarnistenzahl 413 und das Betragen zu 40 pCt. gut, in den 6 Arrondissements mit 13,685 durchschnittlich per Quadratkilometer beschäftigten Arbeitern, wohnen 2160 Chambregarnie und haben 53,6 pCt. gutes Betragen.

Für die Frauen sind die Zahlen:
Bei 3091 Arbeiterinnen per Quadratkilometer 138 Chambregarnisten und 16,8 pCt. gutes Betragen.
Bei 9728 Arbeiterinnen per Quadratkilometer 528 Chambregarnisten und 24,4 pCt. gutes Betragen.

Setzen wir bei beiden Geschlechtern die Reihe der geringeren Beschäftigungsdichtigkeit = 100, so finden wir:

	Beschäftigungs- dichtigkeit.	Chambregarnisten- dichtigkeit.	pCt. gutes Betragen.
	Minimum : Maximum.	Minimum : Maximum.	Minimum : Maximum.
Männer	100 : 264	100 : 523	100 : 134
Frauen	100 : 315	100 : 383	100 : 145

Jetzt erklärt sich das gute Betragen bei großen Mengen Chambregarnisten auf bestimmtem Flächenraum sehr leicht. In die Quartiere, in welchen die Industrie viele Arbeiter beschäftigt, ziehen die wirklich Arbeitenden der unteren Klassen, hingegen in die anderen Quartiere die Faulen. Da die Beschäftigungsdichtigkeit bei den Frauen in den einzelnen Stadttheilen mehr variirt als bei den Männern, gestaltet sich auch das Betragen noch günstiger.

Der Grund des guten Betragens gewisser Stadttheile liegt also zum Theil nicht in der Wohnungsbeschaffenheit, sondern auch in dem Fleiße*), sowie umgekehrt auch das gute Betragen wieder die Ursache des Fleißes ist. Die höheren Miethpreise in den dicht bevölkerten Stadttheilen tragen mit dazu bei, daß nur die Fleißigen dort wohnen können, weil diese allein mit ihrem größeren Erwerb die hohe Miethe bestreiten können. Unbeschäftigtsein führt den Mann zu schlechter Aufführung und zum Laster, die Frau aber nach unseren Zahlen noch viel mehr, denn dem Manne verursacht eins der größten aus Faulheit entstehenden Laster, der geschlechtliche Umgang, Kosten, den Frauen wird das Laster zeitweilig die ergiebigste aller Erwerbsquellen. Hätten wir uns nicht darauf beschränkt, den Einfluß der Wohnung auf das Betragen zu charakterisiren, so ließe sich die hier angedeutete Betrachtung leicht weiter führen, indem man untersucht, ob die Arrondissements mit gutem Betragen auch gerade die sind, in denen solche Industrien betrieben werden, welche den Arbeitern die höchsten Löhne zahlen. Dazu müßten wir aber schon in die Details der Industrieenquête eindringen, vor=

---

*) Der Zusammenhang zwischen Industriedichtigkeit und Chambregarnistenzahl der Arrondissements ist sogar ein so enger, daß nicht nur bei Zusammenfassung von 6 Arrondissements die Zahlenreihen gleichmäßig steigen, sondern schon bei je dreien, ja für die Männer sogar schon bei je zweien.

| | Auf 1 Quadratkilometer: | | | |
| | Männer. | | Frauen. | |
	Arbeiter:	Chambregarnisten:	Arbeiter:	Chambregarnisten:
3 Arrondissements	4213 = 100	213 = 100	2362 = 100	86 = 100
3 "	6493 = 154	614 = 288	3820 = 162	190 = 221
3 "	11423 = 272	1397 = 656	7220 = 306	417 = 485
3 "	15950 = 380	2857 = 1340	12260 = 520	635 = 739

Das Betragen stimmt bei so kleinen Gruppen noch nicht, auf das Betragen wirken eben außer dem Fleiße noch sehr viel mehr andere Sachen ein, als auf die Wohnungswahl.

läufig haben wir den Gang unserer Arbeit nur so weit über
den Wohnungseinfluß hinaus erweitert, daß wir diejenigen Ein=
flüsse, welche speciell aus der Chambregarnie enquête zu er=
mitteln sind, mit in Betracht ziehen. In der ausführlichen An=
merkung 4, welche hier den Text zu lange unterbrechen würde, findet
sich am Ende der Abhandlung S. 104 der Einfluß charakterisirt,
den die Art der Einnahme unabhängig von der Höhe auf das
Betragen ausübt, als Arbeit resp. Ersparniß aus früherer Ar=
beit, öffentliche Unterstützung, Credit, Prostitution, Diebstahl.

Mit dem hier berührten Einfluß des Fleißes auf das Be=
tragen der Chambregarnisten scheint in unlöslichem Widerspruch
zu stehen, daß nach Tabelle XX a. b. das Betragen der Chambre=
garnisten um so besser war, je mehr der Chambregarnisten zur
Zeit unbeschäftigt waren.

Hauptresultat der Tabelle XX a. b.

Stabttheile.	Chambregarnisten.		
	Männer und Frauen. pCt. unbeschäftigt.	Männer. pCt. gut Betragen.	Frauen. pCt. gut Betragen.
24 Quartiere . .	54,4	52	23,1
23 , . .	34,2	41,6	18,1
47 , . .	47	48	21
Verhältniß zum Durchschnitt aller 47 Quartiere = 100.			
24 Quartiere . .	113	111	110
23 , . .	73	89	86
47 , . .	100	100	100

In den 24 Quartieren mit durchschnittlich 54,4 pCt. Un=
beschäftigten war das Betragen von 52 pCt. der Männer und
23,1 pCt. der Frauen gut, in den 23 Quartieren mit nur
34,2 pCt. unbeschäftigte Chambregarnisten hingegen 41,6 pCt.
Männer und 18,1 pCt. Frauen gut. Wiederum nicht so bei
Betrachtung ganzer Arrondissements, wo die mehr unbeschäf=
tigten Männer ein Minus des guten Betragens ergaben.

Stadttheile.	Männer und Frauen unbeschäftigt. pCt.	Männer gut Betragen. pCt.	Frauen gut Betragen. pCt.
In 6 Arrondissements .	50,8 = 100	47,8 = 100	22,6 = 100
In 6 Arrondissements .	38,8 = 76	49 = 102	18,1 = 80

Die Eintheilung in Arrondissements ist wieder keine genügende, wir halten uns an die bessere, weil subtilere Eintheilung in 48 Quartiere, wonach das Unbeschäftigtsein Vieler mit gutem Betragen beider Geschlechter Hand in Hand geht. Der scheinbare Widerspruch mit der obigen Parallelität des Fleißes und des guten Betragens löst sich leicht, da die Quartiere mit den vielen im Jahre 1849 unbeschäftigten Chambregarnisten gerade diejenigen sind, welche nach Tabelle **XX.** als Hauptsitz der Pariser Industrie in guten Zeiten viele Arbeiter beschäftigen und eben deshalb in schlechten Zeiten viele Arbeiter außer Thätigkeit setzen müssen. Der Zeitpunkt der Wohnungsenquête war nun der einer fast allgemeinen Geschäftsstockung, wie in der ganzen Welt, so besonders in Paris, welches hauptsächlich Luxusartikel fabricirt, und wohl ganz besonders in dem Stadttheile des Streifens auf der keinen Axe von Nordost nach Südwest, welcher gerade die sog. Pariser Industrie (Articles de Paris) in sich beherbergt. *) Das Unbeschäftigtsein so vieler Chambregarnisten rührte also nicht her von Arbeitsunlust, sondern von Arbeitsmangel. Die vielen Unbeschäftigten und dennoch sich gut Aufführenden würden so zu deuten sein: Obwohl in den industriellen Districten von Paris sehr viele Arbeiter im Anfang des Jahres 1849 unbeschäftigt waren, so war ihr Betragen doch ein gutes, die gezwungene Arbeitslosigkeit hat ihnen den moralischen Halt nicht rauben können. In den Gegenden, welche immer viele unbeschäftigte Chambregarnisten aufweisen, konnte eine plötzliche Geschäftsstockung in der Procentzahl der Unbeschäftigten nicht so viel ändern, als in den arbeitsamen Stadtgegenden, aber die moralische Deroute

---

*) Vergleiche **Laspeyres**, Die Gruppirung der Pariser Industrie, a. a. O.

wurde allgemein. Darum die ohne solche Erklärung auffällige Erscheinung guten Betragens mit Mangel an Beschäftigung.

ad 2) Das Betragen im Verhältniß der Chambregar= nisten zur gesammten Einwohnerzahl eines Stadt= theils.

Hauptresultat der Tabelle XIX a. b.

Stadttheile.	Chambregarnisten.			
	Männer.		Franen.	
	Chambregar= nisten in pCt. aller Einwohner.	pCt. gut Betragen.	Chambregar= nistinnen in pCt. aller Einwohner.	pCt. gut Betragen.
6 Arronbissements .	1,18	47,4	0,42	18,8
6 ⸱ .	3,10	48,3	0,67	23,5
12 ⸱ .	2,04	48	0,59	21
Verhältniß zum Durchschnitt aller 12 Arronbissements = 100.				
6 Arronbissements .	58	101	71	89
6 ⸱ .	152	99	113	112
12 ⸱ .	100	100	100	100

Auf Tabelle XIX a. b. findet sich die Berechnung, wie viel die in Chambregarnie wohnenden Arbeiter in jedem Arron= bissement Procente der Einwohner ausmachen, unabhängig von der Größe des Arronbissements. Dazu ist das Betragen ge= setzt. Leider fehlt uns die Gruppirung nach Quartieren auch hier, vielleicht ist das der Grund dafür, daß ein bedeutungs= voller Zusammenhang hier nicht ersichtlich ist, während er bei 48 Quartieren mehr in die Augen fallen würde. Unter den Männern ist das Betragen der Chambregarnisten nur um ein weniges, 48,3 gegen 47,4 pCt., besser, je weniger Procente aller Einwohner Chambregarnie wohnen, 1,18 gegen 3,10 pCt., bei den Frauen ist das Betragen um einen etwas größeren Be= trag, 23,5 pCt. gegen 18,8 pCt. gut Betragen bei 0,42 pCt.

gegen 0,67 pCt. weiblicher Chambregarnisten. Also bei einem
größeren Unterschiede in dem Antheil der männlichen Chambregarnisten an der Gesammtbevölkerung $1,18 : 3,10 = 100 : 263$
als in dem Antheil der weiblichen Chambregarnisten $0,42 : 0,67$
$= 100 : 160$ ist der Unterschied im Betragen der Männer sehr
gering $47,4 : 48,3 = 100 : 102$, in dem der Frauen nicht unbe-
trächtlich $18,8 : 23,5 = 100 : 125$. Ist hier der quantitative
Unterschied groß genug, um eine Nothwendigkeit in der Parallelität beider Erscheinungen anzunehmen und nach der Ursache zu forschen? Für die Frauen möchte ich das bejahen.
Bei diesen ist es nicht unmöglich, daß das Betragen um so
schlechter ist, auf je weniger ledige in Chambregarnie wohnende
Frauen sich die Verführung des ganzen Stadttheils concentrirt
oder je mehr Verführer auf je eine Chambregarnistin kommen,
oder je leichter eine Jede der intensiveren Verführung unterliegt.
Hiermit stimmt auch vortrefflich, daß speciell auf viel weibliche
Chambregarnistinnen der unteren Klassen auch viel Chambregarnisten der unteren Klassen fallen, denn die weiblichen Chambregarnisten machen in den Stadttheilen mit wenig gutem Betragen einen geringern Procentsatz der ganzen männlichen Arbeiterbevölkerung aus, als in den Stadttheilen mit viel gutem
Betragen. In den ersteren sind die weiblichen Chambregarnisten
nach derselben Tabelle **XIX** a. b. nur 2,5 pCt., in den letzteren
3,2 pCt. Daß bei den Männern troß dem größeren Unterschiede
in dem Procentantheil der Chambregarnisten das Betragen
keine Unterschiede aufweist, zeigt gleichfalls, daß eine besondere
nur bei den Frauen wirkende Ursache hier das Betragen mit
bestimmt.

ad 3) Das Betragen im Verhältniß der Chambregarnisten
zur Bevölkerungsdichtigkeit.

In Tabelle **XX** a. b. finden wir endlich die 12 Arrondissements darnach rangirt, ob viel Chambregarnisten bei großer
oder bei keiner Bevölkerungsdichtigkeit des Arrondissements
wohnen. Eine hohe Zahl in der Colonne der Chambregarnisten
bedeutet, daß auch die Chambregarnisten dicht wohnen, eine
niedrige das Gegentheil. Das Resultat ist bei den Männern:

Hauptresultat der Tabelle **XX**a. b.

Stadttheile.	Chambregarnisten.			
	Männer.		Frauen.	
	Bevölkerungsdichtig-keit, dividirt durch die Durchschnittsanzahl b. Chambregarnisten.	pCt. gut Betragen.	Bevölkerungsdichtig-keit, dividirt durch die Durchschnittsanzahl b. Chambregarnistinnen.	pCt. gut Betragen.
6 Arrondissements . . .	508	53	1781	209
6 ⸱ . . .	152	44,7	449	21,1
12 ⸱ . . .	179	48	613	21
Verhältniß zum Durchschnitt aller 12 Arrondissements = 100.				
6 Arrondissements . . .	282	110	290	99
6 ⸱ . . .	85	93	73	101
12 ⸱ . . .	100	100	100	100

Je dichter die Chambregarnisten mit anderen Leuten zusammen-gedrängt leben, 152 gegen 508 oder 100 gegen 334, um so besser ist das Betragen, 44,7 gegen 53 oder 100 : 119. Bei den Frauen: Je dichter die weiblichen Chambregarnisten mit anderen Leuten zusammengedrängt leben, 449 : 1781 oder 100 : 396, um so weniger gut ist das Betragen, 21,1 : 20,9 oder 100 : 98. Der Unterschied im Betragen ist bei den Frauen kaum erwähnenswerth. Dieses Resultat ließ sich qualitativ wenigstens aus Nr. 1 und 2 zum Voraus berechnen. Wenn auf viel Einwohner ein männlicher Chambregarnist kommt, wo-durch das Betragen kaum afficirt wird, und wenn auf weniger Flächenraum ein Chambregarnist kommt, was das Betragen sehr verbessert, kommt ein Chambregarnist auf eine große Dich-tigkeit der Bevölkerung und bewirkt ein gutes Betragen, wenn auf viel Einwohner aber ein weiblicher Chambregarnist kommt, was das Betragen sehr verschlechtert, und auf wenig Flächen-raum, was das Betragen sehr verbessert, kommt eine Chambre-garnistin auf eine große Dichtigkeit der Bevölkerung und wird das Betragen nicht davon afficirt, da das sehr gute Betragen aus dem einen Grunde durch das sehr schlechte Betragen aus dem andern Grunde aufgewogen wird.

Einfluß des Zusammenwohnens vieler Chambregarnisten in einem Hause. (Miethcaserne oder Einzelwohnung?)

§. 14.

Hauptresultat der Tabelle XXIa. b.

Stadttheile.	Chambregarnisten.			
	Männer.		Frauen.	
	Chambregarnisten auf 1 Vermiether.	pCt. gut Betragen.	Chambregarnistinnen auf 1 Vermiether.	pCt. gut Betragen.
23 Quartiere	6,9	54,4	1,67	23
24 ⸗	10,8	44,9	3,80	20
47 ⸗	9,1	48	2,7	21
Verhältniß gegen alle 47 Quartiere = 100.				
23 Quartiere	76	113	62	110
24 ⸗	119	93	141	95
47 ⸗	100	100	100	100

Ueber das Zusammenwohnen vieler Chambregarnisten in einem Hause und seine Wirkungen geben die Tabellen XXI a. b. für beide Geschlechter Aufschluß, in denen die Zahl der Vermiether, der Miether und der sich gut betragenden Miether verzeichnet sind, geordnet nach der Zahl Miether, die auf jeden Vermiether kommen. In den 23 Quartieren mit je 6,9 männlichen und 1,67 pCt. weiblichen Chambregarnisten per Vermiether sind 54,4 resp. 23 pCt. im Betragen zu loben, in den anderen 24 Quartieren mit 10,8 männlichen und 3,8 weiblichen Chambregarnisten hingegen nur 44,9 pCt. resp. 20 pCt. zu loben.

	Männer		Frauen	
	auf 1 Ver- miether.	pCt. gut Betragen.	auf 1 Ver- miether.	pCt. gut Betragen.
23 Quartiere	6,9=100	54,4=100	1,67=100	23=100
24 Quartiere	10,8=156	44,9= 82	3,8 =227	20= 87

Bei einem sehr viel geringeren Unterschiede in der Wohnungsdichtigkeit der Männer (100 : 156) als der Frauen (100 : 227) ist der Unterschied im Betragen bei den Männern größer (100 : 82) als bei den Frauen (100 : 87). Jedenfalls ist aber in beiden Geschlechtern der Einfluß des Zusammenwohnens Vieler in demselben Hause ein ungünstiger. Bemerkenswerth ist dabei, wie tief unter dem Durchschnittsbetragen die 4 Stadtquartiere stehen, welche die allermeisten Chambregarnisten auf einen Vermiether aufweisen.

Bei 13,8, 14,3, 14,5, 21,1 pCt. Chambregarnisten betragen sich gut nur:

16, 36, 22, 31 =

d. h. 34, 77, 47, 66 = im Verhältniß zum Durchschnitt = 100.

Gleich vor diesen 4 Quartieren steht freilich eins mit 12,8 pCt. Miethern und 73 pCt. gutem Betragen, d. h. gegen den Durchschnitt von 47 pCt. = 100 wie 155.

Warum sind nun die Wirkungen des Zusammenlebens vieler weiblicher Chambregarnisten in einem Hause nicht so groß nach unseren Zahlen, als bei den Männern, während man gerade erwarten sollte, daß das Zusammenleben Vieler hier schädlicher wäre als bei den Männern?

Die Antwort ist die: Eben nur nach unseren Zahlen ist der Einfluß auf die Weiber nicht größer, denn die Statistik der Industrieenquête giebt uns hier, abgesehen von dem immer für beide Geschlechter undeutlichem Bilde, speciell für die Frauen das Bild noch undeutlicher. Wir erfahren nur, wie viel männliche und weibliche Chambregarnisten zusammengenommen in jedem Stadtquartier sich befinden. Daraus können wir nur berechnen, wie viel Männer und Frauen zusammen durchschnittlich auf einen Vermiether kommen, wenn wir annehmen, daß jeder Vermiether Männer und Weiber beherbergt. Daß nun fast alle 2360 Vermiether von den 21,567 Männern einige in ihrem Logis annehmen, ist allerdings wahrscheinlich, allein es ist doch sehr fraglich, ob die 6262 Frauen so zerstreut wohnen, daß jeder der 2360 Vermiether einige davon im Hause habe, was durchschnittlich noch nicht 3 ergeben würde. Die obige Durchschnittsberechnung müßte eigentlich durch eine genauere ersetzt werden, in welcher wir die wenigen Vermiether, welche keine Männer, und die vermuthlich vielen Vermiether, welche keine Frauen logiren, ausschließen. Dann würden wir sicher finden, daß, wo viele Weiber auf einen Vermiether kommen, der zugleich auch fast immer Männer logirt, das Betragen bei den Frauen noch schlimmer afficirt wird als bei den Männern. Daß sehr viele Vermiether nur an Männer vermiethen und dagegen fast niemals nur an Frauen, kann man mit einiger Sicherheit schon daraus schließen, daß unter den 81 Garnies, welche speciell geschildert sind, keins ausdrücklich als nur von Frauen, aber 15 als nur von Männern bewohnt genannt werden. Von den 81 Logis machen diese 15 Logis 19 pCt. aus, wobei übrigens unter den 81 Logis noch eine große Menge sich befinden, von welchen gar nicht angegeben, ob Männer und Weiber oder nur Männer darin wohnen. Unsere Behauptung, viele Vermiether vermietheten nur an Männer, wird noch dadurch bestätigt, daß es eine ganze Kategorie von Logis nach der Enquête giebt, welche nur an Männer vermiethet werden; es sind dies die oben in der Einleitung S. 3 und S. 77 erwähnten 500 Garnis spéciaux, welche circa 5000 Männer beherbergen, meistens Maurer aus dem Limousin.

Darnach kann es keinem begründeten Zweifel unterliegen, daß, wenn wir eine detaillirtere Statistik hätten, der Einfluß des Zusammenlebens auch vieler Weiber im Kasernensystem deutlich in die Augen springen müßte. Am interessantesten wäre, wenn wir das Betragen beider Geschlechter ermitteln könnten, je nachdem, ob in demselben Hause viele Männer und Frauen zusammenwohnen; dafür fehlt uns aber in dem zu Gebote stehenden Material leider jeder, auch der indirecteste Anhalt. Der Statistiker steht hier wieder vor einem verschlossenen Raume,

deſſen Beſichtigung ihm die intereſſanteſten Aufſchlüſſe geben
würde. Jedenfalls genügen aber die obigen Zahlen ſchon, das
wirthſchaftlich allerdings zweckmäßigere Kaſernenſyſtem für
Arbeiterwohnungen aus moraliſchen Gründen zu verwerfen.

B. Die Gründe für den bei den Frauen ſchlimmeren Einfluß des Wohnens in Chambregarnie.

§. 15.

Wir fanden oben, daß von den Männern in Chambregarnie circa 13 pCt., von den Frauen hingegen circa 23 pCt.
zweifelhaftes und ſchlechtes Betragen haben. Mit dieſer indirect
ermittelten directen Angabe ſtimmt das direct gefundene indirect
beweiſende Factum, daß bei mehr Chambregarniſten in einem
Gewerbe auch das ſchlimme Betragen ſteigt.

Ge- werbe.	Männer pCt.		Ge- werbe.	Frauen pCt.	
	Chambre- garnie.	ſchlecht Betragen.		Chambre- garnie.	ſchlecht Betragen.
130	7,4＝100	5,1＝100	110	0＝ 100	2 ＝100
140	25 ＝338	11 ＝216	120	10＝1000*)	11,7＝585

Woher der große Unterſchied im Betragen? Unter den
Chambregarniſten ſind vorweg zwei Kategorien ſcharf zu unterſcheiden, diejenigen, welche mehr oder minder freiwillig dieſe
Art zu wohnen wählen, und die, welche dazu durch äußere Um-
ſtände gezwungen ſind. Die erſteren ſind größtentheils die in
Paris anſäſſigen Arbeiter, welche nicht den Willen haben, zu
heirathen und in eigenen Meubeln zu wohnen, oder beim
Meiſter ſich in Koſt und Logis zu geben. Daß dieſes eine
niedrigere Stufe der Pariſer Arbeiterbevölkerung iſt, leuchtet
ein, ebenſo iſt leicht erſichtlich, daß dieſer Theil der Arbeiter
unter dem weiblichen Geſchlecht verhältnißmäßig viel ſchlimmere
Repräſentanten aufzuweiſen haben wird als unter dem männlichen. Von einem weiblichen Weſen der unteren Klaſſen we-

---

*) Statt 0 pCt. 1 pCt. genommen, ſonſt wäre das Verhältniß
100 : ∞.

nigstens, das entweder nicht heirathen will oder nicht heirathen
kann und das, aus einem dieser zwei Gründe ledig bleibend,
beim Arbeitgeber Aufnahme in Kost und Logis entweder nicht
finden will oder nicht finden kann und darum Chambregarnie
wohnt, ist moralisch meistens wenig zu erwarten. Anders vielfach bei den Männern. Der Unabhängigkeitssinn, der es verschmäht, beim Meister Wohnung und Nahrung zu suchen und
dadurch auch sonst der Hausordnung sich zu fügen, ist beim
Manne ungleich berechtigter als bei der Frau, desgleichen ist
das Nichtheirathen bei ihm mehr die Aeußerung eigenen freien
Entschlusses und ist endlich bei dem durchschnittlich in späterem
Lebensalter heirathenden Manne die natürliche Junggesellenzeit
vom 16ten Lebensjahre an eine längere als beim weiblichen
Geschlecht. Nehmen wir aber selbst an, daß vermöge der vielleicht besseren Natur des Weibes die in Paris ansässigen
Chambregarnisten beider Geschlechter auf gleicher sittlicher Stufe
ständen, so muß unter den sämmtlichen männlichen Chambregarnisten dennoch ein größerer Theil sich gut aufführen als
unter den weiblichen, denn zu den ansässigen Chambregarnisten
treten für das weibliche Geschlecht fast gar keine, für das männliche aber eine sehr beträchtliche Anzahl nicht ansässiger,
sondern nur zeitweilig, oft nur bestimmte Jahreszeiten sich in
Paris aufhaltende Arbeiter hinzu. Nach der Industrieenquête
können unter 7145 weiblichen Chambregarnisten höchstens 26,
d. h. 0,4 pCt. nicht ansässig sein, denn mehr finden in Paris
nicht Beschäftigung; unter den 48,769 männlichen Chambregarnisten aber werden die meisten der 3553 nicht ansässigen
Arbeiter sich befinden, d. h. 7,3 pCt. Daß solche nicht ansässigen Arbeiter nicht in eigenen Meubeln wohnen werden, ist
selbstverständlich, aber auch daß der Arbeitgeber dieselben nicht
leicht in seine Wohnung aufnimmt, wird Niemand verwundern,
denn der Arbeitgeber wird, schon um den in Paris mit so
hohem Miethzins zu bezahlenden Raum gehörig auszunutzen,
ständige Hauseinwohner den unständigen vorziehen. Die unständigen Arbeiter sind also fast ausnahmslos Candidaten für
die möblirt zu vermiethenden Wohnungen. Zu den männlichen
und weiblichen sittlich vielleicht, aber sehr unwahrscheinlich

gleich hoch stehenden ständigen Chambregarnisten treten noch
hinzu eine große Anzahl unständiger männlicher Arbeiter,
aber keine weiblichen. Sollten diese unständigen männlichen
Arbeiter in hohem Grade moralisch nichtsnutzig sein, dann
müßte die Summe aller männlichen Arbeiter in Chambregarnie
einen höheren Procentsatz schlechter Leute aufweisen, sind sie
aber ordentliche Menschen, so erhöht sich dadurch der Procent=
satz derer von guter Aufführung. Daß die fluctuirende Pariser
Arbeiterbevölkerung nun allerdings nicht so hoch in moralischer
Beziehung steht, wie die ansässige, beim Meister oder in eigenen
Meubeln wohnende, mag vielleicht zuzugeben sein, dagegen
sprechen aber auch sehr viele Gründe dafür, daß sie bedeutend
über der untersten Klasse der ansässigen Pariser Bevölkerung,
welche die Chambregarnies bevölkert, steht, und darauf kommt
es für unsere Frage an. Ein statistisches Indicium hierfür
liegt in Folgendem: Nach den obigen Tabellen haben 56 pCt. der
Chambregarnisten gutes Betragen in den drei Arrondissements
VII., IX., X., in denen die Maurer den größten Procent=
antheil ausmachen, nämlich durchschnittlich 23 pCt. Nur in
2 Arrondissements, dem V. und XI., ist das Betragen bei nur
4 pCt. Maurer besser, nämlich 62 pCt. gut, in allen anderen
7 Arrondissements aber bei durchschnittlich 3 pCt. Maurern
nur 43 pCt. gut. Das V. Arrondissement ist im Betragen so
gut, weil dasselbe überhaupt eines der industriellsten ist und
weil die Zimmerleute, von denen über 28 pCt. nothgedrungen
als fluctuirend in die Chambregarnie ziehen, im V. Arron=
dissement fast 9 pCt. aller Chambregarnisten ausmachen. Der
zweiten Ausnahme des XI. Arrondissements läßt sich auch leicht
auf die Spur kommen. Das XI. Arrondissement hat die ver=
hältnißmäßig anständigsten meublirten Wohnungen, denn 246
der 988 Chambregarnisten, d. h. 25 pCt. derselben, sind nicht
Arbeiter, sondern es sind 102 Studenten = 10 pCt., 60 Employés et Commis = 6 pCt., 41 aus Professions diverses
libérales = 4 pCt., 33 Militaires (mobiles Exmilitaires Officiers) = 3 pCt., 20 Rentiers et Propriétaires = 2 pCt.
Das sind aber unstreitig zum überwiegenden Theil solche Leute,
deren Betragen, mit dem Maßstabe eines Hauswirths gemessen,

im Vergleich mit den meisten Arbeitern sich günstig stellen wird. Von allen in solchen Chambregarnies wohnenden Studenten sind fast 50 pCt. allein im XI. Arrondissement, von den Rentiers 9 pCt., von den Militaires 6 pCt., von den Employés 7 pCt., von den Professions diverses 15 pCt., in Summa 12 pCt. aller dieser Gewerbe in dem einzigen XI. Arrondissement, während eine gleichmäßige Vertheilung dieser Professionen auf jedes Arrondissement nur 8 pCt. ergeben würde. Wo solche Leute einen großen Theil der Chambregarnisten bilden, kann es nicht auffallen, daß das durchschnittliche Betragen besonders gut ist. Auch im V. Arrondissement, dem der Zimmerleute, sind außerdem die Employés et Commis mit 131 von 866, d. h. mit 15 pCt. vertreten. Alle die genannten Leute sind natürliche Chambregarnisten aus den oben allegirten Gründen, daß aber speciell die Bevölkerung, welche nur zu bestimmten Zeiten in Paris beschäftigt, fluctuiren muß, die Elite für die Chambregarnies abgeben, zeigen die Aussprüche der Enquête vom Jahre 1849 gerade wieder über die Maurer. Unter den Maurern waren 1849 48 pCt. nicht ansässig, 1860 allerdings nur 23 pCt. Diese mobilen Maurer betrugen 1849 51 pCt., 1860 67 pCt. aller mobilen Arbeiter überhaupt. Von den männlichen Chambregarnisten machten sie allein 8 pCt. aus. Diese Art von mobilen Arbeitern existirt unter dem weiblichen Geschlechte nicht. Ueber diese Maurer nun sagt die Enquête des Jahres 1849 S. 980 f.: „Garnis spéciaux. Es sind im Allgemeinen die am anständigsten gehaltenen. Die Erhebung umfaßt ungefähr 500, welche ·gegen 3000 Arbeiter von meist guter Aufführung beherbergen. Die meisten dieser Art von Logis sind für die Maurer aus dem Limousin bestimmt, nämlich 191, und von diesen wieder mehr als die Hälfte im IX. Arrondissement. Diese Wohnungen enthalten meistens 2 bis 6 Arbeiter, welche oft aus derselben Gemeinde sind, auch ist es nichts Seltenes, daß der Vermiether gleichfalls Maurer aus demselben Orte ist. Diese Arbeiter kehren alle Jahre oder alle zwei Jahre einmal nach Hause zurück. Viele unter ihnen, welche 1848 Paris verlassen hatten, waren 1849 nicht zurückgekehrt, und gerade auf diese und die anderen mobilen Bauhandwerker fällt

die große Abnahme in der Bevölkerung der meublirten Woh=
nungen. Das Betragen dieser ist im Allgemeinen ausge=
zeichnet, sie sind ordentlich, ruhig, fleißig und besonders sehr
sparsam. Die Meisten arbeiten viel und verbrauchen möglichst
wenig, um einige Ersparnisse mit nach Hause zu nehmen, auch
sind sie häufig als sehr geizig verschrieen, was bei Arbeitern
dieser Klasse jedenfalls ein Lob ist. Fast alle kommen fast nie=
mals spät nach Hause. Die meisten gehen gar nicht in die
Kneipen und sind jedenfalls niemals trunksüchtig; sie bezahlen
ihre Betten, welche je zwei mit einander theilen, mit 5 bis
8 Fr. monatlich. Für diesen Preis haben sie auch Anspruch
auf eine Abendsuppe und die Wäsche von einem Hemde
wöchentlich. Ihre Wohnungen sind ziemlich häufig in schlech=
tem Stande, und es giebt einige, welche man in die unterste
Stufe (très-mauvais) klassificiren mußte, was mehr der Gleich=
gültigkeit gegen Bequemlichkeit und Reinlichkeit zugeschrieben
werden muß, als dem mangelhaften Erwerbe und der über=
mäßigen Sparsamkeit, denn es giebt mehrere Beispiele von
Wohnungen für Maurer, die man als gut und reinlich gehalten
schildert, ohne daß ihr Preis höher wäre als derjenige der
als schlecht gehalten, verpestet und ungesund geschilderten.
Diese Angabe über das Betragen der Maurer finden zum Theil
auch Anwendung auf die Steinschneider." Gerade diese Stein=
schneider sind im VII. Arrondissement am zahlreichsten vertreten,
160 oder 46 pCt. Aller. In diesem VII. Arrondissement, das
nur dem V. der Zimmerleute und dem XI. der freien Pro=
fessionen nachsteht, ist das Betragen das beste unter den drei
Maurer=Arrondissements, 58 pCt. gut, obwohl die Zahl der
Maurer in diesem Arrondissement nicht die erste Stelle ein=
nimmt; die nach der Enquête gleichfalls tüchtigen Steinschneider
füllen diese Lücke in demselben Sinne aus. Endlich sei erwähnt,
daß gerade diese Arrondissements V., XI., VII., IX., X. nach
der Enquête von 1849 diejenigen sind, welche die geringste
Anzahl schlechter und sehr schlechter Wohnungen haben, noch
nicht ganz 17 pCt. gegen 23 pCt. in den 7 übrigen Arron=
dissements.

Nach all' diesen mit einander übereinstimmenden Daten

war ich nicht wenig erstaunt, auf einer anderen Tabelle der
Enquête von 1849 zu finden, daß kein scharfer Unterschied im
Betragen zwischen den Gegenden mit vielen passants und wenig
sédentaires und den Gegenden mit wenig passants und viel
sédentaires als Chambregarnisten existirt. (Tabelle XXII a. b.)

Hauptresultat der Tabelle XXII a. b.

Stadttheile	Chambregarnisten.		
	Männer und Frauen Passanten pCt.	Männer pCt. gut Betragen.	Frauen pCt. gut Betragen.
24 Quartiere	4,9	47,6	20,1
24 , ...	22,9	48,3	21,9
48 , ...	14	48	21
Verhältniß gegen alle 48 Quartiere = 100.			
24 Quartiere	35	99	96 .
24 , ...	164	101	104
48 , ...	100	100	100

Wenn es nun auch natürlich scheint, daß bei vielen Passanten, wie der obige Auszug aus der Enquête sie schildert,
das Betragen der Frauen besser ist, so dürfte es um so mehr
auffallen, daß ein so großer Unterschied in der Zahl der Passanten auf die Männer nicht einwirken soll, allein der ganze
Widerspruch existirt gar nicht, denn wie eine Anmerkung zu der
Tabelle über die Passanten und Seßhaften ergab, war hier
etwas ganz Anderes verstanden unter sédentaires und passants,
als in der Industrieenquête unter sédentaires und mobiles.
Ein Passant ist nicht, der nur vorübergehend in Paris sich aufhält, sondern der nur vorübergehend, d. h. eine Nacht in dem
betreffenden Logirhause sich aufhält. Diese ganze Tabelle hat
also mit dem Obigen der fluctuirenden und seßhaften Bevölkerung gar Nichts zu thun, ein Widerspruch mit der obigen Behauptung, daß die fluctuirende Pariser Arbeiterbevölkerung,

welche in die Chambregarnies ziehen muß, beffere Elemente
enthält, als die feßhafte, welche es mehr oder minder freiwillig
thut, liegt nicht vor. *)

Die Tabelle, welche wir an die Spitze unſerer Unter=
ſuchung geſtellt haben, zeigt, daß nicht nur beſtimmte Katego=
rien von männlichen Arbeitern mit Vorliebe die guten Chambre=
garnies auffuchen, ſondern überhaupt die Männer mehr als die
Frauen. Nach dieſer Tabelle findet man, daß die guten
Chambregarnies auf die Männer einen guten Einfluß üben:

$$\left\{ \begin{array}{l} 35 \text{ pCt. gut Logis} = 48 \text{ pCt. gut Betragen} \\ 45 \quad = \quad = \quad = \quad = 51 \quad = \quad = \quad = \end{array} \right\}$$

und die ſchlechten Logis einen ſchlechten Einfluß:

$$\left\{ \begin{array}{l} 15 \text{ pCt. ſchlechte und ſehr ſchlechte Logis} = 50 \text{ pCt. gut Betragen} \\ 26 \quad = \quad = \quad = \quad = \quad = \quad = 46 \quad = \quad = \quad = \end{array} \right\}$$

Bei den Frauen ſind die guten Logis für das Betragen
indifferent:

$$\left\{ \begin{array}{l} 35 \text{ pCt. gute Wohnungen} = 20{,}7 \text{ pCt. gutes Betragen} \\ 45 \quad = \quad = \quad = \quad = 20{,}5 \quad = \quad = \quad = \end{array} \right\}$$

die ſchlechten aber nicht:

$$\left\{ \begin{array}{l} 15 \text{ pCt. ſchlechte und ſehr ſchlechte Logis} = 19 \text{ pCt. gut Betragen} \\ 26 \quad = \quad = \quad = \quad = \quad = \quad = 22 \quad = \quad = \quad = \end{array} \right\}$$

Wir dürfen aus dieſen Zahlen nicht ſchließen, daß ſchlechte
Wohnung gut auf die Frauen wirkt, denn ſonſt müßte auch
gute Wohnung ſchlecht wirken, während unſere Zahlen hier gar
keine Wirkung nach einer beſtimmten Richtung zeigen. Das
viele gute Betragen 22 pCt. bei den vielen ſchlechten und ſehr

---

*) Die Tabelle XXII a. b. bedeutet demnach: In denjenigen Logis, in
denen viele Eintagsfliegen oder richtiger Einnachtfliegen verkehren, iſt das
Betragen der Männer weder beſſer noch ſchlechter, als in denen mit länger
bleibenden Einwohnern, bei den Frauen hingegen ſind die Quartiere mehr
zu loben, in denen viele Paffanten ſich finden. Dies könnte darin ſeine Er=
klärung finden, daß, wo die Bevölkerung viel wechſelt, die eine Art der
Verſuchung an die dort wohnenden Frauen weniger herantritt, als wenn die
Bevölkerung eines ſolchen Hauſes länger mit einander verkehrt, allein der
auch ſo nicht bedeutende Unterſchied im Betragen kann ein zufälliger ſein
oder andere Gründe haben, z. B. daß viele Wohnungen mit regelmäßigen
Einwohnern Diebsherbergen und Stätten der Proſtitution ſind mit dem
daraus folgenden ſchlechten Betragen.

schlechten Wohnungen 26 pCt. kann nur ein zufälliges sein, da die Gegenprobe, an den guten Wohnungen gemacht, nicht stimmt. Für uns liegt bei zufälliger einmaliger Uebereinstimmung in dem durch. die nicht stimmende Gegenprobe bewiesenen Mangel eines causalen Zusammenhanges nur ein Anzeichen, daß die Frauen in den Chambregarnies von dem Mehr oder Minder der guten oder schlechten Wohnungen nicht beeinflußt werden können, da sie fast alle nur auf die schlechten Logis angewiesen sind. Für diese Behauptung haben wir außer allgemeinen Anzeichen einen speciellen statistischen Beweis. Von den im Jahre 1849 über= haupt in Chambregarnie wohnenden 6262 Frauen sind in den erträglicheren der Logis, welche auf Seite 983—993 der Enquête geschildert werden, nur 89, d. h. circa 1 pCt., in den schlechten Logis aber 424 oder 7 pCt., zusammen in den spe= ciell geschilderten Wohnungen 513 oder 8 pCt. aller. Von den 21,567 männlichen Chambregarnisten sind nun zwar fast die gleiche Procentzahl in den genannten speciell untersuchten Logis, d. h. 1518 oder 7 pCt., aber sie vertheilen sich viel günstiger, in den besseren befinden sich 472 oder 2 pCt. und in den schlechten nur 5 pCt. Also ein Unterschied von 1 : 7 gegen 2 : 5 in dem Antheil der Männer und Frauen zu den besseren und schlechteren Logirstätten. Von der besten der Kategorieen, den Garnis spéciaux, wissen wir außerdem, daß sie fast nur von Männern bewohnt werden, namentlich den natürlichen, nicht Paris angehörigen Chambregarnisten.*)

III. Abschnitt.
Gründe für den guten Einfluß des Wohnens beim Meister.
§. 16.

So ausführlich wir bei dem Wohnen in fremden Meubeln sein konnten, so kurz müssen wir bei dem Wohnen in fremden Meubeln und fremder Kost sein, da wir für diese Art des Wohnens keinerlei Anhalt außer den Daten der Enquête von

---

*) Leider sind nicht einmal in diesen speciell geschilderten Logis alle Angaben in Zahlen gemacht, so daß die obige Berechnung nur aus 44 der 80 speciell geschilderten Logis gemacht werden konnte.

1860 besitzen. Diese Daten zeigten uns den wohlthätigen Einfluß dieser Lebensweise auf das Betragen, welcher Einfluß bei
den Männern freilich ein bedeutenderer ist als bei den Frauen.
Von den männlichen Meisterwohnern sollen nur 4 pCt., von
den weiblichen 7,9 pCt. sich schlecht und zweifelhaft benehmen.
Damit stimmt auch, daß bei den Männern die Betragens-
differenz zwischen den Gewerben ohne Meisterwohner zu denen
mit circa 50 pCt. Meisterwohner ist = 86 : 95, bei den Frauen
nur wie 90,5 : 94. Bei beiden Geschlechtern ist das Betragen
der beim Meister Wohnenden besser als im Durchschnitt aller
Arbeiter, welches bei Männern 9 pCt., bei Frauen 8,9 pCt.
schlecht und zweifelhaft ist.

Der gute Einfluß ist nicht verwundersam, diese Logis
werden jedenfalls besser sein als die oben geschilderten Chambregarnies, denn wenn auch vielleicht nicht für ein ordentliches
Ameublement, so doch mindestens für eine erträgliche Reinlichkeit wird der Kost- und Logisherr in seinem eigenen Interesse
sorgen, und zwar, indem er seine ihm untergeordneten Haus-
genossen dazu anhält, was nur gut wirken kann. Wer Chambregarnies vermiethet, hat das Interesse der Reinlichkeit wohl
auch, aber nicht immer die Macht, dieselbe von seinem Miether
zu erwirken, den er auch nicht jederzeit beliebig vor die Thür
setzen mag, da er in vielen Fällen mit der Miethe im Rück-
stand ist.*)

Die Güte der Wohnung kann jedoch nicht ausschließlich
der Grund des guten Betragens sein, denn sonst könnte unbedingt das Betragen der weiblichen Kost- und Logisgänger dem
der männlichen nicht so bedeutend nachstehen, und dieser Unterschied findet seine Erledigung auch nicht in dem anderen gemeinsamen Grunde guten Betragens, der Beaufsichtigung durch
den Herrn Meister und die Frau Meisterin. Ein besonderer
Grund läßt diese Einwirkung des Meisters auf das männliche
Geschlecht wirksamer sein als auf das weibliche. Die beim
Meister wohnenden männlichen Arbeiter sind durchschnittlich

---

*) Vergleiche die ausführliche Anmerkung 4 Seite 111 über „ne de-
vant rien au logeur."

jünger als die weiblichen, sie sind also bildungsfähiger in mo-
ralischer Beziehung, der gezwungene und oft lästig empfundene
Umgang mit dem Meister und dessen Familie kann noch ein-
wirken auf das jugendliche Gemüth des männlichen Gehülfen.
Die weiblichen Gehülfen, welche schon älter sind, widerstreben den
Erziehungsversuchen, wenn nicht gar der Meister seine weiblichen,
von ihm abhängigen Gehülfen mißbraucht. Daß aber beim
Meister mehr jugendliche männliche als weibliche Arbeiter wohnen,
zeigt eine besondere Rubrik in der reichen Industrieenquête des
Jahres 1860. Unter der Gesammtzahl der Arbeiter für jedes
Geschlecht sind besonders verzeichnet die Kinder unter 16 Jahren
und unter diesen wieder die sog. Lehrlinge, welche unbedingt in
erster Reihe in Kost und Wohnung des Meisters sich befinden.
In allen Gewerben zusammen entspricht nun allerdings die Zahl
der Kinder jeden Geschlechtes den Erwachsenen.

	Erwachsene:	Kinder:	Lehrlinge:
Männliche Arbeiter:	271,700,	19,059,	14,161,
	93 pCt.,	7 pCt.,	4,9 pCt.
Weibliche Arbeiter:	99,829,	6481,	5581,
	94 pCt.,	6 pCt.,	5,3 pCt.

Das gäbe ein fast gleiches Verhältniß des jugendlichen
Alters und der Lehrlinge für beide Geschlechter, allein die
Gleichheit existirt nur bei allen Gewerben zusammen; in den
Gewerben jedoch, welche für uns in Betracht kommen, übertrifft
der Procentsatz der jugendlichen männlichen Arbeiter weit den
der weiblichen. Namhafte Mengen von Gehülfen im Hause
des Meisters kommen ja nach Tabelle IIIa. und IIIb. fast
nur in den Nahrungsgewerben vor, und in diesen Nahrungsgewerben giebt es viele Knaben unter 16 Jahren und viele
Lehrlinge, aber wenige Mädchen. In der I. Hauptgruppe
„Alimentation" sind

	Erwachsene:	Knaben:	Lehrlinge:
männliche Arbeiter:	28,659,	1372,	1181,
	95,5 pCt.,	4,5 pCt.,	3,9 pCt.,
	Erwachsene:	Mädchen:	Lehrlinge:
weibliche Arbeiter:	7601	35	9
	99,5 pCt.	0,5 pCt.	0,1 pCt.

6*

In der Gruppe Alimentation wohnen beim Meister 18,682 Männer und 7610 Frauen, d. h. fast genau gleich viel Procente, 63 pCt. gegen 62 pCt. Die 1372 Knaben unter 16 Jahren betragen 7,3 pCt. aller 18,682 männlichen Arbeiter, die beim Meister wohnen, die 35 Mädchen unter 16 Jahren betragen nur 0,8 pCt. aller 4705 weiblichen Arbeiter, die beim Meister wohnen, es wird also auf viel mehr jugendliche Knaben= seelen eingewirkt, als auf Mädchenseelen. Daß also ein größerer Procentsatz der ersteren sich gut beträgt, darf uns nicht Wunder nehmen. Wohnen in eigenen Meubeln giebt Erziehung des einen Gatten durch den anderen, Wohnen in fremden Meubeln giebt keine Erziehung, Wohnen in fremden Meubeln und fremder Kost giebt Erziehung durch Andere, wo nicht durch das Wohnen in fremden Meubeln oder sonst die Erziehung verfuscht ist.

Finden wir nach dem Vorstehenden, daß das Zusammen= leben von Meistern und Gesellen resp. Lehrlingen wohlthätig auf das heranwachsende Geschlecht wirkt, so spricht das aller= dings sehr für den früheren handwerksmäßig=patriarchalischen Gewerbebetrieb und gegen das Fabriksystem unserer Zeit.*)

---

*) Ebenso spricht unsere Industrieenquête noch an einer anderen Stelle zu Gunsten der kleinen, unbedeutenden Industrien, auch wenn die Arbeiter nicht im Hause dessen, bei dem sie Arbeit nehmen, zugleich Kost und Logis haben. Auf Tabelle XXIII. habe ich nämlich die Gewerbe nach der Zahl von Arbeiterinnen, welche auf jedes Gewerbe kommen, geordnet. Da ergiebt sich denn, daß, je mehr Arbeiterinnen ein Gewerbe beschäftigt, um so un= günstiger das Betragen sich gestaltet, und zwar unabhängig davon, ob viele der Arbeiterinnen in Chambregarnie oder beim Meister wohnen.

Hauptresultat der Tabelle XXIII.

	Summa aller beschäftigten Arbeiterinnen.	pCt. zweifel= haftes und schlechtes Betragen.
80 Gewerbe . . .	1170	2,9
80 ⸰ . . .	9014	5,6
70 ⸰ . . .	93,841	9,3
230 ⸰ . . .	104,025	9

Dennoch darf uns das nicht bestimmen, alle Vortheile der
Großindustrie aufzugeben, um diesen einen Vortheil der Klein-
industrie uns zu wahren, wohl aber sei es eine Mahnung, den
arbeitenden Klassen auf andere Weise diesen aufgegebenen Vortheil wieder zu ersetzen. Die Mittel seien die neuerdings mehr
und mehr dem Arbeiterstande gebotenen, ein verbesserter allgemeiner Unterricht, wie ihn unsere Volksschulen und die Fort-
bildungs-Anstalten bieten, anständige Vergnügungen, wie sie
unsere Gewerbevereine, Handwerkerbildungsvereine, Arbeiterver-
eine u. s. w. anstreben, und — — — wiederum bessere Wohnung, welche dem Manne und der Frau das Haus und damit die Kinder so lieb macht, daß man sich derselben nicht so
früh als möglich durch Beschäftigung in Fabriken entledigt,
und welche bessere Wohnung den Eltern so viele unnütze Ausgaben erspart, daß sie auf die ohnehin unbedeutende Einnahme
aus der Arbeit ihrer Kinder verzichten können. Endlich liegt
in dem Vorstehenden zu allem früher Gesagten noch ein neuer
Fingerzeig, daß die Sorge für die weibliche Arbeiterbevölkerung,
welche bisher unrechter Weise hintangesetzt war, über der für
die männlichen Arbeiter stehen muß.

Theilt man die Gewerbe in 3 Gruppen mit durchschnittlich

15   7,9 pCt. }
112 } Arbeiterinnen per Gewerbe mit 16 * } beim Meister und
1341   9 * }

6,4 pCt. }
6 * } in Chambregarnie, d. h. bei keiner aufsteigenden Zahl der
7 * }

Chambregarnisten und keiner absteigenden Zahl der Meisterwohner, so macht

2,9 }
das schlechte und zweifelhafte Betragen aus: 5,6 } pCt. Also je be-
9,3 }

deutender die Gewerbe in einem Orte sind, um so schlechter scheint das Betragen zu sein, weil sich eine sog. Proletarierbevölkerung bildet. Doch das
hier nur nebenbei. Auch dafür giebt die Industrieenquête noch Rohmaterial,
das der Verarbeitung harrt, wie die Beschäftigung Vieler oder Weniger
durch je einen Meister auf das Betragen wirkt.

IV. Theil.
Einfluß des Betragens auf die Wahl der Wohnung.
§. 17.

Bei Vorführung der Thatsachen haben wir oben die Ar=
beiterbevölkerung gruppirt nach ihrem Betragen und geforscht,
in welchem Verhältniß zu jeder Betragenskategorie die einzelnen
Wohnungsarten stehen, worin wir eine schöne Gegenprobe für
den Einfluß der Wohnung auf das Betragen fanden.*) Hieran
anknüpfend stößt uns die Frage auf: kann nicht die Wahl der
Wohnung die Folge eines bestimmten Betragens sein, so daß
wir sagen müssen, je schlechter das Betragen ist, um so mehr
neigt der Arbeiter dazu, Chambregarnie zu wohnen, um so we=
niger, sich selbst zu meubliren, und noch weniger, beim Meister
sich in Kost und Logis zu geben, und zwar Alles in stärkerem
Grade bei den Weibern. Dieser Gedanke hat viel für sich,
und gewiß ist nicht zu leugnen, daß ordentliche Leute auch
ordentliche Wohnungen suchen, ein Einfluß des Betragens auf
die Wohnungswahl existirt also ganz gewiß. Allein trotzdem
glaube ich, daß eine gute Wohnung mit den von uns charakte=
risirten Nebenerscheinungen den Menschen mehr zum guten Be=
tragen treibt, als ein gutes Betragen ihn zu einer guten Woh=
nung führt. Das Verhältniß, in welchem die Leute guten und
schlechten Betragens auf die verschiedenen Wohnungsarten sich
vertheilen, ist folgendes:

Wenn von den

26,171 Männern beim Meister   4   pCt. oder   1047,
175,438   =   in eigenen Meubeln 9,1   =   = 15,964,
 50,369   =   in Chambregarnie 13   =   =   6584
sich schlecht betragen, dann fallen von den 23,595 sich schlecht
Betragenden

        1047 oder   4 pCt. auf die beim Meister,
      15,964   =   68   =   =   = in eigenen Meubeln,
       6548   =   28   =   =   = in Chambregarnie,
und fallen von den 228,641 sich gut Betragenden

---

*) Siehe oben Seite 30.

11 pCt. oder 25,124 auf die beim Meister,
70 =   = 159,474 = = in eigenen Meubeln,
19 =   =   43,785 = = in Chambregarnie.

Wenn von den

9785 Frauen beim Meister   7,9 pCt. oder 773,
87,996 =   in eigenen Meubeln 7,6 =   = 6687,
7145 =   in Chambregarnie 22,7 =   = 1616

sich schlecht betragen, dann fallen von den 9076 sich schlecht betragenden Frauen

773 oder 8 pCt. auf die beim Meister,
6687 = 74 =   =   = in eigenen Meubeln,
1616 = 18 =   =   = in Chambregarnie

und fallen von den 95,650 sich gut betragenden Frauen

9012 oder 9 pCt. auf die beim Meister,
81,309 = 85 =   =   = in eigenen Meubeln,
5529 = 6 =   =   = in Chambregarnie.

Hiernach stellen die Schlechten allerdings ein größeres Contingent, als die Guten zu der schlechtesten Wohnungsart in Chambregarnie, aber ein geringeres Contingent zu den besseren Wohnungsarten in eigenen Meubeln und der noch besseren beim Meister. Allein, wenn die Aufführung die Wohnungsart sehr beeinflußte, woher kämen dann die großen Unterschiede in der Wohnungswahl der beiden Geschlechter, welche doch fast in denselben Procenten gut und schlecht sich betragen? Warum wählen 28 pCt. der Männer, die sich schlecht aufführen, die Wohnung in meublirten Zimmern und nur 18 pCt. der sich schlecht betragenden Frauen? Warum ist namentlich der Unterschied gegen die sich gut Betragenden bei den Männern so gering, 28 pCt. gegen 19 pCt., und bei den Frauen so groß, 18 pCt. gegen 6 pCt.? Nach allem Obigen ist hier von einer freien Wahl der Wohnung bei den Männern zu einem großen Theil aber nicht die Rede, sie sind als Passanten gezwungen zum Chambregarnie, da sie die Meubel nicht mitschleppen und für die kurze Zeit nicht kaufen können, und da die Meister sie auf kurze Zeit nicht bei sich aufnehmen können, wenn sie sich auch noch so gut benehmen. Bei den Frauen fällt dieser Grund der gezwungenen Wohnung fort, es bleibt vor Allem der der

Armuth in eigenen Meubeln und der Unluſt, beim Arbeitgeber zu wohnen. Warum ſind ferner, wenn das Betragen die Wohnungs= wahl entſchiede, von den ſchlechten Männern 4 pCt. beim Meiſter in Wohnung und von den Frauen 8 pCt., gegen 11 pCt. der guten Männer und 9 pCt. der guten Frauen? Ein Grund dafür liegt nicht vor. Aber könnte man etwa einwenden, eine Wohnungs= wahl finde von Seiten der Arbeiter hier gar nicht ſtatt, ſondern von Seiten der Arbeitgeber, und daß die beim Meiſter in Koſt und Logis befindlichen ſich gut betragen, ſei weder die Folge der Wohnung, noch das Wohnen beim Meiſter die Folge der guten Aufführung, ſondern der Meiſter nehme einfach keine Arbeiter in's Haus, welche ſich ſchlecht betragen, oder wenn er ſie aufgenommen habe, ſetze er ſie ſo ſchnell als möglich wieder an die Luft! Allein gemach, beides thäte er wohl gern, aber im Voraus kann er das Betragen ſelten beurtheilen, und wenn er einmal ſich darin geirrt hat, kann er die Arbeiter oft nur wegen ſchwerer Vergehen wieder los werden, wenigſtens die männlichen Individuen, da dieſe meiſtens Lehrlinge ſind, welche beim Meiſter contractlich zu längerer Lehrzeit eintreten. Selbſt geſetzt aber, die Meiſter hätten aus obigen Gründen ſo wenig ſich ſchlecht aufführende Hausgenoſſen, warum haben ſie nicht ebenſo wenig ſchlechte weibliche Miteinwohner als männliche? Die Vermuthung ſpräche doch leichter dafür, daß beim Meiſter viel mehr unnütze Arbeiter als Arbeiterinnen wohnen, denn gerade die, welche man, durch längere Lehrzeit gebunden, trotz dem ſchlechten Betragen nur ſchwer wieder los werden kann, ſind bei den Nahrungsgewerben, die hier in Betracht kommen, ge= rade die männlichen und nicht die weiblichen Gehülfen. Ge= rade die Knaben betragen ſich aber in der Wohnung des Meiſters beſſer als die Mädchen, weil ſie im jugendlichen Alter längere Zeit der Zucht des Meiſters ſich fügen müſſen. End= lich aber müſſen wir fragen: Warum, wenn das Betragen die Wohnungswahl beſtimmte, entſchließen ſich faſt eben ſo viele ſchlechte Männer, 68 pCt., wie gute Männer, 70 pCt., in eigenen Meubeln zu wohnen, während von den ſchlechten Wei= bern nur 74 pCt., von den guten aber 85 pCt. ſich dazu be= ſtimmen laſſen?

Alle diese Fragen und viele andere bleiben ungelöst, wenn man das gute Betragen als Folge irgend welcher anderen Einflüsse zu einer gewichtigen Ursache der Wohnungswahl stempeln will. Dabei sind wir jedoch weit entfernt, jeden Einfluß des Betragens auf die Wohnungswahl leugnen zu wollen, denn ein solcher Einfluß stimmt mit unserer Ansicht von der ethischen Bedeutung der Wohnung ganz vortrefflich. Durch Wechselwirkung von Betragen auf Wohnung und von Wohnung auf Betragen ist der Fortschritt in dieser Richtung stark bedingt: ein ordentlicher Mensch sucht sich ordentliche Wohnung, durch diese ordentliche Wohnung wird er noch ordentlicher, noch ordentlicher geworden, sucht er eine noch ordentlichere Wohnung u. s. f. Oder durch irgend eine auch scheinbar zufällige Einwirkung kommt ein nicht sehr ordentlicher Mensch in eine gute Wohnung, er kann sich dem Einfluß derselben nicht entziehen, er wird ordentlicher, sucht als solcher noch eine bessere Wohnung u. s. f.

Dafür, daß der Einfluß des Betragens auf die Wahl der Wohnung nicht sehr groß sein kann, will ich zum Schluß nur noch ein Argument vorbringen. Auf die Wahl der Wohnung hat bei den arbeitenden Klassen ein gleicher Umstand überhaupt selten eine ausgeprägt gleiche Wirkung. Ein Umstand, der für die nach dem Preise bemessene Güte der gewählten Wohnung doch unbedingt am meisten Einfluß üben müßte, sind die Ausgaben, welche von einer Familie für alle Bedürfnisse gemacht werden können. Bei verschieden hohen Gesammtausgaben mehrerer Familien differiren die Ausgaben für Wohnung viel bedeutender als die Ausgaben für Nahrung und auch etwas mehr als die für Kleidung und für Heizung und Beleuchtung. Wir kennen die Ausgabebudgets von 48 belgischen Arbeiterfamilien mit durchschnittlich 130 Fr. Ausgaben per Kopf der Familie von Mann, Frau und drei Kindern. Die Wohnungsausgaben der Familien unter diesen 48, welche mehr als 130 Fr. und derer, welche weniger als 130 Fr. per Kopf ausgeben, wichen durchschnittlich vom Mittel bedeutend mehr ab, als die Ausgaben für 1) Nahrung, 2) Kleidung, 3) Heizung und Beleuchtung.

Die Abweichung vom Mittel aller 48 Familien beträgt in dieser erften Arbeiterkategorie:

für Nahrung   nach oben 8,1 pCt., nach unten 8,4 pCt.,
  = Kleidung   =   =   35,9 =   =   =   35,5 =
  = Heizung und
     Beleuchtung =   =   31,9 =   =   =   34,1 =
  = Wohnung   =   =   39,3 =   =   =   32,3 =

In einer zweiten Arbeiterkategorie von 51 Familien mit durchschnittlich 169 Fr. Ausgaben per Kopf beträgt die Abweichung:

für Nahrung   nach oben 8,2 pCt., nach unten 8,1 pCt.,
  = Kleidung   =   =   31,6 =   =   =   31 =
  = Heizung und
     Beleuchtung =   =   32,7 =   =   =   28 =
  = Wohnung   =   =   37,7 =   =   =   40,5 =

In einer dritten Arbeiterkategorie von 54 Familien mit durchschnittlich 243 Fr. per Kopf beträgt die Abweichung:

für Nahrung   nach oben 11,4 pCt., nach unten 11,9 pCt.,
  = Kleidung   =   =   40,5 =   =   =   24 =
  = Heizung und
     Beleuchtung =   =   35,9 =   =   =   36 =
  = Wohnung   =   =   37,7 =   =   =   38,5 =

In weiteren 47 Arbeiterfamilien, welche in keine der drei obigen Kategorieen eingereiht find, betragen die Abweichungen:

für Nahrung   nach oben 10 pCt., nach unten 18 pCt.,
  = Kleidung   =   =   29 =   =   =   27,7 =
  = Heizung und
     Beleuchtung =   =   40 =   =   =   27 =
  = Wohnung   =   =   30 =   =   =   29 =

Für alle 200 Familien beträgt die Abweichung (das Mittel aus den jedesmaligen 4 Abweichungen genommen, z. B. Nahrung

$$\frac{8,1 + 8,2 + 11,4 + 10}{4} = \frac{37,7}{4} = 9,4 \, \text{pCt.}):$$

für Nahrung   nach oben 9,4 pCt., nach unten 11,4 pCt.,
  = Kleidung   =   =   34,2 =   =   =   29,5 =
  = Heizung und
     Beleuchtung =   =   35,1 =   =   =   31,3 =
  = Wohnung   =   =   36 =   =   =   35,1 =

Zu diesen interessanten Resultaten, welche Aufschluß über die mehr oder minder typischen Erscheinungen in der Lebensweise der unteren Volksklassen geben, bin ich durch eine Rechnung gelangt, welche ich hier nicht näher darlegen kann, sie wird einer späteren Arbeit über die typischen Erscheinungen der Consumtion vorbehalten. Hier genüge das Resultat, daß eine innerhalb gewisser Grenzen höhere materielle Lage keinen wesentlichen Einfluß auf die Wahl der Wohnung übt. Die Abweichungen innerhalb einer Kategorie nach oben und unten in jeder einzelnen Familie sind so groß, daß sie im Durchschnitt aller über oder aller unter dem Durchschnitt stehenden noch ungefähr 30—40 pCt. betragen, während für Nahrung keine größere Abweichung als circa 10 pCt. nach beiden Richtungen sich ergiebt. Wenn hiernach auf die Wohnung der unteren Klassen der materielle Punkt der Kosten so wenig Einfluß hat, kann dann der eine immaterielle Punkt, das Betragen, bedeutend mitspielen? Ganz zu leugnen ist der Einfluß freilich nicht. Wenn hiernach die Congruenz zwischen Betragen und Wohnungsart zum Theil aus einer Einwirkung des Betragens auf die Wohnungswahl herzuleiten ist, dann wird allerdings die Wirkung der Wohnung auf das Betragen um ebenso viel geringer, allein dieselbe bleibt auch dann noch immer beachtenswerth genug. Bei der Frage nach der ethischen Bildung des Menschen ist in unserer Zeit der vorzugsweise materiellen Fortbildung auch der geringfügigste Umstand beachtenswerth, zumal wenn man, wie in der Wohnungsfrage, mit verhältnißmäßig geringen Mitteln die bösen Elemente zu fesseln und die guten zu entfesseln vermag.

V. Theil.
Erläuterungen und Anmerkungen.
Anmerkung 1 zu Seite 16.
Ueber eine genaue Darstellung von Durchschnittszahlen.

Die richtigste Methode, die Parallelität zweier Erscheinungen statistisch zu zeigen, ist nicht die von uns in der ganzen

Arbeit angewendete, je 10 oder mehr Gewerbe zusammenzufassen und diese Gruppen nebeneinander zu stellen, denn dann wird die aufsteigende oder absteigende Reihe durch Ausnahmen gar zu oft unterbrochen. Das Richtige ist, die Gruppen so zu bilden, daß jede Gruppe nicht nur einmal, sondern 10 Mal oder zur Anfang und zu Ende wenigstens so oft als möglich wiederkehrt.

Hauptgruppe:	Enthält die Gruppen:									
I.	1.	2.	3.	4.	5.	6.	7.	8.	9.	10.
II.		2.	3.	4.	5.	6.	7.	8.	9.	10.	11.
III.			3.	4.	5.	6.	7.	8.	9.	10.	11.	12.
IV.				4.	5.	6.	7.	8.	9.	10.	11.	12.	13.
V.					5.	6.	7.	8.	9.	10.	11.	12.	13.	14.
VI.						6.	7.	8.	9.	10.	11.	12.	13.	14.	15.
VII.							7.	8.	9.	10.	11.	12.	13.	14.	15.	16.
VIII.								8.	9.	10.	11.	12.	13.	14.	15.	16.	17.
IX.									9.	10.	11.	12.	13.	14.	15.	16.	17.	18.
X.										10.	11.	12.	13.	14.	15.	16.	17.	18.	19.
XI.											11.	12.	13.	14.	15.	16.	17.	18.	19.	20.
XII.												12.	13.	14.	15.	16.	17.	18.	19.	20.	21.
XIII.													13.	14.	15.	16.	17.	18.	19.	20.	21.	22.
XIV.														14.	15.	16.	17.	18.	19.	20.	21.	22.	23.
XV.															15.	16.	17.	18.	19.	20.	21.	22.	23.	24.
XVI.																16.	17.	18.	19.	20.	21.	22.	23.	24.	25.
XVII.																	17.	18.	19.	20.	21.	22.	23.	24.	25.	26.
XVIII.																		18.	19.	20.	21.	22.	23.	24.	25.	26.	27.

Die so geordneten Gruppen geben folgende Resultate:

Hauptgruppe	Gruppe	Alle Arbeiter	beim Meister	in eigenen Meubeln	in Chambregarnie	Betragen gut	Betragen zweifelhaft	Betragen schlecht	beim Meister. pCt.	in eignen Meubeln. pCt.	Chambregarnie. pCt.	Betragen gut. pCt.	Betragen zweifelhaft. pCt.	Betragen schlecht. pCt.
I	I—X	54,485	21,294	29,834	3358	52,795	1127	555	39	55	6	97	2,0	1
II	II—XI	66,198	21,628	39,698	4874	63,190	1659	1341	32	60	7	96	2,5	2
III	III—XII	71,203	14,811	49,894	6500	67,013	2488	1694	21	70	9	94	3,5	2,3
IV	IV—XIII	71,089	9801	54,134	7166	66,613	2631	1847	14	76	10	94	3,8	2,5
V	V—XIV	69,746	6071	55,977	7708	64,778	2892	2076	9	80	11	93	4,1	2,9
VI	VI—XV	73,033	6209	58,294	8540	67,772	2978	2283	9	80	12	93	4	3
VII	VII—XVI	75,738	7296	59,021	9431	70,227	3130	2381	10	78	12	93	4	3
VIII	VIII—XVII	73,784	7503	56,671	9800	67,862	3678	2254	10	77	13	92	5	3
IX	IX—XVIII	76,494	7523	58,243	10,932	69,492	4288	2728	10	76	14	91	5,6	3,5
X	X—XIX	88,927	7561	67,642	13,824	79,190	5501	4246	9	76	16	89	6,2	4,8
XI	XI—XX	94,062	3933	74,277	15,843	83,536	5997	4530	4	79	17	89	6,4	4,8
XII	XII—XXI	87,350	3092	68,604	15,645	77,578	5758	4016	4	79	18	89	6,5	4,5
XIII	XIII—XXII	85,344	2290	66,300	16,755	76,162	5197	3937	3	78	20	89	6,4	5,2
XIV	XIV—XXIII	105,013	2518	79,689	22,797	93,923	5707	5325	2	76	22	89	5,4	5,2
XV	XV—XXIV	114,131	2573	85,455	26,094	102,087	6657	5329	2	75	23	89	5,8	4,8
XVI	XVI—XXV	128,373	2404	95,003	30,957	113,958	7125	7232	2	74	24	89	5,5	5,8
XVII	XVII—XXVI	137,825	1377	101,353	35,086	121,624	8029	8114	1	74	25	88	5,8	5,9
XVIII	XVIII—XXVII	141,500	1345	100,777	39,369	124,850	8364	8228	1	71	28	88	5,9	5,8

Durch eine solche Darstellung wird jede Abweichung von der Regel unter eine Menge anderer Fälle gestellt, welche der Regel folgen. Um den Zusammenhang zwischen zwei Erscheinungen graphisch zu zeigen, ist diese umständliche Rechnung besonders zu empfehlen, z. B. um die allmählige von den zeitweiligen Schwankungen unabhängige Preissteigerung des Getreides durch Vermehrung der Productionskosten zur Anschauung zu bringen, muß man die Getreidepreise berechnen für

1801 1802 1803 1804 1805 1806 1807 1808 1809 1810
1802 1803 1804 1805 1806 1807 1808 1809 1810 1811
1803 1804 1805 1806 1807 1808 1809 1810 1811 1812
u. s. w.

Noch anschaulicher wird der Zusammenhang zwischen den verschiedenen Wohnungsarten und dem Betragen, wenn man die Procente jeder Hauptgruppe von 10 Gruppen in ihrem Verhältniß zum Procentantheil aller 270 Gewerbe setzt. Diese sind bei den Männern:

beim Meister:	in eigenen Meubeln:	in Chambre-garnie:	gut:	zweifelhaft:	schlecht:
10 pCt.	70 pCt.	20 pCt.	91 pCt.	5 pCt.	4 pCt.

Mit diesen Durchschnittsantheilen = 100 gesetzt, wird jede der obigen Gruppen verglichen in der folgenden Tabelle:

Haupt-gruppen.	Gruppen.	Wohnung:			Betragen:			
		beim Meister.	in eigenen Meubeln.	Chambre-garnie.	gut.	zweifel-haft.	schlecht.	zweifelhaft u. schlecht.
I	I — X	392	78	30	106	40	23	32
II	II — XI	320	86	39	105	50	46	48
III	III — XII	208	100	46	103	70	53	61
IV	IV — XIII	138	109	50	103	80	58	69
V	V — XIV	87	115	55	102	80	67	74
VI	VI — XV	85	114	57	102	80	70	75
VII	VII — XVI	96	111	62	102	80	70	75
VIII	VIII — XVII	102	110	65	101	100	70	85
IX	IX — XVIII	97	109	71	99	114	81	98
X	X — XIX	85	109	77	98	124	112	118
XI	XI — XX	42	113	84	97	128	112	120
XII	XII — XXI	35	112	88	98	130	105	113
XIII	XIII — XXII	27	111	98	98	122	105	114
XIV	XIV — XXIII	24	108	109	98	108	121	115
XV	XV — XXIV	22	107	414	98	116	112	114
XVI	XVI — XXV	18	106	121	97	110	135	122
XVII	XVII — XXVI	10	105	127	97	116	137	126
XVIII	XVIII — XX VII	9	102	139	97	118	135	127
I—XVIII	I — XXVII	100	100	100	100	100	100	100

Anmerkung 2 zu Seite 19. (Hierzu Tabelle XXIV.)

Beitrag zum Beweis, daß die sog. historisch=phy=
siologische Methode in der Nationalökonomie
und in anderen Geisteswissenschaften der sta=
tistischen Methode durch systematische Massen=
und Reihenbeobachtungen nicht typischer Er=
scheinungen nachsteht.

Um die Tabelle IV a. zu bilden, haben wir die 270 Ge=
werbe geordnet nach der Reihenfolge der Procente, welche in
jedem einzelnen Handwerke auf die Chambregarnisten kommen,
also haben wir angefangen mit den Gewerben, in denen gar
Niemand Chambregarnie wohnt, dann die mit 1 pCt. Chambre=
garnisten genommen, mit 2, 3, 4, 5 pCt. u. s. f. In dieser
Reihenfolge wurden sie dann, von 0 pCt. anfangend, in Gruppen
von je 10 vereinigt. Nun sind aber eine ganze Menge von
Gewerben, welche gleich viel Procente Chambregarnisten haben.
Innerhalb der Gewerbe, welche gleich viel Procente Chambregar=
nisten enthalten, z. B. 1 pCt., wurde von uns die Stellung der
Gewerbe dem Zufall überlassen. Das ist für unparteiische Forschung
durchaus nöthig, denn ohne daß die Durchschnittsprocente der
Chambregarnisten sich ändern in den 27 Gruppen und ohne
daß, um diese Gruppe zu erhalten, die Reihe der einzelnen
Gewerbe nach 0 pCt., 1 pCt., 2 pCt., 3 pCt. u. s. w. geän=
dert wird, kann man für die Reihe des Betragens ganz ver=
schiedene Resultate bekommen, je nachdem man innerhalb aller
Gewerbe mit gleichen Procenten Chambregarnisten, aber un=
gleichen Betragensprocenten die einzelnen Gewerbe gruppirt.
In der Tabelle XXIV. habe ich zusammengestellt, wie bei der
gleichen continuirlich aufsteigenden Reihe der Chambregarnisten
und den daraus gebildeten Gruppen die Reihe des Betragens
differiren kann, je nachdem man unbefangen und unparteiisch
an die Frage herantritt oder ob man einen Zusammenhang
zwischen der Wohnungsart und dem Betragen leugnen will,
und endlich, ob man denselben recht stark betonen will.

Hierbei sei noch bemerkt, daß die Procente des Betragens
in den 27 Gruppen auf Tab. XXIV. der Einfachheit halber nur das

arithmetische Mittel der Procente jedes einzelnen Gewerbes sind, was für den hier beabsichtigten Zweck vollständig genügt.

Mit einer verschiedenen Gruppirung der Zahlen kann man sehr verschiedene Dinge scheinbar beweisen; interessant ist nun aber, daß die oben gezeigten verschiedenen Gruppirungen gar keinen Einfluß üben können, wenn wir aus den auf die genannten drei Arten gefundene Gruppen von je 10 Gewerben solche von je 40 Gewerben zusammenfügen. Dann zeigt sich der Einfluß der Wohnung auf das Betragen qualitativ ganz gleich, mit nur ganz geringen quantitativen Unterschieden, wie die folgende kleine Tabelle zeigt:

Zahl der vereinigten Gewerbe.	Chambre-garnie. pCt.	Zweifelhaftes und schlechtes Betragen, geordnet		
		unpar-teiisch. pCt.	mit der Absicht, den Zusammenhang zu leugnen. pCt.	mit der Absicht, den Zusammenhang zu zeigen. pCt.
50	3	1,8	2,1	1,4
40	8	4,8	3,8	3,4
40	12	7,5	5,3	5,9
40	17	8,2	7,4	8
40	21	10	9,1	9,2
60	33	12,5	11,8	12,7

Die Schlüsse nun, welche man aus der vollständigen oder theilweisen Benutzung der Tabelle XXIV. ziehen kann, sind ein recht deutlicher Beweis für die von Adolph Wagner (Artikel Statistik im Staatswörterbuch von Bluntschli und Brater) aufgestellte Behauptung, daß die sog. historisch-physiologische Methode in der Nationalökonomie, aber auch in anderen Wissenschaften eine unvollkommene Vorstufe der statistischen Methode, d. h. der inductiven Forschung durch Massenbeobachtung sei. Wenn man nämlich nur eine Zahl von einzelnen

Fällen aus unseren obigen Tabellen herausnimmt, so kann man mit vielen Beispielen belegen, daß das Wohnen in Chambre= garnie nachtheilig auf das Betragen wirkt, ja man kann sich eine Reihe bilden, welche dieses Factum noch viel besser zu be= weisen scheint, als wir nach Kenntniß aller Daten annehmen dürfen.

Z. B. aus der Tabelle, welche zusammengestellt ist, um den Zusammenhang zwischen den beiden genannten Erscheinungen zu leugnen, läßt sich mit einigen Auslassungen Folgendes heraus= lesen:

10 Gewerbe mit

1 pCt. Chambregarnie haben	0,4 pCt. schlechtes Betragen,
3 = = =	2,6 = = =
4 = =	4,9 =
7 = =	5 =
8 = =	6,8 =
10 = =	9,3 =
12 = =	11,3 =
13 = =	11,6 =
26 = =	13,6 =
30 = =	14,5 = =
57 = = =	16,2 = = =

Ebenso gut ist das möglich nach der Tabelle, welche ganz unparteiisch zusammengestellt ist:

10 Gewerbe mit

0 pCt. Chambregarnie haben	2 pCt. schlechtes Betragen,
6 = = =	3 = = =
8 = =	5 =
11 = =	6 =
12 = =	8 =
18 =	11 =
19 =	14 =
28 = =	15 = =
37 = = =	17 = = =

Noch viel ausführlicher wird endlich die Reihe, wenn man die Tabelle nimmt, welche so gruppirt ist, daß der Zusammen= hang möglichst grell hervortreten soll:

10 Gewerbe mit

0 pCt. Chambregarnie haben	0,9 pCt. schlechtes Betragen,
4 = = = =	1,3 = = = =
6 = = = =	1,4 = = =
7 = = - =	3,4 = = =
8 = = =	3,9 = = =
9 = = =	5,8 =
10 = =	5,9 =
11 = = =	6,2 = =
12 = = =	6,4 = =
15 = = =	7,1 =
18 = =	10,5 =
23 = =	11,4 =
26 = =	12,7 =
32 = =	13,5 =
57 = = =	16,2 = = =

Giebt man statt dieser einzelnen Zahlen die ganze Reihe der Daten ohne Auslassung, so ist der Zusammenhang kein so enger als er hier zu sein scheint, denn neben der constant aufsteigenden Linie der Wohnung geht die des Betragens im Ganzen freilich auch bergauf, aber im Einzelnen mit großen Schwankungen nach unten, oder anders ausgedrückt, die Linie des Betragens geht ausnahmslos erst bergauf, wenn man die Gewerbe in Gruppen von je 40—60 Gewerben zusammenbegreift, in welchen größeren Gruppen die Ausnahmen der keinen durch die Regel verdeckt werden.

Nimmt man nur einzelne Zahlen heraus aus der ganzen Reihe, so kann man auch das Gegentheil unserer bisherigen Behauptung plausibel machen, daß das Wohnen in Chambregarnie einen guten Einfluß auf den Charakter ausübt; z. B. kann man aus Tabelle **XXIV.** folgende Reihe bilden:

10 Gewerbe mit

18 pCt. Chambregarnie haben	17,4 pCt. schlechtes Betragen,
19 = = =	9,1 = = =
22 = = =	6,9 = =
25 = = =	4,7 =

Oder auch die folgende:

10 Gewerbe mit

13 pCt. Chambregarnie haben 11,6 pCt. schlechtes Betragen,

18 = = = 10,8 = = =

19 = = = 9,1 = = =

28 = = = 8,3 = = =

Ebenso läßt sich aus der Tabelle, welche unparteiisch verfährt, folgende Reihe bilden:

10 Gewerbe mit

12 pCt. Chambregarnie haben 10 pCt. schlechtes Betragen,

13 = = = 8 = = =

18 = = = 7 = =

25 = = = 6 = = =

Endlich auch kann die Tabelle **XXIV.**, welche den Zusammenhang besonders zeigen will, dazu herhalten:

10 Gewerbe mit

19 pCt. Chambregarnie haben 15,9 pCt. schlechtes Betragen,

22 = = = 12,9 = = =

23 = = = 11,4 = =

28 = = = 9,9 = = =

Ja, mit unserer Tabelle kann man durch Herausreißen einzelner Daten noch ganz andere Dinge beweisen. Ich will nur noch Eins ausführen: Man kann plausibel machen, daß bis zu einer gewissen Grenze das schlechte Betragen mit dem Wohnen in Chambregarnie wächst, jenseits jener Grenze aber wieder abnimmt.

10 Gewerbe mit

1 pCt. Chambregarnie haben 0,4 pCt. schlechtes Betragen,

3 = = = 2,6 = = =

10 = = = 9,3 = = =

12 = = 11,3 = =

13 = = 11,6 =

18 = = 10,8 =

22 = = 6,9 =

25 = = = 4,7 = =

Oder nach Tabelle **XXIV.**, die unparteiisch gruppirt:

7*

10 Gewerbe mit

1 pCt. Chambregarnie haben		=	2 pCt. schlechtes Betragen,			
3 =	=	=	3 =	=	=	=
7 =		=	5 =	=	=	=
10 =		=	8 =			
12 =		=	11 =			
12 =		=	10 . =			
15 =		=	9 =			
22 =		=	8 =			
25 =	=	=	6 =		=	=

Oder endlich nach der Tabelle **XXIV.**, welche den Zusammenhang urgirt:

10 Gewerbe mit

0 pCt. Chambregarnie haben			0,9 pCt. schlechtes Betragen,			
4 =	=	=	1,3 =	=	=	=
6 =		=	1,4 =	=		=
7 =		=	3,4 =			
8 =		=	3,9 =			
9 =		=	5,8 =			-
10 =		=	5,9 =			=
11 =		=	6,2 =			=
12 =		=	6,4 =			-
15 =		=	7,1 =			
18 =		=	10,5 =			
19 =		=	15,9 =			
21 =		=	15,6 =			
22 =		=	12,9 =			
23 =		=	11,4 =			
28 =	=	=	9,9 =	=	=	=

Endlich kann man auch noch gerade das Gegentheil von
dem eben Ausgeführten aus der Tabelle zeigen, nämlich, daß
bis zu einer gewissen Grenze allerdings mit zunehmender Zahl
.der Chambregarnisten das Betragen sich bessert, darüber hinaus
aber wieder schlechter wird.

3. B. nach der unparteiischen Tabelle:

10 Gewerbe mit

12 pCt. Chambregarnie haben 11 pCt. schlechtes Betragen,

15	*	*	*	9	*	*	*
18	*		*	*	7	*		*
25	*			*	6	*		
26	*			*	9	*		
28	*		*	*	10	*		
32	*		*	*	14	*	*	*

oder nach der Tabelle **XXIV.**, welche den Zusammenhang gering erachtet:

10 Gewerbe mit

12 pCt. Chambregarnie haben 11,3 pCt. schlechtes Betragen,

16	*	*	*	10,8	*	*	*
19	*		*	9,1	*		.
22	*		*	6,9	*		
25	*		*	4,7	*		
28	*		*	8,3	*		
32	*		*	13,5	*	*	*
57	*		*	16,2	*	*	*

endlich nach der letzten Tabelle, welche den Zusammenhang nicht hervorzuheben bemüht ist:

10 Gewerbe mit

16 pCt. Chambregarnie haben 12,3 pCt. schlechtes Betragen,

18	*	*	*	10,5	*	*	*
25	*		*	9,5	*		
28	*		*	9,9	*		
32	*		*	13,5	*		
57	*		*	16,2	*	*	*

Kurzum, ein Jeder, der das Material ganz kennt, kann daraus einem Andern, dem er verheimlicht, was nicht zu seinen Zwecken paßt, so ziemlich Alles beweisen. Ebenso kann aber auch durch einzelne statistische Notizen der völlig unparteiische Forscher irre geführt werden; Nichts hat der Statistik und der Wissenschaft, welche bisher vorzugsweise, um nicht rein deductiv zu verfahren, mit solchen statistischen Einzeldaten arbeitete, der Nationalökonomie, also in der sog. historisch=physiologischen Richtung mehr geschadet, auch in den Augen derer,

welche dieser Wissenschaft wohlgesinnt sich zeigen, als gerade
der Umstand, daß, wenn der Eine mit einigen Notizen etwas
bewiesen zu haben meint, ein Anderer mit ebenso richtigen
Notizen auftrat, welche genau das Gegentheil zu beweisen
schienen. Je mehr man an die Stelle solcher statistischen No=
tizen vollständige statistische Reihen setzt, um so sicherer entgeht
man Irrthümern.

Anmerkung 3. Zu Seite 58.

Beweis, daß die in eigenen Meubeln wohnenden Pariser Arbeiterinnen zu einem großen Theil ledig sind.

Von der über 15 Jahre alten männlichen Bevölkerung
sind ungefähr 41,7 pCt. nicht verheirathet (nach den Sterbe=
listen des Jahres 1866; andere Daten standen mir nicht zu
Gebote). Das giebt auf unsere 251,119 männliche Arbeiter
104,717 Ledige. Davon sind, wenn wir Alle in fremden
Meubeln, sowie in fremden Meubeln und fremder Kost als
ledig betrachten, 73,218 nicht in eigenen Meubeln, also sind
von den 176,438 männlichen Arbeitern in eigenen Meubeln
nicht verheirathet 104,717 — 73,218 = 31,499, d. h. 18 pCt.
Verheirathet in eigenen Meubeln sind 82 pCt. = 144,939.
Zu diesen gehören ebensoviel Frauen; da es nun aber nach der
Enquête nur 87,996 Frauen in eigenen Meubeln giebt, so ar=
beiten jedenfalls von den Frauen der beschäftigten Arbeiter nicht
144,939 — 87,996 = 56,943. Allein es sind noch viel mehr,
welche nicht arbeiten in der genannten Industrie, denn von den
87,996 Frauen sind viele nicht die Gattinnen der Männer, von
denen die Industrieenquête redet. Das läßt sich folgendermaßen
beweisen: Der Tagelohn der männlichen Pariser Arbeiter für
den wirklichen Arbeitstag betrug 1860 im wahren Durchschnitt,

d. h. $\dfrac{\text{Summe aller Löhne}}{\text{Summe aller Arbeiter}} \dfrac{1{,}223{,}063 \text{ Fr.}}{290{,}759} = 4{,}21$ Fr. Der=

jenige der Frauen $\dfrac{214{,}664 \text{ Fr.}}{106{,}310} = 2{,}02$ Fr. Der Durchschnitts=
lohn ist bei Männern ungefähr das Doppelte des Frauenlohnes.

Anders verhält sich aber der Lohn des Ehemanns und der Ehe-
frau zu einander, wenn wir den Verdienst vergleichen, den beide
täglich erwerben. Aus den öfters angeführten Einnahmebudgets
von 200 Arbeitern, welche Ducpétiaux in Belgien ermittelt
hat, verdiente auf 880,63 Fr. Jahresverdienst der Mann
477,53 Fr., die Frau nur 80,85 Fr., d. h. 54,2 pCt. der
Mann, 9,2 pCt. die Frau. Der Mann erwirbt darnach das
Sechsfache wie seine Frau. Dieselbe Berechnung ergab mir
für 38 französische Arbeiterfamilien nach den Budgets, welche
Le Play gesammelt hat, Jahreslohn des Mannes (Salaire et
bénéfice) 1013 Fr., der Frau 245, d. h. 52 pCt. resp. 12,6
pCt. einer Jahreseinnahme von 1951 Fr. per Familie. Hiernach verdient der Mann das 4fache des Frauenerwerbs. Aus
mehrfachen Gründen, deren Auseinandersetzung hier zu weit
führen würde, muß ich das Verhältniß, wie es aus den 200
belgischen Budgets sich ergiebt, vorziehen, will aber der Sicherheit halber den französischen Budgets, unter denen auch 9 gerade
aus der Stadt Paris sich befinden, Rechnung tragen und das
Verhältniß der Mannseinnahme zur Fraueneinnahme nicht wie
fast 6 : 1, sondern wie 5 : 1 setzen. Ich glaube nun so schließen
zu dürfen: Wenn die verheiratheten Frauen nur ⅕ von dem
erwerben, was der Ehemann verdient, so müssen, da die sämmtlichen weiblichen Arbeiterinnen in Paris durchschnittlich halb so
viel verdienen wie die männlichen Arbeiter, nur sehr wenige
Frauen der 144,939 verheiratheten männlichen Eigenmeubler
auch in der Pariser Industrie mit arbeiten. Von den 87,996
in eigenen Meubeln wohnenden Frauen sind darum gewiß viele
nicht an das Haus gebunden durch den Haushalt für Mann
und Kind, sonst könnte für Paris Mannslohn zu Frauen-
lohn nicht stehen wie 2 : 1. Oder machen wir eine andere
Rechnung. Der Lohn eines verheiratheten und eines unverheiratheten Mannes ist ziemlich der gleiche, da beide den ganzen
Tag vom Hause fern auf Arbeit sein können, höchstens ist der
des Ehemannes ein wenig höher, da derselbe sich mehr an-
strengen muß, um außer für sich auch für Frau und Kinder
zu erwerben. Auf die 144,939 verheiratheten Eigenmeubler
à 4,21 Fr. Lohn fallen 608,744 Fr., die 144,939 Frauen

dieser Männer verdienen circa ein Fünftel von dem Mannslohn,
$\dfrac{608,744 \text{ Fr.}}{5} = 121,749$ Fr. Alle Pariſer Arbeiterinnen verdienen 214,664 Fr. laut Angaben der Enquête, es verbleiben
alſo, wenn wir keine weiblichen ledigen Eigenmeubler annehmen
wollten, ſondern alle als Frauen der 144,939 Männer rechnen,
welche $\frac{1}{5}$ von dem verdienen, was die Männer erwerben,
214,664 Fr. — 121,749 Fr. = 92,915 Fr. auf die 9785
Meiſterwohnerinnen und die 7145 Chambregarniſtinnen, d. h.
auf zuſammen 16,930 Frauen nicht in eigenen Meubeln käme
ein Geſammtlohn von 92,934 Fr. oder faſt 5,50 Fr. auf den
Kopf.   Daß die ledigen Frauen $5\frac{1}{2}$ Fr. verdienen ſollten,
während die Männer nur $4\frac{1}{4}$ verdienen, iſt undenkbar, folglich
muß unter den weiblichen Eigenmeublern eine ſehr bedeutende
Anzahl Lediger ſein, welche mehr als $\frac{1}{5}$ des Mannslohns, d. h.
mehr als $\dfrac{4,21 \text{ Fr.}}{5} = 84$ Ctm. verdienen.   Wie groß die
Zahl der ledigen weiblichen Eigenmeubler ſein mag, wage ich
in Anbetracht des unzulänglichen, der Berechnung zu Grunde
liegenden Materials nicht zu ſchätzen, aber bedeutend groß muß
ſie ſein.

Anmerkung 4 zu Seite 62.   (Hierzu Tabellen XXV—XXXI.)

Statiſtiſche Winke über den Einfluß der Ein-nahmequellen des Arbeiters auf das Betragen und den Einfluß des Betragens auf die Ein-nahmequellen.

Speciell für die Chambregarniſten giebt die Wohnungsenquête des Jahres 1849 uns noch über einige andere Be-
ſtimmungsgründe des Betragens Aufſchluß, ebenſo aber auch
umgekehrt über das Betragen als Grund dieſer Erſcheinungen.
Das Wichtigſte in dieſer Beziehung ſind die Erwerbsquellen.
Wie wirkt der Erwerb aus Arbeit gegenwärtiger wie früherer
(Erſparniß), wie öffentliche Unterſtützung, wie Privatunter-
ſtützung, wie endlich das Einkommen aus dem Laſter, Proſtitution und Diebſtahl?

1) Einkommen aus Arbeit.

Hauptresultat der Tabelle XXV.

Stadttheile.	Chambregarnisten.			
	Männer.		Frauen.	
	pCt. leben von ihrer Arbeit.	pCt. gutes Betragen.	pCt. leben von ihrer Arbeit.	pCt. gutes Betragen.
24 Quartiere	37	42	18	17,2
23 ⸗	63	56	48	24,5
47 ⸗	46	48	31	21

Verhältniß gegen alle 47 Quartiere = 100.

24 ⸗	80	88	58	82
23 ⸗	137	117	155	117
47 ⸗	100	100	100	100

Daß Arbeit den Menschen veredelt, bedarf wohl kaum der statistischen Bestätigung; es trifft bei den Männern und Frauen nach der Chambregarnieenquête zu. In den 24 Quartieren mit nur 37 pCt. von ihrer Arbeit lebenden Männern haben 42 pCt. gutes Betragen gegen 56 pCt. gute Aufführung bei 63 pCt. von ihrer Arbeit Lebenden in den anderen 23 Quartieren. Bei den Frauen divergiren die 24 arbeitsamsten Quartiere von den nicht arbeitsamen mehr, nämlich 48 pCt. gegen 18 pCt., folglich ist auch die Differenz im guten Betragen eine größere, 24,5 pCt. gegen 17,2 pCt.

Dieser gute Einfluß des Einkommens aus Arbeit könnte nur in sofern auffallen, als wir oben Seite 66 gesehen haben, daß das Betragen um so besser ist, je mehr Arbeiter ohne Beschäftigung sind, allein von der Arbeit leben und unbeschäftigt sein, sind nicht immer, wie es auf den ersten Anblick scheint, Gegensätze, sondern sehr oft decken sich Unbeschäftigtsein mit Vonarbeitleben, wenn man bei temporärem Arbeitsmangel von dem ersparten Ertrage früherer Arbeit lebt. Die Industrie⸗ statistik bemerkt ausdrücklich, daß unter dem „Vonarbeit⸗ leben" mit begriffen ist das Zehren von früheren Ersparnissen.

In vielen Fällen freilich heißt Unbeschäftigtsein auch etwas An=
deres als von Ersparnissen leben, darum ist auch die Differenz
im Betragen nach der Menge, die von Arbeit und Ersparniß
leben, größer (Männer 56 gegen 42,5, Frauen 24,5 gegen 17,2)
als nach der Menge, die unbeschäftigt sind (Männer 50 : 46,
Frauen 24 : 17).

2) Einkommen aus Almosen.

Hauptresultat der Tabelle XXVI.

Stadttheile.	Chambregarnisten.			
	Männer.		Frauen.	
	pCt. leben von Almosen.	pCt. gutes Betragen.	pCt. leben von Almosen.	pCt. gutes Betragen.
24 Quartiere	15	51,6	14	21,3
23 „	49	45,6	56	19,4
47 „	35	48	39	21
Verhältniß gegen alle 47 Quartiere = 100.				
24 „	43	107	36	102
23 „	140	95	144	92
47 „	100	100	100	100

Die Tabelle zeigt uns ferner, daß eine andere Art von
Einnahmen bei den Frauen nicht so schlechten Einfluß übt als
bei den Männern, nämlich die öffentliche Unterstützung (secours
public). In den 24 Quartieren, in denen 14 pCt. der Frauen
von Almosen lebten, betrugen 21,3 pCt. sich gut gegen 19,4 pCt.
in den 23 Quartieren mit 56 pCt. öffentlicher Unterstützung.
Bei den Männern ist die Differenz im Betragen etwas größer,
obwohl die Differenz im Procentsatz der Almosenempfänger
geringer ist, in beiden Fällen aber ist der Einfluß der öffent=
lichen Unterstützung ein ungünstiger. Oder sollten etwa gar im
Winter 1849 die Zustände in Paris der Art schlimm gewesen

sein, daß man die Arbeiter mit schlechtem Betragen unterstützte, nur um sie zu bändigen, während man die bescheidenen Arbeiter hungern ließ? Die statistischen Tafeln regen eine Menge Fragen an, ohne bisher eine bestimmte Antwort darauf zu geben.

3) Einkommen aus Prostitution.
Hauptresultat der Tabelle XXVII.

	Chambregarnisten.			
	Männer.		Frauen.	
Stadttheile.	pCt. leben von Prostitution.	pCt. gutes Betragen.	pCt. leben von Prostitution.	pCt. gutes Betragen.
24 Quartiere	—	55,6	6	22,9
23 = ...	3,9	42,1	40	19
47 = ...	2	48	21	21
Verhältniß gegen alle 47 Quartiere = 100.				
24 = ...	0	117	29	109
23 = ...	195	88	190	90
47 = ...	100	100	100	100

Weiter können wir aus unserer Tabelle sehen, einen wie schlimmen Einfluß auf das ganze Betragen das Laster ausübt, einmal in der Gestalt der Prostitution und zwar der niedrigsten Art. Wo nur 6 pCt. der Frauen notorisch von Prostitution leben, betragen sich 22,9 pCt. gut, gegen nur 19 pCt., wo 40 pCt. sich gegen Geld preisgeben. Auffallend kann hier höchstens sein, daß die Unterschiede im Betragen nicht greller sind. Viel gewaltiger sind die Unterschiede, wo sogar die Männer eingestandenermaßen von der Prostitution ihrer eigenen Frauen und Kinder leben, was in 20 Quartieren von Paris vorkommt bei durchschnittlich fast 4 pCt. aller Chambregarnisten. In diesen 20 Quartieren hier betragen nur 42,1 pCt. sich gut gegen 55,6 pCt. in den 24 Quartieren, in denen dieses Laster wenigstens unbekannt ist oder doch nicht eingestanden wurde.

4) Einkommen aus unbekannten Quellen.

Hauptresultat der Tabelle **XXIX**.

Stabttheile.	Chambregarnisten.			
	Männer.		Frauen.	
	pCt. leben von zweifel= haften Ein= nahmen.	pCt. gutes Betragen.	pCt. leben von zweifel= haften Ein= nahmen.	pCt. gutes Betragen.
24 Quartiere	—	43	—	22,4
23 ⸗	7	48,4	9	19,8
47 ⸗	4	48	4	21
Verhältniß gegen den Durchschnitt aller 47 Quartiere = 100.				
24 Quartiere	0	90	0	107
23 ⸗	175	101	225	94
47 ⸗	100	100	100	100

Eine eigene Rubrik in der Tabelle **XXIX**. heißt Einnahmequellen unbekannter Natur. Wo in 24 Quartieren diese unbekannten Einnahmequellen gar nicht vorkommen, da waren 43 pCt. Männer und 22,4 pCt. Frauen gut angeschrieben, wo hingegen bei den Männern durchschnittlich 7 pCt. so geheimnißvoll sich ernährten, war das Betragen von 48,4 pCt. gut, hingegen wo 9 pCt. der Frauen ihre Erwerbsquelle nicht angegeben hatten, war das Betragen nur bei 19,8 pCt. zu loben. Darnach möchte es scheinen, daß eine nicht zu ermittelnde Erwerbsquelle bei den Männern nicht so sicher auf etwas Verwerfliches schließen läßt, als bei den Frauen.

5) Einkommen aus Credit.

Endlich ist noch eine fünfte Unterhaltsquelle der Chambregarnisten angeführt, der augenblickliche Credit, den der Vermiether gewährt. Bei den Männern ist die Wirkung dieser Einnahme oder gestundeten Ausgabe bedeutend. Auf eine

Hauptresultat der Tabelle XXVIII.

Stadttheile.	Chambregarnisten.			
	Männer.		Frauen.	
	pCt. leben vom Borg.	pCt. gutes Betragen.	pCt. leben vom Borg.	pCt. gutes Betragen.
24 Quartiere	7	45,8	0,7	19,9
23 ″	20	50,6	13	22,6
47 ″	13	48	5	12

Verhältniß zum Durchschnitt aller 47 Quartiere = 100.

24 Quartiere	54	95	14	95
23 ″	154	105	260	108
47 ″	100	100	100	100

Differenz von 7 pCt. gegen 20 pCt. ist der Unterschied im Betragen 45,8 pCt. gegen 50,6 pCt. guter Aufführung, noch etwas größer ist er bei allerdings auch größerem Unterschiede in Benutzung dieser Lebensquelle bei den Frauen. Bei durch= schnittlich 0,7 pCt. gegen 13 pCt. so auf Borg lebender Weiber ist die Differenz im Betragen 19,9 gegen 22,6 pCt. Bemerkens= werth ist, wie viel weniger den Frauen dieses Hülfsmittel offen steht, als den Männern. Das führt mich auf den Gedanken, daß besonders hier das Betragen nicht die Folge des Borgens ist, sondern das Geborgtbekommen die Folge des guten Be= tragens, denn warum sollte die Benutzung des Credits guten Effect haben? Erklärlich wird Alles, wenn wir das Geliehen= bekommen als die Wirkung des guten Betragens auffassen. Die Stadtgegenden unterscheiden sich dem Betragen der Männer nach wenig, 46,5 pCt. gegen 65 pCt. gut Betragen, und zwar ist überhaupt die Hälfte aller Chambregarnisten zu loben. Bei den Frauen, die in viel geringerem Grade ordentliche Chambre= garnisten stellen, sind die Unterschiede der 24 gegen 23 Quar= tiere bedeutender, nämlich 9,7 gegen 33 pCt. Unter solchen Umständen darf es nicht auffallen, wenn bei den Männern die

Creditwürdigen 11,8 und 13,7 pCt., bei den Frauen nur 3,2 pCt. und 6,6 pCt. ausmachen. In größerem Maßstabe

Hauptresultat der Tabelle XXIX.

Stadttheile.	Chambregarnisten.			
	Männer.		Frauen.	
	pCt. gutes Betragen.	pCt. leben vom Borg.	pCt. gutes Betragen.	pCt. leben vom Borg.
24 Quartiere	46,5	11,8	9,7	3,2
23 "	65	13,7	33	6,6
47 "	55,7	12,7	21,3	4,9

Verhältniß gegen den Durchschnitt aller 47 Quartiere = 100.

24 Quartiere	84	93	45	65
23 "	117	108	155	135
47 "	100	100	100	100

bekommen beim Vermiether überhaupt nur Credit die als sicher bekannten, regelmäßig jedes Jahr wiederkehrenden, von uns natürliche Chambregarnisten genannten Nichtpariser, namentlich die Bauhandwerker, da macht es denn auch in der Creditwürdigkeit nicht viel aus, ob die Leute zu 46 oder 65 pCt. sich durch ihr Betragen vortheilhaft auszeichnen. Anders bei den Frauen, welche als fast durchweg schlechte Chambregarnisten überhaupt nur in Ausnahmsfällen Credit haben. Hier muß das Betragen schon zu 33 pCt. gut sein, damit 6,6 pCt. vom Vermiether unterstützt werden gegen sogar nur 3,2 pCt., wo nur 10 pCt. sich gut betragen. Daß das Betragen nicht Wirkung sondern Voraussetzung des Credits ist, ergiebt die Uebereinstimmung mit einer anderen Art des Credits, der im beschränkteren Umfange gewährt wird, dafür aber mehr Leuten zu Statten kommt, nämlich nicht das directe Empfangen von Geld, sondern das Stunden von schuldigen Zahlungen.

Eine eigene Abtheilung ist auf Tabelle **XXX.** noch ge=
macht für Leute (Männer und Frauen zusammen), welche ent=
weder dem Vermiether gegenüber im Rückstande sind (Arrières
vis-à-vis du logeur) oder nicht (ne devant rien au logeur).
Ich glaube das im Gegensatz zu dem obigen „Vivant du cré-
dit momentané du logeur" als bloße Miethsstundung auf=
fassen zu müssen.

Hauptresultat der Tabelle XXX.

	Chambregarnisten.		
Stadttheile.	Männer und Frauen. pCt. schulden Nichts dem Vermiether.	Männer gutes Betragen in pCt. aller Männer und Frauen.	Frauen
24 Quartiere	70	32	4,4
23 „	44,5	42	5
47 „	56	42	
Verhältniß gegen den Durchschnitt aller 47 Quartiere = 100.			
24 Quartiere	125	76	10
23 „	80	100	12
47 „	100	100	

Hier zeigt sich nun: Je mehr Männer und Frauen die
Miethe regelmäßig zahlen (ne devant rien), 70 gegen 44,5 pCt.,
um so weniger Männer betragen sich gut, 32 gegen 42 pCt,
und auch um so weniger Frauen, 4,4 pCt. gegen 5 pCt. (Hier
ist in beiden Fällen die Procentzahl des Betragens auf Männer
und Frauen zusammen berechnet.) Hier kann wiederum nicht
wahr sein, daß regelmäßiger Haushalt auf das Betragen schlecht
wirkt, sondern es muß nach Tabelle **XXXI.** wieder heißen:
Je mehr Männer sich gut aufführen, 65 gegen 46,5 pCt.,
um so weniger Männer und Frauen schulden Nichts, 50 gegen
62 pCt, d. h. um so mehr haben eben wegen ihres guten

Hauptresultat der Tabelle XXXI.

Stadttheile.	Chambregarnisten.			
	Männer pCt. gutes Betragen.	pCt. Männer und Frauen schulden dem Vermiether Nichts.	Frauen pCt. gutes Betragen.	pCt. Männer und Frauen schulden dem Vermiether Nichts.
24 Quartiere	46,5	62	9,7	61
23 ″	65	50	33	52
47 ″	55,7	56	21,3	56

Verhältniß gegen den Durchschnitt aller 47 Quartiere = 100.

24 Quartiere	84	111	46	109
23 ″	117	89	155	93
47 ″	100	100	100	100

Betragens die Miethe gestundet bekommen, und ebenso bei den Frauen, 33 pCt. gegen 9,7 pCt. gutes Betragen 61 gegen 52 pCt. mit Stundung der Miethe. Hätten wir auch hier die Angabe des „ne devant rien au logeur“ für Männer und Weiber getrennt, dann wäre auch die Uebereinstimmung wohl noch deutlicher. Also immer dasselbe Lied tönt uns entgegen: Besseres Material giebt bessere Schlüsse.

———

Anm. Wie sehr wir uns auch verpflichtet glaubten, die vorstehende, verdienstliche Arbeit für unsere Zeitschrift zu gewinnen, um die statistischen Untersuchungen wie Resultate der Theilnahme unseres Leserkreises nahe zu bringen: so schien es doch angemessen, die graphischen Darstellungen, welche dazu gehören, aber nur dem eigentlichen Statistiker völlig zu Gute kommen, einem besonderen Abdruck zu überlassen. Zumal da die Verlagshandlung die Güte gehabt hat, jedem Abonnenten die Gelegenheit zu bieten, die graphischen Tabellen besonders um ein Billiges zu erwerben.　　　D. Red.

Mythologische Vorstellungen von Gott und Seele

psychologisch entwickelt von

Hermann Cohen, Dr. phil.

II.

Apperception der Menschenzeugung als Feuerbereitung und die Vorstellung Seele.

Es scheint poetische Erfindung, wenn der Dichter singt:

> „Golden waren die araṇi, mit denen die
> göttlichen Açvinen den Funken hervorquirlten.
> Diesen Keim lege ich in dich, daß du ihn gebärest
> im zehnten Mond. Wie die Erde mit Agni, wie
> die Himmelsluft mit Indra schwanger ist, wie
> Vâju der Himmelsgegenden Kind ist, so lege ich
> einen Keim in dich." *)

Man wird jetzt nicht mehr daran zweifeln, daß die poetische Apperception auf einer zuversichtlichen Verbindung von Vorstellungen beruht, die im Bewußtsein sich an einander drängen. So poetisch es uns jetzt scheinen mag, d. h. so willkürlich, so phantastisch, die Menschenzeugung als eine Feuererzeugung aufzufassen; so ist doch diese Apperception durchaus natürlich, der regelmäßigen Wirksamkeit des psychologischen Mechanismus gemäß. Darum hat sie auch als eine ernste Sache in den rechtlichen Institutionen ihre Anwendung gefunden.

Ueber den Fluch, den der Brahmane gegen denjenigen aussprechen soll, der verbotenen Umgang mit seiner Frau hat, lesen wir: „Wenn nun Eines Frau einen Buhlen hat, den er haßt,

---

*) Kuhn S. 74 ff.

so lege er Feuer in eine Schale von ungebranntem Thon, be=
reite verkehrt eine Streu von Pfeilgras und opfere die drei
Pfeilgrasspitzen verkehrt, nachdem er sie mit Butter gesalbt,
in jenem mit den Worten: „Du hast in meinem Feuer
geopfert, dein Hoffen und Erwarten nehme ich dir, N. N."
und so nennt er den Namen (S. 76.). Auf dieser Apperception
beruht nun der Mythos, daß der Feuergott (Agni oder als
Pramathyus = Prometheus) zugleich der Menschenschöpfer
sei, daß die ersten Menschen, das sind in den Sagen die ältesten
Könige, vom Himmel stammen, blitzgeboren. Yama, der
erste Mensch, ist im Blitze geboren, und Cyavâna, der vom
Himmel Gefallene = Hephaestos ist der Sohn Bhregu's, des
Blitzers.

Diese Vorstellung findet sich aber nicht allein bei den
Indern; sie tritt uns ebenso bei Griechen und Germanen ent=
gegen. So wird Apollo im Gewitter geboren und Dionysos
(Λικνίτης), der Gott in der Wiege oder im Holze, wird von
der Semele geboren, indem Zeus auf ihre Bitte unter Donner
und Blitz erscheint.*) Daher heißt er πυριγενής. Prometheus
hat nicht bloß in der Narthex, d. i. dem Pramantha das
Feuer vom Himmel geholt, er hat auch den Menschen aus
Erde geschaffen. Die Erde aber, die er dazu gebrauchte, wurde
bei Panopeus in Phocis gezeigt; Panopeus aber ist der Sitz
der Phlegyer, die wir als identisch mit den Bhregu erkannt
haben (S. 18—20.). In einem schweizerischen Gebrauche
wird der Teufel entmannt (de tüfel hâla), indem man ein
spitzes Holz von einer Schnur umschlungen, in einem Holz=
grübchen schnell dreht, so daß es Feuer fängt. Dies spitze
Holz ist der Penis. Auch wird der Gott der Johannisfeuer
Fro, der nordische Freyr, ingenti priapo dargestellt. Viele
Gebräuche bei den Johannisfeuern beziehen sich auf Liebe
und Ehegemeinschaft, wohin Kuhn die Sitte rechnet, daß
der Sprung über das Feuer paarweise vollzogen wird
(S. 100 ff.). Es mag hier noch bemerkt werden, daß auf
diese Anschauung des Zeugungsactes als des Bohrens mit einem

---

*) Preller, Gr. Mythologie I. S. 521.

Stabe in einer runden Höhlung auch die hebräische Etymologie zurückzuführen sein möchte, nach der das Männliche der Bohrer דקר=זכר und das Weibliche die Höhlung נקבה heißt.

War nun aber die Menschenzeugung als eine Feuerreibung appercipirt worden, so wurde die weitere Vorstellung durch die Reproduction gegeben, die zugleich geweckt wurde, daß der Mensch als Feuergeburt von demjenigen abstamme, aus dem das Feuer selbst gerieben wird, dem Holze, dem Baume, und daraus wieder, daß die Feuerreibung selbst ein Vermäh= lungs= und Zeugungsact sei, da ja aus den bei derselben ange= wendeten Stoffen und durch die Berührung derselben die Menschen entstehen. Die erstere, nächste Apperceptionsstufe soll zuerst in Betracht gezogen werden.

Bei Hesiod wird das dritte, eherne Geschlecht aus den Eschen geschaffen. Ζεὺς δὲ πατὴρ τρίτον ἄλλο γένος μερόπων ἀνθρώπων χάλκειον ποιησ' — ἐκ μελιᾶν (E. 142. 59. Kuhn S. 24.). Ebenso ist nach der peloponnesischen Sage Phoroneus = Bhuranyu, der Blitz, Sohn der Melia, der Esche; Er habe, nicht Prometheus, den Menschen das Feuer gegeben. Nach der Edda stammen die Menschen von zwei Bäumen, Askr und Embla.*) In der römischen Sage ist Picus, der Specht, der feuerbringende Vogel (wie Phoroneus in der peloponnesischen) und als solcher der erste König Latiums.**) Als ältester König aber, d. h. als erster Mensch, ist er auch neben seinem Bruder Pilumnus (von pilum = Geschoß, Donner, Keule oder Blitz) der Gott der Kindbetterinnen und der kleinen Kinder, „der den neugeborenen Kindern den himmlischen Funken der Seele brachte." Wie der Specht in der römischen, so ist in unseren germanischen Sagen der Storch der Kinderbringer. Der Teich oder Brunnen, aus dem er sie holt, ist die Wolke. Störche sind verwandelte Menschen, wie Picus Mensch und Vogel zugleich ist. Der Storch ist besonders geeignet zum Vogel der Gewitter, weil er mit diesen geht und kommt; über= dies bringt ihn die rothe Farbe seiner Beine, wie ähnliche

---

*) Grimm, Deutsche Myth. 2. Ausg. S. 527.
**) Ib. S. 925; vergl. Kuhn S. 214.

8*

Eigenschaften bei anderen Thieren (Schwalben, Rothkehlchen wegen der rothen Brust, Eichhörnchen, Fuchs wegen des Felles) in leichte Beziehung zum Feuer (S. 106.). Daher führt Kuhn sogar den „dunkeln Beinamen" des Storches odebar, odebero auf ein dem ahd. atum, nhd. Athem, Odem nahestehendes adhi zurück und macht ihn so zum Seelen=, nicht zum Kinderbringer, „wozu ihn nur die naive, kindliche Auffassung umgestalten konnte." Bezeichnend ist hierfür die Beziehung, in die der Specht zu der Wünschelruthe tritt, in der wir den Blitz erkannt haben (S. 214.). Grimm hatte bereits nachgewiesen, daß der Hermesstab die Wünschelruthe ist. Da nun die Wünschelruthe nach Kuhn der Blitz ist, so ist der Hermesstab der Drehstab des Feuerzeuges, des Blitzes. Daher die Flügel am Hermes, weil der Blitz zugleich Vogel ist. So wird auch die phallische Natur des Hermes klar. (S. 239, 240.)

Der Prozeß, in dem sich diese Mythen entwickelt haben, ist nun in Kurzem folgender. Die Menschenzeugung wurde als Feuerbohrung appercipirt. Da nun aber Feuer aus dem Holze gerieben wird und zugleich auf einer späteren Apperceptionsstufe der Ursprung alles irdischen Feuers in den Himmel versetzt wurde, von dem es der Blitzvogel auf einen Baum herabbringe, aus welchem die Menschen es wieder hervorreiben können: so mußte auch die Menschenzeugung ihren letzten wahren Ursprung in dem himmlischen Feuerzeug haben. Aus den Wolken, den Wetterbäumen, den Eschen werden sie vom Feuergotte gezeugt und als Blitz kommen die Erstgeborenen zur Erde herab. Kommen sie herab? Ist das nach dem Apperceptionsprozesse möglich? Wird nicht vielmehr das Feuer herabgebracht vom Blitzvogel? So wird auch der Feuermensch vom Blitz= und Gewittervogel, dem Specht oder dem Storch, von der Melia, der Weltesche, nach der germanischen Mythe von Yggdrasill herabgebracht. Es ist der ganze Mensch, den der Storch herabbringt, nach dem uralten Glauben jener Menschen, deren Gedanken wir hier entfalten, nach dem „naiven Kinderglauben". Wenn Kuhn in dem Etymon des Storch=Beinamens dessen Charakter als Seelen= und nicht als Kinderbringer nachweist,

so ist das nicht so aufzufassen, als hätte die mythische Anschauung des indogermanischen Urvolkes zwischen Seele und
Mensch ursprünglich geschieden. Wir werden vielmehr diesen
Beinamen auf eine spätere Apperceptionsstufe hinaufrücken
müssen. Der Urmensch sah durchaus nichts Wunderliches darin,
daß die Menschen, die ersten Menschen aus dem himmlischen
Feuerzeuge, der Weltesche, die der Blitzstab durchbohrt, geboren
und durch den Blitzvogel auf die Erde oder genauer, auf den
irdischen Baum herabgetragen worden seien. Denn die Vorstellung der Feuererzeugung mußte nothwendig bei dem Uebergewicht der gleichen Merkmale in beiden Vorstellungen das
appercipirende Organ für die Vorstellung der Menschenzeugung
werden. Zuerst also wurde die gesammte erste Vorstellung
Feuer mit allen ihren verschiedenen Complicationen, über die
Bereitung, die Erscheinung als Blitz u. s. f. durch die Vorstellung Menschenzeugung angeeignet, in den Vordergrund des
Bewußtseins gezogen. Nachdem aber das ursprüngliche Bewußtsein, in dem beide verschmolzen waren, überwunden war,
als die Anzahl der ungleichen Merkmale in beiden Vorstellungs-
gruppen eine Hemmung bewirkte, — hier Fleisch, dort Holz;
hier Flamme, dort Mensch — da konnten nicht mehr alle Elemente jener alten Apperception in frischer Wirksamkeit bleiben:
die abgeschwächtesten wurden ausgeschieden oder gingen mit
anderen Elementen andere Verbände ein. Aber jene alte Anschauung, die wegen der ersten Verschmelzung zu einer Total-
kraft angewachsen war, wurzelte doch so tief im Bewußtsein
und hatte in demselben noch immer so vielseitigen Raum für
eine ungehemmte Apperceptionsfähigkeit, daß sie auch von der
neuen Vorstellung, durch welche ein Unterschied gesetzt war, nicht
ganz verdrängt wurde, daß sie vielmehr in dieselbe mit-
gestaltend eintreten konnte. Wenn der Mensch nicht
mehr gleich der Flamme aus dem Holze gerieben werden kann,
soll, so ist doch noch immer der Feueratem in ihm. Dieser
Athem muß aus dem Himmelsfeuer stammen, ihn bringen die
Blitzvögel herab, und wenn der Mensch stirbt, so fliegt seine
Seele, d. i. sein Athem, zum Himmel zurück. (Vgl. Grimm,
Deutsche Myth. 2. Ausg. S. 788.)

Diese Vorstellung aber, daß das Feuer das Lebendige im Menschen sei, sehen wir in vielen Mythen unter verschiedenen Völkern mit durchsichtiger Bestimmtheit auftreten. Nicht daß man hätte fragen müssen: Was ist denn das Lebendige, das Lebensprincip im lebendigen Menschen? So ist dieser Gedankenvorgang nicht zu fassen. Die Begattung wurde, wie wir gesehen haben, ursprünglich und nach einem unausweichlichen Antriebe als Pflanzenverbindung zum Zwecke der Feuerreibung appercipirt. Wie nun bei der Holzbegattung ein Funke entsteht, so muß doch wohl auch bei der Menschenbegattung ein Funke entstehen; das Merkmal Funke in der Complexion Feuererzeugung fordert und bewirkt die Reproduction dieses Merkmals in der neuen appercipirten Complexion Menschenbegattung als Holzfeuerverbindung. Dieser Funke ist nun das eigentlich Lebendige, weil das eigentlich Geborene; der Erstgeborene ist ein Feuerfunke, ein Blitz, der sich schnell in einen Menschenleib wandelt. Das glaubte, das dachte man, so lange die ursprüngliche Apperception im Bewußtsein keine Hemmung erlitt. Als dieselbe aber durch den Gedanken abgeschwächt wurde, daß der Mensch doch immerhin kein Funke sei: da entstand durch die ebenso sich darbietende Anschauung, daß der Mensch, wie er entsteht, auch vergeht, diejenige Vorstellung, nach der das Lebendige, die Kraft des Lebens, welche Kraft nicht etwa als Abstraction, sondern als immanent dem Stoffe gefaßt wurde, man könnte eben so gut sagen: der Stoff des Lebens Feuer sei, als Feuerfunke entstehe und vergehe. Man erwäge nur, daß die Hemmung, welche die Apperception durch die Anschauung des Sterbens erfuhr, als eines Ausgehens des Athems, jene Apperception nur stärken konnte. So oft nun die Vorstellung des Lebendigen als des Feuerathems appercipirt wurde, mußte sie eine um so größere Kraft erlangen, als zugleich die Vorstellung von dem Aufhören desselben im Tode, im Sterben mit in's Bewußtsein trat. Die Negation bestätigte die Position, verstärkte also ihre Wirkungskraft.

Man darf aber nicht einwenden, daß diese Vorstellung eine Abstraction sei; denn der Urmensch mußte als das Leben Bedingende den Athem erkennen, weil mit dessen Aufhören, das er bemerken konnte, auch das Leben aufhört. Dieser Athem aber ist der Dampf, der aus dem inneren Feuer aufsteigt: darum ist das Lebenmachende das Feuer, dessen leicht merkliches Symptom der Athem ist. „Die lebenskraft", sagt Grimm *), war gebunden an ein licht, eine kerze, ein scheit, mit deren verzehren der tod erfolgt." Atropos bestimmt dem Meleager so lange zu leben, als das auf dem Heerde brennende Scheit nicht verbrannt sei. Althaea, seine Mutter, zieht es aus dem Feuer (S. 386.). Ebenso kommen die Völvur, das sind die Nornen, die Schicksalsgöttinnen, zu Nornagest's Vater, das Kind lag in der Wiege, über ihm brannten zwei Kerzen. Die dritte, jüngste Norn rief: „ich schaffe" (das ist der eigentliche Ausdruck für bestimmen, urtheilen), „daß das Kind nicht länger leben soll, als die neben ihm brennende Kerze brennt" (S. 380.). Ein Märchen von Gevatter Tod stellt eine unterirdische Höhle dar, worin tausend und tausend Lichter in unübersehbarer Reihe brennen. „Das sind die Leben der Menschen, einige noch in großen Kerzen leuchtend, andere schon zu kleinen Endchen heruntergebrannt: aber auch eine lange Kerze kann umfallen oder umgestülpt werden." Daher sagen die alten Dichter: der Tod hat ihm das Licht ausgeblasen (S. 812.).

Will man alle Elemente, so weit dies hier möglich ist, zusammenfassen, aus deren allmählicher Verbindung die Vorstellung „Seele" hervorgegangen ist, so scheint es zweckmäßig, nicht bloß diejenigen Figuren zu beachten, welche die Mythologie als Seelen oder als deren Repräsentanten bezeichnet, sondern auch alle anderen Wesen des Volksglaubens wie der Speculation, die zu jener Vorstellung in Beziehung stehen, auf den Grad ihrer Beziehung zu prüfen. Man kann sich einer gemischten Empfindung nicht erwehren, wenn man den Standpunkt Grimm's zur principiellen Theorie kennen lernt: hier stehe ein Beispiel einer naiven Betrachtung derselben Dinge,

---

*) Grimm, Deutsche Mythologie S. 812. Ich citire auf den nächsten Blättern durch die bloße Angabe der Seitenzahl immer Grimm's Mythologie in der zweiten Auflage.

die er mit umfassendem Scharffinn und künstlerischer Anschaulichkeit gestaltet hat. „Auch in unserem dentschen volksglauben",
sagt er, „läßt sich der übergang der seelen in gutmüthige
hausgeister oder kobolde nachweisen" (S. 865.). Sollten
nicht vielmehr die gutmüthigen Hausgeister eine Uebergangsstufe
in der Entwickelung der Vorstellung „Seele" bilden? Denn
woher diese Vorstellung? Sie ist Poesie, Phantasie,
wie jede andere, welche nicht unmittelbar in einen Act des
Empfindens sich auflösen, als ein Product der Wahrnehmung
sich darlegen läßt. Wenn sie aber Poesie ist, so werden wir
erwarten dürfen, daß sich nach den Bedingungen des psychologischen Mechanismus ihre Apperceptionsglieder auffinden lassen.
Zunächst steht so viel nach den verschiedenen Mythen fest, daß
die gestorbenen Menschen im Volksglauben als Kobolde
fortleben. Da ist es denn nun wichtig zu sehen, daß in den
Kobolden dasjenige fortlebt, was sich uns als das Leben Bedingende für den Urmenschen ergeben hat: das Feuer, nämlich
der Feuerathem. Die altnordischen draugar, d. i. die Trug-
gestalten, werden von Feuer umgeben dargestellt. Solche Spuk-
Erscheinungen heißen Irlicht oder Irrwisch, von der Aehnlichkeit brennender Strohwische; österreichisch: feuriger Mann
(S. 869.). Grimm führt selbst an, daß Kuhn (Vorrede zu
den Märkischen Sagen IX) alle Kobolde ursprünglich für
Feuergottheiten hält.

Haben wir nun aus diesen Anführungen erkannt, daß das
Leben im Feuer gesehen wurde, so wollen wir den Ausgangspunkt nicht vergessen, dem zufolge die Apperception des Urmenschen die bezeichnete Richtung genommen hat, welche es in
dem sich darbietenden Momente des Athembampfes festhielt.
Der Mensch war also eine Feuergeburt und er blieb es, selbst
nachdem die alte Apperception vor der neuen Hemmung nicht
Stich halten zu können schien, weil in dem Athem das Feuer-
element kenntlich war. Nun bedenke man aber, daß von dem
ursprünglichen Apperceptionsprozesse die Wendung im Bewußtsein geblieben war: der Feuer- oder Blitz-Mensch wird durch
den Blitzvogel von der Weltesche auf einen Baum herabgebracht.
Dieser Blitzvogel wurde, wie wir beim Picus gesehen haben,

als erster Mensch appercipirt, ganz so wie im heutigen Kinderglauben der Storch die Kinder bringt. Der Mensch selbst,
der ganze Mensch in seiner fleischlichen Erscheinung, kann
aber nun nicht mehr als Blitzvogel gedacht werden, die Kinder
selbst kann der Storch nicht mehr bringen: aber das, was den
Menschen lebendig macht, ist der Vogel, oder, wie es später
und noch jetzt heißt, **bringt der Storch. Der Athem ist
also ein Vogel, der Storch ist** odebero, der **Odembringer.**
Da nun aber ferner der Vogel den Blitzmenschen von der
Weltesche auf einen Baum bringt, in welchem der Blitz verkörpert gedacht wurde, **so muß auch der Vogel das Leben
auf einen Baum bringen, in dem es ruhet, in den es
eingesenkt wird, daß es von ihm wieder aussprieße, wenn es
erblühen will.**

Grimm führt in seiner Mythologie (S. 786—789) für
beide Apperceptionsstufen, für die Auffassung der Seele sowohl
als Baum und Blume, wie als Vogel aus dem deutschen
und griechischen Sagenschatze Mythen herbei. In den alten
Grabsteinen findet man häufig Tauben eingehauen. Ein
Schiff versinkt, vom Meeresufer gewahrt man weiße Tauben
zum Himmel steigen. In der Unterwelt fliegen versengte
Vögel. Finnen und Litthauer nennen die **Milchstraße den
Weg der Vögel.** Die Araber vor Mohamed glaubten, aus
dem Blute eines Gemordeten werde ein klagender Vogel, der
um das Grab fliegt, bis die Rache genommen ist. „Hans
Sachs denkt nicht an **irlichter,** wenn er sich mehrmals der
formel bedient: mit im schirmen (fechten) dasz die seel in
dem gras umbhupfen; er will nichts sagen, als daß ihm die
seele ausfährt, daß er stirbt." Wir haben gesehen, daß die
Irlichter selbst Seelen sind, und deshalb gerade als Seelen
gedacht werden, weil sie wie Feuervögel herumhüpfen.

Aus der griechischen Mythologie darf nur an das durch
die plastische Kunst wie die mythisirende Philosophie lieb-
bekannte Bild des Eros und der Psyche erinnert werden. Die
ψυχή ist nach Hesychius πνεῦμα καὶ ζωύφιον πτηνόν. „Im
höheren Alterthum wurde sie unter dem Bilde eines kleinen
geflügelten Wesens, später unter dem eines Schmetterlings

ober eines zarten Mädchens mit Schmetterlingsflügeln
vergegenwärtigt. *) Wurden nun so die Vögel als das Feuer=
Lebens=Element des Menschen appercipirt, so werden wir die
Bäume in gleicher Weise aufgefaßt sehen.

Bei den soeben angeführten Mythen, in denen die Seele
ein Vogel war, mit Ausnahme des Eros=Psyche=Mythos, muß
es aufgefallen sein, daß in ihnen der Vogel immer nur die
abgeschiedene Seele bedeutet. Dies wird noch auffälliger
bei den Mythen, in denen die Seele als Baum erscheint. Ein
Kind trägt eine Knospe heim: als die Rose erblüht, ist das
Kind todt. Die Rosenknospe ist in einem anderen Mythus
die Seele des gestorbenen Jünglings. Aus den Leichen der
Heiden wächst ein Schwarzdorn, neben dem Haupt gefallener
Christen eine weiße Blume. Ein serbisches Volkslied läßt aus
dem Leichnam des Jünglings einen grünen Tannenbaum, aus
dem der Jungfrau eine rothe Rose wachsen, „so daß sich auch
in den blumen das geschlecht forterhält; um den tannenbaum
windet sich die rose, wie um den strauß die seide“ (S. 787.).
Die Dryaden empfinden jede Verletzung der Aeste und Zweige
als Wunden, und gewaltsames Umhauen macht ihnen plötzlich
ein Ende (S. 614.). Haut Einer die Erle, so blutet und
weint sie und hebt zu reden an (S. 619.). Aus den Hügeln
Liebender winden sich Blumensträuche, deren Aeste sich verflechten
(S. 787.). Besonders interessant und für unsere Entwickelung
erweisend sind solche Mythen, in denen die Blumenknospe sich
entbindet, die Hülle des Baumes gelöst wird, und
Vögel entfliegen, zurückverwandelte Menschen gehen
daraus hervor. Man vergleiche Grimm, Frauennamen
aus Blumen, Kl. Schriften II. S. 370. Hier sind beide
Apperceptionsstufen aneinandergerückt, die eine führt zur andern
hinauf.

Wenden wir uns nun, nachdem wir die Enden dieser
Gedankenverknüpfungen in's Auge gefaßt haben, wiederum zum
Ausgangspunkte zurück, so wissen wir, daß derselbe für diese
späteren Apperceptionen in demjenigen Elemente der ursprüng=

*) Preller, Gr. Mythologie I. S. 396.

lichen Vorſtellung gelegen war, welches ſich als das tertium comparationis zwiſchen dem Holzfeuer und dem Menſchen in dem feurigen, dampfenden Athem forterkennen ließ. Dieſen Athem haben die Vögel vom himmliſchen Baume herabgebracht und mit ihm wird das Leben gegeben. Wenn nun das Leben endet, der Athem ſtockt, — wir haben geſehen, daß dieſe Wahr-nehmung die Kraft der urſprünglichen Apperception verſtärkt — muß er nicht wieder entfliegen, wie er zugeflogen kam? Was kann ſterben anders heißen als zurückfliegen. Die Mythen beſtätigen dieſe methodiſche Vermuthung. Im deutſchen Alterthum heißt ſterben: zu Wuotan gehen, zu Odhin fahren. Urſprünglich ſind es wirklich Vögel, die zu Wuotan auffliegen. Wuotan aber iſt (von ahd. watan, altn. vada = vadere) „das alldurchbringende Weſen qui omnia permeat, wie Lucan vom Jupiter ſagt" (S. 120.). Dieſer ſeiner Bedeutung ent-ſpricht ſein Beiname Biflindi (bif = motus, lindi = lenis), der die leiſe Bewegung der Luft bezeichnet (S. 135.). Wie nun ſo Wuotan der Gott der Luftbewegungen iſt, ſo beherrſcht er auch die heftigeren Bewegungen derſelben und iſt Gott der Stürme. Die Stürme aber — da zu Wuotan, d. i. zur Luft die Seelen, die letzten Athemdämpfe der ſterbenden Menſchen aufſteigen — was können ſie anderes ſein, als die Seelen ſelbſt? In dem Wütenden Heer, das iſt Wuotan's Heer, rauſchen die abgeſchiedenen Feuergeiſter in Haufen durch die Luft (S. 871.). Die Seele iſt der Etymologie nach „die wogende, flutende Kraft" (goth. sáivala, verwandt mit saivs (mare), das iſt das Wolkenmeer.)

Die Apperception verbreitet ſich immer weiter. Man be-denke nur ja, daß wir hier keinen fertigen Begriff und auch keine verdichtete Vorſtellung vor uns haben; wir ſtehen inner-halb eines Gedankenkreiſes, der ſeine Peripherie aus dem Cen-trum der Vorſtellung von der Feuerbohrung in homogenem Fortſchritt beſchreibt. Iſt die Menſchenzeugung eine Feuerer-zeugung, ſo mußte der Menſch wie das Feuer von der Eſche ſtammen, vom Blitzvogel herabgebracht werden. So lange dieſe Apperception ungehemmt wirken kann, iſt die Vorſtellung eine vollkommene, weil vollkommen bedingte Wahrheit. Sobald

aber die Apperceptionsglieder durchbrochen werden, sobald von
einer Seite eine fremde, in einem anderen Prozeſſe entſtandene,
einer anderen Complexion angehörige Vorſtellung ſich einzu-
ſchieben ſtrebt, wird der urſprüngliche Apperceptionsprozeß ge-
ſtört: aus der alten Complexion bilden ſich neue Verbände, in
denen diejenigen Glieder der alten Kette, die nicht völlig verdrängt, entwerthet ſind, von Neuem wirkſam werden. Der
Menſch kann kein Feuerfunke ſein, alſo kann er nicht, ſo wie
er iſt, vom Baume und ebenſo wenig von der Welteſche kommen,
dieſe Kette wird gelöſt, die alte Verſchmelzung aufgehoben.
Aber der Menſch hat doch den dampfenden Athem. Mit
dieſer Vorſtellung werden die alten, eben zerſtreuten Merkmale
wieder zu neuen Complexionen geſammelt, nachdem das volle
Identitätszeichen eben geſtrichen war. Nun wird dieſer Athem
vom Himmel gebracht und zwar vom Blitzvogel und auf den
Blitzbaum. Und wenn der Menſch ſtirbt, dann fliegt der Athem
wieder zu Wuotan zurück.

Iſt denn aber dieſe Wahrnehmung des Todes ſo neu, daß
wir ihre Auffaſſung erſt in dieſe Apperceptionsſtufe verſetzen?
Mußte ſie nicht ſchon in der erſten Form auftreten, nach der
der ganze Menſch von der Eſche ſtammt? In der That haben
wir Belege für dieſe Complexion. Wie der Menſch durch den
Blitzſtab aus dem Wolkenbaume gebohrt wird, ſo führt ihn
der Blitzſtab durch das Wolkenmeer zurück. Der Stab des
Hermes Pſychopompos iſt, wie ſchon Grimm nachgewieſen
hat, die Wünſchelruthe Wuotan's, oder richtiger die Ruthe
des Gottes Wunſch, der mit Wuotan identiſch iſt (S. 390.
und 800.). Die Wünſchelruthe aber iſt, wie Kuhn lehrt, der
Blitzſtab und ſo iſt der Stab, mit dem Hermes die
Menſchen zum Hades geleitet, derſelbe Blitz, durch
den die Menſchen geboren werden. Die Schiffer, die
in den alten deutſchen Sagen die Seelen überfahren,
fühlen, daß der Nachen gedrängt voll geladen iſt, ſo daß
der Rand kaum fingerbreit über dem Waſſer ſteht (S. 792.).
Die wirklichen Leiber alſo, die Leichname, werden übergeſchifft,
werden dahin zurückgebracht, woher ſie gekommen waren. Wie
unter dem „Ocean" der Mythen ſehr oft das himmliſche

Luftmeer gemeint ist, so muß wohl auch unter dem Wasser, über das Charon oder in der deutschen Sage ein beliebiger Schiffer die Leichname setzen muß, das Luftmeer verstanden werden, zu dem die Menschen wieder zurückgebracht werden. Dieser Vorstellungsweise, daß der ganze Mensch aus dem Feuer stamme, dem er darum wieder zurückgegeben werden müsse, entspricht auch die nach Grimm's Forschungen zweite Cultur= form in der Behandlung der Leichen, das Verbrennen der= selben. „Wie das grab den irdischen stoff der erde, erstattete die brunst den seinen dem element des feuers, von welchem alle lebenswärme ausgezogen war. Man glaubte die seelen der abgeschiedenen zu beruhigen und begütigen, wenn man sie des ihnen gebührenden feuers theilhaft werden ließ." πυρὸς μειλισσέμεν Il. 7,410; πυρὸς χαρίζεσθαι.*)

Jetzt kehren wir zur zweiten Apperceptionsstufe zurück. Der Unterschied in der Auffassung des Todes wird demjenigen in der Auffassung der Geburt völlig entsprechend sein. Wird nur der Athem herabgebracht, so kann auch nur der Athem zurückkehren. Dieser Athem ist die Luft, ist Wuotan, und aus Athemhaufen bläst er sein Heer, das Wütende Heer, zusammen. Dieselbe Anschauungsweise finden wir in der indischen Mythe. Auf ihrem Fluge zum Himmel muß die Seele den Luftstrom, die Wolkengewässer durchwandern, welche die Menschenwelt von dem glanzvollen Reiche der Pitri's, der Seligen, trennt. Der Wind muß sie da begleiten in Gestalt des Hundes. Und diese Vorstellung war so fest im Bewußtsein, daß man ihr zu= folge in Persien und Baktrien die Todten den Hunden vorwarf. Bei den Persern in Bombay wird den Sterbenden im Augen= blick des Todes ein Hund vorgehalten, so daß derselbe sein Auge auf ihn richtet; einer schwangeren Frau, welche im Sterben liegt, werden zwei Hunde vorgehalten.**) Die schnellen Hunde sind nämlich ein Bild der eilenden Winde, oder richtiger, die Winde werden wegen der Schnelligkeit ihres Zuges als Hunde appercipirt. Von anderer Seite aber werden die heftigen Winde als die Schaaren der Abgeschiedenen gedacht, nach einem Pro=

---

*) Ueber das Verbrennen der Leichen, Kl. Schriften II., S. 215.
**) Mannhardt, Götterwelt I. S. 52.

zeſſe, den wir kennen gelernt haben; wie in der germaniſchen Sage die Seelen in der wilden Jagd durch die Lüfte ziehen. Die Schaar der Marut's, der Geiſter der Winde, beſteht aus den Seelen abgeſchiedener Menſchen. Ebenſo die Ribhus, welche mit ſauſendem Sturmlied die Bäume und Felſen in wildem Tanze mit ſich fortreißen und urſprünglich Arbhus heißend, das indogermaniſche Urbild des griechiſchen Orpheus ſind. Der ſtürmende, ſingende Wind heißt aber in den Veden der Athem des Varuna, des Bedeckenden, des Himmels, des Uranos, wie die Sonne ſein Auge iſt. Bei Varuna wohnen unter dem Schatten eines ſchönbelaubten Baumes die Pitri's mit ihrem Könige Yama, dem Verſammler der Menſchheit, welcher zuerſt die unentreißbare Heimath gefunden. Unter dieſem Baume, açvatha, dem unvergänglichen Feigenbaume, weilen die herabgeſtiegenen Menſchen und die wieder empor= geſtiegenen Seelen nicht thatenlos, ſondern ſie genießen dort den Unſterblichkeitstrank, das Amrita, das von dem Baume herniederträufelt.

Was iſt Amrita? Wir treffen hier auf denſelben Prozeß, den wir bei den Vorſtellungen von der Erzeugung des Feuers ſich entwickeln ſahen. Die Inder haben einen Trank, mit Namen Soma, der identiſch iſt mit dem Haoma des Zend= Volkes. „Wie bei den Indern der soma als gott erſcheint, ſo iſt der haoma im Zend-avesta nicht allein die pflanze, ſondern auch ein vergötterter genius, hier wie dort ſpielen die begriffe des trankes und der pflanze vielfältig in einander, wenn auch im veda ſchon ausdrücklich der himmliſche und irdiſche soma geſchieden werden. — — beide verleihen kraft und un= ſterblichkeit und erſcheinen als der zeugung waltende genien." (Kuhn S. 119.) Woher kommt dieſem Tranke, den die Menſchen ſelbſt bereitet, dieſe hohe Kraft? Vielleicht gerade aus der Bereitungsweiſe. In der That iſt dieſelbe das bewegende Moment. „Der soma wird aus dem ſafte der asclepias acida durch quirlung mit milch oder gerſtenſaft gemiſcht." (S. 160.) Der Soma iſt völlig gleich dem Meth. Er wird in den Veden madhu genannt. (S. 158.) „Dem Indra geben die Kühe die Milch, dem Donnerer den ſüßen

Meth." Dieſes madhu haben nun faſt alle indogermaniſchen
Sprachen „mit ſeltener Einhelligkeit." Man denke an das
griechiſche μέθυ, μέθη, μεθύω. Für alle dieſe von Kuhn
(S. 159) angeführten Formen nimmt derſelbe als Urform mathu
an, welche derſelben Wurzel angehört, die wir ſchon bei der
Feuererzeugung kennen gelernt haben, „ſo daß mathu urſprüng=
lich ein durch q u i r l u n g gemiſchtes getränk bezeichnete." Die
ſpätere Bedeutung der Süßigkeit beweiſt nur, daß bei allen
Indogermanen dieſer Miſchtrank mit Honig verſetzt wurde.

Steht dies nun thatſächlich feſt, daß die Indogermanen
ihren berauſchenden Trank auf dieſelbe Weiſe bereitet haben,
wie das Feuer, ſo iſt zu vermuthen, daß die vielfachen Apper=
ceptionen, die wir bei der Erzeugung des Feuers ſich bilden
ſahen, auch dieſer Complexion ſich bemächtigt haben werden.
Wie das Feuer den ſichtlichſten Einfluß auf die Geſtaltung des
Lebens übte, ſo zeigte ſich der Segen dieſes Trankes an der
Erquickung, die er brachte. Zudem kam die wunderbare Ge=
walt, die er über die Menſchen beſaß, daß er die Sinne faſſen,
den kräftigen Mann in unzeitigen Schlaf einrauſchen konnte.
Auch wird Honig, ein Hauptbeſtandtheil des Meth, bei Indern,
Griechen und Germanen den n e u g e b o r e n e n Kindern ge=
reicht (S. 137.). Dabei erhält das Kind ſeinen Namen. Auch
des Zeus Ammen ſind die Bienen (μέλισσαι) und mit der
Milch der Amaltheia empfängt er Honig als die erſte Nahrung.
Dieſe Ammen werden aber auch μελίαι genonnt, die E ſ ch e n,
denn von der Eſche fließt der Honig herab. Man weiß jetzt,
daß die Eſche die Welteſche iſt, die Yggdraſill der Edda. Die
Zweige dieſer Eſche treiben durch die ganze Welt und reichen
über die Erde hinaus; unter jeder der drei Wurzeln quilt ein
Brunnen. Jeden Morgen ſchöpfen die Nornen aus demſelben,
übergießen damit der Eſchen Aeſte, davon kommt der Thau,
der in die Thäler fällt, d i e ſ e n T h a u n e n n t m a n H o n i g =
f a l l u n d d a v o n n ä h r e n ſ i ch d i e B i e n e n (Kuhn S. 129.).
Auch in der griech. Etymologie iſt die nahe Verwandt=
ſchaft zwiſchen Eſche und Honig gegeben. μέλι iſt Einer Wurzel
mit μελία, μέλος, μέλει μοι u. ſ. w. (Kuhn erweiſt dies aus=
führlich S. 136.) Auch die Griechen haben die Vorſtellung

gehabt, daß von der himmlischen Esche Honig herabträufle (ἀερομελι). Darum heißen die Ammen des Zeus bald Μελίαι, bald Μέλισσαι, bald die Nymphen der Esche, bald die Bienen, denn beide spenden den Honig, der mit der Milch die erste Nahrung des Gottes ist. In dem dodonäischen Sagenkreise jedoch sind die Ammen des Zeus die Hyaden, die den Regen bringen und eine besondere Beziehung zu unserer Mythengruppe haben, insofern sie den kleinen Dionysos gepflegt haben sollen.*) Worauf beruht jene Verschiedenheit der Sagen? oder liegt etwa beiden Versionen derselbe Gedanke zu Grunde? Welchen Bezug hat der Meth auf den Regen?

Der Meth ist der Regen. Die Weltesche, von deren Zweigen er herabträufelt, ist die Wolke, und die Vögel, die in den Aesten des Baumes nisten, sind die Blitzträger, die auch den Soma bringen. Kuhn hat dies durch den Nachweis der Identität des eddischen Mythus vom Raube des Odhroerir mit dem indischen von Indra, der als Falke, nachdem er im Schoß der Wolke gefesselt war, das Soma raubt, überzeugend dargethan und bis auf die Einzelnheiten der Erzählung den innigen Zusammenhang der Mythen vom Göttertranke mit denen vom Blitze und vom Feuer aufgefunden. Nach unserer bisherigen Entwickelung muß dies von vornherein einleuchtend sein. Die indogermanischen Völker haben alle in gleicher Weise einen Mischtrank bereitet, nämlich durch Bohren und Quirlen. Durch Bohren aber erzeugten sie Feuer. Und dieses Feuer stammte in seinem letzten Grunde von dem Weltbaume, in den der Blitzstab bohrt. Der Blitz heißt ja aber auch der „tropfende Funke" (Bd. V. S. 415): sollte nicht auch der gebohrte, gequirlte Trank von jenem Tranke stammen, der sich beim Gewitter aus dem vom Blitz durchbrochenen Wolkenbaume ergießt? So wird ohne poetischen Zwang, sondern ganz nach dem mechanischen Gesetz, nach dem sich Vorstellungen mit gleichen Merkmalen verbinden müssen, der irdische Soma zum himmlischen Homa und göttlichen Amrita.

Der Wein, der Meth, das Bier und das Oel der Menschen

---

*) Preller, Griech. Mythologie I. S. 367.

stammen von Ambrosia und Nektar. Alle diese Tränke sind der himmlische Regen, von dem die Fruchtbarkeit des Bodens abhängt, wie alles Leben der Menschen von dem Meth, dem Honig, den man den Neugeborenen giebt. Erst wenn das Kind den Honig genossen, ist es Mensch, hat es die Rechte einer juristischen Person erlangt. Menschliche Kinder dürfen nur ausgesetzt werden, ehe Milch und Honig ihre Lippen benetzt hat.*) Zeus reicht dem Sohne der Leto, da er ihn zum ersten Male in der Götterversammlung empfängt, aus goldener Schale Nektar, „er erkannte ihn dadurch als sein Kind." Kaum hatte Themis dem neugeborenen Apoll Nektar und Ambrosia gereicht, so sprang er alsbald aus den Windeln hervor. So fallen also der Athem, der tropfende Funke und der erbohrte, erquirlte Meth in Eins zusammen. Sie bezeichnen das Leben. Wenn nun das Leben endet, so sahen wir, daß der Athem zu dem Gotte mit dem Blitzstab, der ihn gebracht, zu Wuotan mit der Wünschelruthe oder Hermes mit dem die Seelen geleitenden Stabe zurückkehrt. Wuotan aber ist die Luft, die Wolke, in der die Winde, die Athembewegungen, von denen Wuotan Biflindi heißt, brausen oder singen.

Aus der Wolke aber, aus den Lüften wird der Regen gebohrt. Und in der Wolke, in den Lüften sind doch die Athem, oder wie es später hieß, die Seelen. Wie nun die Götter in dem Wolkensitze diesen Trank trinken, so trinken ihn auch die Seelen bei Yama auf dem Feigenbaume, der Weltesche. Und wie die Götter gleich den Menschen, die durch ihn leben, durch diesen Trank unsterblich sind, so leben auch die Seelen durch ihn von Neuem auf, sie werden unsterblich. Der eigentliche Sinn ist folgender. Durch den Regen lebt die Erde, durch den Meth lebt das Kind, also leben durch den Meth auch die Götter. Da die Götter von den Menschen durch ihre Verhältnisse, durch die Quantität der Bestimmungen unterschieden werden, so leben sie unsterblich, d. h. der Trank der Götter ist ein Amrita, ein Unsterblichkeitstrank. „Es ist klar", sagt Grimm, „die götter waren nicht ihrem Wesen nach unsterblich, sie

---

*) Grimm, Deutsche Myth. S. 295.

erwarben und sicherten sich diese eigenschaft erst durch enthalt=
samkeit von speise und trank der menschen und den genuß himm=
lischer nahrung." (S. 294.) Wie konnte aber diese Bestimmung
des Götterlebens auf das menschliche Dasein übertragen werden?
Die Congruenz beider Bestimmungen war unvermeidlich. Da
jener Unsterblichkeitstrank der Regen ist, der in den Wolken ge=
quirlt wird, in den Wolken aber zugleich die Athemwinde der
gestorbenen Menschen „fliegen", „jagen", „singen", so müssen
auch diese des in ihnen enthaltenen Trankes theilhaftig werden
— — sie sind unsterblich. Durch diesen Apperceptions=
übergang von dem Luftathem zu dem Regentrank wird die Vor=
stellung vermittelt, daß die Seelen fortleben. Da aber in dem
ursprünglichen Denken ebensowenig aus Etwas Nichts werden
kann, als aus Nichts Etwas, so muß der Athem, wenn er den
lebendigen Menschen verläßt, in Etwas übergehen. Als dieses
Etwas bietet sich am natürlichsten die Luft dar, deren Bewegungen
denen des Athems ähnlich sind und aus der der Feuerathem
gekommen war. Wenn nun aber der Athem in die Luft strömt,
in den Wuotan Biflindi, so ist er an der Quelle des Soma=
Regens, an dem die Götter sich unsterblich trinken. Wie
könnten wohl die Seelen, die Athemwinde, im heimathlichen
Regenhause weilen, aus dem sie lebendig geworden sind, ohne
wieder des Trankes zu genießen? Wie könnte der Athemtrank
lebendig machen, wenn er nicht selbst aus diesem Regenschatze
geflossen wäre? Beide Vorstellungen von der Natur des Trankes
und des Funken gehen zusammen, wie diejenigen von der Ent=
stehung beider dieselben sind. Kommt nun der Athem, nachdem
er bereits ein Lebendiges bewegt hat, in seinen alten Göttersitz
zurück, so muß er von Neuem trinken; ja, da er immerwährend
in dem Wolkenberge weilt, bis er wieder zur Erde steigt,
immerwährend trinken. Und wie durch den Trank allein die
Götter dauernd leben, so werden durch ihn auch die
Athemwinde, die Seelen, unsterblich.

Dies sind einige von den, wie man zu glauben berechtigt
ist, ursprünglichen Elementen jener mächtigen Vorstellung
„Seele". Aus so einfachen Bedürfnissen des Geistes, in so
nothwendiger Gedankenfolge ist diese Vorstellung erwachsen;

und dennoch, wie schief sind alle Wendungen, die der so ge=
rechte Gedankengang genommen hat. Wie sicher und in welcher
logischen Gebundenheit sind alle die Glieder aneinander gekettet,
nur demjenigen löslich und nur für denjenigen lose, dem der
erste Stoß des apperceptiven Mechanismus ein anderer geworden
ist. Hiermit ist an sich Nichts über den metaphysischen
Werth des Begriffes Seele in der neueren Wissenschaft
ausgesagt. Für diese ist der Ort des gedanklichen Bedürfnisses
anderswohin gelegt. Aber ganz abgesehen von der metaphysischen
Frage hat die Psychologie, sofern es für sie keinen angeborenen
Begriff giebt, überall eine jede in der Wissenschaft wie im
naiven Geiste gegebene Vorstellung in ihre Elemente zu zerlegen;
auch bei dem ehrwürdigsten Begriffe — wenn man mit Begriff
diese Eigenschaft verbinden kann — ist es ihres Amtes zu fragen:
wodurch, woraus und wie ist er entstanden? Was Wunder,
wenn man so von der stolzen Krone des Baumes menschlicher
Erkenntniß in die bodenwüchsigen Wurzeln hineinblickt, daß die
ursprüngliche Heimath auch über den wahren Charakter des in
andere Denkgebiete ausgewanderten Schößlings Manches zu
erzählen weiß! Aber die Grenzbestimmungen dieser Abhängig=
keit erfordern eine eigene Untersuchung, in der man die Ansätze
und Verzweigungen verfolgen muß, welche die mythische Form
oft in der späten Wissenschaft noch gefunden hat. Für die Vor=
stellung „Seele" kann eine vollständige Analyse nur durch die
Hinzuziehung der einschlägigen Begriffe aus der Zeit des Para=
celsus gegeben werden. Archaeus und Spiritus Rector haben
eine offenbare Beziehung zur Vorstellung Seele, wie Sub-
stantia und τὸ πρῶτον κινοῦν zur Vorstellung Gott.

9*

Das russische Volksepos

von

W. Bistrom.

Zweiter Artikel.[1]

Die Stellung des am meisten besungenen, des volksthüm-
lichsten Helden nimmt in dem russischen Volksepos Il'ja Mu-
romez (aus der Stadt Murom) ein, und diese Stellung, die
er wohl inneren, uns unbekannten Gründen verdankt, macht
leicht begreiflich, daß auch die gegenwärtige Fassung der Gesänge ihn aus dem Bauernstande hervorgehen läßt. Seine
Eltern sind Bauern des dicht bei Murom gelegenen Dorfes Ko-
ratscharowo, in dem auch Il'ja die ersten 30 Jahre seines Lebens verbringt, ohne Bewegung, stets auf einem Flecke, auf
dem Ofen der väterlichen Hütte verweilend[2]. Diese Regungs-
losigkeit, die als eine Art Beinlähmung von einzelnen Volks-
sängern[3] erklärt wird, heben vorbeikommende fromme Pilger[4]
auf, die den Il'ja Meth trinken lassen, wodurch er eine Riesenkraft bekommt, welche er folgendermaßen bestimmt: „Gäbe es
eine von der Erde bis zum Himmel reichende Säule, und wäre
oben an der Säule ein Ring angebracht, so wollte ich den Ring
ergreifen und das ganze heilige Rußland umdrehen"[5]. Die Pilger vermindern seine Kraft bis auf die Hälfte. Il'ja geht auf's
Feld und macht ein Stück Land urbar, ganze Bäume mit den
Wurzeln herausreißend[6]. Er sucht sich ein Pferd; aber alle

---

[1] Siehe Band V. S. 180.

[2] Kirijevski I. Lieferung p. 1. IV. p. 1.   Rybnikov Band I. Lied 8.
Band II. Lied 2.

[3] Kir. I. 1.

[4] Kir. I. 1. IV. 1.   Ryb. I. 8. II. 2.

[5] Kir. I. 1.   Ryb. I. 8.

[6] Kir. IV. 1.   Ryb. I. 8. II. 2.   Diese erste Kraftprobe von Il'ja wird
auch folgendermaßen variirt, er bringt nach Kir. IV. 2 ein ungeheures Bier-

stolpern, sobald er seine Hand auf ihren Rücken legt, bis auf ein ganz schlicht aussehendes Füllen. Il'ja kauft es, wälzt es drei Tage und drei Nächte in dem Thau [1]), und erzielt ein Heldenroß, dessen Beschreibung wir im ersten Artikel S. 200 angeführt haben. Nachdem er sich auch die Waffen geschmiedet hat [2]), läßt er sich von den Eltern den Segen geben [3]) und schwört, niemand ohne Herausforderung zu beschädigen und kein christliches Blut zu vergießen [4]).

Jetzt beginnen die Abenteuer Il'ja's. Er nimmt sich bei seiner Abfahrt aus dem väterlichen Hause vor, nach Kiev zum Fürsten Wladimir zu gehen, und in gewaltigen Sprüngen eilt sein Pferd. Wo es auftritt, entstehen Brunnen [5]). Bald trifft er einen Wegweiser, auf dem drei Wege verzeichnet sind; auf dem ersten stirbt man, auf dem zweiten heirathet man, auf dem dritten wird man reich [6]). Er wählt den ersten und findet Räuber, die ihn anfallen wollen, aber ein Pfeil von Il'ja, nach einer Eiche geschossen, welcher diese in keine Stücke zersplittert, jagt den Räubern solchen Schrecken ein, daß sie ihn bitten, ihr Anführer zu werden. Er lehnt es ab [7]) und begiebt sich auf den zweiten Weg, auf dem er einen prachtvollen von einer schönen Königin bewohnten Palast erblickt. Die Königin empfängt ihn auf das glänzendste, sie zechen zusammen; allein als sie schlafen gehen, gebraucht Il'ja die List, die Königin zuerst auf das Bett zu legen, und siehe sie versinkt in die unterirdischen Räume des Palastes. Il'ja befreit alle Helden, die von der Königin auf diese Weise gefangen waren, und tödtet die Königin [8]). Nun fährt er auf den dritten Weg und findet einen

---

saß aus dem Keller in die Gemächer; und nach Kir. I. XXXIII soll er einen
Hügel am Ufer der Oka bei Murom heruntergeschoben und dadurch den
Lauf der Oka verändert haben. Das alte Flußbett wird noch heute gezeigt
[1]) Kir. I. 25. Rib. I. 8. II. 2.
[2]) Kir. I. V. XXXII.
[3]) Kir. I. 21. 25. 34. 41. 77. IV. 2. Rib. I. 8.
[4]) Kir. I. 34. 41.
[5]) Kir. I. 35.
[6]) Kir. I. 3. 17. 19. 21. 26. 32. 86. Rib. I. 9. 11. II. 62. 63.
[7]) Kir. I. 15. 16. 17. 18. 19. 21. 23. 26. 32. 40. 86. K. I. 11. II. 62.
[8]) Kir. I. 86. Rib. I. 11. II. 62.

Schatz unter einem Steine liegend. Er wälzt den ungeheuren Stein zur Seite, bemächtigt sich des Schatzes und verwendet ihn, Kirchen zu bauen, ohne sich selbst zu bereichern[1]). So vermeidet Il'ja alle drei Wahrsagungen des Wegweisers.

Gewöhnlich erscheint auf dem ersten Wege statt der Räuber eine ungeheure tatarische Armee, welche die Stadt Černigov belagert. Il'ja allein bewältigt die ganze Armee und befreit die Bürger von Černigov, die ihn aus Dankbarkeit für diese eine Wohlthat zu ihrem Fürsten ernennen wollen, was von Il'ja abgelehnt wird[2]). Dies ist, so zu sagen, nur eine Variation der Gefahr, der Il'ja auf dem ersten Wege ausgesetzt ist, und wir finden daher auch Lieder, welche diese beiden Abenteuer als auf einander folgend besingen[3]). Ja vielleicht ist es nicht zu weit gegangen, wenn wir behaupten, daß diese beiden Abenteuer nur Variationen des Kampfes Il'ja's mit dem Räuber Solovej (Nachtigall) sind, den Il'ja auf dem Wege nach Kiev besteht, und welcher das bekannteste und den Il'ja am meisten charakterisirende Abenteuer bildet; denn nur wenige Lieder enthalten es nicht, und selbst·in diesen finden sich immer noch Anspielungen auf dasselbe.

Von dem Räuber Solovej erzählen die Lieder, daß er schon 30 Jahre[4]) auf dem directen Wege zwischen Murom und Kiev in den riesigen Murom'schen Wäldern als ein Ungeheuer hause, das sein Nest[5]) auf 7 oder 9[6]) in einander verwachsenden Eichen hat, und alles vorübergehende, vorüberfahrende, vorüberfliegende durch sein Geschrei, das dem Schlangengezisch und dem Thier-

---

[1]) K. I. 86. R. II. 62. Nach einer anderen Version R. I. 11 muß Il'ja, ehe er den Schatz bekommt, einen Riesen tödten.

[2]) K. I. 26. 35. 79. IV. 4. R. I. 9. 10. II. 3. 63.

[3]) K. I. 26.

[4]) K. I. 30. 36. 41. 45. 77. II. 63. Il'ja sitzt auf seinem Ofen auch 30 Jahre, und diese Analogie zwischen der Zeitdauer der Bewegungslosigkeit Il'ja's und der der Verwüstungen, die von Solovej angerichtet werden, deutet offenbar auf einen eigenen Zusammenhang beider, von dem aber in den Volksliedern jede Spur bis auf diese untergegangen ist.

[5]) K. I. 41. 79. R. II. 63.

[6]) 7 Eichen werden angeführt bei K. I. 41. R. I. 9. II. 63. 9 bei K. I. 42. IV. 3. bei K. I. 30 werden 3 und bei K. I. 37 sogar 30.

gebrüll ähnlich ist, tödtet [1]). Dieses Ungeheuer zu bezwingen
unternimmt Il'ja, nicht achtend, daß der Weg zu jenem durch
ungeheure Moräste und Urwälder [2]), ja sogar durch den breiten
und reißenden Fluß Smorodina [3]) erschwert wird. Er bahnt
sich den Weg, in einer Hand sein Roß führend, mit der anderen die Eichen entwurzelnd und mit ihnen die Moräste über-
brückend [4]). Auf seinem Pferd springt er über den Fluß Smorodina [5]), hier ertönt das Geschrei des Solovej, Il'ja's Roß
stürzt vor Schreck auf die Knie [6]), er schießt seinen Bogen ab
und trifft den Solovej in das rechte Auge. Wie ein Haufen
Heu stürzt das Ungeheuer von seinen Bäumen [7]), es ist noch
am Leben und Il'ja schmiedet es fest an seinen Sattel [8]). So
kommt Il'ja zu den Gehöften des Solovej, welche als ungeheuer groß und prachtvoll geschildert [9]) und von den Kindern
und Verwandten des Solovej bewohnt werden. Seine älteste
Tochter erkennt was für eine Beute Il'ja am Sattel führt, ergreift eine ungeheure eiserne Stange und schlägt auf ihn los,
er aber weicht dem Schlage aus und tödtet sie durch einen gewaltigen Stoß [10]). Die Kinder des Solovej wollen nun ihren
Vater mit ungeheueren Schätzen loskaufen, Il'ja aber befiehlt
ihnen nach Kiev zu kommen, um vielleicht den Vater zu befreien [11]).

Mit dem Solovej am Sattel kommt Il'ja nach Kiev zum
Hofe Wladimirs, des Fürsten von Kiev, der rothen Sonne, wie

---

[1]) K. I. 28. 31. 33. 36. 41. 78. IV. 3. R. I. 9. 10. II. 3. 63.

[2]) K. I. 29. 33. 36. 41. 42. 81. R. I. 9. II. 63.

[3]) K. I. 36. 81. R. I. 10. II. 63.

[4]) K. I. 81. R. I. 9. II. 63.

[5]) K. I. 29. R. II. 63.

[6]) K. I. 28. 36. 41. 42. 78. R. I. 9. 10. II. 3. 63.

[7]) K. I. 33. 42. R. II. 63.

[8]) K. I. 28. 33. 37. 42. 83. IV. 3. R. I. 9. 10. II. 2. 3. 63.

[9]) K. I. 43. IV. 3. R. I. 9. 10. II. 3.

[10]) K. I. 29. 81. R. I. 9. II. 3. 63.

[11]) R. II. 63. Uebrigens tödtet Il'ja nach anderen Variationen K. I. 43.
XXXIII die Kinder des Solovej, weil diese ihn als ungeheure pechschwarze
Raben mit eisernen Schnäbeln anfallen und nach K. I. 37 weil diese Kinder
von Solovej unter einander verheirathet worden sind.

er in den Liedern genannt wird. Die Aufnahme, welche ihm
hier zu Theil wird, iſt keine beſondere, man weiſt ihm den
niedrigſten Platz in der langen Reihe der erprobten Helden
Wladimirs an, und als er darüber ſeinen Unwillen äußert, befiehlt Wladimir ſeinen Helden, ihn herauszuführen, aber umſonſt. Il'ja wirft ſie alle nieder, verläßt erboſt den Hof, ergreift ſeinen Bogen, ſchießt die goldenen Kreuze von den Kirchen herunter, verſammelt den Stadtpöbel um ſich, und vertrinkt
mit ihm die Kreuze mit der feſten Abſicht, den nächſten Tag
ſelbſt Fürſt von Kiev zu werden. Wladimir darüber erſchrocken
ſchickt einen anderen Helden, den jungen Dobrinja, um Il'ja
zu beſänftigen. Dies gelingt ihm [1] nur, nachdem Wladimir
verſprechen muß, in den Schenken von ganz Rußland drei Tage
lang umſonſt Bier und Meth verſchenken zu laſſen, damit alle
wiſſen, daß Il'ja Murometz nach Kiev gekommen ſei [2]. Il'ja
kommt nun wieder zum Hofe und erzählt ſeine Abenteuer und
den Fang des Solovej. Als man ihm nicht Glauben ſchenken
will, bringt er den bis dahin von ſeinem Pferde bewachten [3]
Solovej und befiehlt ihm zu pfeifen. Die Wirkungen dieſes
Pfeifens oder Gebrülles des Solovej ſind die eines Sturmes [4]:
die Häuſer werden erſchüttert und fallen, die Dächer abgeriſſen,
die Helden ſtürzen zu Boden, der Fürſt mit der Fürſtin bleiben
am Leben, nur weil Il'ja ſie unter ſeine mächtigen Arme geſtellt hat. Darauf tödtete Il'ja den Solovej, indem er ihn in
die Höhe warf und an der Erde zerſchmettern ließ [5]. Den
Kindern des Solovej, die ihre Reichthümer nach Kiev brachten,
wollte Wladimir dieſelben rauben, Il'ja aber ließ es nicht zu
und ſandte ſie mit denſelben zurück [6].

Il'ja tritt nun in Wladimirs Dienſte ein, und vollzieht
meiſtens den Grenzdienſt mit anderen Helden [7]. Hierher ſetzen

---

[1] R. I. 18.
[2] R. II. 63.
[3] R. II. p. 333.
[4] K. I. 30. 34. 39. 45. 84. IV. 6.   R. I. 9. 10. II. 3. 63.
[5] K. I. 39. 84.
[6] R. II. 63.
[7] K. I. 7. 46. 52. IV. 7. 13.   R. I. 12. 13. 14. II. 64 u. häufiger.

die Lieder Il'ja's Kampf mit seinem Sohne, der gewöhnlich Sokol'nikov [1]) (von Sokol der Falke) heißt, der dessen Tod zur Folge hat. Nur einige Lieder kennen auch einen glücklichen Ausgang, aber diese sind selbst unvollendet und mangelhaft. Schon Orestes Müller hat auf die Identität dieser Episode mit dem Hildebrandslied und dem Kampfe Rustem's mit seinem Sohne hingewiesen [2]). Merkwürdig ist es, daß in allen Liedern dieser Kampf in zwei Theile zerlegt wird. In dem ersten ist immer der Sohn siegreich, und Il'ja, seinem Untergange nahe, sammelt seine letzten Kräfte, bewältigt den Sohn, erzwingt von ihm seinen Namen nach einer dreimal wiederholten Anrede, und erfahrend, daß es sein unehelicher Sohn ist, entläßt er ihn [3]). Der Sohn kehrt zu seiner Mutter, die in den meisten Liedern Latigorka [4]) heißt, zurück, erfährt von ihr die Wahrheit der Aussage Il'ja's, und will nun an ihm seine und der Mutter Schande rächen. Er greift den Il'ja im Schlafe an und versetzt dem Schlafenden einen Hieb auf die Brust. Il'ja's goldenes Kreuz, das er, wie jeder Russe, an der Brust trägt, rettet ihn [5]). Erwacht, ergreift Il'ja den Sokol'nikov, wirft ihn in die Höhe und läßt ihn an der Erde zerschmettern [6]). Die Rolle eines Sohnes vertritt auch eine Tochter des Il'ja [7]), und es giebt sogar ein Lied, wo Il'ja beim Tode des Sohnes wehklagend ausruft: „Zwei Kinder habe ich geboren und mußte selbst sie beide tödten" [8]).

---

[1]) Häufig wird noch der Name Jäger hinzugefügt. K. I. 54. IV. 17. R. I. 13. II. 64. Er heißt auch Fürst Boris aus Litthauen K. I. 6. 9. 13. K. I. 12. und Solovnikov von Solovej (Nachtigall) R. I. 14.

[2]) Herrig Archiv für das Studium der neueren Sprachen Bd. XXIII. Heft 1.

[3]) K. I. 10. 13. 51. 54. IV. 11. 17. R. I. 12. 13. 14. II. 64.

[4]) K. IV. 17. Was latj heißt, ist uns unklar, gor-ka ist Berg, also Bergfrau, was durch ihren anderen Namen Gorin-čanka R. I. 13 bestätigt. Dasselbe bedeutet auch wohl ihr dritter Name Latj-mirka R. I. 11. mirka wohl vor mir Welt, Region. Wo sie als Fürstin von Litthauen erscheint, führt sie nicht diese offenbar mythische Namen, sondern wird einfach mit irgend einem weiblichen Frauennamen benannt.

[5]) K. I. 4. 6. 55. IV. 17. R. I. 12. 13. 14. II. 64.

[6]) K. I. 6. 52. 56. 94. IV. 12. 17. R. I. 12. 13. 14. II. 64.

[7]) R. I. 12. und K. I. 92 ist es sogar seine Schwester.

[8]) Die Lieder von Il'ja. Volksausgabe. Moskau 1867. p. 60. v. 1920.

Mehrere Male muß Il'ja im Dienst von Wladimir die
Stadt Kiev vor den tatarischen Horden retten. Das erste Mal
ist es Batij, der die Tataren anführt. Il'jas Roß fällt gleich
im Anfange des Kampfes in einen Graben und er selbst wird
gefangen. Batij befiehlt, den Il'ja hinzurichten, allein noch
vordem sammelt dieser seine Kräfte, zerreißt die Ketten, ergreift
einen Tataren an den Füßen und, sich seiner als Waffe bedie=
nend, vernichtet er die ganze tatarische Armee.[1] Il'ja erscheint
im Anfange dieses Liedes als ein Pilger, dem Wladimir seine
Noth klagt, giebt sich dann zu erkennen, läßt aber den Wladimir
lange bitten, bevor er den Kampf mit den Tataren unternimmt.[2]
Dieses sonderbare Verhältniß Il'jas zu Wladimir tritt noch
deutlicher in einem anderen Liede hervor. Bei einem Gelage
wirft die Frau Wladimirs ihm vor, daß er, während er andere
Helden reichlich belohnt, den Il'ja mit Nichts beschenkt habe.
Wladimir schenkt darauf dem Il'ja einen prachtvollen Zobelpelz.
Il'ja verschmäht das Geschenk und wirft den Pelz auf den Boden.
Wladimir befiehlt, den Il'ja lebendig einzumauern, worin sich
dieser auch fügt. Die Fürstin macht einen unterirdischen Gang
und ernährt den Il'ja auf diese Weise drei volle Jahre. Da
kommen Tataren unter Kalin und belagern Kiev. Wladimir
weiß sich gar nicht zu helfen, geräth in die größte Noth und
bereut bitterlich sein Verfahren gegen Il'ja. Die Fürstin giebt
ihm den Rath, nachzuforschen, ob Il'ja noch am Leben sei;
Wladimir befiehlt ihn zu entmauern und man findet ihn noch
lebend.[3] Il'ja unternimmt die Befreiung der Stadt, begiebt
sich als Bote zu Kalin, wird aber gefangen und beschimpft.
Erbost, bewältigt er das Heer von Kalin auf dieselbe Weise
wie das des Batij.[4] Er befreit Kiev noch ein drittes Mal
und zwar wieder von den Tataren unter Mamaj, der übrigens
mit Kalin verwechselt wird. Er will den Kampf nicht allein
unternehmen und begiebt sich nach dem Grenzposten, um die

---

[1] R. IV. 38 ff.
[2] R. IV. 42.
[3] R. 1. 66 ff.
[4] R. I. 66. 70 ff.

anderen Helden zu holen, betrinkt sich aber da. Wladimir schickt, um ihn zu holen, seinen Neffen, den jungen Jermak. Auch dieser wird von den Helden auf dem Grenzposten zum Zechen eingeladen; er schlägt es ihnen ab und wirft sich allein auf die Tataren. Zwölf Tage und zwölf Nächte kämpft er mit ihnen, kann sie aber nicht bewältigen. Als er ganz erschöpft und dem Tode nahe ist, kommt endlich Il'ja und vernichtet die Tatarenmacht gänzlich.[1] Gewöhnlich begegnen Il'ja und Jermak nach diesem Siege einer Riesin, und Jermak unternimmt wiederum, dieselbe allein zu bezwingen. Nach zwölftägigem Kampfe ist er wieder seinem Untergange nahe und ruft den Il'ja zur Hülfe, der auch mit einem Stoß die Riesin tödtet.[2] Derselben Riesin begegnen wir in einem anderen Liede, wo sie aber den Namen der Mutter des unehelichen Sohnes Il'ja's Gorinčanka führt und wo die Stelle des Jermak Dobrinja vertritt. Im Uebrigen ist das Lied mit dem vorigen ganz identisch.[3]

Eine andere Heldenthat Il'ja's ist die Befreiung Wladimir's und seiner Frau von einem Ungeheuer, das in den Liedern einfach Idoliče, d. h. Götze genannt wird. Il'ja erfährt auf einer Wanderung von einem riesigen Pilger, daß dieser Idoliče in Kiev sich gelagert hat, die ganze Stadt in Angst versetzt und mit der Fürstin Unzucht treibt. Il'ja wechselt mit dem Pilger die Kleider, erscheint so in Kiev und erschlägt den Idoliče beim Gastmahl mit seiner Mütze, die er mit Erde angefüllt hat.[4] Andere Lieder, die den kirchlichen Einfluß deutlich verrathen, versetzen diese That nach Constantinopel und lassen den Il'ja den Constantin und seine Frau Elene von dem Idoliče befreien.[5]

In der Befreiung Kiev's von einem tatarischen Anführer Tugarin, der sonst als Bergdrache auftritt[6]), erscheint nicht Il'ja,

---

[1] K. I. 58. R. I. 19. 20. 21.
[2] K. I. 58.
[3] K. I. 14.
[4] R. IV. 18 ff. R. I. 15. 16.
[5] R. IV. 22 ff. R. I. 17.
[6] Vergleiche unten unter Dobrinja und Al'oša.

sondern seine Frau, die hier Savišna heißt, obgleich sonst die Lieder von einer Verheirathung Il'ja's nichts wissen und nur, wie wir gesehen haben, seiner unehelichen Kinder erwähnen. Dieser Tugarin greift Kiev an, als Il'ja' auf der Jagd ist. Wladimir schickt nach ihm. Savišna zieht die Rüstung ihres Mannes an, begiebt sich nach Kiew und besiegt den Tugarin.[1])

Wir hätten nun noch die Erzählung von Il'ja's Tod wiederzugeben, wir wollen jedoch zuvor hier eine bis jetzt nur in einem Liede erzählte Episode aus Il'jas Leben mittheilen. Es ist die Begegnung Il'ja's mit dem Riesen Swjato=gor, heiliger Berg, die von dem Liede gleich nach Il'ja's Ausritt aus dem väterlichen Hause gesetzt wird. Il'ja findet ein unge=heures Zelt, das er auch, um auszuruhen, benutzt. Bald aber vernimmt sein Pferd ein ungeheures Getöse, von dem die Erde erzittert und die Flüsse aus ihren Ufern treten. Das Roß weckt den Il'ja und sagt ihm, es nahe der Held Swjatogor. Il'ja versteckt sich auf einer Eiche und sieht den ungeheuren, bis in die Wolken hinaufragenden Helden sich nahen. Der Held trägt einen Cristallkasten auf seinen Schultern. Beim Zelte angelangt, öffnet er den Kasten mit einem goldenen Schlüssel und bringt eine schöne Heldenfrau aus ihm hervor. Swjatogor legt sich nun zur Ruhe, seine Frau aber bemerkt den Il'ja, zwingt diesen, mit ihr zu minnen und verbirgt ihn in der Tasche ihres Mannes. Swjatogor erwacht, packt seine Frau in den Kasten und fährt weiter. Sein Roß kann die drei Helden nicht tragen und verräth dadurch die Gegenwart Il'ja's. Swja=togor zieht nun diesen aus der Tasche, erfährt von ihm die Wahrheit, tödtet seine Frau und verbrüdert sich mit Il'ja. Sie setzen die Fahrt, auf der Swjatogor dem Il'ja die Kunstgriffe der Helden im Kampfe mittheilt, fort, bis sie auf einen unge=heuren Sarg stoßen. Il'ja legt sich in den Sarg, er ist aber viel zu groß für ihn. Nun legt sich Swjatogor hinein und der Sarg paßt ihm. Er sagt dem Il'ja, er solle ihn mit dem Deckel zudecken, was dieser auf wiederholtes Bitten auch aus=führt. Als Swjatogor nun aufstehen will, hat er nicht die

---

[1]) K. I. 58 ff.

Kraft, den Deckel aufzuheben. Er befiehlt dem Il'ja, den Sarg
mit seinem Schwerte zu zerhauen. Il'ja ist aber nicht im
Stande, Swjatogor's Schwert aufzuheben. Swjatogor haucht
dem Il'ja durch einen Riß im Sarge einen Theil seiner Kraft
ein und Il'ja versetzt nun dem Sarge mehrere gewaltige Schläge,
aber vergebens: bei jedem Schlage bildet sich um den Sarg
ein neuer eiserner Reif. Swjatogor sieht seinen Tod kommen,
schenkt dem Il'ja sein Schwert und befiehlt ihm, sein Roß an
den Sarg zu binden.[1]

Ebenso wird auch Il'ja's Tod erzählt, nur mit dem Unter=
schiede, daß Il'ja die Stelle des Swjatogor und der Held
Al'oša die des Il'ja vertritt.[2] Sonst wird sein Tod auch fol=
gendermaßen, mit dem der anderen Helden zusammen dargestellt.
Alle Helden von Wladimir hatten eine ungeheure Tatarenmacht
geschlagen und wurden so übermüthig, daß sie prahlten, auch
eine himmlische Macht schlagen zu können. Da erschienen zwei
Helden und forderten sie zum Kampfe auf. Il'ja zerhieb sie
mit einem Schlage, aber statt zwei wurden vier und so weiter.
Il'ja erschrak mit den Helden und floh, um sich in den Berg=
höhlen zu verbergen, allein so bald sie sich den Bergen nahten,
wurden sie zu Steinen.[3]

Im Dienste des Wladimir kommt Il'ja mit verschiedenen
anderen Helden in Berührung, namentlich mit Dobrinja, des
Nikitas (Nicetas) Sohne und Al'oša Popovič (Pfaffensohn).
In seinem Kampfe mit dem Sohne schickt Il'ja zuerst den
Dobrinja oder den Al'oša oder alle beide, den Sohn zu be=
wältigen[4] und erst, als diese geschlagen zurückkehren, unternimmt
er selbst den Kampf. Besonders intim ist das Verhältniß Il'ja's
zu Dobrinja, nicht bloß sind sie verbrüdert[5], sondern der letzte
heißt geradezu Il'ja's jüngerer leiblicher Bruder.[6]

---

[1] R. I. 8.
[2] R. I. XXXIV.
[3] R. I. 89. R. I. 22.
[4] Den Al'oša R. I. 7. Den Dobrinja R. I. 47. IV. 8. 13. R. I. 13.
II. 64. Die beiden R. I. 12.
[5] R. II. 3. 17.
[6] R. II, 2.

Bei Dobrinja's Geburt geſchehen räthſelhafte, für uns
unerklärliche Dinge. „Angelaufen kam eine Heerde von Schlangen
und Thieren, vorne lief das wunderbare Thier Skimen. Am
Fluß angekommen brüllte dieſer, pfiff wie eine Nachtigall, ziſchte
wie eine Schlange. Die Sandufer ſenkten ſich vor dieſem Gebrüll, die Erde zitterte, die Wälder ſanken zur Erde, das Waſſer
im Fluß Dnepr ſtieg in die Höhe, das Gras wurde trocken.
Da wurde in Rjaſan Dobrinja geboren."[1] Seine Mutter
ließ ihn ſorgſam erziehen, er mußte ſchreiben und leſen lernen.[2]
Von früher Jugend an begann er auf einen Berg zu reiten und
dort die Drachenbrut des Tugarin, die viele Ruſſen gefangen
nahm, zu zertreten.[3] Als er einmal, trotz der Warnungen
ſeiner Mutter, in dem furchtbar reißenden Fluſſe Pučaj badete,
kam der Bergdrache Tugarin[4] feuerſpeiend angeflogen, um ſich
für den Tod ſeiner Kinder zu rächen. Dobrinja eilte ans Ufer,
füllte ſeine Mütze mit Sand und blendete damit dem Drachen
die Augen. Tugarin fiel ins Waſſer; Dobrinja wollte ihn tödten,
dieſer aber bat um Gnade und wurde von Dobrinja freigelaſſen,
nachdem er geſchworen hatte, niemals wieder Ruſſen zu fangen.[5]

Mit dieſem Tugarin hat Dobrinja auch im Dienſte des
Wladimir viel zu ſchaffen. In Kiev verliebt ſich Dobrinja in
eine Zauberin Marinka (Maria) und begegnet bei ihr ihrem
Geliebten, dem Tugarin, der aus Angſt vor Dobrinja ſie ver-
laſſen will. Marinka darüber wüthend, verwandelt den Dobrinja
in einen Ochſen, wie ſie es ſchon mit mehreren anderen Helden
gethan hat. Dobrinja's Schweſter ſucht, als ſie es erfährt,
die Marinka in eine Hündin zu verwandeln. Dieſe iſt nun gezwungen, Dobrinja der Ochſengeſtalt zu entbinden und will ihn
heirathen, er aber tödtet ſie.[6] Tugarin raubt darauf dem

---

[1] K. II. 1. 2. 9. 11.
[2] K. II. 49. R. II. 9.
[3] K. II. 24. 52. R. I. 24.
[4] K. II. 41. 48. 70. R. II. 4 B. 33. 7 B. 21.
[5] K. II. 25. 41 51. R. I. 23. 24. II. 5. 6. Nach einigen Variationen tödtet er den Tugarin gleich. K. II. 51. R. II. 6.
[6] K. II. 41. 42. 45 ff. 48. 54 ff. R. I. 28. II. 4. Wahrſcheinlich
iſt das Abenteuer, das ein Held Iwan Godinov beſteht, als eine Variation

Wladimir seine Enkelin Sapawa (wohl Freude, Luft = sa=
bawa) und Dobrinja unternimmt diese zu retten. Nach drei=
tägigem Kampfe erlegt er den Bergdrachen und befreit die
Sapawa nebst allen anderen von Tugarin gefangen gehaltenen.[1]
Auf der Rückfahrt begegnet er einer Riesin, die er gar nicht
bewältigen kann, er gefällt ihr aber und sie heirathen sich.[2]

Wladimir schickt auch den Dobrinja mit dem Helden Wassilij
(Basilius), Kasimir's Sohn[3]), einem Tatarenkhan Tribut zu be=
zahlen. Zum Khan angekommen, befiehlt dieser ihnen, sich ver=
schiedenen Prüfungen zu unterziehen, um sie auf diese Weise zu
tödten. Erst spielt er mit Dobrinja Schach, dann läßt er ihn
mit einem riesenhaft schweren Bogen schießen, dann verschiedene
Einzelkämpfe bestehen. Dobrinja geht aus allen diesen Prü=
fungen siegreich hervor. Nun läßt der Khan die beiden Helden
von seiner ganzen Macht anfallen, aber nach einem angestrengten
Kampfe besiegen die Helden diese Tatarenmacht. Der Khan
ergiebt sich, zahlt selbst dem Wladimir Tribut und entläßt die
Helden mit Ehren.[4] Dobrinja hatte, dieses Abenteuer unter=
nehmend, seiner Frau zwölf volle Jahre auf ihn zu warten be=
fohlen und dann Jeden, nur nicht den Al'oša zu heirathen er=
laubt. Kaum sind sechs Jahre um, so bringt Al'oša die falsche
Nachricht von Dobrinja's Tod und freit um dessen Frau. Diese

---

davon anzusehen. Er will Maria, die Tochter eines Kaufmanns, heirathen,
dieser aber hat sie bereits mit dem König Koščej verlobt. Iwan entreißt
die Maria und flieht mit ihr nach Kiev, wird aber von Koščej eingeholt.
Es entsteht ein Kampf. Koščej ist seinem Untergange nahe, Maria aber
hilft ihm und sie Beide binden den Iwan an eine Eiche. Koščej will ihn
oder nach anderen Liedern die Tauben, die Iwan's Unglück in Kiev melden
wollen, erschießen. Der Pfeil fällt aber zurück und tödtet ihn selbst. Maria
bittet nun den Iwan, sie zu heirathen. Er aber weist es zurück und tödtet
sie ziemlich wie Dobrinja die Marinka. K. III. 9 ff. 20 ff. R. I. 33. 34.
II. 13. 14.

[1]) K. II. 25 ff. 52. R. I. 23. 24.

[2]) K. II. 29. R. I. 94. II. 8.

[3]) Diesem Wassilij wird wie dem Il'ja die Befreiung Kiev's von
den Tataren unter Batij zugeschrieben, wenn auch unter etwas verschiedenen
Details. K. II. 93. R. I. 29. II. 10. 11. 65.

[4]) K. II. 84 ff. 88. R. I. 27.

weist ihn ab und wartet noch sechs Jahre, dann heirathet sie
.aber den Al'oša. Gerade am Hochzeitstage kehrt Dobrĭnja
von den Tataren zurück, seine Frau erkennt ihn und verläßt den
Al'oša[1]), der für die falschen Nachrichten von Dobrĭnja getödtet
wäre, wenn nicht Il'ja ihn geschützt hätte. [2]) Dobrĭnja starb
zusammen mit Il'ja[3]); nach anderen Liedern soll er dem Tode
selbst in Gestalt eines Helden begegnet und ihm unterlegen sein. [4]

Von Al'oša werden streng genommen keine besondere Aben=
teuer erwähnt; er erscheint nur als Geliebter bei den Frauen
anderer Helden und wird überhaupt als ein Don Juan ge=
schildert.[5]) Ein Lied läßt jedoch auch ihn den Bergdrachen
Tugarin tödten. Vor dem Kampfe mit ihm fleht Al'oša den
Himmel um Regen. Es entsteht ein Regen, Tugarin kann
seine durchnäßten Flügel nicht gebrauchen, ist gezwungen, mit
Al'oša auf der Erde zu kämpfen und wird von diesem getödtet.
Tugarin erscheint hier als Liebhaber der Frau Wladimir's und
diese wird über den Tod des Tugarin auf Al'oša wüthend.[6]

Nicht in so naher Beziehung zu einander, wenn auch im
Dienst des Wladimir, stehen die Helden Dunaj (Donau), Potok
(wahrscheinlich = Fluß), Stawr Godinov, Danilo (Daniel),
Lovčanin (vermuthlich von lovit' = fangen) und Suchman oder
Suchan.

Von Dunaj Iwanowič (Iwan's Sohn), der übrigens auch
Don heißt[7]), wird erzählt, daß er viele Jahre in Littauen im
Dienste des dortigen Fürsten, welcher zwei Töchter hatte, zu=
brachte[8]) und die Liebe der einen genoß. Als er damit prahlte,
befahl der Fürst, ihn aufzuhängen. Seine Geliebte rettete ihn[9])

---

[1]) K. II. 3. 5 ff. 11 ff. 14 ff. 17. 19 ff. 30 ff. R. I. 25. 26 27.
II. 67.

[2]) R. I. 26.

[3]) Oben unter Il'ja.

[4]) R. II. 9. Er soll übrigens auch ertrunken sein im Fluß Smoro-
bina. K. II. 61 ff.

[5]) K. II. 64. 66. 67.

[6]) K. II. 70 ff.

[7]) R. I. 32.

[8]) K. III. 54. 63. 71. R. I. 30.

[9]) K. III. 59.

und er begab ſich nach Kiev, wo Wladimir gerade Luſt hatte
ſich zu verheirathen. Dunaj erbot ſich, ihm eine paſſende Frau
zu finden[1]), begab ſich wieder zum Fürſten von Littauen und
freite um deſſen andere Tochter für Wladimir. Der Fürſt wollte
es nicht zugeben. Dunaj erzwang jedoch ſeine Einwilligung.[2])
Nach Kiev zurückkehrend, begegnete er einer Rieſin, die er be=
zwang und in der er ſeine Geliebte wieder erkannte, welche er
in Kiev auch heirathete.[3]) Bei dem Hochzeitsgelage, das die
beiden Neuvermählten Wladimir und Dunaj feierten, prahlte
der letzte mit ſeiner Kunſt des Bogenſchießens. Seine neuver=
mählte Frau, die Dnepra genannt wird, behauptete, ſie ſchieße
beſſer. Man machte die Probe. Dnepra ſchoß zuerſt und traf
einen Ring, den Dunaj hielt, gerade durch die Mitte. Nun
ſchoß Dunaj und traf ſtatt des Ringes ſeine Frau, die in Folge
des Schuſſes ſtarb. Dunaj ſchnitt aus ihrem Bauche ein
wunderbares Kind heraus, das die Beine bis zu den Knien
aus Silber, die Hände bis zum Ellenbogen aus Gold, in den
Schläfen die Sterne, auf der Stirne die Sonne, im Hinter=
kopf den Mond hatte. Aus Gram über den Tod ſeiner Frau
tödtete ſich Dunaj und es entſprang aus ſeinem Blute der Fluß
Dunaj, während aus dem Blute der Dnepra der Fluß Dnepra
(wohl Dnepr) entſprang.[4])

Von Michajlo (Michael) Iwanowić (Iwan's Sohn) Potok
wird erzählt, daß er einmal von Wladimir auf die Jagd ge=
ſchickt, einen weißen Schwan erblickte, der ſich, als er ihn tödten
wollte, in ein ſchönes Mädchen verwandelte.[5]) Dieſe heirathete
Potok, wobei ſie die Bedingung machten, daß bei dem Tode
des einen von ihnen der andere mitbegraben werden ſollte.
Seine Frau, die Awdotja Lichowid'jewna (Böſes ſehend, ſo
heißt auch die Mutter des unehelichen Sohnes Il'ja's) genannt
wird, ſtarb zuerſt und Potok ließ ſich mit ihr in voller Rüſtung
lebendig begraben. Um Mitternacht erſchien ein großer Drache,

---

1) K. III. 54. 63. R. I. 30. 31. II. 12.
2) K. III. 65. 73. R. I. 30. 31. II. 12.
3) K. III. 67. 77. R. I. 30. 31. II. 12.
4) K. III. 55. 58. 69. 80. R. I. 30. 31. 32. II. 12.
5) K. IV. 52. R. I. 35. 36. 37. II. 15.

der den Potok verbrennen wollte; dieſer tödtete ihn und belebte mit deſſen Blute ſeine Frau. Sie wurden darauf ausgegraben und lebten eine Zeitlang glücklich.[1]) Bei einer der vielen Ab=weſenheiten von Potok kommt ein littauiſcher Fürſt nach Kiev und entführt Potok's Frau. Potok zurückgekehrt zieht ſich wie ein Pilger an und kommt ſo zum Hofe des littauiſchen Fürſten. Seine Frau erkennt ihn, täuſcht ihn mit erheuchelter Liebe und verwandelt ihn in einen Stein. Il'ja mit den anderen Helden fahren aus, um ihn zu ſuchen; der heilige Nicolaus zeigt ihnen den Stein, in den Potok verwandelt worden iſt und giebt dieſem ſeine frühere Geſtalt zurück.[2]) Potok kommt wieder zu ſeiner Frau, wird abermals von ihr getäuſcht und an eine Wand an=genagelt. Die Tochter des littauiſchen Fürſten, Anna, verliebt ſich in ihn und befreit ihn. Er tödtet darauf ſeine frühere Frau und heirathet dieſe Anna.[3])

Potok erſcheint auch als Anführer einiger bettelnder Pilger, die nach Conſtantinopel oder nach dem heiligen Lande wandern. In Kiev kehren ſie bei Wladimir ein, deſſen Frau, die Fürſtin Apraxejewna, ſich in den Potok verliebt. Dieſer verſchmäht ihre Liebe und aus Rache läßt ſie durch Al'oſa einen goldenen Becher in Potok's Reiſetaſche verſtecken. Als die Pilger weiter gehen, werden ſie eingeholt, ihre Taſchen durchſucht und der Becher bei Potok gefunden. Die Pilger, empört, daß ihr An=führer einen Diebſtahl begangen hat, begraben ihn lebendig.[4]) Bei ihrer Rückfahrt finden ſie den Potok noch am Leben, über=zeugen ſich von ſeiner Unſchuld und nehmen ihn wieder zu ihrem Anführer.[5]) Offenbar iſt dieſe Erzählung eine Zuſammen=flechtung der Geſchichte Joſeph's und der Potifar (Geneſis Cap. 39) mit der Liſt Joſeph's, um Benjamin in Aegypten zurück zu halten (Geneſis 44. 45) und gehört daher nicht mehr dem eigentlichen Heldenepos, ſondern den Kirchenliedern an.

Der dritte von den oben erwähnten Helden, Suxman oder

---

[1]) K. IV. 52 ff. R. I. 36. 37. II. 15.
[2]) R. I. 37. 38. II. 15. 16. 17.
[3]) R. I. 36. 37. 38. II. 15. 16. 17.
[4]) K. III. 81 ff. 84 ff. 90 ff. R. I. 39. 40. II. 18.
[5]) K. III. 84 ff. 90 ff. R. I. 40. II. 18.

Suxan, prahlt bei einem Gelage, daß er dem Wladimir einen
lebendigen weißen Schwan bringen werde und macht sich auf
den Weg. Nachdem er lange einen Schwan vergebens gesucht
hat, kommt er zum Fluß Dnepr und sieht, daß dessen Wasser
furchtbar trübe ist. Er fragt den Dnepr, woher das komme
und erfährt, daß eine ungeheure Tatarenmacht nach Kiev geht
und den Dnepr zu überbrücken versucht, was er aber bis jetzt
immer vereitelt hat. Suxan zieht gegen die Tataren und
vernichtet sie mit einer ausgerissenen Eiche. Drei Tataren
entfliehen, verstecken sich in einem Hinterhalt und schießen auf
den zurückkehrenden Suxan. Er tödtet sie zwar, wird aber
selbst verwundet. So kommt er zu Wladimir, der aufgebracht,
daß er den Schwan nicht gebracht hat, seiner Heldenthat nicht
Glauben schenkt und ihn einsperren läßt, bis Dobrinja, den er
ausschickt, um die Wahrheit der Erzählung Suxan's zu prüfen,
zurückgekehrt sei. Als Dobrinja mit der Bestätigung von Suxan's
Thaten zurückkehrt, läßt Wladimir den Suxan befreien. Dieser
aber, die ihm angethane Schmach nicht überleben wollend, reißt
den Verband von seiner Wunde und verblutet, aus seinem Blute
aber entsteht der Fluß Suxan. [1]

Von Stawr Godinov wird nun Folgendes erzählt. Bei
einem Gelage rühmt er sich, im Besitze einer Frau zu sein, die
den Wladimir zum Narren halten wird. Wladimir, darüber
erbost, läßt ihn in's Gefängniß werfen. Die Frau des Stawr,
als sie dies gehört hat, kleidet sich wie ein Held, kommt nach
Kiev und freit um Wladimir's Tochter. Diese sagt dem Vater,
es sei eine Frau, die um sie freie; aber alles, was dieser unter=
nimmt, um die Heldin zu entlarven, schlägt fehl, und zuletzt,
als sie alle seine Helden besiegt, muß er ihr seine Tochter geben.
Beim Hochzeitsschmause verlangt sie den gefangenen Stawr zum
Sänger, giebt sich als seine Frau kund und kehrt mit ihm nach
Hause zurück. [2]

Auch in der Episode vom Danilo Lovčanin spielt dessen
Frau die Hauptrolle. Wladimir will sich verheirathen und man

---

[1] R. I. 6.
[2] R. IV. 59. R. I. 41. 42. II. 19. 20. 21.

macht ihn auf die Frau des Danilo aufmerksam. Als dieser jagen geht, sendet Wladimir seine Helden aus, um Danilo zu tödten. Dieser aber, um dem Kampfe mit russischen Helden zu entgehen, tödtet sich selbst. Wladimir will nun Danilo's Frau heirathen, diese erbittet sich noch Zeit, um dem Leichnam ihres Mannes das letzte Lebewohl zu sagen und tödtet sich gleichfalls über demselben.[1]) Wladimir muß aber noch bitteren Hohn von Il'ja anhören.[2])

Hier mag auch die Episode von Choten Bludowič Platz finden. Seine Mutter will ihn mit der Tochter einer Kaufmannsfrau verheirathen. Diese aber schmäht auf einem Gelage bei Wladimir Choten's Mutter. Choten tödtet aus Rache ihre 9 Söhne und zwingt sie, in seine Heirath mit ihrer Tochter einzuwilligen.[3]) Darauf weiß er einen Raben zu fangen, der ihm lebendiges Wasser bringt, mit dem er die Söhne seiner Schwiegermutter belebt, damit sie ihren Gram vergesse.[4])

Neben den bisher erwähnten Helden, die alle eingeborene Russen sind, kennen die Volkslieder noch fremde, aus der Ferne zu Wladimir gekommene Helden. Es ist der Solovej Budimirowič und Dük Stepanowič (Stephan's Sohn). Der erste kommt mit seiner Mutter auf dreißig Schiffen, ungeheure Reichthümer bei sich führend, nach Kiev. Er erbittet sich von Wladimir einen Platz im Garten seiner Tochter Sapava, um dort einen Palast zu bauen, was er auch in drei Tagen mit seinen Gefährten ausführt. Die Sapava kann ihre Neugierde nicht zähmen, kommt in den Palast, verliebt sich in ihn und bietet sich ihm zur Frau an.[5]) Solovej macht ihr zwar Vorwürfe wegen einer solchen Verletzung der Schamhaftigkeit, verlobt sich aber mit ihr. Die Hochzeit wird auf ein Jahr verschoben, da Solovej seine Reise, die kaufmännische Zwecke hat, weiter fortsetzen will. In seiner Abwesenheit bringt ein gewisser Dawid Popov dem Wladimir die Kunde, daß Solovej wegen Betrug in's

---

[1]) K. III. 28. 32 ff.
[2]) K. III. 34.
[3]) R. I. 43. 44. II. 22. K. IV. 68 ff. 72.
[4]) K. IV. 76.
[5]) K. IV. 99 ff. R. I. 54.

Gefängniß geworfen sei und freit selbst um die Šapara. Noch zeitig kommt Solovej zurück, jagt den Popov mit Schande hinaus[1]) und reist mit der Šapava in seine Heimath zurück. Offenbar ist der hier erwähnte Popov mit dem Al'oša Popowič identisch, der ja dasselbe und mit demselben Erfolg mit Dobrinja gemacht hat. Einige Varianten erzählen übrigens, daß Solovej, empört durch die Bitte der Šapava, sie zur Frau zu nehmen, ihre Liebe verschmähte und unverheirathet zurückkehrte.[2])

Noch großartiger tritt Dük Stepanowič aus dem reichen Indien auf. Er tritt in den Liedern meist mit dem russischen Helden, dem Čurilo Plenkowič, zusammen auf. Der Čurilo hat einen selbständigen Hof in der Nähe von Kiev, wo er mit seinem Vater wohnt. Wladimir hört von seinem Reichthum, besucht ihn und ladet ihn nach Kiev in seinen Dienst ein.[3]) Čurilo folgt ihm und wird zum Kämmerer ernannt, allein die Fürstin verliebt sich in ihn und er muß das Heroldamt vertreten.[4]) Da begiebt sich auch Dük nach Kiev; auf dem Wege begegnet er dem Il'ja, der sich mit ihm verbrüdert und ihm verspricht, ihn in Kiev zu schützen. Nach einigen Varianten soll sogar Il'ja mit Dük sein oben erwähntes Abenteuer mit Idolišče bestanden haben[5]) und der Dük soll auch den Bergdrachen Tugarin getödtet haben.[6]) In Kiev angekommen, verhöhnt Dük das ganze Wesen und Treiben am Hofe Wladimir's als armselig und rühmt das seiner Mutter.[7]) Wladimir wird so neugierig, daß er einige von seinen Helden schickt, um den Reichthum Dük's zu schätzen. Diese kommen mit der Nachricht zurück, Wladimir möge Kiev verkaufen, um nur Papier genug zu bekommen, Dük's Reichthümer zu beschreiben.[8])

Trotzdem geht Čurilo eine Wette mit Dük ein, während

---

1) K. IV. 99 ff.
2) R. I. 53. II. 31.
3) K. IV. 78 ff. R. I. 45.
4) K. IV. 86. R. I. 45.
5) R. I. 47. II. 27. 28. 29.
6) R. I. 49.
7) R. III. 101 ff. R. I. 47. 48. 50. II. 28. 29. 30.
8) R. I. 47. 48. 49. 50. II. 28. 30.

macht ihn auf die Frau des Danilo aufmerkſam. Als dieſer jagen geht, ſendet Wladimir ſeine Helden aus, um Danilo zu tödten. Dieſer aber, um dem Kampfe mit ruſſiſchen Helden zu entgehen, tödtet ſich ſelbſt. Wladimir will nun Danilo's Frau heirathen, dieſe erbittet ſich noch Zeit, um dem Leichnam ihres Mannes das letzte Lebewohl zu ſagen und tödtet ſich gleichfalls über demſelben.[1]) Wladimir muß aber noch bitteren Hohn von Il'ja anhören.[2])

Hier mag auch die Epiſode von Choten Bludowič Platz finden. Seine Mutter will ihn mit der Tochter einer Kauf= mannsfrau verheirathen. Dieſe aber ſchmäht auf einem Gelage bei Wladimir Choten's Mutter. Choten tödtet aus Rache ihre 9 Söhne und zwingt ſie, in ſeine Heirath mit ihrer Tochter einzuwilligen.[3]) Darauf weiß er einen Raben zu fangen, der ihm lebendiges Waſſer bringt, mit dem er die Söhne ſeiner Schwiegermutter belebt, damit ſie ihren Gram vergeſſe.[4])

Neben den bisher erwähnten Helden, die alle eingeborene Ruſſen ſind, kennen die Volkslieder noch fremde, aus der Ferne zu Wladimir gekommene Helden. Es iſt der Solovej Budi= mirowič und Dük Stepanowič (Stephan's Sohn). Der erſte kommt mit ſeiner Mutter auf dreißig Schiffen, ungeheure Reich= thümer bei ſich führend, nach Kiev. Er erbittet ſich von Wla= dimir einen Platz im Garten ſeiner Tochter Sapava, um dort einen Palaſt zu bauen, was er auch in drei Tagen mit ſeinen Gefährten ausführt. Die Sapava kann ihre Neugierde nicht zähmen, kommt in den Palaſt, verliebt ſich in ihn und bietet ſich ihm zur Frau an.[5]) Solovej macht ihr zwar Vorwürfe wegen einer ſolchen Verletzung der Schamhaftigkeit, verlobt ſich aber mit ihr. Die Hochzeit wird auf ein Jahr verſchoben, da So= lovej ſeine Reiſe, die kaufmänniſche Zwecke hat, weiter fortſetzen will. In ſeiner Abweſenheit bringt ein gewiſſer Dawid Popov dem Wladimir die Kunde, daß Solovej wegen Betrug in's

---

[1]) K. III. 28. 32 ff.
[2]) K. III. 34.
[3]) R. I. 43. 44. II. 22. K. IV. 68 ff. 72.
[4]) K. IV. 76.
[5]) K. IV. 99 ff. R. I. 54.

Gefängniß geworfen sei und freit selbst um die Sapara. Noch zeitig kommt Solovej zurück, jagt den Popov mit Schande hinaus[1]) und reist mit der Sapava in seine Heimath zurück. Offenbar ist der hier erwähnte Popov mit dem Al'oša Popowič identisch, der ja dasselbe und mit demselben Erfolg mit Dobrinja gemacht hat. Einige Varianten erzählen übrigens, daß Solovej, empört durch die Bitte der Sapava, sie zur Frau zu nehmen, ihre Liebe verschmähte und unverheirathet zurückkehrte.[2])

Noch großartiger tritt Dük Stepanowič aus dem reichen Indien auf. Er tritt in den Liedern meist mit dem russischen Helden, dem Čurilo Plenkowič, zusammen auf. Der Čurilo hat einen selbständigen Hof in der Nähe von Kiev, wo er mit seinem Vater wohnt. Wladimir hört von seinem Reichthum, besucht ihn und ladet ihn nach Kiev in seinen Dienst ein.[3]) Čurilo folgt ihm und wird zum Kämmerer ernannt, allein die Fürstin verliebt sich in ihn und er muß das Heroldamt vertreten.[4]) Da begiebt sich auch Dük nach Kiev; auf dem Wege begegnet er dem Il'ja, der sich mit ihm verbrüdert und ihm verspricht, ihn in Kiev zu schützen. Nach einigen Varianten soll sogar Il'ja mit Dük sein oben erwähntes Abenteuer mit Idolče bestanden haben[5]) und der Dük soll auch den Bergdrachen Tugarin getödtet haben.[6]) In Kiev angekommen, verhöhnt Dük das ganze Wesen und Treiben am Hofe Wladimir's als armselig und rühmt das seiner Mutter.[7]) Wladimir wird so neugierig, daß er einige von seinen Helden schickt, um den Reichthum Dük's zu schätzen. Diese kommen mit der Nachricht zurück, Wladimir möge Kiev verkaufen, um nur Papier genug zu bekommen, Dük's Reichthümer zu beschreiben.[8])

Trotzdem geht Čurilo eine Wette mit Dük ein, während

[1]) K. IV. 99 ff.
[2]) R. I. 53. II. 31.
[3]) K. IV. 78 ff. R. I. 45.
[4]) K. IV. 86. R. I. 45.
[5]) R. I. 47. II. 27. 28. 29.
[6]) R. I. 49.
[7]) K. III. 101 ff. R. I. 47. 48. 50. II. 28. 29. 30.
[8]) R. I. 47. 48. 49. 50. II. 28. 30.

drei Jahren täglich in neuen und prachtvolleren Kleidern zu
erscheinen. Dük's Kleider sind schöner und Čurilo verliert die
Wette[1]), schlägt aber eine andere vor, wer von ihnen beiden
auf den Pferden über den Dnepr springen werde. Dük springt
über, Čurilo aber fällt mitten in den Fluß; Dük springt zum
zweiten Mal und rettet den Čurilo aus den Fluthen.[2]) Der
Einsatz bei diesen Wetten war der Kopf eines der beiden Helden;
Dük läßt aber den Čurilo auf die Bitte der Fürstin und der
anderen Frauen von Kiev am Leben.[3]) Čurilo, der überhaupt
viel Aehnlichkeit mit dem Al'oša hat und ebenfalls ein Galan
ist, fand seinen Tod in einer Liebesgeschichte. Beauftragt, einen
Bojaren Bermjata zum fürstlichen Gelage einzuladen, benutzte
er diese Gelegenheit, um mit dessen Frau zu buhlen, wurde
aber vom Manne ertappt und getödtet.[4]) Dük fand seinen Tod
in einem Abenteuer, das er mit dem Riesen Šark zu bestehen
hatte, in dem übrigens nach anderen Varianten der Riese fiel.[5])

Alle die Helden, welche wir bisher genannt haben, stehen
in irgend welcher Beziehung zu Kiev und dessen Fürsten Wla-
dimir. Neben Kiev bildete im alten Rußland die Republik
Nowgorod ein anderes Centrum des geistigen Lebens und wir
finden daher Lieder, welche die Helden von Nowgorod besingen.
Es ist der Kaufmann Sadko und Wassilij (Basilius) Buslaewič.
Obgleich ein Lied von Sadko dem deutschen Publikum aus dem
Magazin für die Literatur des Auslandes 1864 p. 541 bekannt
sein mag, wollen wir doch des Zusammenhanges wegen den
Inhalt dieser Lieder auch hier anführen.

Sadko ist ein armer Gusli- (Psalter-) Sänger in Nowgorod,
der sein Brod bei den Gelagen der reichen Kaufleute durch das
Spielen verdient. Eine Zeit lang fehlt ihm jede Einladung.
Traurig darüber geht er an den See und spielt am Ufer. Den
Seekönig entzückt sein Spielen und er giebt ihm den Rath,
beim ersten Gelage, zu dem er eingeladen sein wird, eine Wette

---

[1]) R. I. 48. 49. 50. II. 26. 28. 29. 30.
[2]) R. I. 48. 49. 50. II. 26. 28. 30.
[3]) R. I. 48. 49. 50. II. 28. 30.
[4]) R. IV. 84. 87 ff. R. I. 45. 46. II. 23. 24.
[5]) R. I. 51.

einzugehen, daß es goldene Fische im See gäbe. Sadko befolgt
diesen Rath. Die Wette findet statt, er setzt seinen Kopf,
mehrere Kaufleute ihre ganze Habe ein. Sadko fängt wirklich
einen goldenen Fisch, gewinnt die Wette und vermehrt durch
geschickten Handel das auf diese Weise gewonnene Vermögen.[1]
Er wird schließlich so reich, daß er eine andere Wette eingeht,
er wolle alle Waaren Nowgorod's aufkaufen. Während drei
Tagen bringt er es zu Stande, aber es kommen immer neue
Waaren an, so daß er endlich die Nothwendigkeit einsieht, sich
für besiegt zu erklären.[2]

Nun unternimmt er eine große Meerfahrt. Auf der Rück-
kehr entsteht ein Sturm, der seine Schiffe auf einem Ort zurückhält. Sadko schreibt es dem Meerkönig zu, dem er nie ein
Opfer gebracht hat, er läßt daher zuerst eine Tonne mit Silber,
dann eine mit Gold hinuntersenken, und als das auch nicht
helfen will, glaubt er, daß der Meerkönig einen von seinen Gefährten als Opfer haben will. Er läßt mehrere Male verschiedene Loose werfen und jedesmal trifft ihn das Loos. Sadko
bindet sich auf ein Brett, nimmt seine Gusli und wird in das
Meer hineingesenkt. Auf dem Gusli spielend schläft er ein und
erwacht erst auf dem Grund des Meeres im Palast des Meer-
königs. Der Meerkönig befiehlt dem Sadko zu spielen. Sadko
spielt und der Meerkönig beginnt zu tanzen. Drei Tage spielt
Sadko und immer tanzt der Meerkönig, von dessen Tanzen ein
ungeheurer Sturm entsteht, in dem viele Schiffe zertrümmert
werden. Die Seeleute beten zum heiligen Nicolaus und dieser
befiehlt dem Sadko die Saiten seiner Gusli zu zerreißen, um
nicht weiter spielen zu können. So hört das Tanzen des Königs und auch der Sturm auf. Der Meerkönig, erfreut über
Sadko's Spiel, will ihn verheirathen und läßt den Sadko sich
eine Frau wählen. Nach dem Rath des heiligen Nicolaus läßt
dieser die ersten und die zweiten 300 Mädchen vorbeigehen und
wählt sich erst aus dem vorbeigehenden dritten Dreihundert die
Letzte, welche den Namen eines bei Nowgorod mündenden Flusses

---

[1] R. I. 64.
[2] R. I. 61. 63. 64.

Černava führt. Ebenfalls nach dem Rath des heiligen Nicolaus berührt er in der Brautnacht seine Frau nicht und findet sich am Morgen nach Nowgorod versetzt, wohin auch seine Schiffe glücklich gekommen sind. Er baut dem heiligen Nicolaus eine prächtige Kirche und beendet glücklich seine Tage in Now= gorod. [1])

Der andere Nowgoroder Held Wassiltj, Sohn des Buslaj, auch ein Kaufmannssohn, zeichnet sich durch ungeheure Körper= kräfte aus. Er rühmt sich bei einem Gelage, über die Wolchov= Brücke zu gehen, wenn auch alle Bürger von Nowgorod ihn daran hindern wollten. Seine Mutter will ihm die Ausführung einer solchen Wette nicht gestatten und sperrt ihn ein. Seine Gefährten unternehmen ohne ihn über die Brücke zu gehen, werden aber geschlagen. Eine Magd meldet ihre Niederlage dem Wassiltj und befreit ihn. Er eilt, mit einer Wagenachse bewaffnet, auf die Brücke. Es entsteht ein ungeheurer Kampf, die Bürger rufen den Taufvater des Wassilij zu Hülfe, welcher eine ungeheure Kraft besitzt. Wassilij schleudert auch ihn in die Fluthen des Wolchovs. Nun wenden sich die Bürger an seine Mutter und nur diese kann seine Wuth besänftigen. [2]) Wassilij unternimmt später eine Fahrt nach dem heiligen Lande und findet auf dem Rückwege einen weißen Stein, will mit seinem Pferde hinüberspringen, fällt aber herab und stirbt. [3])

Zum Schluß wollen wir diejenigen Helden erwähnen, die in den Liedern offenbar als die ältesten dargestellt werden und die gewissermaßen die gemeinschaftliche Basis für die Kiever und Nowgoroder Helden bilden. Wenn wir mit ihnen nicht angefangen haben, geschah es, weil wir nur spärliche Ueber= reste von ihren Thaten und dazu in einer geringen Anzahl von Liedern haben. Es sind außer dem oben erwähnten Swjatogor die Helden Wol'ga und Mikula Sel'janinovič. Die Geburt Wol'ga's, der das Patronymicon Swjatoslawič [4]) führt und

---

[1]) R. I. 61. 62. 63. 64.
[2]) R. I. 55. 56. 57. 58. II. 32. 33.
[3]) R. I. 59. 60. II. 33.
[4]) R. I. 3. 4.

von den russischen Erklärern für den Fürsten Oleg[1]) gehalten
wird, geschieht ganz ähnlich der des Dobrinja's[2]), nur ein Lied
erwähnt, daß seine Mutter von einer Schlange schwanger ge=
worden ist.[3]) Wol'ga besitzt die Eigenschaft, sich in alle Thier=
arten zu verwandeln, wodurch es ihm leicht wird, alle seine
Gefährten in Jagd und Fischerei zu übertreffen.[4]) Dieser
Eigenschaft bedient er sich auch, um einen Tataren= oder
Türkenkönig zu besiegen und dessen Hauptstadt einzunehmen.[5])
Auf einer seiner Fahrten, um von den ihm unterworfenen
Städten Tribut einzutreiben[6]), begegnet er dem Mikula (Ni=
colaus) Sel'janinowič (Sel'o = Dorf, Sel'janin = Dorfbe=
wohner) beschäftigt, ein Feld zu pflügen. Er fordert ihn auf,
mit ihm zu fahren, kann aber auf seinem Helden=Roß nur
mit Noth dem Bauernpferde des Mikula nachkommen.[7]) Mi=
kula erinnert sich, daß er seinen Pflug, der nach einigen Liedern
aus Gold ist[8]), aus der Erde herauszuziehen vergessen hat.
Wol'ga schickt einige und dann alle seine Gefährten, den Pflug
herauszuziehen. Sie alle haben dazu nicht Kraft genug.
Wol'ga versucht es selbst, vermag aber auch nicht, den Pflug
herauszuheben. Mikula faßt nun den Pflug mit einer Hand
und wirft ihn hinter einen Busch.[9])

Von Swjatogor's Tod haben wir unter Il'ja die eine
Version mitgetheilt, es giebt aber noch eine andere.[10]) Swja=
togor rühmt sich, daß, wenn er den Schwerpunkt der Erde
fände, er im Stande sein würde, die Erde selbst aufzuheben.
Er findet darauf einen kleinen Sack, den er mit der Lanze
aufzuheben versucht. Als dies ihm nicht gelingen will, springt

---

[1]) K. IV. CXXXV.
[2]) K. I. 1.
[3]) K. I. p. 11. 12.
[4]) K. I. 1. 2.
[5]) K. I. 1. 2.
[6]) K. I. 3.
[7]) K. I. 3. 4. 5.
[8]) K. I. 4.
[9]) K. I. 3. 4. 5. II. 1. 60.
[10]) K. I. 7.

er vom Pferde, ergreift den Sack mit beiden Händen, hebt
ihn bis zu den Knien und ſinkt ſelbſt bis zu den Knien in die
Erde ein. Vor Anſtrengung fließen nicht Thränen, aber Blut
auf ſeinem Geſichte. Je höher er den Sack aufhebt, je tiefer
ſinkt er in die Erde ein; endlich ereilt ihn der Tod.

Wir erſehen, daß dieſer in aller Kürze von uns mitge=
theilte Inhalt der Lieder aus einer Menge einzelner Helden=
thaten beſteht, die von einzelnen Liedern beſungen werden.
Dieſe Thaten ſind ihrem Weſen nach von einander verſchieden,
für ſich abgeſchloſſen. Diejenigen Abenteuer, die demſelben
Helden beigelegt werden, haben augenſcheinlich nur das gemein=
ſchaftlich, daß ſie eben von demſelben Helden ausgeführt werden,
im Uebrigen ſind ſie auch für ſich abgeſchloſſen. Die erzählten
Thaten haben nicht einmal viel Aehnlichkeit unter ſich, die=
jenigen ausgenommen, die auf die Kämpfe mit den Tataren
ſich beziehen, deren jede dennoch ein beſonderes Gepräge trägt.
Auf dieſe wirre Maſſe von Helden mit ihren Abenteuern paſſen
ſo ſehr die Worte des Herrn Steinthal, die er zur De=
finition der erſten der drei von ihm aufgeſtellten Eposformen
gebraucht, daß wir für zweckmäßig halten, ſie hier zu wieder=
holen. „In der erſten Form werden lauter vereinzelte Lieder
„geſungen, jedes Lied verherrlicht eine abgeſchloſſene That,
„einen Mythos und bildet ein für ſich beſtehendes Ganzes.“
(Dieſe Zeitſchr. Bd. V. p. 11.) Doch unwillkürlich drängt
ſich bei dieſer Definition uns die Frage auf, ob dem dich=
tenden Volksgeiſt, auf den es ja vor allem ankommt, der
ganze Inhalt ſeiner Lieder ſo durcheinander, ſo unverbunden
erſcheint, wie uns. Iſt das Volksbewußtſein im Stande, den
großen ſich ihr zur Epik bietenden Inhalt in einer Maſſe von
vereinzelten, für ſich abgeſchloſſenen Thaten getrennt zu erhalten?
Müſſen nicht vielmehr unter dieſen einzelnen Thatſachen gewiſſe
Beziehungen entſtehen, die dieſelben verbinden; bilden ſich nicht
unter ihnen gewiſſe Verhältniſſe, die, wenn auch nicht ſtark
genug ſind, um aus dem großen Chaos eine organiſche Ein=

heit hervorgehen zu lassen, doch ausreichen, um unter den einzelnen Thatsachen eine Verbindung herzustellen. Und wenn die
Nothwendigkeit einer solchen Verbindung, eines geistigen Bandes, das das ganze Material der epischen Dichtung zusammen-
hält, von vorn herein klar ist, so ist es einleuchtend, daß wenn
etwas Aehnliches nicht schon in der Natur der Lieder selbst gelegen wäre, der dichtende Volksgeist eine derartige Verbindung
hätte schaffen müssen.

Sehen wir uns nach solchen Verbindungen im russischen
Volksepos um, so fällt uns vor allem die Stellung Wladimir's in die Augen. Das Volk stellt den Wladimir gar nicht
als Helden dar, bei jeder Gefahr verliert er die Geistesgegen-
wart, verkriecht sich in seinen Pelz und ist bereit, Habe und
Frau abzugeben, um nur der Gefahr zu entrinnen.[1] Sein
Reichthum steht dem des Dük und des Sadko nach. Er ist
jähzornig, ungerecht, lüstern nach Frauen, man denke nur an
Danilo, den er tödten läßt, um sich seiner Frau zu bemäch-
tigen, gierig nach fremdem Eigenthum, man erinnere sich der
Kinder des Solovej, die er berauben will, und man zwingt
ihn mit Gewalt, das in einer Wette verlorene Geld zu bezahlen.[2] Die Helden, die um ihn versammelt sind, leisten
ihm nur selten persönliche Dienste: sie verschaffen ihm die Braut
und gehen auf Jagd für die fürstliche Tafel[3], die aber auch
die ihrige ist. Ihre Haupthelbenthaten verrichten sie selbst
meistentheils ohne Wissen des Fürsten. Häufig kommen sie
nach Kiev, wenn sie schon berühmt geworden sind, verlangen
„ohne Höflichkeit und Art" einen Platz im Gelage und drohen
sogar, wie Il'ja, wenn ihnen der Platz nicht gewährt wird
oder nicht gefällt, den Wladimir selbst zu tödten.[4] Wladimir
muß sie förmlich um einen Dienst anflehen[5] und überläßt den
Helden, denjenigen zu wählen, der den Dienst ausführt.[6]

---

[1] R. I. 20.
[2] R. II. 8.
[3] R. I. 6.
[4] R. I. 99. R. I. 29.
[5] R. I. 60. 61.
[6] R. I. 146.

Wenn wir aber neben solcher Schilderung von Wladimir doch finden, daß beinahe alle von uns erwähnten Helden sich zu ihm nach Kiev begeben, daß dies Versetzen der Helden nach Kiev so stark ist, daß selbst Helden wie Wassiltj, in dessen Erscheinung wir auf jedem Schritte specifischen, die Freistadt Nowgorod charakterisirenden Zügen begegnen, doch zuweilen nach Kiev versetzt werden, so können wir dies Zusammenreihen der Helden um Wladimir weder aus seinen oben geschilderten Eigenschaften, noch aus folgenden Stellen der Lieder (R. I. 271.):

> Bei der Ankunft der muthigen Recken
> Richtet der Fürst einen prachtvollen Schmaus an,
> Bei der Abfahrt beschenkt er sie reichlich,
> Giebt ihnen gar unermeßlich viel Gold.

allein erklären. Wir müssen vielmehr annehmen, daß diese Stellung Wladimir's nur aus dem oben erwähnten Bedürfniß der Volksdichter, einen Anknüpfungspunkt für ihre Lieder zu haben, hervorgegangen ist. Aus diesem Grunde fangen die Dichter ihre Lieder am liebsten mit der Beschreibung der Tafel von Wladimir an. Daß aber der Volksdichter gerade Wladimir wählte, geschah, weil der Name des geschichtlichen Wladimir, der durch seine Bekehrung der Russen zum Christenthum wohl am meisten im Volke bekannt war, auf diejenige mythische Gestalt übertragen wurde, die früher, als die Helden noch rein mythisch waren, ihren Mittelpunkt bildete. Dieser mythische Wladimir hat auch in dem jetzigen reichliche Spuren hinterlassen. Noch immer wird er die rothe Sonne genannt und unzweifelhaft tritt diese Gleichstellung in folgenden Versen hervor:

> Früh am Morgen stand sie auf,
> Vor der Sonne, vor dem Fürsten Wladimir. [1]

Noch bedeutsamer ist das Liebesverhältniß von Wladimir's

---

[1] R. II. 99.

Frau zum Bergdrachen Tugarin und der Raub seiner Nichte
durch diesen. Wir glauben nicht zu irren, wenn wir hier
und in dem Umstand, daß so vielen Helden, dem Il'ja, dem
Dobrinja, dem Al'oša, dem Duk die Tödtung des Tugarin
zugeschrieben wird, einen Wink auf das frühere Verhältniß der
Helden zum mythischen Wladimir erblicken. Das Mythische
dieses Vorgängers des jetzigen Wladimir war so stark, daß der
an seine Stelle gesetzte geschichtliche Wladimir den hervor-
ragendsten Zug, die Bekehrung der Russen zum Christenthum,
— sie wird nirgends in den Liedern erwähnt — verlieren
mußte und überhaupt nur wenige geschichtliche Züge behielt.
Es fand hier sogar gewissermaßen eine Verschmelzung der
beiden in der russischen Geschichte hervorragenden Wladimir
statt. Wir sehen nämlich in dem Wladimir der Lieder außer
den Zügen, die Wladimir dem I., dem Apostelgleichen, 980 bis
1015, angehören, wie seine Liebhaberei zu den Frauen[1]), seine
Liebe zu seiner Umgebung, für die er silberne Löffel anfertigen
ließ und achttägige Schmäuse gab[2]), auch die Züge des Wladimir Monomachos, 1053—1125. Wenigstens wird von diesem
erzählt, daß er den Stawr aus Nowgorod in das Gefängniß
werfen ließ.[3]) Es ist eben nicht ein bestimmter Fürst, sondern
der ganz allgemeine Typus eines Fürsten mit den zur Epoche
der Theilfürsten, 1054—1230, gehörenden Eigenthümlichkeiten.
Das hervorragendste Motiv in der Geschichte dieser beiden
Fürsten bildet ihr Verhältniß zur Stadt Kiev. Kiev hat erst
durch diese beiden Fürsten seine Bedeutung für Rußland vollständig erhalten, in Kiev fand auch die Bekehrung der Russen
zum Christenthum statt; Kiev war die Hauptstadt Rußlands
bis zum Emporkommen von Moskau. So wurde der Name
der Wladimir im Munde des Volkes auf das Innigste mit
Kiev verbunden. Gerade in diesem Verhältniß der Wladimir
zu Kiev liegt auch der zweite Grund zu Wladimir's Stellung

---

[1]) Solowiev, Russische Geschichte B. I. p. 171.
[2]) Solowiev, B. I. 206.
[3]) Solowiev, B. II. p. 110. Kostomarov, Die Republiken von Nord-
Rußland B. I. p. 53.

als Mittelpunkt der Helden. Kiew war das erste Centrum des geistigen Lebens des russischen Volkes, wie diese Stadt auch jetzt noch durch ihre Heiligthümer den Mittelpunkt des kirchlichen Lebens, das beim Volke mit dem geistigen zusammenfällt, für Gebildete und Ungebildete von ganz Rußland bildet. Nach dieser Stätte lassen nun die Lieder die Helden ziehen, um die dortigen Heiligthümer anzubeten und dann erst um Wladimir zu sehen oder bei ihm zu dienen.[1]) Wladimir ist demnach zum Mittelpunkt der Helden geworden, erstlich dadurch, daß die Geschichte seinen Namen mit der Stadt Kiew verbunden hatte, und zweitens, weil Kiew als Centrum des geistigen Volkslebens Einfluß auf die Volksdichter haben mußte.

Eine andere Verbindung wird dadurch geschaffen, daß den Helden gemeinschaftliche Ziele zugeschrieben werden. Im Allgemeinen lagen den Helden folgende Ziele, Aufgaben ob: die Vertheidigung der christlichen Religion[2]), die Vertheidigung von ganz Rußland und speciell der Stadt Kiew gegen jeglichen Feind[3]), das Ausrotten der Tataren überhaupt[4]), der Schutz der verwaisten Kinder und der Wittwen[5]) und die Vergrößerung von Rußland.[6]) Man sieht schon aus der Natur dieser Ziele selbst, daß ·sie nicht ursprüngliche sein können und daß sie den Helden, als die älteren Ziele vergessen waren, untergeschoben wurden, um die Helden näher zu verknüpfen.

Als eine dritte Verbindung kann außer der Verbrüderung die Verwandtschaft der Helden untereinander angesehen werden. So ist Wol'ga der Neffe von Wladimir[7]), ebenso wie Jermak, der übrigens auch Neffe des Il'ja genannt wird.[8]) Die Gestalt des Mikula, die ihrem Wesen nach ganz abgesondert erscheint und mit den übrigen Helden gar nichts Gemeinsames

---

[1]) R. II. 132. 135. R. I. 34. IV. 92.
[2]) R. I. 34. 54. III. 49. IV. 92. R. I. 94.
[3]) R. I. 25. 28. 34. 38. III. 40. 43. 47.
[4]) R. I. 8. 38. R. I. 29.
[5]) R. IV. 16. 48.
[6]) R. I. 213.
[7]) R. I. 22.
[8]) R. I. 104. R. I. 61. 65.

hat, — er iſt ja kein Held, ſondern ein Bauer — wurde doch
mit den übrigen Helden verbunden, indem der dichtende Volksgeiſt die Töchter des Mikula[1]) ſich mit den Helden verheirathen
läßt: Dobrinja's, Stawr's, Danilo's Frauen ſind die drei
Töchter Mikula's.

Nachdem wir nun geſehen haben, wie durch dieſe Verbindungen die Helden aneinander geknüpft und ſo miteinander
verbunden werden, daß ſie nur einzelne Glieder des großen
Ganzen bilden, wollen wir unterſuchen, ob ſich nicht ein ähn-
licher Prozeß auch unter den einzelnen Abenteuern der einzelnen
Helden nachweiſen läßt. Hier ſtehen an erſter Stelle die
Charakterſchilderungen der Helden, denen wir ziemlich häufig
begegnen. Der gegebene Charakter eines Helden beeinflußt die
von ihm unternommenen und ausgeführten Heldenthaten. Am
deutlichſten ſieht man dies bei Dobrinja. Ueberall, wo es nur
angeht, wird Dobrinja's Höflichkeit, Redefertigkeit und Art,
mit den Menſchen umzugehen, hervorgehoben. R. I. 195
heißt es:

> Niemand kann an Art und Redekunſt
> Sich mit Dobrinja dem jungen meſſen;
> Deſſen Worte ſind gar zuvorkommend,
> Seine Reden ſind gar verführeriſch,
> Der kann Einen bereden — anlocken.

und K. II. 95:

> Dobrinja iſt guter Eltern Sohn,
> Dobrinja iſt geſitteter Leute Kind,
> Es verſteht Dobrinja gar ſchön zu reden,
> Zeitig verbeugt er ſich, zeitig rühmt er ſich.

Wir finden daher den Dobrinja, dem „die Höflichkeit angeboren und anerzogen iſt"[2]), als Geſandten verwendet. Selbſt
wenn Wladimir geneigt wäre, einen Anderen als Geſandten zu

---

[1]) R. I. p. 22.
[2]) R. III. 95

schicken, würde er von den anderen Helden davon abgebracht
werden, denn das ist ein Geschäft, das speciell dem Dobrynja
obliegt.[1]) Nur der stille, ruhige Dunaj kann sich darin mit
Dobrynja messen: „er hat viele Länder kennen gelernt und ist
gar sehr des Sprechens mächtig."[2]) Ebenso hervortretend sind
die Charaktere des Al'oša und des Čurilo. Während Dobrynja
und Dunaj bescheiden, ruhig überlegend auftreten, tritt Al'oša
tollkühn, voreilig auf. Er ist stolz und prahlerisch.[3]) Er
glaubt mit Schimpfen alles gethan zu haben.[4]) Schon ehe
er den Feind trifft, vergeudet er übermüthig seine Kräfte.[5])
Höflichkeit und Art waren ihm immer fremd[6]); außerdem liebt
Al'oša:

> Sich unter fremden Frauen zu bewegen,
> Unter jungen Wittwen, schönen Jungfern.[7]

Er heißt daher vorzüglich „Frauenbelustiger".[8]) Diese
letzte Eigenschaft besitzt in noch höherem Maße der feine, zierlich sich bewegende Čurilo.[9]) Wenn er durch die Straßen
geht, laufen ihm alle Frauen nach.[10]) Er ist ebenso Prahler
wie Al'oša[11]), aber ihm fehlt gänzlich die Kühnheit, die den
Al'oša nie verläßt[12]), daher wird Čurilo einfach aus der Gesellschaft der Helden vertrieben:

> Geh, treibe dich unter den Frauen und Mägden,
> Misch dich nicht unter uns, starke Helden.[13]

---

[1]) K. I. 48.
[2]) R. I. 88.
[3]) K. IV. 13.
[4]) R. II. 27.
[5]) R. I. 76.
[6]) K. III. 94.
[7]) R. II. 3. 17.
[8]) K. I. 5. II. 5. 12. R. I. 153 ꝛc.
[9]) K. II. 31. R. I. 130. II. 174.
[10]) R. I. 195.
[11]) R. II. 158.
[12]) K. II. 31. 32. III. 65. R. I. 120. 130. 150. 184. 293.
[13]) R. II. 184.

Es kennen ihn nicht die mächtigen Helden,
Es kennen ihn nur Frauen und Mägde.¹)

Nicht so ausgeführt wie diese sind die Typen der übrigen
Helden. Il'ja zeichnet sich durch Riesenkraft und Statur aus²),
der Tod kann ihn im Kampfe nicht erreichen und deshalb wird
sein Schicksal als beneidenswerth dargestellt.³) Von Wol'ga
wird gesagt, daß, wenn er etwas nicht mit Kraft erreichen
kann, er es durch List und Klugheit zu Stande bringe.⁴)
Den Mikula liebt die feuchte Mutter Erde.⁵) Bei Dük und
Sadko wird der Reichthum hervorgehoben⁶), bei Potok die
Schönheit⁷), bei Wladimir das Glück.⁸)

Das Eigenthümliche bei diesen Charakterschilderungen ist,
daß meist mehrere von ihnen zusammen angeführt werden.
Als Il'ja von den Pilgern die Kraft bekommt, sagen sie ihm:

Du wirst gewaltig und viel gepriesen sein,
Denn der Tod erreicht im Kampf dich nicht;
Kämpfe aber nicht mit Swjatogor,
Ihn trägt die Erde nur mit Noth,
Kämpfe nicht mit Mikula dem Bauer,
Ihn liebt die feuchte Mutter Erde,
Kämpfe nicht mit Wol'ga Seslaw's Sohn,
Nicht mit der Kraft siegt er, mit der List,
Mit der List, mit der Klugheit.⁹)

Noch einschlagender ist eine folgende Stelle. Dunaj
prahlt mit seiner Kunst zu schießen auf einem Gelage von
Wladimir, seine Frau sagt ihm aber:

---

¹) R. II. 150.
²) R. I. 130. 195. K. II. 31.
³) R. II. 174. K. III. 35. R. I. 120.
⁴) R. I. 135.
⁵) R. I. 35.
⁶) R. I. 193. II. 14.
⁷) R. I. 195.
⁸) R. I. 120. II. 16.
⁹) R. I. 8.

Nicht lange weile ich in Kiev,
Habe aber alles in Kiev erfahren.
Niemand übertrifft den Wladimir an Glück,
Niemand den Ilja an Riesenkraft,
Niemand den Al'oša an Tollkühnheit,
Niemand den Potok an Schönheit,
Niemand den Dobrinja an Höflichkeit,
Niemand den Dunaj an Redekunst,
Niemand den Duk an Reichthum,
Niemand den Čurilo an Zierlichkeit,
Geht er durch die Straßen, laufen ihm die Frauen
        nach,
Niemand ſchießt aber ſo gut wie ich.[1]

Dieſe und viele ähnliche Stellen beweiſen wohl hinreichend,
wie der Sänger erſtlich die vielen einzelnen Abenteuer durch
den feſtſtehenden Charakter der Helden mit einander verbindet
und wie er zweitens die Helden ſelbſt auf dem oben angeführten Wege aneinander reiht, ſo daß ihm ſtets der ganze
zur Epik ſich bietende Inhalt, wenn auch nicht als eine poetiſche
Einheit, doch als ein Ganzes vor Augen ſchwebt.   Darauf
wollten wir noch zum Schluß hinweiſen.

[1] R. I. 184. 195. 120. 130.

Berlin, 10. October 1868.

                    W. Biſtrom.

Otto Hölder, Grammatik der französischen Sprache. Stuttgart 1865. (490 S. gr. 8.)

Bernhard Schmitz, Französische Grammatik. Zweite Auflage, neue Bearbeitung. Berlin 1867. (365 S. 8.)

So lange es auch her ist, daß man die Sprache zum Gegenstande der Betrachtung macht, so viel Fleiß man auf das Verzeichnen und Ordnen der Erscheinungen gewandt hat, die in ihrer Gesammtheit die Sprache, und derjenigen, welche je eine Sprache ausmachen — wie viel Unsicherheit herrscht doch noch überall hinsichtlich dessen, was zugleich Ausgangspunkt und Ziel der wissenschaftlichen Forschung sein, was für die Sammlung und Sichtung der Erscheinungen den Rahmen und die Fächer bieten sollte und zugleich durch die Ergebnisse der Sammlung als der Natur der Erscheinungen entsprechend sich erweisen müßte, hinsichtlich der grammatischen Grundbegriffe. Nicht nur ist noch immer die Linie nicht gezogen, die das, was die Grammatik ihr Gebiet nennen darf, scheide von dem, was der Logik anheimfällt, oder kommt es doch unaufhörlich zu unberechtigten Uebergriffen, sondern auch innerhalb der Grenzen, wo das Schalten der Ersteren als einzig zu Rechte bestehend anerkannt ist, vermißt man noch immer in hohem Grade eine strenge Beachtung der Gliederung zweiten Grades, welche bestimmt, wie viel jeder einzelnen grammatischen Disciplin zu überweisen ist. Es kommt als weiterer Grund der Unsicherheit das hinzu, daß man noch immer nicht frei ist von der Neigung, die Erscheinungen Einer Sprache als etwas ins Auge zu fassen, was diejenigen einer anderen bis zu einem gewissen Grade zu decken hätte, eine Sprache als Mittel zur Uebersetzung aus einer zweiten, eine Betrachtungsweise, deren Zweckmäßigkeit beim praktischen Sprachunterrichte nicht geläugnet werden soll, die aber nur zu sehr auch bei der wissenschaftlichen Behandlung des Gegenstandes sich geltend macht.

11*

Nur aus dieser Unsicherheit erklärt sich auch, daß zwei
Bücher (um bei zweien stehen zu bleiben), welche den nämlichen
Gegenstand für so ziemlich die nämliche Klasse von Lesern be=
handeln, abgesehen von dem Unterschiede, den der ungleiche
Umfang mit sich brachte, auf so sehr verschiedenem Wege die
gemeinsame Aufgabe zu lösen sich bemühen, und daß beide so
viel bieten, was mancher gar nicht darin suchen wird und
lieber nicht darin fände, von anderem schweigen, was mancher
zu den betrachtenswerthesten Seiten des Gegenstandes rechnet.
Sollte nicht gerade eine erneuerte Untersuchung über den Um=
fang und die Gliederung des Gegenstandes einer französischen
Grammatik eine Aufgabe sein, deren vorurtheilsfreie Lösung
von der Wissenschaft und von der Schule in noch höherem
Grade willkommen geheißen werden müßte, als noch so verdienst=
liche Bearbeitungen des Gegenstandes in bisheriger Weise? —

Den beiden oben namhaft gemachten Werken gebührt nun
wirklich die Bezeichnung verdienstlich, jedoch um ganz ver=
schiedener Vorzüge willen: dem von Hölder als einer nach
Vollständigkeit strebenden und wirklich sehr reichen, wenn auch
nicht eben gut geordneten Sammlung derjenigen Erscheinungen,
welche in einer Formenlehre und Syntax des Neufranzösischen
zur Besprechung kommen müssen, dem von Schmitz als einer
mit viel Geschick und großer Kenntniß der Bedürfnisse der
Schule und des Lebens getroffenen Auswahl des Wichtigsten,
was man neben dem Wörterbuche braucht, um das Französische
zu sprechen und zu verstehen. Neben dem Wörterbuche! Da
wäre nun freilich der Anlaß, auf die Grenzen zwischen Gram=
matik und Lexikon zu kommen, zu erörtern, ob denn gewisse
Fragen dieses oder jene zu beantworten habe, ob z. B. die
Thatsache, daß flatter ein transitives Verbum ist, von der
Grammatik erwähnt werden solle, ob die Grammatik versuchen
solle, Gesetze zu ermitteln, nach denen die Substantiva diesem
oder jenem Geschlechte zugehören, ob sie es namentlich im Fran=
zösischen solle, wo die Verhältnisse, welche den Ausschlag geben,
so ganz verschiedener Art sind.

Schmitz beginnt mit einer „Lautlehre" (— Hölder setzt
das hieher zu ziehende voraus —) und führt in diesem Ab=

schnitte mit guter Wahl die wichtigsten Dinge auf, die der Fremde (Deutsche) wissen muß, um richtig zu lesen, woran sich eine gar zu gedrängte und leider auch innerhalb ihrer engen Grenzen nicht befriedigende Uebersicht der Verschiedenheiten des Lautbestandes reiht, die zwischen den lateinischen Wörtern und ihren französischen Nachbildungen bestehen. Die geschriebene Sprache bildet den Ausgangspunkt; Manches erschiene wohl in richtigerem Lichte, wenn die Darstellung den Laut zum Ausgangspunkte nähme, die Buchstaben als Zeichen für Laute, nicht die Laute als etwas sich aus gewissen Buchstaben ergebendes ins Auge faßte; vielleicht dürfte man wohl auch einmal den Versuch wagen, die Aussprache, wie sie im Falle der „Bindung" sich gestaltet, als die reguläre darzustellen. In der angeführten Uebersicht fehlt es vielfach an der richtigen Auffassung der Erscheinungen (in ancêtres hat keineswegs Versetzung der Laute t und c stattgefunden, sondern „Erweiterung des Wortes"; in trahir ist von Erweiterung des Wortes nicht zu sprechen, da h nur graphische Bedeutung hat; in nuit ist Diphthongirung des Vocals nicht anzuerkennen oder doch in ganz anderem Sinne als in bien u. s. w.), an der wünschbaren Sonderung des nur äußerlich Analogen und an der Berücksichtigung der altfranzösischen Zwischenstufe, die hier in vielen Fällen nicht ohne Gefahr irrthümlicher Auffassung sich überspringen ließ; überhaupt ist ein wirklicher Gewinn für den Leser (Schüler) von einer dermaßen eingeschränkten Herstellung des Zusammenhanges zwischen Latein und Französisch kaum zu erwarten. Auch was unter der Ueberschrift „Uebersicht der allgemeinen Buchstabenveränderungen" geboten wird, wird durch allzu große Knappheit der Darstellung, durch Vermengung sehr verschiedenartiger Dinge und durch Beschränkung auf Beispiele, die ganz unerörtert bleiben, der Tragweite des Gegenstandes nicht gerecht. —

Die Lautlehre betreffend, so erscheint bei beiden Verfassern Verschiedenes in die Formenlehre des Französischen hineingezogen, was diese Stellung nur dem Umstande verdanken kann, daß damit Erscheinungen des Lateinischen oder des Deutschen, welche in der That in den Bereich der Formenlehre fallen, eine gewisse scheinbare Congruenz zeigen. Beide sprechen von einem

Comparativ und gar von einem Superlativ der Adjectiva, von Nominativ, Genitiv, Dativ, Accusativ (der Ablativ ist wohl nur darum aufgegeben, weil man ihn im Deutschen nicht findet), die jedoch nur in ganz vereinzelten Erscheinungen einigermaßen erkennbar vorliegen, dem Sprachbewußtsein völlig abhanden gekommen sind.

Es ist freilich nicht eben leicht, was in dieser Richtung erstrebenswerth scheint, und manche Bedenken werden wach werden, wann es gelten wird auszusondern, was aus der lateinischen oder aus der deutschen Grammatik oder aus der Logik in die französische Grammatik hineingetragen ist, wann man sich z. B. fragen wird, inwiefern hinter der im Laufe der Zeit eingetretenen Identität der Form noch eine Verschiedenheit der Bedeutung stehen oder mit andern Worten die Anschauung des mit der Sprache operirenden Geistes reicher sein kann als das ihm zu Gebote stehende Material. Aber unmöglich ist doch wohl die Lösung der Aufgabe nicht. Liegt nicht, um noch einmal auf die besondere Frage nach der Berechtigung der Annahme eines französischen Genitivs und Dativs zu kommen, gerade in dem, was Schmitz „pronominalen Gebrauch der Localadverbien" en, y, où (auch dont) nennt, eine Mahnung, die Präpositionen de und à überall voll als solche zu erkennen, auch da, wo man immer noch Genitive und Dative zu sehen meint?

Die Syntax nimmt in beiden Büchern den meisten Raum ein; bei Hölder ist sie ja überhaupt der eigentliche Gegenstand der Darstellung und nimmt die Formenlehre nur parenthetisch und sehr mangelhaft in sich auf. Wir müssen uns hier versagen, im Einzelnen nachzuweisen, in wie viel Fällen Schmitz Erscheinungen zum ersten Male in's richtige Licht stellt, die von seinen Vorgängern entweder ganz übergangen oder nicht in den Zusammenhang gebracht waren, in den sie gehörten, sowie andererseits die Erscheinungen aufzuzählen, um welche Hölders aufmerksamer Blick sein Buch anderen Werken gegenüber bereichert hat. Dagegen verweilen wir gerne bei einigen Einzelheiten aus beiden Büchern, Einzelheiten, die uns neben manchen anderen einer nochmaligen Prüfung bedürftig scheinen.

Zu den Punkten, welche den Grammatikern besondere Schwie=
rigkeit bereiten, weil vielfach die Betrachtung in ganz äußer=
lichen Dingen das Maßgebende zu finden glaubt und daher
auf schwer zu erklärende Ausnahmen stößt, gehört die Stellung
des abnominalen Adjectivs; dieser Gegenstand wird von Hölder
in wenig befriedigender Weise behandelt: „Gewohnheit, Rhythmus
und Wohllaut" behaupten bei ihm in dieser Sache einen Ein=
fluß, der ihnen in Wirklichkeit nicht zukommt. Was spricht
auch eine Darstellung des französischen Sprachgebrauches sich
selbst für ein Urtheil, wenn sie dem, was sie eben als ein „zur
Ehre der französischen Sprache" anzuerkennendes Gesetz hinge=
stellt hat, durch das Zugeständniß einer das Gesetz mißachtenden
„Gewohnheit" alle Bedeutung nimmt. In dem wohlmeinenden
Eifer, eine allerdings werthvolle Freiheit ja nicht geringfügig
erscheinen zu lassen, stellt man leicht die Sache so dar, als
könne der Sprechende durch Vor= oder Nachstellen des Adjectivs
an der Bedeutung desselben nicht viel weniger als Wunder
wirken. Zweierlei ist dabei namentlich im Auge zu behalten:
bevor man die von den Grammatikern behaupteten „Bedeutungs=
wechsel je nach der Stellung" als feststehende Thatsachen gelten
läßt, untersuche man auf's Neue, ob der Sprachgebrauch guter
Schriftsteller zu jenen Satzungen stimmt, und: für die unum=
stößlich bleibenden Thatsachen suche man einen in der Natur
der Sprache liegenden Grund. Was den ersten Punkt betrifft,
so ist die verständige Behandlung, welche Schmitz dem Gegen=
stande zu Theil werden läßt, zwar schon sehr geeignet, den
Glauben an die Zuverlässigkeit seiner meisten Vorgänger mächtig
zu erschüttern, auch Hölder zeigt eine rühmliche Vorsicht; und
doch bleibt bei ihnen beiden noch manche oft wiederholte Be=
hauptung unangefochten, die neu geprüft werden müßte. Honnête
vorangestellt soll „ehrlich", nachgestellt „höflich" heißen, und in
der That sagt H. de Balzac: Les procureurs du roi ne sont
pas seulement d'honnêtes gens; ce sont encore des gens
fort honnêtes; leur correspondance est civile u. s. w. Besser
kann man nicht beweisen, daß man ein aufmerksamer Schüler
eines nicht eben einsichtigen und umsichtigen Lehrers gewesen
ist. Aber wie stimmt denn dazu: „La plus vive jouissance

d'une courtisane est, sans contredit, le plaisir qu'elle
éprouve à humilier une femme honnête", oder "avec un
coeur pur et des inclinations honnêtes", oder "le
témoignage de Julie contre l'orgueil humain et son im-
puissance, même dans les âmes honnêtes, pour opérer
le retour à la vertu"? Man sollte auch nicht versäumen, in
solchem Falle zu untersuchen, was das Adjectiv dann bedeutet,
wenn es weder vor noch nach dem Substantiv steht, sondern
prädicativ oder substantivisch gebraucht ist, wie z. B. „ce n'est
pas honnête peut-être de laisser nos restes dans le panier"
sagt ein Gaukler, dem man in einem Korbe Nahrungsmittel
zugeschickt hat, „je n'aperçus rien que d'obligeant et d'honnête dans la curiosité dont j'étais l'objet" oder „mon coeur
est trop sensible, mais il est toujours honnête" u. dgl.
Es scheint sich daraus zu ergeben, daß das Wort weder durch
„ehrbar" oder „ehrlich", noch durch „höflich" gedeckt wird,
wohl aber etwa durch „anständig", daß es von Personen oder
von Handlungen gebraucht wird, denen Achtung gezollt wird,
weil sie den Anforderungen der Sitte oder denen der Sittlich=
keit entsprechen. Im siebzehnten Jahrhundert schienen der guten
Gesellschaft in Frankreich die Ersteren vor allem wichtig, und
so konnte St. Evremond sagen: Honnête homme et de bonnes
moeurs sont incompatibles (Guizot, Corneille S. 200) und
Moliere's Misanthrop giebt dem, welcher allzu große Bereit=
willigkeit zeigt, selbstgemachte Verse in Gesellschaft vorzutragen,
den Rath: — N'allez point quitter, de quoi que l'on vous
somme, Le nom que dans la cour vous avez d'honnête
homme. Aehnliche Bedenken erheben sich gegen die Auf=
stellungen der meisten Grammatiker, wenn man beim Lesen auf
die Stellung und die Bedeutung von propre achtet; vorange=
stellt soll es „eigen" und nachgestellt „reinlich" und „geeignet"
heißen (Schmitz 151, vgl. damit Hölber's Beispielsätze 160 im
Text); aber man liest doch bei guten Schriftstellern: „le judaïsme
est comme l'oeuf où la religion nouvelle se forma et se
nourrit d'abord, avant de vivre de sa vie propre", oder
„Roger de Collerye a introduit son caractère propre dans
les principes de son école, et c'est là toute son oeuvre

littéraire", oder „Nous n'avons pas toujours tenu assez de
compte du caractère propre et des conditions spéciales de
la société française", wo propre wenn nicht mit „eigen", doch
mit „eigenthümlich" übersetzt werden müßte. Es genügt nun
natürlich nicht, Zweifel an den Aufstellungen der Grammatik
zu erregen oder deren Unhaltbarkeit aus dem Sprachgebrauche
guter Schriftsteller zu erweisen. Worauf es ankommt, das ist,
das Wesen der Erscheinung darzuthun, für das scheinbar Zufällige und Willkürliche einen einleuchtenden Grund zu finden,
freilich erst, nachdem für die Untersuchung ein fester Boden gewonnen ist. An diesem Boden, d. h. an einer hinlänglichen
Zahl sicherer Beobachtungsergebnisse, fehlt es mir in diesem
Augenblicke; gleichwohl mag hier der Versuch gemacht werden,
der Erscheinung auf den Grund zu gehen; ein ersprießliches
Beobachten wird ja hinwieder nur möglich, wo der Blick sich
auf das Wesentliche zu richten durch eine leitende Anschauung
bestimmt wird. Daß Vinet's Urtheile „l'esprit place l'épithète
après le substantif, et l'âme la place plus volontiers devant" eine richtige Beobachtung zu Grunde liege, wird sich aus
dem Folgenden ergeben; es leuchtet aber ein, daß es bei seiner
Orakelhaftigkeit weder dem praktischen, noch dem theoretischen
Bedürfnisse genügen kann.

Zwei Vorstellungen, die eines Gegenstandes und die einer
Eigenschaft, treten im Falle der Voranstellung wie in dem der
Nachstellung des Adjectivs in Verbindung unter sich. Tritt
die Vorstellung der Eigenschaft zuerst ins Bewußtsein, so wird
ihr mehr Freiheit, eine geringere Bestimmtheit ihrer Elemente
zukommen als im umgekehrten Falle; kein Element ist ausgeschlossen, keines tritt in den Vordergrund; mit ihrem Eintreten
erwacht aber zugleich der Drang nach der Vorstellung des Gegenstandes, mit dem sie sich verbinde, da sie an sich einen be-
friedigenden Inhalt nicht bietet; diese zweite Vorstellung nun
nimmt unter ihre Bestandtheile jene bereits ins Bewußtsein
getretenen mit auf und zwar in innigster Einverleibung und erfährt dadurch vielfach wesentliche Modificationen, indem ihre
Elemente den bereits ins Bewußtsein getretenen sich anbequemen
müssen, Unverträgliches, das sich darunter befinden sollte, aus-

geschlossen, Alles gleichsam in dem Lichte angeschaut wird, das
von der ersten Vorstellung ausstrahlt. Wenn gesagt wird un
méchant vaisseau, so tritt zuerst die sehr wenig bestimmte
Vorstellung des Untauglichen, Nichtsnutzigen, Mangelhaften ins
Bewußtsein, und die nachfolgende Vorstellung des Schiffes
wird nun jedenfalls von den Elementen, die sie sonst umfaßt,
einige aufgeben, das Schiff wird nun das rasch und sicher
tragende, das saubere, das schlanke, leichte nicht mehr sein;
sage ich vollends: un soi-disant, un prétendu poète, so bleibt
von den Elementen der Vorstellung von einem Dichter nur das
eine eines Wesens, das unter Umständen poète genannt
wird; man sieht, daß un poète prétendu nimmer bedeuten
kann was un prétendu poète; es würde bei Anwendung der
ersteren Ausdrucksweise eine Vorstellung ins Bewußtsein ge-
rufen und nachher gleichsam wieder hinausgetrieben.

Ist die Vorstellung vom Gegenstande zuerst im Bewußtsein, so fällt einmal jenes Drängen nach der zweiten
meistens weg, da die erste eher ein befriedigender Inhalt ist;
diese entfaltet die ganze Fülle ihrer Elemente ungehemmt, und
tritt nun die zweite hinzu, so gesellt sich zu dem bereits Vorhandenen etwas Neues, doch nichts, was nicht in mehr äußer-
licher Weise die erste Vorstellung bestimmte, nichts, was das
eigentliche Wesen derselben umgestaltend ergriffe; des vers méchants sind etwas, dem Niemand den Namen vers streitig
machen kann, während de méchants vers etwas sind, was
man vers gar nicht nennen sollte. Umgekehrt werden im Falle
der Nachstellung des Adjectivs von den Elementen der Eigen-
schaftsvorstellung einige in den Hintergrund treten und nur
diejenigen übrig bleiben, welche sich mit denen der Gegenstands-
vorstellung vertragen. Der méchant musicien ist möglicher
Weise ein guter Mensch, aber ein schlechter, d. h. kaum ein
Musikant; des musicien méchant Recht auf den Namen eines
Musikanten kann ich nicht anfechten, wenn ich selbst ihn ohne
Einschränkung so nenne; ich werde also méchant jetzt anders
nehmen; es ist jetzt nicht mehr „das, was billigen Anforderungen nicht entspricht", sondern enger „das, was gewissen,
besondern Anforderungen nicht entspricht, die noch übrig bleiben,

nachdem den an den Mufikanten geftellten genügt ift", z. B.
denen nicht, welchen der Vater oder der Menſch im Verkehr
oder der Chriſt nachkommen ſoll, alſo vielleicht „hart" oder
„boshaft" oder „böſe". Damit ſcheint mir auf das Wichtigſte
von dem hingewieſen zu ſein, was bei der Stellung des Ad⸗
jectivs, geſchehe ſie mit oder ohne Bewußtſein, den Ausſchlag
giebt; erklärt zu ſein, warum die phantaſievolle, die dichteriſch
anſchauende Auffaſſung der Dinge die Voranſtellung des Ad⸗
jectivs bevorzugt, die verſtandgemäße, abſtrahirende, ſcheidende
die Nachſtellung, und in wiefern ein Wechſel der Bedeutung
je nach der Stellung beim Adjectiv eintreten kann. Dagegen
behaupte ich nicht, daß nicht andere als die berührten Ver⸗
hältniſſe (nur vor dem Wohllaut ſei gewarnt!) beſtimmend ein⸗
wirken können oder daß nun auch bereits jedes einzelne Vor⸗
kommen von Bedeutungsmodification erklärt ſei. Noch Manches
wird in Betracht zu ziehen ſein, zu deſſen Erörterung es mir
hier an Raum und theilweiſe an geſammeltem Material fehlt.

Auch der ſogenannte Theilungsartikel oder partitive Ge⸗
nitiv (in de fautes ſoll der „Genitiv des Theilungsartikels"
vorliegen, während darin weder Genitiv noch Artikel irgend zu
bemerken iſt; in de grosses fautes iſt de Theilungsartikel;
Schmitz iſt übrigens das Bedenkliche des Namens nicht ent⸗
gangen) dürfte wohl eine von außen, vom Standpunkte anderer
Sprachen in die franzöſiſche hineingetragene Sache und eher
bei Beſprechung der Präpoſitionen zu behandeln ſein.

Die in „il a les yeux bleus" vorliegende Conſtruction
iſt wieder genau genommen eher lexikaliſcher als grammatiſcher
Natur; nicht die Anwendung des beſtimmten Artikels, nicht die
Nachſtellung des Adjectivs iſt das Eigenthümliche und für den
Deutſchen Bemerkenswerthe daran, ſondern die Conſtruction
von avoir mit dem Accuſativ eines „vorausgeſetzten" Objects
und einem Adjectiv, das deſſen Beſchaffenheit bezeichnet und
mit jenem congruirt. Sätze wie der angeführte ſind zuſammen
zu behandeln mit ſolchen wie: Pour de l'esprit, elle n'en
manque pas; elle l'a même assez cultivé, Gilblas
IV. 6, il a le génie d'une si vaste étendue, ebenda
XI. 2; il eut son cheval tué sous lui u. dgl.

Manche Einzelheiten könnten noch mit Lob und mit Tadel hervorgehoben werden; Tadel verdient z. B. bei Schmitz S. 133 die Wahl der Beispiele zu der Regel, daß das von einem Infinitive regierte tonlose Fürwort zu den jenen Infinitiv regierenden Verben fair, laisser, voir, entendre statt zum Infinitive tritt; denn in „je l'ai fait venir, je l'ai vu partir, je le sentis venir de loin" ist das Pronomen eben nicht vom Infinitiv regiert; passende Beispiele würden sein: je lui ai fait annoncer, le hasard me l'a fait rencontrer; dabei war übrigens zu bemerken, daß das Zusammentreffen zweier tonlosen Fürwörter vor jenen Verben vermieden wird, wenn nicht wenigstens das eine derselben sich entweder als Dativ oder Accusativ durch seine Form zu erkennen gibt, so daß über den Casus des anderen kein Zweifel möglich ist; neben das obige „me l'a fait rencontrer", wo le nur Accusativ sein kann, für me also nur Dativbedeutung bleibt, stellt sich: „le hasard qui m'a fait vous rencontrer" A. de Musset, Comédies I. 403 oder „quel dessein vous fait me demander", Polyeucte IV. 3, wo bei der Nebeneinanderstellung von vous und me sich Zweifel über das Casusverhältniß jedes der beiden Fürwörter erheben könnten.

Berlin, Mai 1868.

Adolf Tobler.

Die dichterische Phantasie
und
der Mechanismus des Bewußtseins.

Von
Hermann Cohen, Dr. phil.

Ἔστι γὰρ φύσει ποιητικὴ ἡ ξύμπασα αἰνιγματώδης
Plato, Alcib. II. p. 147. B.

Die Frage nach dem Ursprung der Poesie gehört zu den anziehendsten im Bereiche der Culturgeschichte, aber, wie jede Frage nach dem Ursprung, zu den schwierigsten. Die Keime der dichtenden Production, die Anfänge der dichterischen Form der Vorstellungen sind, wie alle Elementarbildungen, schwer aufzufinden, schwer als solche zu erkennen; und wer einmal auf den Proceß der Zerlegung eingegangen ist, der wird schwerlich bei irgend welchen einfachsten Formen stehen bleiben. Zu diesen gemeinsamen Schwierigkeiten einer jeden Entwickelungsgeschichte tritt für die Frage nach dem Ursprung der Dichtung eine neue, dieser eigenthümliche.

Nicht nur auf den Gemeinplätzen der modernen Bildung, auch innerhalb der gelehrten Fachgenossenschaft hat sich die energische Einsicht noch nicht befestigt, daß in keinem Denkprocesse, welches Ansehen er immer habe und wie dunkel auch sein Ursprung sei, eine Schöpfung gegeben sein könne.

Man glaubt noch immer, — zwar nicht in mythischer Naivetät, sondern wie es der gebildete Geist vermag, in allerlei Vertretungen und Verhüllungen, — es könne eine Weisheit mit Einem Schwunge gewappnet aus dem Haupte springen, während doch ein jedes Erzeugniß des Geistes, sofern es durch einen Proceß im Bewußtsein entsteht, gegründet sein muß in früheren Vorstellungen, die in unaufhörlichen Anziehungen

und Abstoßungen wirken. Ja, was noch schlimmer ist, man
hält den Zweifel an der Gunst des Augenblicks, an dem
Götterschooß des Genius für ebenso barbarisch als unfrucht-
bar, und läßt sich an dem schönen Satze genügen: „das genie
sprudelt wie ein brünnlein an verborgener stelle, und seine nieder-
gänge und steige weiß doch niemand."*) Weil man aber
an die Schöpfung des Genius in unkritischer Weise glaubt,
darum ist man in der Erforschung des Wesens wie des Ursprungs der Dichtung bei der ästhetischen Kritik stehen geblieben,
über die schon Göthe, der von ihr Gefeierte, in den „Maximen"
unbefriedigt abgeurtheilt hat: „Das Was des Kunstwerks",
sagt er, „interessirt die Menschen mehr als das Wie; jenes
können sie einzeln ergreifen, dieses im Ganzen nicht fassen.
Daher kommt das Herausheben von Stellen, wobei
zuletzt, wenn man wohl aufmerkt, die Wirkung der Totalität
auch nicht ausbleibt, aber jedem unbewußt. Die Frage,
woher hat's der Dichter? geht auch nur auf's Was,
vom Wie erfährt dabei Niemand Etwas."

Wie wird aber und wirkt die Totalität der Dichtung
für das psychologische Bewußtsein, und wie erfolgt der psychische Proceß des Dichtens? Diese Fragen sind in princip-
strenger Fassung nicht gestellt, geschweige gelöst. Inzwischen
ist es verdienstlich zu sammeln und zu sichten, wie das Was
der Dichtung, das Material, sich Stein an Stein gefügt: aber
diese verdienstlichen Bestrebungen erschöpfen die Aufgabe der
Kritik nicht, sondern können sie nur von außen fördern. Die
Quelle des Irrthums über den wahren Ursprung der Dichtung wird durch diese Art der Kritik dessen, was an der literarischen Oberfläche liegt, nicht vergraben.

Wenn man an die Mythen denkt, unter denen man früher
das Räthsel genialer Gedankenbildungen formulirt hat, so könnte
man meinen, diese Zeiten seien längst überwunden; aber bei
schärferer Beobachtung will es scheinen, als ob in Wahrheit
nur die Schlagwörter, die Formen der Räthselaufgabe ge-
wechselt seien. In den glückseligen Zeiten, da der Mythos

---

*) Grimm, Kl. Schriften II., S. 240.

blühte, galt die Poesie als ein Geschenk der Götter, bald
von Natur und für immer gegeben, bald im Momente der Be=
geisterung empfangen. Bei allen alten Völkern ist der Dichter
Sänger und Weissager und die Dichtung ist eine göttliche
Gabe, bei Homer wie bei den Angelsachsen. Woher dieser
Glaube? Buckle meint, er habe seinen Ursprung in der That=
sache, daß „die Dichter zugleich Priester waren". Dies ist
nun zwar nicht durchgehend nachweisbar, aber doch in soweit
richtig, als der Sänger (vates) zugleich Weissager und Weis=
sager auch der Priester war. Nun war auch die Dichtung ein
heiliges Geschäft, das die großen Ereignisse des Lebens, die
ernsten wie die frohen, feiern mußte. Diese Umstände mögen
wohl den Heiligenschein für den Dichter mitgewoben haben;
aber sie können, allein genommen, ihn nicht erklären. Der
Grund liegt tiefer.

Man versetze sich nur in das Bewußtsein des Rhapsoden,
wenn er eine lange Reihe von Versen sang. Wie mußte er
sich zu diesem Besitze gelangt glauben? Er hat das Epos von
keinem Einzelnen empfangen, sondern vom Volke; die Tra=
dition ist eine fließende, nicht an bestimmte Geber anknüpfbare.
Anders verhält sich das Kind, dem wir eine Geschichte erzählen:
hier ist die Mutter, der Vater dem unmittelbaren Bewußtsein
des Kindes als Erzähler gegenwärtig; am Munde des Erzählers
hängt das mitempfindende Kind und kennt so die Quelle, den
verantwortlichen Urheber der Geschichte. Nur so und nur des=
halb kann das Kind den Erzähler bitten, unter Thränen bitten,
das Schicksal der Prinzessin zu ändern, wenn es ihm in der
für sein Bewußtsein von der Vorsehung, der Weisheit und
Güte des Erzählers abhängigen Form wehe thut.

Aehnlich und doch anders bei dem alten Dichter. Der
epische Sänger steht anders zu seinem Sange: er kennt den
Quell nicht, aus dem ihm das Lied zugeströmt ist, und wie er
in seinem Geiste ein ganzes Gedicht umfassen und einzeln ent=
rollen könne, das er doch nicht ungetheilt überschauen
kann — das ist und bleibt ihm unbegreiflich. Und es muß
ihm unbegreiflich bleiben, denn jeder größere Zusammen=
hang von Gedanken wird nur dann nach seiner inneren

Möglichkeit begreifbar, wenn man ganz allgemein von einer sogenannten Kraft Ahnung hat, vermöge welcher dieser wunderbare Zusammenhang hergestellt wird. So lange man aber die psychologische Kategorie Gedächtniß in ihrer rohesten Form nicht kannte, war keine Möglichkeit gegeben, eine Combination von Gedanken aus dem Menschen selbst erklären zu können: es mußte wie alles Große, Unbegreifliche von den Göttern stammen. Ist doch dieser Ausdruck nur die positive Scheinform für das inhaltig negative Urtheil: nicht aus dem Menschen.

Man kann nun fragen, ob es wirklich Zeiten gegeben habe, denen die Kenntniß von einer seelischen „Kraft", welche die einzelnen Vorstellungen bindet und festhält, vollständig gemangelt habe. Diese für den Psychologen gar nicht auffällige Thatsache wird uns in den ältesten Mythen unzweifelhaft erwiesen. Ein Dichter sieht sich in seinem Eigenthum gefährdet, weil sich das Gedächtniß eines Andern seiner Lieder bemächtigt hatte. (Grimm, Deutsche Mythologie S. 863.) Daß durch das Gedächtniß diese legitime Aufnahme fremder Vorstellungen möglich sei, diese Erkenntniß ist dem ältesten Dichter durchaus verschlossen.

In die griechische Welt wird die Vorstellung des Gedächtnisses erst von Simonides eingeführt. Nach ihm hat Plato die μνήμη als diejenige Thätigkeitsform der Seele entwickelt, welche den Proceß der Sinneswahrnehmungen allererst zu einem psychischen macht; sie „rettet" nach Plato's glücklichem Ausdruck im Philebus, die vielen Wahrnehmungen für das einheitliche Bewußtsein. Darum nennt er sie Rettung der Wahrnehmung (σωτηρία τῆς αἰσθήσεως). So lange aber die Kenntniß dieser Kategorie gar nicht vorhanden war, mußte jene wunderbare Reihe wohlgefügter Sätze, in der schon die ersten Dichtungen vorgetragen wurden, als außerhalb der menschlichen Möglichkeit liegend, als ein Geschenk der Götter angesehen werden.

Wie weit glaubt man in unseren erleuchteten Zeiten jene Naivetät überholt zu haben! Nun freilich, göttliche Inspiration in unfigürlichem Sinne nennt man die „Schöpfung" des Dichters

nicht mehr; der Dichter ruft auch nicht mehr in religiösem
Ernste die Muse an, daß sie das Werk mit ihrem Geiste an=
hauche; aber die mythische Vorstellungsweise hat sich doch nur
in nicht minder dunkle Kategorieen versteckt, sie hat eine andere
Form angenommen, ist auf eine dem Namen nach andere Sub=
stanz übertragen worden. Aus dem Gotte ist der Genius
geworden, und aus der Muse — das wird sich sogleich zeigen.
Die Vorstellung der Schöpfung, der Ausdruck wissenschaft=
licher Rathlosigkeit, ist geblieben. Nun kann das freilich
gar nicht Wunder nehmen! Empfinden wir doch Alle unver=
meidlich das Werk des Meisters in so energischer Realität, wie
irgend ein wirkliches Ding, eine Person, die unter uns lebt.
Ja, welchen Menschen kennen wir so genau, so durchaus er=
schlossen, wie den Hamlet oder den Faust? Die Charaktere
der Dichter tragen, wie Göthe von Shakespeare sagt, ihr
Herz in der Hand, sie gleichen Uhren, deren durchsichtiges
Zifferblatt das ganze Triebwerk sehen läßt. Wenn je das All=
gemeine in dem Besonderen durchsichtig erscheinen kann, so ist
es in dem Werke des Künstlers, in der Gestalt des dichterischen
Helden. Denn noch mehr als in dem physikalischen Versuche
können in dem Werke der Kunst alle Bedingungen abgeschieden
werden, welche die Entwickelung eines besonders darzustellenden
Processes stören könnten. Daher liegt etwas Wahres in dem
Satze, der Mensch der Dichtung offenbare den Gattungs=
charakter des Menschen. In der Natur nämlich läßt sich die
Wirksamkeit einer isolirten Kraft, d. h. einer scharf be=
grenzten Gruppe von Erscheinungen nicht leicht darstellen:
da herrscht immer das Gesetz der vielen Ursachen. Wegen
dieser Abstraction des Künstlers aber auf eine begrenzte Reihe
von Erscheinungen wird das Kunstwerk fest umrissen, allseitig
anschaubar, und dieser eindringliche Schein verleitet wieder zu
dem Vorurtheile, daß die Dichtung eine Schöpfung sei, die
ihren Grund in eigenen poeto=logischen Gesetzen habe.

Sind somit die Ansichten der genießenden Kunstempfänger
einer gefährlichen Verwirrung ausgesetzt, so wird dieselbe durch
die ebenso natürlichen Anschauungen der Dichter selbst von dem
Wesen ihres Schaffens noch erhöht. Befindet sich doch der

moderne Dichter fast in der gleichen Lage wie der alte Rhapsode; auch er weiß nicht, wie es zugeht, daß er dichte; auch er kennt den psychischen Proceß nicht, in dem er dichtet: er muß des=halb den im Grunde gleichen Mythos hegen und für eine wo=möglich wissenschaftliche Erklärung halten. Man höre Schil=ler's eigene Worte: „Dem Genie ist es gegeben, außerhalb des Bekannten noch immer zu Hause zu sein und die Natur zu erweitern, ohne über sie hinauszugehen .... es verfährt nicht nach erkannten Principien, sondern nach Einfällen und Gefühlen; aber seine Einfälle sind Eingebungen eines Gottes (Alles, was die gesunde Natur thut, ist göttlich), seine Gefühle sind Gesetze für alle Zeiten und alle Geschlechter der Menschen." Alles, was die gesunde Na=tur thut, ist göttlich! Also sind die Einfälle des Genies, als Eingebungen eines Gottes, Eingebungen der gesunden Natur. Was ist aber die „gesunde Natur"? Sollen wir bei der Physiologie die Antwort suchen? Was jedoch den Schlußsatz von dem Gesetzeswerthe der Gefühle des Genies betrifft, so weiß man: jede unklare Erkenntniß hat ihren Kanon und ihr Dogma.

Es hat wohl einiges Interesse zu beobachten, wie Schiller unter der Hand den Ursprung der genialen Entdeckung verschiebt. „Die verwickeltsten Aufgaben", sagt er an ebenderselben Stelle, „muß das Genie mit anspruchloser Simplicität und Leichtigkeit lösen; das Ei des Columbus gilt von jeder genialischen Ent=scheidung." Nun ist aber gerade das Ei des Columbus ein Exemplum gegen diejenigen, welche die Schwierigkeit einer „genialischen Entscheidung" unterschätzen und die „Leichtigkeit" derselben behaupten!

So sehr nun aber die Dichtung selbst ihrer äußeren Erscheinung und ästhetischen Wirkung nach den Dichter wie den Hörer zu dem Glauben an ihre eigenartige Natur verleitet, so wäre dieser Glaube doch längst zerstört, wie er längst erschüttert ist, wenn man ihn nicht durch eine unbezweifelte psycholo=gische Kategorie legitimirt hätte. Mangelhafte Psychologie ist es in den neueren Zeiten wie in den alten, die das Wesen der Dichtung verkennen ließ. Dort fehlte das Gedächtniß,

hier wird jenes große Gebiet des Vorstellens, das wir die
Kunst nennen, vertreten durch — die Phantasie.

Nun sind alle Fragen nach der Möglichkeit der Dichtung mit Einem Zuge abgeschnitten. Die Muse Phantasie
löst alle diese Räthsel, wie nur irgend eine psychologische Kategorie einen psychischen Vorgang erklärt. Hier liegt der
Grund des Uebels. Es ist nicht die Absicht, auf diese Frage,
welche in die tiefsten Probleme der Psychologie eingreift, an
diesem Punkte mit der Ausführlichkeit einzugehen, welche die
Wichtigkeit der Sache fordert: der Leser werde nur daran gemahnt, daß er über das Wesen eines psychischen Processes
Nichts weiß, wenn er eine Substanz erfunden, von welcher
dieser nach wie vor unbekannte Proceß ausgehen soll.

Damit man aber den klaren, wissenschaftlichen Werth dieser
bisher unbezweifelten Kategorie in eine strengere Erwägung zu
ziehen sich gewöhne, will ich hier, ohne der eingehenden Untersuchung dieses Problems vorgreifen zu wollen, eine kleine Muste-
rung über einige neuere Ansichten vom Wesen und Wirken der
Phantasie halten. Vischer's Aesthetik führe den Reigen.
Doch zuvor wenige Worte. Ich bin mir wohl bewußt, daß
ich gegenüber den anderweitigen großen Verdiensten, die die bisherige Aesthetik sich erworben hat, in der Kritik derselben an
dieser Stelle einseitig vorgehe; daß besonders das Werk F. Vischer's eine in die Tiefe des Standpunktes eindringende Würdigung fordert: aber ich glaube unter der ausdrücklichen Einschränkung, nicht das ganze Werk beurtheilen zu wollen, vom
Standpunkte der psychologischen Analytik aus an einem einleuchtenden Beispiele zeigen zu dürfen, was wir von jener
„Wissenschaft des Schönen" an psychologischer Klärung empfangen.

Nur durch die rückhaltlose Kennzeichnung des wissenschaftlichen Standes einer Frage kann die Kritik zunächst ihr Recht
geltend machen: so lange der Nothstand nicht unwiderleglich
veranschaulicht und allseitig zugestanden ist, weist man die Kritik
mit der Substanz der gegebenen Verhältnisse ab.
Darum muß man zunächst und allererst die Halbheit, die Lücken-
haftigkeit jener sogenannten Substanz darlegen und die Unzu-

friedenheit mit dem gegebenen Zustande des Wissens auf-
reizen. So lange die Ungeduld nicht rege geworden ist und
das Gefühl, daß es anders werden muß, geweckt hat, bleibt
jeder Versuch erfolglos, die gelehrten Verdichtungen aufzulockern;
der Kritik wird die Spitze abgebrochen und die Wissenschaft
schleicht ungefördert in den alten Gleisen.

Man höre Vischer über die Phantasie: „Das Schöne
kann nunmehr bestimmt werden als eine Vorausnahme des
vollkommenen Lebens, oder des höchsten Guts durch den Schein.
In der Anmerkung braucht, da kein Grund ist, hier zu
spannen und zu überraschen, wie in einem Roman
(wie verrätherisch für die wissenschaftliche Stimmung sind diese
Worte!), nicht verschwiegen zu werden, daß dieser Act die That
der Phantasie ist. Sie sistirt den unendlichen Fluß und
drängt ihn auf Einen Punkt, bannt ihn in die Einzelheit und
vollzieht so die große Anticipation, durch welche je auf einem
bestimmten Punkte vollendet erscheint, was nie und immer,
nirgends und überall sich vollendet."*)

Heißt das nicht Phantasie mit Phantasie erklären? Eine
dunkle Gruppe von Vorstellungen wird herangewälzt, die sich
an die ästhetischen Gefühlshüllen unserer Gedankenkreise an-
schmiegt, — — um in Jener Sprache zu reden; aber wo ist
da eine Spur von ernstem Streben nach Einsicht und Verständniß, von unbefangenem Eingehen in die Schwierigkeit der
Sache nach der theoretischen, der erkenntniß=theoretischen Seite?
Und das sagt man in einer Metaphysik des Schönen! Dabei nennt Vischer selbst die Phantasie ein Räthsel und erkennt die Nothwendigkeit, sie metaphysisch zu entwickeln. „Allein das Räthsel der Phantasie kann nicht gefunden werden,
wenn nicht zuerst metaphysisch entwickelt ist, wie hinter
ihrem Schein eine Wahrheit liegt, wie im großen Ganzen sich
allerdings verwirklicht, was sie als Einzelnes vorzaubert, —
oder: das Urbild kann durch die Phantasie nicht in Eins zu-
sammengezogen werden, wenn es nicht außer ihr im unendlichen
Ganzen wirklich ist und zwischen den Dingen schwebend sich

*) Aesthetik I. S. 145.

unabsehlich hindurchzieht. Die Phantasie schaut diesen
schwebenden Geist, wie ein geistreicher Leser zwischen
den Linien liest. Dieser objective Grund der Möglichkeit
der Phantasie ist nun, nachdem §. 10 und 13 als Thesis auf=
gestellt war, entwickelt" u. s. f.*) Man sieht, daß das Räthsel
der Phantasie bei den Absolutisten der Idee nur in der
allgemeinen Form der gedanklichen Selbstbewegung auftaucht,
um sofort in dem „objectiven Grunde der Erscheinung", in dem
„Urbilde" seine „metaphysische" Lösung abzufinden.

Wenn wir jedoch eine psychologische Lösung dieses
Räthsels wünschen, so ist zu sagen, daß in der Psychologie
selbst, sogar bei den Herbartianern, diese Kategorie nicht abge=
than, nicht aufgelöst ist. Zwar weiß man, daß die Phantasie
nur eine Form der Association der Vorstellungen ist,
aber sie gilt doch immer als eine besondere „Fähigkeit der
Seele". Und wenn wir auch diesen Ausdruck nicht drängen
wollen, so gilt sie doch immerhin als ein brauchbarer, ja unent=
behrlicher Gattungsbegriff.

Aber für die Arten, welche nach der seit Jahrhunderten
üblichen Klassification in der Phantasie zusammengehen, ist diese
auch kein guter Gattungsbegriff. Es gilt eine vollständige
Auflösung dieses Culturgebietes in die ursprünglichen psychischen
Processe, die in ihm krystallisirt sind; nur so wird eine heil=
same Ausscheidung der fremdartigen und eine förderliche Zu=
sammenordnung der verwandten Processe möglich. So lange
dies nicht geschehen, erscheint die Phantasie, so sehr man sich
in den principiellen Erörterungen dagegen wehrt, nichtsdesto=
weniger in den Detailentwickelungen als eine starre Potenz
der Seele, von welcher gelegentlich auch wohl durchaus ver=
schiedene Processe auslaufen.

Ich will hierfür aus Drobisch's empirischer Psy=
chologie einen Beleg anführen. Nach Drobisch ist die
Phantasie „die Fähigkeit der Seele, den Vorstellungen die
freieste Beweglichkeit zu ertheilen, sie hierdurch in die mannig=
fachsten Berührungen zu bringen und durch diese neue Ver=

---

*) Ib. S. 146.

bindungen zu vermitteln."*) Ich kann die Sache jetzt nicht zum vollen theoretischen Austrag bringen, darum will ich nur auf die Anschauungsweise aufmerksam machen, nach welcher die Phantasie im Vertrieb der Vorstellungen gleichsam das besondere Amt hat, „neue Verbindungen zu vermitteln." Man wird die Deutung zur Hand haben, daß mit dieser Annahme der Phantasie als einer so bewandten Fähigkeit der Seele, nichts Anderes gemeint sei, als die Subsumtion gewisser zu erklärender Erscheinungen unter eine allgemeine Kategorie. Aber um diesen Punkt gerade dreht sich aller Streit:

daß die Erklärung psychischer Erscheinungen nicht gesucht werde in der Subsumtion derselben unter das bequeme Dach eines Gattungsbegriffes, sondern daß die psychischen Processe selbst aufgelöst werden in ihre elementarsten Formen, in die einfachsten Vorgänge des Bewußtseins.

Wenn die Phantasie jene psychische Erscheinung erklären soll, welche sich in der mannigfaltigen Complication der Vorstellungen darbietet — dies wäre doch die nachgiebigste Deutung der angeführten Bestimmungen —: dann, ja dann erklärt die Phantasie Nichts; denn neue Verbindungen und mannichfaltige Berührungen zeigen sich in den Vorstellungen aller Art, nicht nur in den phantasiehaften. Dann überdacht die Phantasie die Mathematik nicht minder als die Poesie. Insofern sie aber beide erklärt, erklärt sie nicht die Poesie, die Kunst. Und doch soll sie ein „particuläres Talent" sein, worauf allein ihr Anspruch beruht, als psychologische Kategorie gelten zu dürfen. Wie formalistisch übrigens Drobisch auch dieses „particuläre Talent" substantialifirt, das ersehe man aus folgender Stelle: „Die Phantasie eines Dichters kann die glänzendste sein da, wo es gilt, menschliche Zustände zu schildern, aber es kann ihm dabei ganz und gar an musikalischer Phantasie gebrechen."**)

Dies ist aber durchaus nicht befremdend; das Gegentheil

---

*) S. 288.
**) Ib. S. 102—103.

müßte auffallen. Sind doch die musikalischen Bewußtseins-
formen andere als die dichterischen Vorstellungen: wie sollte
die Form der Bewegung in jenen beiden verschiedenen Gattungen von Formen des Bewußtseins die gleiche und in beiden
Individuen nothwendiger Weise anzutreffende sein?

Diese falsche Substanz, diese untergeschobene psychologische
Kategorie trägt den schwersten Theil der Schuld an der argen
Verwirrung, welche noch jetzt über die psychologische Natur der
Dichtung im Schwange ist. Diese leicht fertige Substanz hat
die Frage im Keime erstickt, welche vom Standpunkte des psychologischen Mechanismus aus gegen die „Schöpfung des
Genius" gestellt werden muß und so natürlich sich erhebt.
Und doch war es bereits Herbart selbst, der in klaren, ein-
bringlichen Worten vor der falschen Verallgemeinerung gewarnt
hat. „Ueberall", sagt Herbart, „werden die obersten Gattungsbegriffe mit der größten Dreistigkeit hingestellt; allein
überall fehlt die Achtsamkeit auf das Specielle und
die genaue Beschreibung des Einzelnen; und doch ist
es eben dies, worauf in einer empirischen Wissenschaft Alles ankommt! Oder hat schon Jemand vollständig nachgewiesen, wie sich die Einbildungskraft verschiedentlich in Dichtern, in Gelehrten, in Denkern, in Staatsmännern, in Feldherren äußere? Was den Verstand der Frauen,
der Künstler und der Logiker unterscheide?"

Ehe ich nun dazu übergehe, dieser Mahnung folgend, auf
die Einzelerscheinung der Phantasie in der Dichtung zu achten
und ihren Ursprung nach der Methode des psychologischen
Mechanismus zu entwickeln, scheint es gerathen, die Ansicht
eines Mannes über diese Frage zu beleuchten, der trotz der ge-
wichtigsten Einsprache in unverhohlenem Ansehen steht: Henry
Thomas Buckle.

Das Buckle'sche Werk „Die Geschichte der Civilisation in England" hat auch in Deutschland das allgemeinste Aufsehen erregt; und obwohl der Uebersetzer, Herr Ar-
nold Ruge, die deutsche Gelehrtenwelt darauf gefaßt gemacht
hat, daß Buckle mit der nachkantischen Entwickelung der
deutschen Philosophie durchaus unbekannt geblieben sei, so

hat dennoch selbst der erste Theil des Werkes, welcher die all=
gemeine Einleitung und die Principienlehre einer neuen Cultur=
geschichte enthält, sogar manches kritischere Auge durch die impo=
nirende Masse des ordnungsvoll zusammengeschichteten Materials
und den Freimuth der sittlichen Forschungsziele geblendet. Es
ist meine Absicht nicht, eine theoretische Untersuchung über die
Bedeutung der Buckle'schen Principien, über das, was seine
„socialen Naturgesetze" für Jemand zu bedeuten haben, der sich
nach einer ächten Culturgeschichte sehnt, bei dieser Gelegenheit
anzustellen: vielleicht führt es bequemer zu dem sicherlich nicht
ungerechten Ziele, die bis jetzt fast nur bewundernde Leserwelt
in eine verständig wachsame Lectüre dieses überaus anregenden
Werkes einkehren zu lassen, wenn die Prüfung der Methode
Buckle's an einzelnen Ergebnissen seiner Forschung voll=
zogen wird.

Was nun seine Ansicht vom Wesen und dem Ursprung
der Dichtung betrifft, so sehen wir ihn nur theilweise in den
Irrthümern befangen, welche ich als die gefährliche Disposition
zu der allgemein herrschenden unkritischen Betrachtungsweise
gekennzeichnet habe. Von einem ästhetischen Cultus des
Genius ist er frei, und durch die ganze Richtung seines
Geistes und seiner Studien mehr geneigt, auf die realistische
Forschung die geistige und sittliche Förderung der Menschheit
zurückzuführen, als auf die beliebte moralische Wirkung der
Werke der Phantasie. Wir erkennen in diesem Punkte eine
auffallende Aehnlichkeit Buckle's mit seinem großen Lands=
manne Bacon. Ich werde auf diese interessante Aehnlichkeit
zurückkommen. Buckle's Grundgedanke, die Schicksale wie
die Thaten des Individuums seien in ein allgemeines, allbe=
fassendes Gesetz einzuordnen, hat ihn vor einer dithyrambischen
Feier des Genius als einer eigenartigen Natur glücklich geschützt.
Wenn wir bei unseren großen Dichtern eine schiefe Auffassung
von dem Verhältniß des Einzelnen zur Gesammtheit gewahren,
so sehen wir Buckle dagegen nur zu sehr geneigt, den Spiel=
raum des Individuums, des größten wie des geringsten, gegen=
über den allgemeinen Bedingungen der historischen
Oekonomie bis zum Verschwinden zu verengen. Unseren

souveränen Plastikern, denen es gegeben dünkte, „die Natur zu
erweitern", deren „Gefühle" „Gesetze" schienen „für alle Zeiten
und für alle Geschlechter der Menschen", — war Eines nicht
gegeben: die Einsicht in den Grad der Abhängigkeit des
Einzelnen von der Gesammtheit, der individuellen Gefühle von
den Gesetzen der Zeiten und Geschlechter. Daher der Glaube,
daß „der Geist der Zeiten der Herren eigner Geist sei, in dem
die Zeiten sich bespiegeln." Ist denn aber jener Herren „eigner
Geist" ein so glatter Spiegel, daß man nur in ihn zu blicken
hätte, um jene grundgelehrte Verdichtung, die Göthe in dem
„Geist der Zeiten" mit Recht verspottet, in ihr strahlendes
Nichts aufgelöst zu sehen? Bleibt doch immer das „Buch mit
sieben Siegeln", dort auf der Seite der Zeiten, hier auf der
Seite der Herren. Oder stehen etwa die Herren außerhalb
der Zeit oder sind sie allein die Zeit, und ist es nicht vielmehr
ausnahmslos die Zeit, die Alles zeitigt, das Große, das wir
bewundern, wie das Kleine, das wir bewundern sollten?

Von diesen prächtigen Irrthümern, welche die theoretischen
Säulen der modernen Aesthetik bilden, ist allerdings bei Buckle
wenig Erhebliches zu vermerken. Denn, wie gesagt, gerade der
Grundgedanke seines ganzen Unternehmens ist der bis in's
Extrem getriebene Gegensatz gegen diese hergebrachte Art der
literargeschichtlichen Anschauungsweise. Aber trotzdem ist er in
Folge einer mangelhaften, einer gänzlich fehlenden Einsicht in
das Wesen der psychischen Processe gar nicht an das
Problem herangetreten, welches sich uns in derjenigen Verbindung von Vorstellungen entgegenstellt, die wir Poesie nennen.
Da er nun überdies von der Methode einer jungen Disciplin,
welche vorzugsweise in Deutschland gepflegt wird, wo sie erwachsen ist, keine Kenntniß gehabt zu haben scheint, so darf
es uns nicht Wunder nehmen, daß er in dieser Frage die aben-
teuerlichsten Ansichten zu Tage gefördert hat.

Bei Buckle sind Phantasie und Intelligenz zwei
entgegengesetzte Kräfte im menschlichen Geiste, die aber getrennt
von einander bei verschiedenen Völkern ausgebildet werden
können. Demnach theilt er die Naturerscheinungen, insofern sie
den Geist beeinflussen, in zwei Klassen ein: „1) die, welche

vornehmlich auf die Phantasie wirken, und 2) die sich an den
Verstand wenden, an die rein logischen Operationen der Intelligenz." (I. S. 103.) Wir wollen zunächst alle Fragen
gegen diese veraltete Klassification zurückdrängen und, indem
wir verstehen wollen, was Phantasie sei, zugeben, daß ohne
den bewältigenden Einfluß der Natur auch die Phantasie, die
Poesie nicht möglich gewesen wäre.

Weshalb hat aber gerade die besondere Art des Klima's
diejenige Phantasie erzeugt, welche wir ausschließlich die dichterische zu nennen gewohnt sind? Buckle bemerkt selbst gegen
den Biographen Newton's, daß nach seiner Ansicht „kein
Dichter außer Dante und Shakespeare eine erhabenere
und kühnere Phantasie gehabt habe als Newton."
Wie unterscheidet sich nun die Newton'sche Phantasie, die
nicht durch erschreckende Naturerscheinungen aufgeregt worden
ist, von der indischen, oder von der Phantasie derjenigen Länder,
in denen, wie in Italien und auf der pyrenäischen Halbinsel,
Erdbeben und vulkanische Ausbrüche häufig gewesen sind? Wie
unterscheidet sie sich ferner von der Shakespeare'schen? Denn
man wird wahrlich nicht einen nur grabweisen Unterschied in
beiden annehmen wollen.

An solchen Fragen nimmt Buckle keinen Anstoß.

Während also Buckle bei dem von ihm so genannten
„allgemeinen Gesetz" sich beruhigt, dem zufolge die Unterschiede in der Geistesbildung der Völker wie der Individuen
von den Naturerscheinungen abhängig sind, so daß erschreckende
Naturerscheinungen die Phantasie aufregen und eine poetische
Literatur erzeugen; müssen wir hingegen nach der Möglichkeit
der besonderen Arten dieser Literatur fragen, welche wir
als eine Form der Gedankenerzeugung fassen und nach
den Gesetzen derselben erklärt sehen wollen. Die Naturerscheinungen sind sicherlich von Einfluß auf die Gedanken; aber wie
wird aus den Naturerscheinungen der Unterschied in der Gedankenbildung eines Shakespeare und eines Newton erklärbar? Oder ist etwa Shakespeare in England eine „Ausnahme, die gegen das allgemeine Gesetz Nichts beweisen könne"?
Gäbe es in den Ländern der gemäßigteren Natureinflüsse nur

Einen Shakespeare, so würde diese Eine negative In=
stanz die ganze sogenannte Theorie umstoßen. Tritt nun gar
noch die Frage hinzu: wie kann Buckle ein Gesetz formuliren,
nach welchem gewisse Wirkungen auf eine Erscheinung geübt
werden, welche Erscheinung selbst gar nicht in isolirter Ob=
jectivität erkannt ist, deren Existenz gar nicht naturwissen=
schaftlich festgestellt ist, es sei denn auf Grund der rohesten
Vorstellungen? — so sieht man wohl, daß Buckle das eigent=
liche Problem gar nicht berührt, sondern eine — Trivialität als
ein sociales Naturgesetz ausgegeben hat. Solche „Naturgesetze"
führen nun aber in ihrer nüchternen Flachheit und bequemen
Anschaulichkeit die große Gefahr mit sich, daß sie flüchtigen
Köpfen den Schein der Befriedigung gewähren, während sie
das Problem in seiner Strenge umgehen. Eine Anwendung
dieser Kenntnißnahme auf den Gesammtcharakter der Buckle=
schen „Gesetze" soll hier nicht unternommen werden; der Leser
sei durch dieses Beispiel aber insgesammt zur Vorsicht gemahnt.

So schief die Methode Buckle's ist, so verfehlt ist das
Ergebniß, welches er durch dieselbe für die Frage nach dem
Ursprung der Poesie erreicht hat. Buckle hält die
Balladen für die ursprünglichste Poesie! „In sehr
früher Culturperiode und ehe ein Volk mit dem Gebrauch der
Buchstaben bekannt ist, fühlt es das Bedürfniß nach Etwas,
womit es im Frieden seine Muße erheitern und im Kriege
seinen Muth anspornen könne. Dies Bedürfniß wird
durch die Erfindung (!) von Balladen befriedigt. Sie
bilden die Grundlage aller historischen Kenntniß und
in einer oder der anderen Form finden sie sich selbst bei manchem
der rohesten Volksstämme" (I. S. 252.) „Die Wißbegierde
nach vergangenen Begebenheiten ist in der That so natürlich,
daß es wenig Völker giebt, denen diese Barden oder Sänger
unbekannt sind." Auf die Natürlichkeit der Wißbegierde
führt also Buckle die Thatsache zurück, daß bei allen Völkern
Menschen vorhanden sind, welche diese Begierde befriedigen;
als ob in der Begierde schon von Natur die Befrie=
digung eingeschlossen läge! Wie ist es denn aber diesen
Herren Barden beim besten Willen möglich, die Wißbegierde

ihrer geschichtsforschenden Zeitgenossen zu befriedigen? Wie ist
ihnen die „Erfindung" von Balladen möglich? Daß sie die
Wahrheit sagen sollen, verlangen wir nicht, und daß sie sie
nicht sagen können, steht überdies fest. Das haben wir ja
Alle von Voltaire schon gelernt, und Buckle selbst rechnet
diesem die Lehre zum hohen Verdienste an (I., 2. Abtheilung,
S. 282.), daß kein Volk über die Anfänge seiner Geschichte
Wahres wissen könne, daher alle ersten Urkunden Mythen-
sammlungen seien. Aber, wenn es auch nicht wahr ist, was
die Barden in ihren „Balladen, den Grundlagen der historischen Kenntniß" den wißbegierigen Völkern vorsingen:
woher nehmen sie diese Balladen? Glaubte Buckle
wirklich, daß die Wißbegierde, insofern sie natürlich sei, die
Befriedigung einschließe? Oder hat die „Grundlage der historischen Kenntniß" das Privilegium, ein angeborener Besitz des
menschlichen Geistes zu sein? Wenn aber, wie Buckle nach
Voltaire zugeben muß, jene „Grundlagen" falsch sind, Mythen
im alten Sinne, so ist dieses Privilegium des Geistes von sehr
zweifelhaftem Werthe: es bereichert uns mit Unwahrheiten.
Und der alte Satz: Es giebt keinen Geschichtsschreiber, der nicht
in Etwas gelogen habe (neminem scriptorum, quantum ad
historiam pertinet non aliquid esse mentitum) gewänne den
Charakter einer Nothwendigkeit, eines „socialen Natur-
gesetzes"!

Auf diese Fragen „nach der Methode der Metaphysiker"
geht aber der exacte Buckle gar nicht ein, und darum belehrt
er uns auch von Grund aus anders. „Diese Balladen sind
natürlich nach den Sitten und dem Charakter der verschiedenen
Nationen und nach dem Klima, in dem sie leben, verschieden
.... aber bei diesen Verschiedenheiten haben alle ihre Erzeugnisse einen gemeinschaftlichen Zug: sie gründen sich nicht
blos auf Wahrheit, sondern sind auch bis auf die
poetische Färbung alle vollkommen wahr." Wer seinen
Augen nicht traut, der überzeuge sich, indem er die ganze Stelle
auf S. 255 nachliest; er wird dort noch mehr des Ergötzlichen
finden. Einiges muß ich jedoch noch hierhersetzen.

„Unter einem Volke, ganz ohne Schrift, sind die Balladen-

sänger, wie wir schon gesehen haben, die einzigen Bewahrer
der historischen Thatsachen." (S. 256.) Aber nachdem
die Schreibkunst bekannt ist, ändert sich diese Sicherheit der
historischen Kenntniß, weil das Ansehen der Bardensänger ge=
schwächt wird, die durch ihre Tüchtigkeit die Treue der Tra=
dition verbürgten. „So sehen wir, daß obgleich ohne Buch=
staben keine recht (!) bedeutende Wissenschaft entstehen kann,
es dennoch wahr ist, daß ihre Einführung der historischen
Ueberlieferung auf doppelte Weise entschieden nachtheilig ist.
Erstlich, indem sie die Ueberlieferungen schwächt, und zweitens,
indem sie die Menschenklasse, deren Geschäft in ihrer Aufbe=
wahrung bestand, herunterbringt. Aber dies ist nicht Alles";
(diese zwei Dinge sind aber nur Eins. Denn für die Abnahme
der Barden=Autorität wird sich doch Buckle nur soweit inter=
essirt haben, als mit derselben die Ueberlieferung geschwächt
wird!) „Die Schreibekunst vermindert nicht nur die Zahl der
überlieferten Wahrheiten, sie ermuthigt auch geradezu zur Ver=
breitung von Unwahrheiten! Dies geschieht durch ein Princip,
welches wir das der Anhäufung nennen können, dem alle
Glaubenssysteme tief verpflichtet sind. In alten Zeiten z. B.
wurde der Name Herkules mehreren großen Räubern ge=
geben, die eine öffentliche Geißel der Menschheit waren und
die, wenn sie in ihren Verbrechen ebenso glücklich als abscheulich
waren, nach ihrem Tode sicher als Heroen verehrt wurden."
(Dabei citirt er mehrere Bücher über den Zusammenhang von
Herkules und Melcarth, wie er oben für die durchgehende Wahr=
heit der Balladen Niebuhr's Römische Geschichte citirt hat!)
„Wie diese Benennung entstand, ist ungewiß. Wahrscheinlich
war es zuerst der Name eines einzelnen Mannes und wurde
sodann denen beigelegt, die ihm in ihrem Charakter und in
ihren Thaten glichen . . Sobald diese Ueberlieferungen in ge=
schriebener Sprache festgehalten wurden, sammelte man diese
zerstreuten Thatsachen, und durch den nämlichen Namen be=
trogen, schrieb man einem einzelnen Manne alle diese Thaten
zu und erniedrigte die Geschichte zu einer Mytho=
logie voller Wunder." (S. 257.)

Man kann es bedauern, daß einem Manne von Buckle's

Forschungseifer ein so tiefes Mißgeschick in demselben Kapitel begegnet, in dem er über den kläglichen Zustand der historischen Literatur im Mittelalter so ergötzliche Beispiele vorführt. Wenn wir aber dieses Schauspiel einer völligen Umgestaltung des natürlichen Ganges der menschlichen Bildung und Denkthätigkeit nicht bloß bedauern, sondern erklären wollen, so genügt es nicht, darauf hinzuweisen, daß Buckle von der vergleichenden Mythologie keine genaue Kenntniß hatte. Denn bei deutschen Forschern, denen diese junge Wissenschaft ebenfalls unbekannt geblieben und bevor sie überhaupt bekannt geworden, finden wir doch eine so völlige Umkehrung des wahren Sachverhaltes nicht. Warum glauben nun diese nicht, daß die Geschichte die ursprüngliche Geistesthätigkeit der Menschen gewesen und daß sie in Folge gesellschaftlicher Verhältnisse zu einer „Mythologie voller Wunder erniedrigt" worden sei?

Der Grund dieser Buckle'schen Ansicht liegt tiefer, in der Natur des Buckle'schen Denkens überhaupt. Wenn die Deutschen die „Schöpfungen des Genius", die Werke der Phantasie in maßloser, unkritischer Weise bewundern, so werden sie durch die Einsicht verleitet, die sie über den Unterschied derselben von den gewöhnlichen Vorstellungscomplexen gewonnen haben: Buckle aber hat kein Auge für die feinen Abartungen, in denen sich die „unbegreiflich hohen Werke" von der allgemeinen Art abschnüren und allmählich eine neue Varietät bilden. Buckle hat kein Auge für die Einzelnheiten der Culturleistungen, für die Thaten und Schicksale des Individuums nach ihren kleinen mikroskopischen Abweichungen von dem gemeinen Typus, ihm verschwindet jede feinere Nuance vor den groben descriptiven Umrissen, die er um das gesammte Culturleben ziehen will. So verfallen auch die Dichtungen dem gemeinen Zwange der Natureinflüsse und der socialen Bedingungen. Da ist nichts Eigenartiges und nichts Eigenes: Alles Product der allgemeinen Verhältnisse, der „allgemeinen Gesetze, denen die besonderen Gesetze in ihrer Gesammtthätigkeit gehorchen müssen, denen sie unterworfen sind." Daher jener nüchterne falsche Realismus, daß die Dichtung Geschichte sei und daß durch eine Corruption der Geschichte die Dichtung entstanden sei.

Wie weit man bei einer so tiefen Unkenntniß der psychischen Processe, in welchen sich das Culturleben vollzieht und aufbaut, bei der Unkenntniß jenes Urprocesses, in welchem der Mensch dichtend zu denken, die ihn umgebende Natur zu verstehen, sich verständlich zu machen beginnt, wie weit man bei einer so beschaffenen Psychologie den prunkvollen Anspruch erheben kann, die Anfänge einer Culturgeschichte geliefert zu haben, das wird nach dieser Probe jeder irgend Urtheilsfähige selbst abmessen können.

Ein Engländer war es, welcher zuerst den Mangel und die Forderung einer Culturgeschichte gefühlt und ausgesprochen hat: Bacon. Buckle wollte diesem Mangel als der Erste abhelfen. Aber so wenig als Bacon hat auch Buckle nur verstanden, welche Probleme eine wahre Culturgeschichte sich zu stellen hat. Die dichtende Thätigkeit des Geistes vollständig zu ignoriren, dieser National-Charakterzug ist Beiden gemeinsam, bei Buckle, dem Manne des gereinigteren inductiven Wissens, nur noch schroffer ausgeprägt. Es wird vielleicht eine lehrsame Parallele sein, wenn ich hier in wenigen Worten die Ansicht Bacon's von dem Wesen der Dichtkunst mittheile.

Bacon läßt von der Dichtung nur die allegorische gelten. Die lyrische Poesie ist für ihn nicht vorhanden. Die Poesie muß Weltabbildung sein, obzwar phantasiegemäße. In den Gleichnissen ruht ihre Kraft. „Wie die Hieroglyphen älter sind als die Buchstaben, so sind die Parabeln älter als die Beweise." Darum steht ihm unter den nach ihm möglichen Dichtungsarten, der epischen, der dramatischen und der parabolischen, die letztere am höchsten. Die parabolische Poesie nämlich leitet uns durch ihre kräftigen Bilder am wirksamsten in die Wissenschaft ein, in welcher die Wirkung des Gleichnisses noch „heute" erhabener sei, da der wissenschaftliche Beweis nicht so durchsichtig, die Analogie nicht so anpassend sein könne; und nur soweit die Poesie der Wissenschaft dient, erkennt ihr Bacon Werth und Lebensfähigkeit zu.

Man sieht, es ist dies eine nüchterne Auffassung der heiligen Dichtung, der die Buckle'sche Auffassung der historischen Bal-

taben=Poesie sehr stammverwandt erscheinen muß. Und von einem
Zeitgenossen Shakespeare's könnte sie uns vielleicht nicht weniger
Wunder nehmen. Aber obwohl Bacon der Poesie unumwunden
den prosaischen Zweck setzt, daß sie die reale Welt nach den Anfor=
derungen der Wahrheit abbilde, wenn auch mit Berücksichtigung
der Wünsche des menschlichen Gemüthes, so entzieht er doch
der Phantasie nicht jeden Boden, und anstatt das Gleichniß,
dessen „erhabenere" Kraft doch nur darin liegt, daß es auf
dunkleren Vorstellungen beruht, zu verbannen, erkennt er dem=
selben auch heute noch eine tiefer gehende Wirkung zu als dem
Beweise, der auf klaren, geordneten Vorstellungen sich aufbaut
und deshalb klare Schlußvorstellungen weckt. Freilich ist es
nicht eine strenge wissenschaftliche That, wenn Bacon neben
dem theoretischen Geiste, dem die Weltbeschreibung und die
Welterklärung zufällt, die Phantasie insoweit in ihrem alten
Rechte beläßt, als sie sich in ihrer Art der Weltabbildung der
Wissenschaft nähert. Man begreift vielmehr, daß die Phan=
tasie als Grundvermögen der Seele *) nur angenommen
wird, weil die phantasiegemäße Weltabbildung in der Literatur
vorhanden ist. Aber es läßt sich doch wenigstens das versteckte
Bedürfniß erkennen, den bis heute unerklärten Proceß des
Dichtens nach seiner großen Bedeutung für die psychologische
Erkenntniß zu würdigen und ihn nicht leichtes Sinnes mit der
„Wißbegierde nach vergangenen Begebenheiten" in Einen Topf
zu werfen. Hier gilt doch die Poesie, zwar ethisch abgeschätzt
und verkleinert, immer noch als eine normale, andauernde
Thätigkeit des menschlichen Geistes und ist noch nicht zu einem
aller psychologischen Besonderheit entkleideten Mittel verflacht,
„im Frieden die Muße zu erheitern und im Kriege den Muth
anzuspornen". In dem Einen kommen Beide überein, daß die
ältesten Dichtungen Wahrheit enthalten, bei Bacon eine ver=
schiedenartige, bei Buckle nur eine, die geschichtliche. Bacon
hält die Sage vom Pan für ein kosmisches Sinnbild, die vom

---

*) Bei Gelegenheit dieses Ausdrucks will ich anmerken, daß Herr
M. Carrière „die Phantasie neben der Intelligenz und dem Willen
als dritte Grundkraft und Grundrichtung der Seele anerkennt."
Wissenschaftliche Vorträge, Vieweg, 1858, S. 263.

Perseus für ein politisches und die vom Dionysos für ein moralisches. Bei Buckle ist Herkules der Name eines Räubers, der einen Genossen gleiches Namens in benachbarten Provinzen hatte!

Wie konnten es sich aber die Menschen beikommen lassen, ihre Weisheit in Bildern zu verstecken, so daß sie viele Jahrhunderte unerkannt blieben, bis man endlich durch die Bilder hindurch den wahren Hintergrund sieht? Diese Frage fühlte Bacon nicht, so wenig als wir Buckle von der nicht minder natürlichen Frage berührt sehen, woher die Barden beim besten Willen zum „Erfinden" ihre historischen Urkunden nehmen konnten. Buckle begnügt sich mit dem Bewußtsein, daß das „Bedürfniß" nach einer wohlanständigen Beschäftigung im Frieden und einer Ermuthigung im Kriege „durch die Erfindung von Balladen befriedigt" werde und daß „die Wißbegierde nach vergangenen Begebenheiten natürlich" sei. Nun könnte aber noch Einer von dem Aberglauben befangen sein, daß innerhalb der großen Wellensysteme der Geschichte eine vereinzelte Welle eine eigene, fremdgestaltete Bildung für eine Weile behaupten könne, daß es innerhalb der umfassenden „socialen Naturgesetze" einzelne Erscheinungen gebe, welche für unsere Mittel der Unterjochung der Thatsachen unter die Macht unseres Verständnisses eine gewisse Autonomie starr bewahren: für einen solchermaßen veralteten „Zunfthistoriker" wird flugs der kühne Satz hinzugefügt: „alle diese Erzeugnisse haben einen gemeinschaftlichen Zug: sie gründen sich nicht bloß auf Wahrheit, sondern sind auch bis auf die poetische Färbung alle vollkommen wahr"! Es ist also reine Geschichte, keine besondere, „besonderen Gesetzen" etwa unterworfene Production des Geistes, welche sich in der ältesten poetischen Literatur darlegt. Nun ist jeder Zweifel gehoben: die alten Mythen sind ursprünglich Geschichte, und durch die „Anhäufung", eine Folge der gesellschaftlichen Berührung benachbarter Provinzen, „in Mythologie erniedrigt" worden!

Es war nicht des kritischen Behagens wegen, daß wir diese Buckle'sche Ansicht so genau durchmustert haben: sie steht in einem innerlichen Gegensatz zu der weltläufigen Mei-

nung, welche wir vorher geprüft hatten. Die allegorische
Geschichte der Balladensänger ist das straffe Gegenstück zur
schaffenden Phantasie des Genius, und es ist lehrsam,
jene beiden Extreme scharf in's Auge zu fassen. Wenn es
glückt, so trifft der Blick auf seiner Bahn vom einem zum andern auf den Springpunkt der Dichtung. Welche Ansicht
diesem Punkte näher liegt, ist schwer zu bemessen; aber, wenn
einmal gewählt werden soll, so will es scheinen, als ob die
nüchterne Ansicht, welche für die Dichtung einen gemeinsamen
Ursprung mit allen anderen Culturgattungen vermuthet, trotz
ihrer Irrthümer die methodisch geradere sei. In der Geschichte
der Meinungen wenigstens hat sie sich als die förderlichste erwiesen.

Dieser Gedanke, daß Ein gemeinsames Gesetz für alle
Gedankenbildungen der Menschen vorhanden sein müsse, von
dem unmittelbarsten Ausdruck der natürlichen Empfindung des
Idioten bis zur hochentwickelten Darstellung der tiefsten Gedanken bei Denkern und Dichtern, — dieser Gedanke hat als
Ahnung zu allen Zeiten die Menschen gestreift, und von ihm
aus hat sich schon früh im griechischen Alterthum die Meinung
gebildet, die von Plato ausgeht und von Aristoteles durchgeführt worden ist: die Poesie sei Nachahmung (μίμησις).
Von besonderem Werth für die psychologische Erkenntniß scheint
mir vornehmlich die platonische Ansicht zu sein, insofern sie auf
die gleiche Natur der Kunst als einer Gedankenthätigkeit
mit allen anderen Arten des Denkens nachdrücklich hinweist.
Wenngleich manchmal von ethischen Rücksichten aus das Wesen
und die Bedeutung der Kunst bei Plato verkleinert, weil einseitig gewürdigt erscheint, so hat dies erstens seine tiefe sittliche
Wahrheit, die wir noch heute gut thun würden, nach ihren
innerlichen Motiven und ihrer ungeschwächten Tragweite uns zu
Gemüthe zu führen; dann aber auch schmälert diese Einseitigkeit,
die in manchen Wendungen, wie nicht geleugnet werden soll, die
objective Beurtheilung krümmt, das hohe Verdienst nicht, das
Plato durch die Einordnung der Kunst unter die allgemeinen
Gedankenbildungen sich erworben hat. Nur gradweise ist bei

ihm die „bilderschaffende Kunst" von der „ideenschaf=
fenden Philosophie" verschieden.

Der ruhigen Beobachtung mußte sich diese Wahrnehmung
schon im Beginn der Reflexionen über das Wesen der Kunst
darbieten. So fest und vollkräftig die Helden des Liedes, die
Kämpfer des Drama's gestaltet waren: sie waren doch sämmt=
lich der Volkssage entnommen, die in Aller Munde lebte,
oder Gedanken, die in der Zeit lagen, oft sogar als Parteiworte
das gesammte Volk bewegten (Areopag — Eumeniden!); Hand=
lungen, die entweder nach der allbekannten Sage in der my=
thischen Vorzeit geschehen sein sollten, oder nach treuem Be=
richte, wohl auch nach eigener Erfahrung von den Vätern, den
Zeitgenossen selbst gethan worden waren, wurden jenen Helden
angedichtet: der Zusammenhang der Dichtung mit dem gemein=
samen Boden des Vaterlandes und seiner Geschichte war zu
offenbar gelegt, als daß die Meinung sich nicht hätte bilden
müssen, der Dichter ahme die Wirklichkeit nach. Die Ur=
bilder waren zu sehr bekannt, als daß sich die Lehre von der
künstlerischen generatio spontanea ohne Widerspruch
hätte erhalten können. Es bedarf wohl aber nicht ausführlicher
Auseinandersetzungen, daß für die hier angeregte Kritik von
Seiten des Gedankens der Nachahmung in der platonischen
μίμησις nur Andeutungen gefunden werden.

Ein Fortschritt läßt sich sonach in dieser Fassung der
Kunst unter dem Charakter der Nachahmung gegenüber der
verbreiteten Ansicht von der Urzeugung des Künstlers nicht ver=
kennen; aber auch diese Auffassung bietet keinen aufklärenden
Einblick in das Wesen der Dichtung. Ist es denn eine Nach=
ahmung, wenn der Dichter sagt:

> „Ein Fichtenbaum steht einsam
> Im Norden auf kahler Höh'.
> Ihn schläfert, mit weißer Decke
> Umhüllen ihn Eis und Schnee.
> Er träumt von einer Palme,
> Die fern im Morgenland
> Einsam und schweigend trauert
> Auf brennender Felsenwand."

Giebt Heine hier eine nachahmende Beschreibung von den
geographischen und physiologischen Bedingungen, nach denen
der Fichtenbaum im Norden wächst und im Winter von der
Schneedecke in seiner natürlichen Wärme geschützt wird, der
Palmenbaum aber in der Sonnenhitze des Südens gedeiht?
Oder giebt der Dichter eine nachahmende Beschreibung von
einem wirklichen Vorgange, wenn er sagt, daß es den Fichten=
baum schläfert, daß er träumt, und daß die Palme schweigend
trauert? Mögen jedoch diese Einzelfragen vorerst noch auf sich
beruhen; wie steht es im Allgemeinen um den Charakter der
Nachahmung?

Wäre — das ist der allernächstliegende Einwand — durch
das Moment der Nachahmung das Wesen der Dichtung er=
schöpft: nun, so wäre die Dichtung um so vollkommener, je
treuer, je unselbständiger die Nachahmung ist. Und doch sagt
Aristoteles, der das Verdienst hat, die Dichtung unter diesen
Gesichtspunkt in strenger, systematischer Form gebracht zu haben:
Wäre es nicht dieser gemeinsame Zug, der das Wesen der
Dichtung ausmacht, „so hätten wir keinen gemeinsamen
Namen für die platonischen Dialoge und die anderen
Epen." Er nennt nicht den Herodot, oder gar die Logo=
graphen Ependichter, die doch viel treulichere Nachahmer der
wirklichen Dinge und der Geschichte waren. Wissen wir doch
im geraden Widerspruch hierzu, daß das Bewußtsein der
Nachahmung den ästhetischen Genuß aufhebt. Man vergleiche
Kant's Kritik der Urtheilskraft, das Kapitel vom intellec=
tuellen Interesse am Schönen, und Schiller über naive und
sentimentalische Dichtung (zu Anfang).

Es muß demnach in dem Begriff der Nachahmung neben
dem positiven Moment des Aehnlich=machens noch das nega=
tive des Nicht=gleich=machens liegen. Dieses Moment, negativ
für die nachzuahmenden Dinge, muß an sich betrachtet positiv
sein, eine eigene, volle Bestimmung enthalten; sonst könnte es
nicht gewisse Arten der Nachahmung ausschließen. Welches ist
dieses letzlich differenzirende poetische Moment? Wilhelm
von Humboldt beschreibt es. „Die Dichtkunst vermag uns
in einen Mittelpunkt zu stellen, von welchem nach allen

Seiten hin Strahlen in's Unendliche ausgehen."*) Ich kann mich nicht enthalten, die schönen Worte hierher zu setzen, in denen Bischer**) den Humboldt'schen Gedanken anschaulich macht: „Ueber Homer's, Shakespeare's, Göthe's Gestaltungen meint man ein wunderbares Zittern mystischer Luftwellen wahrzunehmen, Zauberfäden, die von dem klar Begrenzten in das Unendliche hinauslaufen, es ist eine Aussicht, wie von einem festen Punkte auf das Meer; es scheint alles Große, ewig Wahre herzuschweben, um sich in den geschlossenen Kreis des Gedichts zu fangen und wieder hinauszurinnen in alle Weite."

Auch in dem angezogenen Gedichte Heinrich Heine's ist diese Forderung erfüllt. Der begrenzte Kreis des Baumes ist zur unendlichen Sphäre fühlender Wesen erweitert. Der Baum ist, wie Heine anderwärts sagt, „von seinem Pflanzenthum erlöst, zur Seele emporgeküßt."

So gehen von der begrenzten Erscheinung einer Pflanzenindividualität Strahlen in's Unendliche lebender Wesen. Ein unsagbares Gefühl wird in ein Individuum gelegt, von dem es in die ganze Welt ausströmt, weil es von der ganzen Welt als ihr innerstes Geheimniß angezogen, eingesogen wird.

Man sieht, wir sind zu einer tieferen Fassung des Problems gekommen, aber nicht zu einer helleren Klärung, geschweige zu einer bündigen Lösung. Die Frage nach dem Was der Dichtung ist tiefer gedrungen, sie hat sich aber noch nicht zum psychologischen Wie zugespitzt. Wir fühlen es weiter und voller, begreifen es aber nicht deutlicher, worin das Wesen der Dichtung liegt, was ihre Natur im Innersten ausmacht.

Daß die klassische Periode der deutschen Dichtung unfähig war, dieses Wesen klar zu legen, haben wir bereits gesehen, wie auch, daß es der ästhetischen Kritik, die sich an die großen Dichter anschloß, ebensowenig gelungen ist. Die Philosophie des Schönen, die von einer absoluten Idee ausgeht, kann es nur zu einer sogenannten logischen Entwickelung der endlichen schönen Erscheinungen aus der absoluten Idee des Schönen

---

*) Aesthetische Versuche S. 30.
**) Aesthetik Bd. V. S. 1170.

bringen. Woher ist aber diese absolute Idee des Schönen ge=
kommen? Das darf man nicht fragen: Niemand kennet ihre
Spur. Doch Einer: der Metaphysiker! Woher hat aber der·
sie? — Ja, das hat der Aesthetiker nicht zu untersuchen! Das
sagt auch Vischer: Die absolute Idee ist auch seiner Aesthetik
Voraussetzung, welche in der Metaphysik ihre Begründung
findet. „Die Aesthetik lehnt sich an die Metaphysik
und setzt als durch diese begriffen die absolute Idee
voraus."*) Bei dieser Anlehnung kam man aber über den
Dualismus von Kunst und Wissenschaft, soweit man
ihn empfand, nicht hinaus. Und man empfand ihn. Aber wie
suchte man ihn zu überwinden? Wenn Schiller sagte: „Der
Philosoph sei nur ein halber, der Dichter der ganze Mensch",
— so sagte Schelling: „Die Philosophie, so wie sie in der
Kindheit der Wissenschaft von der Poesie geboren ist, wird
nach ihrer Vollendung in den Ocean der Poesie zurückfließen."
Eine schöne Aussicht für eine Wissenschaft, die nach Klarheit
der Begriffe ringt, im Meere der Gefühle nach jahrtausende=
langen Kämpfen zu ertrinken! Der Spinozist Schelling
sucht im Pankalon die Vereinigung jener großen Gegensätze,
die nur dann aufgehoben werden können, wenn sie bis in ihre
letzten Consequenzen ausgezogen werden.

Wie ich nun die Frage nach dem Wie der Dichtung in
Folgendem fassen werde, wird die Kluft in's Unvergrößerbare
erweitert, und darum, wie ich hoffe, zugleich geschlossen werden.
Der durchgreifendste Unterschied nämlich zwischen der poetischen
Gedankenbildung und jeder anderen Combination ist dieser,
daß der Dichter Dinge und Verhältnisse denkt, die nicht vor=
handen sind, oder wenigstens in der Weise nicht vorhanden sind,
in der sie der Dichter denkt. Der Dichter selbst ist sich der Un=
realität seiner Dinge bewußt, er macht aber nicht nur nicht den
Anspruch an sich, adäquate Vorstellungen von den Dingen zu
bilden, sondern er geht gerade darauf aus, zu erfinden: dich=
ten ist erdichten. Wie ist diese Getheiltheit des Be=

---

*) Aesthetik I. S. 47.

wußtseins nach unseren psychologischen Annahmen
möglich?

Während für alle Gedankencombinationen jener oberste Grund=
satz gilt, daß die Vorstellungen den Dingen entsprechen müssen,
auf welche als die ursprünglichen Reizquellen sie sich beziehen,
machen wir von diesem obersten Princip für die Poesie eine
Ausnahme. Mit welchem Rechte? Man mißverstehe doch ja
die Frage nicht, die nicht vom Standpunkte der formalen Logik
gestellt wird und nicht dahin geht, den alten Streit zwischen
Wahrheit und Dichtung, zwischen Philosophie und Kunst zu
Gunsten der einen von beiden zu schlichten. Die Frage ist
rein psychologischer Natur, d. h. sie steht auf der Hypothese
von der Einheit des Bewußtseins.

Mag das Gleichniß von erhabenerer Kraft sein als der
wissenschaftliche Beweis, mag die Poesie eine tiefere Wahrheit
bieten als die gesammte Metaphysik; vielleicht ist in der That
die Kunst eine höhere Offenbarung der Humanitätsidee, eine
tiefere Durchdringung des Sinnlichen durch das Uebersinnliche,
eine befriedigendere Auflösung der realen Mißklänge in eine ewige
ideale Harmonie, — — trotz alledem halte ich die Frage nach
dem Was der Dichtung, die sich sogleich in die Frage nach
dem Wie verschärfen wird, von dem Standpunkte aus aufrecht,
demgemäß alle unsere Vorstellungen nach mechanischen Ge=
setzen gebildet werden.

Wenn wir einen Tisch sehen und sofort als solchen er=
kennen, so hat dies darin seinen Grund, daß sich die bereits
in unserem Bewußtsein vorhandene Vorstellung von einem Tische
mit der neuen Vorstellung verbindet, die die momentane Ge=
sichtsempfindung der einzelnen Theile, die sich zur Vorstellung
Tisch sammeln, im Bewußtsein weckt. Die alte, schon vorhan=
dene Vorstellung war aus denselben Elementen zusammenge=
gangen, die wir jetzt von Neuem aufnehmen. Indem sich nun
die neuen Reize in der Einheit des Bewußtseins zur Vorstel=
lung consolidiren, verschmilzt dieselbe mit der bereits vorhandenen.
Diese alte Vorstellung ist das apriorische Element, d. h. das
psychologisch frühere; und die neue Vorstellung ist das
aposteriorische Element, d. h. das psychologisch spätere,

aus deren beider Zusammenwirkung die neue Vorstellung wird.
Diesen Act der Vorstellungsbildung nennen wir die Apper=
ception. Wer mit dem Wesen derselben noch nicht hin=
reichend vertraut sein sollte, den verweise ich ein für alle Mal
auf den Artikel „Geist und Sprache" in Lazarus' Leben
der Seele. Zur schnelleren Verständigung sei in Kurzem Fol=
gendes in Erinnerung gebracht.

Die alte Vorstellung muß die neue an sich ziehen, wenn
sie in das Bewußtsein eintreten soll. Kann aber wegen der
Ungleichheit mehrerer Elemente eine völlige Verschmelzung nicht
erfolgen, so entsteht die Apperception unter verschiedenen Formen,
durchaus nach Maßgabe des Verhältnisses zwischen den gleichen
und ungleichen Elementen, welche letzteren die Zusammenbewe=
gung hemmen. Einzelne Vorstellungselemente, die gleichen,
werden in den Verband gezogen, andere, hemmende bleiben aus=
geschieden und bilden eigene Complexionen. So entstehen Ver=
flechtungen. Habe ich z. B. in einem Zimmer einen runden
Tisch gesehen und sehe nun einen viereckigen, so werden diese
Vorstellungen nicht ganz verschmelzen, weil die ungleichen Ele=
mente, welche die Gestalt dieser Complexe betreffen, die völlige
Vereinigung hemmen; aber eine Apperception ist dennoch wegen
der überwiegenden Anzahl der gleichen Elemente in beiden Vor=
stellungen möglich, ja nothwendig: darum nenne ich den vier=
eckigen Tisch, sobald ich ihn sehe: Tisch; die neue Vorstellung
wird von der alten angeeignet, appercipirt. Es kommt hierbei
wesentlich auf die Festigkeit und Dauer an, welche die alte Vor=
stellung selbst im Bewußtsein gewonnen. Die Festigkeit der
alten Vorstellung compensirt das Verhältniß der Elemente in
beiden Vorstellungen, der appercipirenden wie der zu apper=
cipirenden. Je oberflächlicher eine Vorstellung im Bewußtsein
sitzt, desto geringer ist ihre Apperceptionskraft; desto größer
muß demnach die Zahl der gleichen Elemente sein, die zur Ver=
schmelzung drängen. Hat aber eine apriorische Vorstellung alten,
festen Stammsitz im Bewußtsein, so ist sie im Stande, neu
sich bildende Vorstellungen, selbst bei geringer Gleichheit der
einzelnen verschmelzbaren Elemente, schnell und kräftig anzuziehen.
Die große Menge mannichfaltiger Apperceptionen,

die auf eine Substanz übertragen werden, findet in diesem Umstande ihre Erklärung. Ebenso aber beruht hierauf die Möglichkeit der vielen unzähligen Verflechtungen.

Die Vorstellungen werden demnach nicht etwa, wie es der kurzsichtigen Meinung dünkt, willkürlich gebildet: nach einem in seinen Grundformen bestimmbaren Mechanismus werden sie hervorgezogen und zurückgedrängt. Sehe ich einen Baum, so muß ich ihn als Baum erkennen, ich mag wollen oder nicht. Sehe ich einen Gegenstand hingegen zum ersten Male, so frage ich unwillkürlich — die Frage kann schweigend im Bewußtsein gestellt werden: Was ist das? Die Antwort ist: — die Apperception. Diese Antwort wird nun unbedingt nach Maßgabe der im Bewußtsein vorhandenen apriorischen Bedingungen erfolgen müssen, die je nach der Gleichheit ihrer Elemente mit den neu andringenden diese letzteren anziehen. Die adäquate Auffassung, die normale Gedankenerzeugung ist also nicht früher ein logisches Gesetz, als eine psychologische Nothwendigkeit. Wir müssen uns zwingen, den Baum einen Mann zu nennen; und indem wir es thun, fühlen wir die Wirkung der psychischen Hemmung in der unvermeidlichen Vorstellung der Inadäquatheit. Wenn uns die Wahrheit gar nicht am Herzen läge, wenn wir gar kein Interesse an der logischen Adäquatheit der Vorstellungen mit den Dingen hätten, so würden und müßten wir dennoch den beständigen Antrieb fühlen, Vorstellungen von den Dingen zu bilden, die denselben gemäß sind, deren Elemente den apriorischen Elementen entsprechen und von ihnen angezogen werden, um eine neue Vorstellung zu erzeugen. Das ist das allgemeine psychologische Gesetz, das für alle Vorstellungen gelten muß.

Von den Dingen Vorstellungen bilden, die den Dingen nach unserem eigenen Bewußtsein nicht entsprechen, ist darum von Natur unmöglich, kann nur mit bewußter Absicht geschehen. In Wahrheit geschieht es gar nicht. Die nach Maßgabe unseres Bewußtseins adäquaten Vorstellungen werden in der That von den betreffenden Dingen gebildet; dann aber werden andere anderen Dingen adäquate Vorstellungen erzeugt und diese letzteren Vorstellungen werden auf jene ersteren Dinge

übertragen. Nun glaubt man, wir hätten willkürlich inadä=
quate Vorstellungen gebildet, während, was man willkürlich
nennt, nur auf die Uebertragung einen Bezug hat. Diese
Möglichkeit der Uebertragung, wie sie in der Lüge wirklich
wird, streitet in keiner Weise gegen unsere psychologische Grund=
annahme, welche so weit entfernt ist, die Consolidirungsfähigkeit
einer Vorstellung zu leugnen, daß sie dieselbe vielmehr erweist.
Ist aber eine Vorstellung vollständig consolidirbar, so wird sie
für das Bewußtsein bei ihrer geschlossenen Haltung gleichsam
zu einem äußeren Dinge, sie wird eine selbständig subsistirende
Vorstellung, eine innerlich anschaubare Substanz. Und wie
man ein Ding von seinem rechten Platze auf einen ungehörigen
setzen kann, so kann man eine Vorstellung auf ein inadäquates
Ding beziehen. Eine solche absichtlich falsche Beziehung ist
— die Lüge.

Wenn man mit dem Gedanken sich vertraut machen kann,
daß das Ding in seinem letzten Grunde auf einen flüssigen
Complex von kleinsten Reizen zurückgeht, so wird das
Folgende sich, ohne Anstoß zu erregen, in den Zusammenhang
einfügen. Wenn die Dinge nur die relativen Reizquellen
sind für die wechselnden Vorstellungen, so ist es leicht verständ=
lich, daß wir Vorstellungen von Dingen bilden können, die den
sogenannten Dingen nicht entsprechen, weil wir eben diejenigen
Dinge, als welche sie nach besserer, gediegenerer Apperception
zusammentreten, nicht erkennen, nicht appercipiren, sondern sie
gemäß denjenigen Bedingungen aufnehmen, die in unserem Be=
wußtsein appercipiren können, gemäß den apriorischen Vorstel=
lungen, die in unserem Bewußtsein gelagert sind. So sehen
wir Alle ein Blatt, empfangen die Gesichtsempfindung von jeder
einzelnen Faser desselben, jedem Einschnitt und jeder Biegung:
warum haben wir dennoch von dem Blatte jene volle, detaillirte
Vorstellung nicht, die der Botaniker hat? Weil nur im Be=
wußtsein des Botanikers die apriorischen Elemente leben, welche
geeignet sind, die neuen Gesichtsempfindungen des Blattes zu
appercipiren. Daß aber ein Blatt ein Blatt und kein Fächer
ist, das wissen wir alle, obwohl beide wehen; wir müssen es
als solches erkennen, weil auf die Auffassung der allgemeinsten

Verhältnisse des Blattes die appercipirenden Elemente vorbe=
reitet sind. Ebenso kennen wir den Unterschied zwischen Baum
und Mensch. Wir reproduciren mit der Vorstellung Baum auf
der Stelle die Vorstellungen: wachsen, blühen, welken u. s. f.
An die Vorstellung Mensch sind gebunden die Vorstellungen:
empfinden, gehen, denken, träumen u. s. f.

Wie ist es aber möglich, daß der Dichter mit der Vor=
stellung Baum die Vorstellung des Träumens verbinden kann?
Wie kann sich der Dichter den Baum als fühlend denken?
Wie kann Heine von dem Fichtenbaume sagen, er träumt
von einer Palme, die schweigend trauert? Wie kann er den
psychischen Proceß der Sehnsucht auf Dinge übertragen, denen,
wie er selbst mit vollem Bewußtsein erkennt, jene Vor=
stellungen inadäquat sind?

Oder sollte er nicht mit vollem Bewußtsein die falschen
Apperceptionen vollziehen? Sollten die dichterischen Apper=
ceptionen etwa gar Hallucinationen, Erzeugungen sub=
jectiver Sinnesbilder sein, welche ohne unmittelbaren Reiz
von Außen nach Außen projicirt werden, oder vielleicht
nur Illusionen, falsche Deutungen äußerer Objecte,
wirklich vorhandener Reizquellen? Die Thatsache der Hallu=
cination würde noch keineswegs die des Irreseins einschließen.
„Die vielfältigsten Erfahrungen zeigen vielmehr, daß ge=
rade im Leben geistig hochstehender und ausgezeichneter
Menschen von verschiedenster Geistesrichtung und Gemüths=
art, namentlich aber von sinnlich warmer und kräf=
tiger Phantasie, Ereignisse der erwähnten Art sich finden.
Tasso, der in Manso's Gegenwart jenes lange Zwiegespräch
mit seinem Schutzgeist führte, Göthe's bekannte (hechtgraue)
Selbstvision und seine phantastisch sprossenden idealen
Blumen, Walter Scott's Erscheinung, die ihm seinen ver=
storbenen Freund Byron in den Falten eines Vorhangs vor=
führte, Jean Paul's zum Fenster herabsehender kindlicher
Mädchenkopf, Benvenuto Cellini's Sonnenvision mögen
als Beispiele aus dem Leben von Künstlern gelten. Spinoza,
Pascal hatten Hallucinationen, Van=Helmont sah seine
eigene Seele als ein Licht mit menschlichem Gesicht, Andral

erzählt von sich selbst ein Gesichts-, Leuret aus eigener Erfahrung ein Gehörsphantasma."*)

Ich kann hier nicht auf das Capitel der Hallucinationen
in Betreff ihrer psychologischen Natur näher eingehen: nur
soviel will ich sagen, daß unsere Frage durch diese Erscheinungen
nicht erledigt wird. Denn jene erwähnten Hallucinationen
kamen nur vereinzelt in Folge besonderer psychischer Anlässe
vor: die dichterische Apperception ist eine beständige, durchgehende. Oftmals wiederkehrende, andauernde Hallucinationen
aber sind nicht blos Veranlassungen künftiger, sondern Symptome
bereits vorhandener krankhafter Gehirnreizungen. Wenn nun
schon die dichterischen Apperceptionen, von dieser Consequenz
ganz abgesehen, Hallucinationen nicht genannt werden dürften,
weil der Dichter nicht an die Realität derselben glaubt, so ist
es wohl auch kaum eine Illusion zu nennen, eine falsche
Deutung objectiver, d. h. für seine thatsächliche Apperception objectiver Verhältnisse, wenn der Dichter das ein-
same Wachsen des Fichtenbaumes und der Palme in ein ge-
schlechtliches Sehnsuchtsverhältniß umdeutet, während er die
normale, richtige Apperception ganz entschieden gleichzeitig appercipirt, sich also der Inadäquatheit der dichterischen durchaus
bewußt ist. Man könnte geneigt sein, diese ganze Abwehr für
eine überflüssige zu halten, weil der Unterschied zwischen der
dichterischen Apperception und der geisteskranken Illusion specifisch sei. Man wird darüber anders denken, wenn man folgende Meinung Griesinger's hört: „Es fragt sich, ist diese
Differenz eben darum eine specifische oder nur eine gradweise?
Im ersten Falle würde bei der Hallucination ein besonderer
Act mitwirken, der bei der genannten Phantasieerregung fehlte.
— Ich halte die Annahme einer blos gradweisen
Differenz für richtiger, denn wir sehen aus der genauen
Beschreibung der Hallucinationen, wie uns die Geisteskranken
solche geben, daß sie doch von der allerblassesten und schatten-
haftesten Erscheinung bis zur größten sinnlichen Lebendigkeit

---

gehen können, und es dürfte die künstlerische Phantasie=
erregung nicht besonders selten bis zur, wenn auch
leisen und blassen sinnlichen Erscheinung gehen."*)

Dieser Annahme gegenüber halte ich meine Frage nach
dem Wie der Dichtung, das wir nun in seiner ganzen Schroff=
heit aus dem Was heraus entwickelt haben, dennoch aufrecht:
auf gradweise Differenzen läuft eben Alles auseinander. Spe=
cifische Scheidungen dürften überall in der Natur bestritten
werden können. Wenn wir nun sehen, daß in der Mehrzahl
der Fälle krankhafte Veränderungen der betreffenden Sinnes=
werkzeuge oder anderer Organe als die Veranlassungen oder
wenigstens die begleitenden Umstände jener pathologischen Er=
scheinungen constatirt werden können, während bei den dichte=
rischen Apperceptionen weder jene krankhafte Reizung, noch jene
krankhafte Veränderung der Organe nachgewiesen ist, so macht
dies einen Unterschied. Daß er gradweise sei, schwächt seine
Bedeutung nicht. Denn gradweise nur ist Alles verschieden,
von den großen Naturreichen herab bis in die engsten Verhält=
nisse der Functionen einzelner Individuen und ihrer Organe.
Aber nach jenen gradweisen Unterschieden eben forschen wir.
Die echte Forschung bleibt nicht stehen, wenn sie die zu erken=
nenden Dinge bis auf eine kleine Strecke einander genähert
hat: weshalb und wodurch in jener kleinen Strecke die Macht
liegt, jene Dinge in scheinbar so ferne Culturgebiete, so aus=
einander liegende psychische Erscheinungen zu spalten, — das
ist das tiefere Interesse der psychologischen Wissenschaft. In
diesem Sinne also frage ich: da die dichterische Apperception
von der Hallucination gradweise verschieden ist, wie ist sie als
psychischer Proceß möglich, als welcher sie den Gesetzen des
psychologischen Mechanismus unterworfen ist, denen die Hallu=
cination ihrerseits nicht oder nur mit pathologischer Beschrän=
kung unterliegt? Wenn der Dichter nicht gleich dem Halluci=
nanten in dem Fichtenbaum einen Mann sieht, wie ist es bei
dem Zwang des psychischen Mechanismus, bei der Ein=
heit des Bewußtseins möglich, daß er dem Fichtenbaume,

---

*) Griesinger S. 91.

mit deſſen Apperception er die Vorſtellung wachſen reproducirt,
die des ſehnenden Traumes, der geſchlechtlichen Liebe andichtet?
Wo ſind für dieſe Apperception die apriorischen Elemente?

Nach ſo ernſten Erörterungen kann nur der Aufheiterung
wegen eines Göthe'ſchen Satzes Erwähnung geſchehen, in
dem die beregte Schwierigkeit in munterer Weiſe abgeſchüttelt
wird. In den „Maximen und Reflexionen", in denen Göthe
tief Gedachtes neben leichten Einfällen geſammelt hat, ſagt er:
„Alles Lyriſche muß im Ganzen ſehr vernünftig, im Einzelnen ein bischen unvernünftig ſein."*) Aber dieſes
Muß bedarf denn doch anderer Begründung, als welche ein
Punkt leiſten kann. Zudem glaube man nicht, daß meine Frage
nur die lyriſche Dichtung treffe: ſie fragt ebenſo bedrohlich
bei der dramatiſchen an. Wie iſt die dramatiſche Form
überhaupt möglich, muß nicht auch ſie ihre aprio-
riſche Bedingung haben? Wenn man ganz von dem Inhalt der Dichtung abſieht, wie konnte man auf den Gedanken
kommen, in dramatiſcher Form eine Idee geſtalten zu wollen?
Man wird doch nicht mit dem Nachahmungstrieb die
Sache zu erklären glauben wollen? Und nun gar der Inhalt!
Für dieſen gilt freilich, was über die Lyrik geſagt iſt, nicht
allein wegen der im Drama enthaltenen lyriſchen Elemente,
ſondern in Bezug auf die Inadäquatheit des dramatiſchen
Inhalts ſelbſt.

Woher hat Shakeſpeare den Stoff zu ſeinem Hamlet
genommen? Wenn der Criminaliſt in ſeinen Annalen von
einem Brudermorde berichtet, an dem die Gattin des Gemordeten Theil genommen, um alsdann des Mörders Weib zu
werden, ſo kann dieſer Bericht eine Verſchlingung der unge-
wöhnlichſten Seelenzuſtände aufzeigen: wir werden dennoch nicht
ſtaunend fragen: woher hat ihn der Criminaliſt genommen?
denn wir wiſſen, daß er die Acten copirt hat. Dieſe ſind die
apriorischen Bedingungen ſeines Berichtes. Warum aber fragen
wir bei Shakeſpeare, woher er den Stoff zu ſeinem Hamlet
genommen habe? Weil Shakeſpeare Vorſtellungen erzeugt

---

*) S. W. Bd. III. S. 173. Cotta 1855.

oder combinirt, die nicht wirklichen Verhältnissen, wenigstens nicht in der von ihm geschilderten Weise entsprechen, weil also hier die apriorischen Bedingungen zu fehlen scheinen.

Ich gehe nunmehr an die positive Lösung des ersten Theiles des hier gestellten Problems, indem ich an die zuletzt gestellte Frage anknüpfe.

Ueber den Ursprung der Hamlet-Fabel giebt die dänische Mythologie Auskunft. Orvandill, König von Jütland, erlegt im Zweikampf den Kollr von Norwegen im frühlingsgrünen Gehölze. Er heirathet die schöne Gerutha, die ihm den Hamlet gebar. Da tödtet ihn sein Bruder Feugo und nimmt die Wittwe des Erschlagenen zum Weibe. Hamlet aber rächt den Tod des Vaters.

Die Frage nach dem Was der Hamlet-Dichtung scheint gelöst, aber sie ist in Wahrheit nur verschoben. Beruht denn — so müssen wir nun fragen — jene dänische Mythe auf einem geschichtlichen Vorgange, so daß man nicht weiter forschen dürfte, woher sie selbst gekommen sei? Die Wissenschaft — man darf sagen — unserer Tage hat den tiefen Irrthum einer solchen Auffassung bis auf den Grund aufgedeckt, indem sie die All- gegenwärtigkeit und die Gleichartigkeit der Mythen in ihren Hauptzügen dargelegt hat. Sollten dieselben Ereignisse allerwärts eingetreten sein? Und doch kann nur der gleiche Anlaß die gleiche Wirkung hervorgerufen haben? Den gleichen Anlaß hat nun die vergleichende Sprachforschung, der wir diese folgenschwere Erkenntniß verdanken, gefunden in dem Naturvorgang, denn dieser ist in den verschiedenen Ländern unter geringen Abweichungen der gleiche; darum darf er als der gemeinsame Grund jener vielen in den Hauptpunkten über- einstimmenden Mythen gelten. Auch in der Hamlet-Mythe ist der Inhalt ein Naturvorgang. Orvandill heißt der Strahl, Gerutha die Grünende und Kollr der Kalte. Auf Grund dieser Etymologie führt die comparative Mythologie durch die Vergleichung der denselben Vorgang erzählenden Mythen bei den verschiedenen Völkern zu der Auffassung, daß in unserer dänischen Mythe der Kampf des Frühlings mit dem Winter dargestellt werde. Orvandill, der Strahl des Früh-

lingsgewitters, tödtet Kollr, den kalten Winter, der aus Norwegen kommt, und führt Gerutha, die grünende Saat, als
Braut heim.*)

Nun wissen wir, was jene Mythe bedeutet; aber haben
wir mehr als eine Deutung gewonnen? Ist die Frage nach
dem Was der Mythe durch die Herausdeutung des Naturvor-
ganges etwa erschöpft? Bei einiger Ueberlegung wird die Antwort nur noch fraglicher, die Frage nach dem Was noch dringlicher erscheinen. Ist es denn die Folge eines natürlichen,
unmittelbaren Eindrucks, die Naturerscheinung des Frühlings als einen Kampf des als Person gedachten Sonnen-
strahls mit dem als Person gedachten Winter aufzufassen?
Man dürfte meinen, dies verrathe schon tiefschauende dichterische
Sinnigkeit — eine fruchtbare Phantasie! Es kann wenigstens nicht vermuthet werden, daß die Auffassung des Ueberganges vom Winter in den Frühling als eines Kampfes zwischen
zwei Personen durch die regelrechte Apperception adäquater Vorstellungen zu Stande komme. Ist aber der Mythos selbst schon
dichterisch und nicht unvermittelte Wiedergabe der empfundenen
Naturerscheinung, so ist die Frage: woher ist der Mythos entstanden? weniger als je gelöst, und die ursprüngliche Frage:
woher hat's der Dichter genommen? nur weiter in's Dunkle
zurückgeschoben.

Aber die Lösung ist dennoch in dem Mythos gelegen; man
muß sie nur herauszulesen wissen. Unser herrlicher Grimm
kämpft noch mit der Frage, wenn er auch meint, sie einfach gehoben zu haben durch — die Phantasie. Wenige Anführungen mögen dies erhärten. Die Jahreszeiten werden
als Gottheiten gedacht, der Wechsel derselben als ein Kampf,
den man in Volksspielen nachahmte. Ein vermummter Sommer
und Winter, jener in Epheu, dieser in Stroh oder Moos ge-
kleidet, kämpfen so lange mit einander, bis derjenige siegt, dem
die nahende Jahreszeit gehört.**) Wie ist diese Personificirung

---

*) Die Götterwelt der deutschen und nordischen Völker, von Wilh.
Mannhardt, I., S. 260.
**) Grimm, Deutsche Mythologie, 2. Ausg., S. 727.

zeitlicher Verhältnisse möglich? „Poesie und Fabel" — so antwortet Grimm*) — „beginnen nun zu personificiren, d. h. göttern, geistern und menschen allein zukommende persönlichkeit auf thiere, pflanzen, sachen oder zustände, denen die sprache genus verleiht, zu erstrecken." Die mythische Prosopopöie ist eine That der — Phantasie.

Aus einer größeren Blumenlese nur noch einen Beleg. Grimm berichtet in der Abhandlung über „Frauennamen aus Blumen"**) von einem heiligen Brauche der Hindu. Wer einen Mangohain pflanzt, darf dessen Früchte nicht eher essen, bis er einen der Mangobäume mit einem andern in der Nähe des Waldes wachsenden Baume, meist einer Tamarinde, feierlich vermählt hat. Sakuntala begrüßt die schmachtende Mâdhavi-Pflanze, die den geliebten Amra-Baum umrankt. Wie war es möglich, den Pflanzen menschliche Verhältnisse anzudichten? „Obschon" — antwortet Grimm†) — „den pflanzen kein getrenntes geschlecht zusteht, die phantasie der sprache hat nicht unterlassen, ja kaum unterlassen können, ihnen ein solches beizulegen, und scheint immer davon ausgegangen zu sein, daß die großen, starken pflanzen als männlich, die schlanken, zierlichen, zumal ihre Blumen, als weiblich, die entspringende frucht als das neutrum angesehen wurden." Die Sprache phantasirt; wie würdig und sinnig ist das nicht vom Menschengeiste gedacht, wenn man ihm die holde Anmuth einer so gemüthvollen Symbolik zugleich mit der Sprache in die Wiege legt! In der That! Wenn es der „Phantasie der Sprache" gegeben ist, das grammatische Geschlecht zu bilden, so ist damit der Grund zu allen weiteren Thaten der Phantasie gesichert. Nun werden jene Phantasieen, ursprünglich bei den Dichtern, Institutionen des Rechts und der Sitte, welche tief in dem alten Glauben wurzeln. Wer darf jetzt noch fragen, wie Jean Paul die Frauen „beseelte Blumen" nennen könne, oder wie unsere mittelalterlichen Dichter die ge

*) Grimm, Deutsche Mythologie, 2. Ausg., S. 835. Vgl. S. 613, „götter und menschen verwandelten sich in bäume" u. s. w.
**) Kl. Schriften II. S. 376.
†) Ib. S. 373.

heiligten Bäume mit „Frau" anreden. Unsere Volkslieder
führen Gespräche mit „Frau Hasel."*) Dies Alles, die Sitte
der Hindu, wie der durch eine ganze Literaturperiode geläufige
Ausbruck, kommt von der Phantasie der Sprache, die in den
Bäumen menschliches Geschlecht sieht und die in der dichtenden
Menschheit nicht erstirbt!

Das Andere ließe sich alles folgeweise begreifen, wenn
wir nur erst wüßten, wie es der Sprache möglich wird, in
den Bäumen das Geschlecht zu erkennen, das grammatische
Geschlecht zu bilden. Ist ja doch das grammatische Geschlecht
„eine im frühesten zustande der sprache schon vorgegangene
anwendung oder übertragung des natürlichen auf alle und
jede nomina."**) Wie ist aber jene „Uebertragung" möglich?
Das grammatische Geschlecht ist offenbar eine **poetische**
That! Wie viel fehlt denn noch zu dem Gedanken, daß der
Fichtenbaum sich nach der Palme sehnt, wenn der Fichtenbaum
durch das grammatische Geschlecht schon als Mann gebacht
wird, und die Palme als Weib? Man beachte, daß Heine
— ob mit Absicht? Die Unwillkürlichkeit zeugt um so zwin-
gender für die Natürlichkeit jenes psychologischen Vorganges —
sagt: der Fichtenbaum, weil die Fichte im Deutschen
weiblich ist. Wie ist nun diese poetische That in den frühesten
Anfängen der Sprachentwickelung möglich? Ich will hierbei
erwähnen, daß die Sprachforscher jetzt allgemein die Ursprüng-
lichkeit der Scheidung in masc. und femin. annehmen, und
aus diesen beiden später das neutrum durch Loslösung desselben
vom masc. hervorgehen lassen.†) Man könnte jedoch meinen,
daß der Grund dieser Erscheinung eine — wenn auch falsche —
naturwissenschaftliche Beobachtung gewesen sei. Dem
widerspricht nun Grimm auf das Bestimmteste. „In dem
asch (fraxinus), in der buche (fagus) ist an sich weder ein männ-

---

*) Grimm, Deutsche Myth. S. 617.
**) Deutsche Grammatik III., S. 317.
†) Vgl. Steinthal's Beurtheilung des Artikels „Geschlecht" in
Ersch und Gruber's Encyklopädie von Pott (Kuhn und Schleicher,
Beiträge I., S. 292).

liches, noch ein weibliches princip zu spüren, und wenn dem wurm männl., der fliege weibliches geschlecht beigelegt wird, so kann sich das nicht auf beobachtung des natürlichen gründen .... Noch mehr, sie hat das nämliche nicht blos bei allen lebenden, werdenden und wachsenden wesen gethan, sondern auch bei den todten, unsinnlichen gegenständen. Der arm ist uns männlich, die zunge weiblich, das herz neutral; der sinn männlich, die seele weiblich, das wort neutral; der wind männlich, die erde weiblich, das wasser neutral. Woher diese kühne anwendung eines in der natur offen und geheim waltenden unterschieds auf andere dinge und vorstellungen? Es muß ein tiefes bedürfniß dagewesen sein, weil wir die anwendung auf alle nomina der meisten und edelsten sprachen, je früher, desto fester und regelmäßiger gemacht sehen und weil in den hauptzügen solcher positiven geschlechtsvertheilung urverwandte sprachen augenscheinlich zusammenstimmen. Ein geistreicher schriftsteller (Wilh. von Humboldt) hat den grund dieser erscheinung vortrefflich aus dem einbildungsvermögen der sprache erklärt."*) Dieser „vortrefflichen" Erklärung schließt sich Grimm an, indem er weiterhin**) sagt: „das grammatische genus ist demnach eine in der phantasie der menschlichen sprache entsprungene ausdehnung des natürlichen auf alle und jede gegenstände. Durch diese wunderbare operation" u. s. w. u. s. w. Dabei lehrt gerade Grimm, daß es neben diesen „aus der Phantasie entsprungenen" Wörtern eine Reihe anderer giebt, die „sich nicht nach einer allgemeinen phantasie, sondern nach einer wirklichen personification bestimmen lassen." (S. 348.)

Hier ist nun der Punkt, an dem sich das dunkle Wesen des Mythos und aus diesem das der Poesie erschließt. Nicht eine „wunderbare Fähigkeit oder Operation der Seele" hat die bunte Götterwelt erstehen lassen, und die gesammte Natur nach dem Ebenbild des Menschen belebt, sondern im ganz normalen Proceß der Vorstellungen sind all' diese Anschauungen erwachsen.

---

*) Deutsche Grammatik S. 346.
**) Ib. S. 346.

Wenn die alten Germanen der Sonne weibliches, dem Mond
männliches Geschlecht beilegten, so haben sie die Sonne als wirk=
liches Weib, den Mond als wirklichen Mann gedacht. Und
dieser Gedanke hat nichts Wunderbares, sondern ist so natür=
lich, daß er nothwendig ist. Der Urmensch mußte die Licht=
erscheinung als eine Feuerentzündung, von Personen ausgeführt,
sich vorstellen, weil die Vorstellung der Feuerentzündung das
apriorische Element war, mit dem er jene neue Lichterscheinung
appercipirte, auf sie überhaupt aufmerksam werden konnte. Eine
falsche Abstraction ist es auch hier, welche den so gesetzmäßigen
Proceß der mythischen Apperception verkennen läßt. Wir, die
wir physikalische Vorstellungen haben, mögen uns nicht denken,
daß diese bei dem Urmenschen nicht vorhanden gewesen seien
und statt ihrer Vorstellungen von persönlichen Handlungen das
Bewußtsein erfüllt haben. Ein Unterschied zwischen einer phy=
sikalischen Vorstellung und einer mythischen besteht demnach
psychologisch nicht; der Unterschied ist rein logisch. Der
mythisirende Urmensch selbst hält seine Vorstellungen, seine un=
willkürlichen Apperceptionen für durchaus wahr und richtig; es
haucht ihn kein Zweifel an der Adäquatheit derselben mit den
vorgestellten Dingen und Verhältnissen an.

Für diesen Gedanken verweise ich auf meine in den letzten
Heften dieser Zeitschrift erschienene Abhandlung: Mytholo=
gische Vorstellungen von Gott und Seele (Bd. V.
S. 396—434, VI. S. 113—131). In den dort gegebenen
Entwickelungen erschien die Vorstellung von der irdischen Feuer=
reibung als das appercipirende Element für die Vorstellung von
der Entstehung des himmlischen Feuers und sodann für die
Vorstellung von der Menschenzeugung. Ich werde diese Ent=
wickelung für die hier gestellte Frage nunmehr weiter führen.

· War einmal die Menschenzeugung als eine Feuerreibung
appercipirt worden, so entstand daraus wieder die Rückapper=
ception, daß die Feuerreibung selbst ein Vermählungs= und
Zeugungsact sei. Ich setze hier die Kenntniß der jene
letztere Apperception sehr fördernden Mittelstufe voraus, auf
der der Mensch als Feuergeburt von demjenigen abstammend
gedacht wurde, aus dem das Feuer selbst gerieben wird, dem

Holze, dem Baume, der Esche. Die Vorstellung des Feuers und seiner Bereitung war das apriorische Element im Bewußtsein; mit dieser als Organ wurde die der Menschenzeugung appercipirt. Nun verschlingen sich aber diese Apperceptionen durch vielfache Complicationen ihrer einzelnen Merkmale. Die Vorstellung von der Feuerbereitung sei a, die von der Menschenzeugung sei b, so ist b $=$ a. Daraus folgt aber für den Mechanismus des Bewußtseins, daß auch a $=$ b ist. Also ist auch die Feuerbereitung eine Menschenzeugung. Das untergelegte Holz wird als das Weib gedacht, der Bohrer als der Mann und der Funke als das Kind. Das ist keine Uebertragung, sondern die gleichmäßige Wirkung derselben ursprünglichen Apperception. Wie die Vorstellung der Menschenzeugung, die auf der Anschauung desselben Processes beruht, in ihrer Complexion die Merkmale Mann und Weib hat, so müssen diese Merkmale auch in die in allen Merkmalen übereinstimmende Complexion von der Feuerbereitung eintreten. Da kann von keiner Phantasie die Rede sein: das ist strenger, psychologischer Mechanismus. Wenn das Weib eine tabula, ἐσχάρα ist und der Mann ein τρύπανον, so ist auch die tabula ein Weib und der Drehstab ein Mann. Im Mechanismus der Vorstellungen sind Subject und Prädicat wandelbar, gemäß der Reihenfolge der Vorstellungen.

Mag auch diese „Phantasie" sich psychologisch aufklären an einem Liede, mit welchem der Vedensänger die Feuerzeugung begleitet:*)

„Das ist das Drehholz, der Zeuger ist bereitet, bring die Herrin des Stammes herbei, den Agni laßt uns quirlen nach altem Brauch. In den beiden Hölzern liegt der jâtavedas, wie in den Schwangeren die wohlbewahrte Leibesfrucht; tagtäglich ist Agni zu preisen von den sorgesamen, opferspendenden Menschen. In die Dahingestreckte laß hinein den Stab, der du beß kundig bist; sogleich empfängt sie, hat den befruchtenden geboren; mit röthlicher Spitze, leuchtend seine Bahn, ward

---

*) Kuhn, Herabkunft des Feuers, S. 70.

der Ilâ Sohn in dem trefflichen Holze geboren.... Das ist
dein Schooß, wie ihn der Brauch verlangt, aus dem geboren
du aufleuchtetest."

So wird den beiden **arani**, den zur Feuerbereitung benutzten Hölzern, eine vollständige Körpergestalt beigelegt und
nach genauem Maß die Stelle bezeichnet, aus welcher Agni
seinen Ursprung nehmen muß. Ebenso hat die Wünschelruthe, die, wie Kuhn erwiesen, der Blitzstab ist, oft eine
menschliche Gestalt, und der — Hermesstab den Phallus.*)

Mögen diese Anführungen zum Zweck des Nachweises genügen, daß die dichterische Phantasie von der Liebe, die Blumen
und Bäume zu einander haben, bei den Hindu, bei den mittelalterlichen Dichtern, an welche das schöne Heine'sche Gedicht,
das ich angezogen habe, so wunderbar anklingt, auf einem
Mechanismus beruht, der uns im Mythos offen gelegt wird.
Erst nachdem die Feuerbereitung als Menschenzeugung appercipirt ist, gilt dem Menschen die Beobachtung, daß gewisse
Pflanzen sich umranken, als ein Zeichen der Liebe und Neigung im übertragenen Sinne.

Hiermit ist nun die erste Frage nach den apriorischen Bedingungen der Dichtung gelöst. So inadäquat
und schöpferisch die dichterische Phantasie erscheint, so ist sie
dennoch aus dem Mythos geschöpft, durch die apriorischen Bedingungen des Mythos appercipirt. Und der Mythos selbst
stammt ebensowenig von einer „schaffenden Phantasie", sondern baut sich aus einer Gruppe von Apperceptionen zusammen.
So ist nun die Einheit des Bewußtseins in dem ersten
Dichter, dem mythendichtenden Volke, dargethan. Wenn der
Mythos den Blitz den „feurigen, goldgeflügelten Vogel"
nennt,**) so ist das der volle Ernst des Urmenschen, mit derselben Energie und demselben ungetheilten Bewußtsein gedacht,
mit dem man heute den physikalischen Proceß erklärt. Die
mythische Auffassung des Blitzes als eines Vogels ist nicht eine

---

*) Matha heißt der bohrende Stab und der penis, ἐσχάρα das untere,
gehöhlte Holz und die weibliche Schaam.
**) Kuhn, Herabkunft des Feuers und des Göttertranks, S. 28.

poetische, sondern eine psychologische. Der Mechanismus
des Bewußtseins ist dabei in voller Einheit.

Findet nun dasselbe Verhältniß bei der Kunst=
poesie statt?

Ich will zunächst an den Proceß erinnern, in welchem sie
entstanden ist. Nachdem ein Volk in einer langen Reihe my=
thenbildender Generationen die Natur der Dinge mit den je=
weiligen Apperceptionsmitteln erfaßt hat, kommt es endlich zu
einer Culturperiode, in der alle jene mythischen Apperceptionen
als falsch enthüllt werden. Dieser Punkt in der Geschichte
eines Volkes, oder, da er bei jedem Volke einmal eintritt, der
Menschheit, ist der springende Punkt der Kunstpoesie.
Es erwachen neue Apperceptionen, neue ganze Gebiete von
Vorstellungen; im Hintergrunde des Bewußtseins liegen aber
noch lebendig wirksam die alten Apperceptionen aufgeschichtet,
die von den neuen Gedankengeschlechtern widerlegt werden: wie
sollen sich jene Vorstellungsweisen anders ausgleichen, als durch
den Begattungsproceß, den sie eingehen? Denn von einem
Vernichten der alten, eingenisteten Vorstellungen durch die neuen
kann füglich nicht die Rede sein, dazu sind die neuen Gedanken
zu jung und die alten haben zu fest und weit verschlungene
Verbindungen mit dem gesammten Inhalt des Bewußtseins
angeknüpft, als daß sie so leicht aus dem Felde geschlagen
werden könnten. Es ist darum nichts Anderes möglich als eine
neue Apperception, aus jener ersten neuen und der alten ge=
bildet. Diese neueste Apperception ist die — Poesie. Die
Beziehung zweier oder mehrerer Vorstellungen, die sich im
Mythos in Form der Gleichung darlegte, spricht sich nun,
nachdem ungleiche Elemente sich eingeschoben, in Form der
Vergleichung aus. So behalten die Vorstellungen ihre
psychologischen Beziehungen zu einander, und nur der Werth
derselben für die Logik wird anders bestimmt, d. h. die Be=
ziehungen der Vorstellungen werden durch neu eintretende Vor=
stellungen für das Gesammtbewußtsein anders gerichtet: es
bilden sich neue Beziehungen. Diese neuen Beziehungen bieten
sich aber von allen Seiten; einmal von Seiten der streng
theoretischen Apperceptionen selbst, sodann von Seiten der ethischen

Wünsche und Strebungen. Davon werde ich später noch reden. Hier will ich nur an die Periode der kosmogonischen Dichtungen bei den Griechen erinnern, welche den Uebergang aus der Epik, der Naturpoesie, in die Wissenschaft und die mit derselben sich erhebende bewußte Kunstpoesie bilden. Zuerst wird die Welt als durch wirkliche geschlechtliche Zeugung entstanden gedacht; nachdem aber physikalische Ahnungen aufgestiegen waren, konnte die Welt nicht mehr gezeugt worden sein; dennoch oder deshalb heißt es: Eros war im Anfang der Dinge. So geht die Mythologie über in eine poetische Kosmogonie. Und dieses Verhältniß bleibt bei einem großen Theile der vorsokratischen Philosophen bestehen.

Neben den naturwissenschaftlichen Anregungen, welche Aristoteles bei Thales für dessen Princip vermuthet, ist unzweifelhaft die mythische Tradition des Göttervaters Okeanos und der Göttermutter Thetis für denselben ein appercipirendes Element gewesen. Darum sehen wir auch, wie bei den späteren, entwickelteren Philosophemen die mythisch=poetische Gewandung nicht abgestreift wird. Empedokles nennt seine verbindende Kraft geradezu 'Αφροδίτη, Κύπρις.

Die Poesie entsteht demnach aus dem Bedürfniß, einander widerstrebende Apperceptionen zu neuer Apperceptionsbildung zusammenzuführen, und sie ist zugleich möglich, weil dieses Bedürfniß leicht befriedigt werden kann, insofern jene widerstrebenden Apperceptionen nur schwach anstoßend sich berühren, nicht schroff gegeneinander treiben. Schroffheit hat die neue Apperception bei ihrem Aufsteigen nicht, erst die Consequenzen geben ihr diese. Darum können jene Apperceptionen in Form der Vergleichung im Bewußtsein zusammentreten. Früher hieß es: der Blitz ist ein Vogel, oder richtiger: der Blitz ist nichts Besonderes, Getrenntes vom Vogel, sondern beide Erscheinungen sind Eins, wie zwei Vögel Eins sind für das nach Gattungen unterscheidende Bewußtsein, denn die Merkmale beider Complexionen waren die gleichen. Nachdem aber beide Vorstellungen verschiedene Merkmale aufnehmen mußten, war es um die Einheit geschehen: nun ist der Blitz wie ein Vogel. Diese Vergleichung muß aber eintreten, weil jene alte Apperception

zu tief im Bewußtsein wurzelt, als daß sie vernichtet werden
könnte; und doch kann sie nicht mehr eine Thatsache ausdrücken:
so wird sie ein Vergleich. Die poetische Vergleichung ist
der Vergleich, den die neue Apperception mit der alten eingeht. So entsteht also die Poesie durch eine rein psychologische
Nöthigung in einem Proceß der Vorstellungen, welcher in der
Natur derselben begründet ist. Die hemmenden Merkmale der
Complexionen können nicht die Vernichtung einer derselben bewirken, aber sie verändern den Lauf der Vorstellungen, die
Beziehungen derselben untereinander, und so wird aus der
mythischen Apperception, welche sich im Vollbewußtsein der
Wahrheit fühlt, eine ihrer Inadäquatheit bewußte poetische
Vergleichungsapperception.

Ob sich Göthe diesen psychischen Proceß gedacht hat,
welcher in einer neuen Zeitwende entstehen und die Poesie nach
psychologischen Gesetzen erzeugen muß, — das will ich nicht
entscheiden; aber bemerkenswerth ist sein Ausspruch: „Poesie
wirkt am meisten im Anfang der Zustände, sie seien nun ganz
roh, halbcultivirt, oder bei Abänderung einer Cultur,
beim Gewahrwerden einer fremden Cultur, so daß man wohl
sagen kann, die Wirkung der Neuheit findet statt."
Die Poesie im Anfang der Zustände ist Mythos; bei Abänderung der Cultur, — besonders aber zu beachten, „beim Gewahrwerden einer fremden Cultur" — beim Auftreten neuer
Apperceptionen wird der Mythos — Poesie.

Diese Entwickelung der Poesie bezieht sich nicht allein auf
die Lyrik, sondern ebenso sehr auf das Drama. Die Form des
Drama's, nach deren Möglichkeit wir ebenfalls gefragt hatten,
ist in dem Mythos gleicher Weise gegeben. Die ältesten dramatischen Dichtungen der Griechen behandeln mythologische
Stoffe, oder richtiger ausgedrückt: was das Epos erzählt, wird
im Drama als lebendes Bild vorgeführt. Und der Zweck,
also das Motiv dieser Aufführung, war keine müßige Erfindung und keine Schöpfung, sondern aus dem frommen Bedürfniß entstanden, die Geschichte der göttlichen Begebenheiten
äußerlich dem Auge gegenwärtig zu machen, wie sie dem innern
Blicke offenbar war. Aus den dionysischen Festscenen geht das

griechische Drama hervor, wie das deutsche aus den Passions=
spielen. Grimm verfolgt das deutsche Schauspiel sogar noch
weiter zurück in das germanische Heidenthum. Ich habe an=
geführt, daß der Uebergang des Sommers in den Winter und
umgekehrt als ein Kampf zwischen Jünglingen und Jungfrauen
dargestellt wird, bei dem die verschiedenen Parteien die Sym=
bole der betreffenden Jahreszeiten tragen. In diesen Volks=
spielen reden die Wettkämpfenden einander an. Da macht nun
Grimm die Bemerkung, dieses Einkleiden der beiden Vor=
kämpfer und ihre Wechselreden seien „die ersten rohen behelfe
dramatischer kunst und von solchen aufzügen mußte die
geschichte des deutschen schauspiels beginnen."*) Man sehe in
dem Kuhn'schen Buche die Sage von Purûvavas und Urvaçi, in der das Phänomen des Tagesanbruchs behandelt ist.
Aehnlich den Elbinnen, die nicht nackt gesehen sein wollen, will
Urvaçi nur so lange bei dem Geliebten weilen, als sie ihn
nicht nackt erblickt hat. Sie verschwindet „wie die erste der
Morgenröthen". Diese lyrische Legende hat Kalibaſa zu
einem seiner schönsten Dramen den Stoff gegeben.**)

Aber abgesehen vom Stoff liegt es mir hauptsächlich an,
darauf hinzuweisen, daß die Form nicht geschaffen, sondern
aus dem religiösen Cultus herübergenommen und selbst=
ständig ausgestaltet worden ist. Auch in neuerer Zeit ist das
Drama wie die Oper aus der Kirche hervorgegangen.

Hier ist aber noch ein anderes Moment zu beachten. Das
Drama erhebt sich, wie die Poesie überhaupt, immer an einer
Zeitwende, bei einer neuen Gestaltung des Bewußtseins „beim
Gewahrwerden einer fremden Cultur". So in Griechenland mit
der Entwickelung der Demokratie. Ganz instinctiv richtig hat
darum Solon die dramatische Aufführung verboten, weil er sagte,
„es werde nicht lange dauern und man werde diese Sprache
auch in den Volksversammlungen hören." Die Volksversamm=
lungen waren eben das neue Element, das man mit dem über=
kommenen Inhalt des Mythos und der überkommenen Form

---

*) Grimm, deutsche Myth. S. 744. Vgl. S. 727.
**) Kuhn S. 78.

der dionysischen Aufführungen und des Satyrspiels zur neuen Apperception des Drama's verband.

Ist nun auf diese Weise die Entstehung der Poesie in ihren Hauptformen durch das Gewahrwerden neuer Apperceptionen erklärt, so komme ich nunmehr auf die Frage zurück: Wie ist der Fortbestand der Poesie in denjenigen Culturperioden möglich, in welchen jenes Gewahrwerden zu einem offenbaren Bruch des Bewußtseins sich verschärft hat?

Wie ist es nach den Voraussetzungen des psychologischen Mechanismus möglich, daß der Dichter zwei Vorstellungen, die, weil einander widerstrebend, zu einem einheitlichen Bewußtsein nicht zusammengehen können, nebeneinander nährt und ausgestaltet? Wie ist es ferner möglich, daß derselbe Dichter, der, obwohl er sich der Inadäquatheit seiner Vorstellungen bewußt ist, diese dennoch festhält und ausbaut, zugleich nach strenger, philosophischer Erkenntniß ringt, umfassenden naturwissenschaftlichen Studien obliegt, also das unverkennbare Streben hat, solche Vorstellungen zu erzeugen, welche den Dingen in Wahrheit entsprechen? Diese Frage wird noch dringlicher, wenn man bedenkt, daß sich die dichterische Apperception selbst mit der Logik ausrüstet, beim Ausspinnen poetischer Beziehungen die logische Cultur adäquater Vorstellungen zu Hülfe nimmt.

Die ganze Menschengeschichte drängt in ihren geheimsten Trieben nach jener Harmonie des Bewußtseins, die man das psychologische Ideal nennen könnte. Aber es giebt in der gesammten Menschengeschichte keine Erfahrung, welche so bewußter Weise jenem Ideal widerstrebte, wie die durch alle Zeitalter gehende Culturerscheinung der Dichtung. Diese wunderbare Thatsache muß ihren tiefen Grund haben, einen Grund, der zugleich in der Natur des Bewußtseins liegen muß.

In Bezug auf diesen principiellen Grund jedoch sei es mir gestattet, mich auf die in der bereits angezogenen Abhandlung (b. Zeitschr. Bd. V. S. 419—422) von mir gegebenen Andeutungen zu beziehen, welche in Folgendem auf die Bestimmung der poetischen Vorstellungen Anwendung finden sollen. Mit wenigen ergänzenden Bemerkungen jedoch glaube ich an jene Erörterungen erinnern zu müssen.

Die Zusammengehörigkeit von Gefühl und Vorstellung ist schon von Herbart bemerkt worden. „Indem
wir fühlen, wird irgend etwas, wenn auch noch so vielfältiges
und verwirrtes, als ein Vorgestelltes im Bewußtsein vorhanden sein, so daß dieses bestimmte Vorstellen in
diesem bestimmten Fühlen eingeschlossen liegt."*)
Indessen bei derartigen Andeutungen ist Herbart in Bezug
auf die mit voller Consequenz zu stellende Frage nach dem
psychologischen Verhältniß jener beiden Formen des Bewußtseins stehen geblieben. Aber auch nach Herbart hat man
sich nicht höher verstiegen, als das Zusammentreffen, das Neben-
einanderhergehen der Vorstellungen und der Gefühle anzuerkennen. Bei Lotze finden wir diesen Satz folgendermaßen ausgedrückt: „Auch der Gedankenlauf, selbst der abstracteste,
ist von Gefühlen beständig durchzogen. Nicht einmal den
trockenen Satz der Identität oder den rein logischen Begriff
der Verschiedenheit oder des Widerspruchs sind wir zu denken
im Stande (?), ohne jenen mit einem wohlthuenden Gefühl
der Einheit zu begleiten, in diesen dagegen eine Spur von der
Bitterkeit des Hasses und des Widerstrebens zweier Elemente
hineinzulegen."**) Wenn dies zwar von dem „abstractesten
Gedankenlauf" keineswegs gelten kann, so wird man doch aus
dieser Anführung der Thatsache erkennen, daß das Phänomen
des Ineinanderfließens von Gefühl und Vorstellung bei den
Psychologen wohl bekannt ist. Aber diese Kenntniß hat nur
dann Werth und Bedeutung, wenn sie zu der Erkenntniß von
der Gleichartigkeit der nach jenen Kategorieen benannten
psychischen Processe sich vertieft. Nachdem einmal die besonderen
Seelenvermögen vernichtet sind, wird mit der Aufhebung
der verschiedenen psychischen Functionen als besonderer Qualitäten nichts Unerhörtes vollzogen. Was wäre
denn am letzten Ende damit gewonnen, daß man nicht mehr
an seelische Sonderkräfte glaubt, wenn man doch nach wie
vor seelische Sonderwirkungen, Sondererscheinungen an-

---

*) Sämmtl. Werke ed. Hartenstein VI., 70—71.
**) Medizin. Psychologie S. 254.

nimmt? Wären die letzteren vorhanden, so wäre es im Gegentheil methodischer, die angeblich verschiedenen Wirkungen auf verschiedene Ursachen zurückzuführen.

Von diesem Gedanken aus habe ich die nach den Kategorieen Gefühl, Empfindung, Vorstellung benannten psychischen Processe in Formen des Bewußtseins aufgelöst, um dieselben von dieser gleichen Stufe aus nach ihren Verschiedenheiten zu erkennen. In der angezogenen Abhandlung habe ich die Stufenfolge jener Formen des Bewußtseins an der Temperatur-Empfindung andeutungsweise darzulegen versucht: auch die folgenden ergänzenden Bemerkungen sollen von derselben ausgehen.

In der Temperatur-Empfindung werden zugleich die äußeren unsere Tastorgane berührenden Objecte angeschaut. Wie ist dies möglich? Durch die Bewegung sowohl der die Empfindung erregenden Objecte, wie unserer Tastorgane. Was ist denn aber diese Bewegung im Bewußtsein? Eine Empfindung. Durch die Verbindung also dieser beiden Empfindungen, welche mit anderen zugehörigen Empfindungen complicirt wird, entsteht die Anschauung des äußeren Objectes, und zwar sehr allmählich. Ebenso verhält es sich mit anderen Sinnesempfindungen.

Um nun Vorstellung werden zu können, muß die Empfindung einen Eindruck im Bewußtsein zurückgelassen haben, damit sie sich mit einer anderen Empfindung verbinden kann, sie muß deshalb intensiv genug sein, um im Bewußtsein eine nachwirkende Empfindung, oder zunächst, um in der Nervensubstanz, im Centralorgan eine nachwirkende Bewegung der Moleküle zu erzeugen. Intensive Lichterscheinungen sehen wir noch, wenn die Bewegungen bereits vorüber sind. Wir sehen beim Blitz eine Gegend, lesen beim elektrischen Funken einige Buchstaben, obwohl beide nur momentan sind. Die mangelnde Intensität kann aber ersetzt werden durch mehrfache Wiederholung, bei der sich die an sich schwachen Eindrücke im Bewußtsein complementiren. Aufmerksamkeit, d. h. die Apperceptionslauer, das Bestreben, aufnehmen zu wollen,

und die Richtung aufnehmen zu können, begünstigt die Aufnahme
der Empfindung.

Der qualitative Unterschied zwischen Empfindung und Vor=
stellung ist demnach völlig aufgehoben. Man kann ebensowenig
in Wahrheit von einer „reinen" Empfindung reden, als von
einer „einfachen" Vorstellung. Denn eine Vorstellung kann
niemals das Resultat einer einfachen Erregung eines Nerven
oder gar einer Primitivfaser sein, sondern kann allein durch die
Verbindung mehrerer Empfindungen entstehen. Die
Empfindung der Muskelbewegung unserer Tastorgane berührt
sich mit der Tastempfindung selbst, daraus entsteht die An=
schauung eines die Tastnerven berührenden Gegenstandes. Die
Empfindung unserer Bewegung zu den Wärmequellen hin ver=
bindet sich mit der Empfindung der Wärme selbst; so entsteht
die Anschauung des wärmenden Gegenstandes und bei wieder=
holter Erfahrung die in ihre Bestandtheile, d. h. in einzelne
Anschauungen zerlegte Anschauung. Je mehr sich nun die ein=
zelnen Merkmale von einander absondern und beliebig in ver=
schiedenen Verbindungen sich reproduciren, desto eher wird die
Abstraction des Gegenstandes, als eines warmen, möglich.
So sondert sich das Merkmal des Gegenstandes als eines
warmen von anderen Merkmalen, die ihm anhaften, und indem
sich dieser Proceß bei anderen mit noch anderen Merkmalen
versehenen wärmenden Gegenständen wiederholt, bildet sich im
weiteren Verlaufe der Ausbildung des Geistes die Vorstellung
der Wärme. Wo sich zwei Empfindungen nicht associiren
können, da können sie zu keiner Totalanschauung und zu keiner
Einzelvorstellung zusammengehen. Auf die näheren Bedin=
gungen bei den verschiedenen Arten der Associationen, auf die
Verhältnisse bei theilweiser Hemmung gehe ich hier nicht näher
ein, wo es mir vornehmlich um die Bestimmung des mit an=
deren Formen des Bewußtseins ursprünglich Gleichartigen im
Charakter der Vorstellungen zu thun ist.

Fassen wir nun das Erörterte von einer anderen Seite her
kurz zusammen. Die molecularen Nervenerregungen bringen,
wie bei dem Temperatursinn ein Temperatur=Gefühl, so bei
jedem Sinne eine gewisse Constanz der Nervenbewegungen her=

vor, die ich mit dem Worte Gefühl bezeichnen möchte. Dieses Gefühl ist die allgemeinste Form des Bewußt=seins, ohne Sub=ject und ohne Object; es ist das leere sich gegeben=sein. So=bald diese unter geringen Schwankungen sich bewegende Nerven=excursion durch einen differenten, über das Normalniveau heraus tretenden Eindruck gestört wird, dann haben wir eine Empfindung, die als solche nur eine Veränderung in dem sogenannten Zustande des Bewußtseins bedeutet. Werden diese so veränderten Nervenbewegungen selbst continuirlich, so bilden sie ebenfalls eine Constanz in dem Zustande des Bewußt=seins und werden so selbst zum Gefühl, bis eine differenzirende Bewegung eintritt. Tritt dieselbe ein, so können sich die meh=reren Empfindungen miteinander verbinden, alsdann wird die ursprünglich innere Zustands=Empfindung objectivirt und es entstehen Anschauung und Vorstellung.

Beides muß nun festgehalten werden. Einmal dies. Da die differente Empfindung selbst eine Zeit lang unter geringen Schwankungen sich erhalten kann, so wird auch sie einen ge=wissermaßen constanten Zustand, d. h. eine unter unbeträcht=lichen Erhöhungen oder Erniedrigungen über oder unter dem gleichwelligen Niveau sich vollziehende Bewegung des Bewußt=seins hervorbringen und so wiederum selbst zum Gefühl werden. Zugleich aber wird sich aus der Verbindung solcher diffe=renter Empfindungen, die eine Zeit lang sich selbst überlassen, einen relativen Nullpunkt herstellen können, der theoretische Proceß der Anschauungen und Vorstellungen entwickeln, der bei der theoretischen Differenzirung doch keineswegs den Aus=gleich des Empfindungszustandes, der bloßen Form des Bewußtseins verhindern kann. Beides scheint gleichzeitig zu sein, und daher ist der Irrthum gekommen, daß die Gefühle die Vorstellungen begleiten; aber das Gefühl ist die Vorstellung selbst, nur auf einer früheren Stufe des Bewußtseins. Das nächste Resultat der Verbindung von Empfindungen ist der Ausgleich im Empfindungs=zustande und die Herstellung einer neuen Form des Bewußt=seins. Diese Herstellung wird in leichtem Uebergange oder in jäher Veränderung erfolgen, je nach dem die Empfindungen oder die dieselben bewirkenden Nervenbewegungen verschieden sind oder unvermittelt an einander drängen. Aber in rascher Aufeinanderfolge, so daß der Zwischenraum unmerklich ist, vollzieht sich zugleich die theoretische Verbindung beider Empfindungen zur Bildung von, d. h. zum Uebergang in Anschauung und Vorstellung.

Nun bedenke man Folgendes. Soweit sich auch die Vorstellungen in der Reihe der Objectivirungsprocesse, in denen sich die einzelnen Empfindungen je nach ihrer Verbindung mit anderen als Merkmale eines Gegenstandes, als Eigenschaften, nach Gruppen im Bewußtsein ordnen, soweit sich, sage ich, die Vorstellungen von dem Empfindungs=Ursprunge entfernen und zu höheren Verbindungen entfalten und vereinigen; so bleibt ihnen doch, wenn auch mehrfach modificirt, der Empfindungszustand, von dem aus ihre Objectivirung sich plötzlich vollzogen hat, die allgemeine Form der Nervenbewegungen, in der das Bewußtwerden des differenten Gefühls, die Entstehung einer neuen Empfindung — wenn man von dem objectivirenden Inhalt derselben absieht — auftaucht. Dies ist besonders da der Fall, wo die Empfindung unter intensiveren Erregungen der Nerven und demzufolge unter stärkeren, plötzlicheren Aenderungen der constant gewordenen Nervenbewegungen, kurz, des Gefühls hervortritt. In der Verbindung von solchen Empfindungen und dem Bewußtwerden der relativen Zusammengehörigkeit derselben wird zwar der bloße Empfindungszustand bedeutend gemildert, die scharfe, durchdringende Objectivirung verscheucht das Bewußtwerden des Gefühls; aber immerhin bleibt, besonders in den ersten Perioden eines solchen psychischen Processes, diese Nervenbewegung noch in chemischer Wirksamkeit. Erst allmählich, wenn das subjective Bewußtsein, das Gefühl, sich mehr abgeschwächt hat, wird die Vorstellung von diesen Schwankungen des Empfindungszustandes befreit. Man hat alsdann die Vorstellung ohne das Bewußtsein des Gefühls, welches bei dem Zusammengehen der dieselben bewirkenden Empfindungen eingetreten war. Doch dies ist eine sehr späte Periode in der Entwickelung der Vorstellungen. Die Vorstellung des nicht abstracten Denkens haftet an dem so

gefaßten Gefühl. Dieses Schicksal der Vorstellung, ein
Erbtheil ihrer Blutsgemeinschaft mit der Empfindung, giebt
der Vorstellung ein unableugbares Familienmal. Während die
Vorstellungen oder in ursprünglicherer Form die Anschauungen
eine nach Außen setzende, objectivirende Kraft haben, sind sie
dennoch an innere, subjective Empfindungszustände gebunden,
die beständig wechselnden Producte der beständig fluctuirenden
molecularen Bewegungen der Nerven.

Diesem Ursprung und diesem Charakter der Vorstellung
entspricht die Theilung derselben in zwei Elemente, die man
unterscheiden muß, aber nicht in selbständige Qualitäten scheiden
darf. In soweit die Vorstellung an den Empfindungszustand,
an die molecularen Bewegungsvorgänge der Nerven gebunden
ist, ist sie mit einem Elemente behaftet, welches die bloße
Form des Bewußt=seins ausdrückt und welches ich deshalb
das formale Element der Vorstellungen nenne. Sofern
aber die Vorstellung in einer objectivirenden Thätigkeit
besteht, welche die Empfindung der inneren Veränderung nach
außen verlegt, die Form des Bewußt=seins in den Inhalt
eines Bewußten aufhebt, hat sie ein Element, welches ihr den
theoretischen Inhalt giebt und welches ich demgemäß das in=
haltige nenne.

Das formale Element „begleitet" demnach nicht in seiner
Eigenschaft als das übliche Gefühl die Vorstellung, den „ab=
stractesten" Gedankenlauf, sondern es ist die Vorstellung selbst,
mit dem einzigen Unterschiede, daß es eine frühere Stufe in
demselben Proceß des Bewußtseins bezeichnet, welchem die Vor=
stellung als inhaltiges Element angehört. Den „abstractesten
Gedankenlauf" muß jedoch keineswegs das formale Element
„durchziehen", es kann durch weitgeführte Objectivirungen so
sehr abgeschwächt werden, daß das inhaltige Element allein im
Bewußtsein verbleibt. Aber dies ist eben nur in den wissen=
schaftlichen Abstractionen und auch da nicht durchaus bei allen
der Fall. Gemeinhin wogen beide Elemente im Bewußtsein
durcheinander, aber nicht immer sind die zu einander gehörigen
Elemente bei einander: oft ist das inhaltige Element einer Vor=
stellung, deren formales entweder ganz ausgetilgt oder für den

Moment zurückgedrängt ist, mit dem formalen Elemente einer anderen Vorstellung innig verbunden, deren inhaltiges Element nicht in die Apperception eingetreten ist. In solchem Falle werden wir die versteckte Apperception der formalen Elemente gewahren, wenn auch das eine derselben ausgefallen ist und für dasselbe das zu ihm gehörige inhaltige Element sich in den Vordergrund des Bewußtseins gehoben hat. Es werden, um dies zu wiederholen, die Vorstellungen nicht von Gefühlen begleitet, sondern Vorstellungen verbinden sich mit einander, deren formale Elemente bald in voller Thätigkeit, bald ganz unwirksam sind.

Auf diesem Verhältniß der Verbindung verschiedener Vorstellungen nach verschiedenen Elementen derselben beruht die Möglichkeit der Poesie. Dies wollen wir nun eingehend untersuchen.

Obwohl die Poesie über die Mythenperiode hinausliegt, obwohl sie unter dem Charakter reflectirender Subjectivität auftritt, so hat sie doch Ein Moment ganz besonders mit dem Mythos gemein: das formale Element der Vorstellungen, das wir in den Mythen nachzittern sehen. Sind die Vorstellungen die Effecte der als innere Reize rückwirkenden, im Bewußtsein residuirenden Empfindungen von Veränderungen in den Bewegungsverhältnissen der eigenen Nerven, so werden zugleich mit jenen Vorstellungen je nach der Intensität des Reizes, von dem alle Empfindung anfänglich ausgegangen war, oder der Kraft des neuen Anstoßes, welcher sie wieder an die Schwelle des Bewußtseins hebt, jene Empfindungen der eigenen inneren Veränderungen miterzeugt werden. Während also nach vielfachen Verbindungen zusammengehöriger Reize, deren Residuen sich im Bewußtsein zu coordinirter Retrosensation gruppiren, endlich die reine Objectivirung sich ergiebt, so ist doch immerhin die Empfindung der veränderten Form des Bewußtseins nicht zu verwischen; es sei denn, daß die Objectivirung durch die Wiederholung so abstract wird, daß die Vorstellung zum bloßen Wortbilde sinkt, so daß die ursprüngliche Empfindung ganz schwindet. Denn das ist ja klar: bei jeder Objectivirung wird der Empfindungszustand abgeschwächt, das formale Element verdrängt. In der wissenschaftlichen Abstraction wird die völlige Befreiung von dem Empfindungselemente angestrebt. Die physikalische Vorstellung des Blitzes ist eine vollkommen inhaltige, aber sie ist auch aus ganz anderen Elementen zusammengesetzt, als welche in der Vorstellung des Urmenschen vom Blitze, oder sogar beim plötzlichen Anblick des Blitzes noch in uns erzeugt werden. Wir Alle objectiviren sofort das inhaltige Element des Feuers; aber der Reiz, der die Empfindung der veränderten Aufnahme der Aetherwellen durch den Blitz in uns hervorruft, ist so intensiv, die Bewegungsexcursionen des Nerven sind so verschieden von den gewöhnlichen, daß die Wirkung jenes Reizes trotz der sofortigen Objectivirung nachempfunden wird, welche Objectivirung eine Folge der öfter wiederholten Combinirung mit anderen Reizen, deren Empfindungen und Residuen ist. Diese bloße Form des Bewußt=seins bleibt nun als formales Element an der Vorstellung haften.

Das formale Element ist offenbar viel schwächer bei einer durch das Aufleuchten eines Streichholzes erzeugten Vorstellung vom Feuer, weil dabei der Reiz schwächer ist; aber das inhaltige Element beider Vorstellungen ist völlig gleich. Woher kommt es nun, daß mit der Vorstellung „Blitzfeuer" die Vorstellung der Größe, Macht, Gefahr verbunden wird, während die Vorstellung des Streichholzfeuers, dem Inhalte der Objectivirung nach ganz dieselbe, mit der Vorstellung des Kleinen, Alltäglichen, Unbedeutenden verbunden ist, und zwar desto mehr, je gewohnter die Empfindung wird? Dieser Unterschied in der Schätzung der Erscheinungen beruht lediglich auf dem formalen Elemente, das durch den heftigeren Reiz intensiver empfunden wird. Ich kann hier nur von der Beziehung dieses Elementes der Vorstellungen auf die Kategorie der Qualität Andeutung geben. Ursprünglich wird ja das Ganze einer Erscheinung mit seiner Umgebung appercipirt, allmählich ordnen und appercipiren sich sodann die zusammengehörigen Complexe. Wird nun die Objectivirung so lange fortgesetzt, bis sich aller Empfindungsinhalt aufzehrt, dann gelangen wir zur wissenschaftlichen Abstraction, in der die inhaltigen Elemente der

Vorstellungen von ganz anderen Anstößen aus erzeugt werden,
als von den ursprünglichen Empfindungsreizen.

In der Poesie aber, wie im Mythos, ist diese Objectivirung der Empfindungen in so geringem Maße nur vollzogen,
daß man nicht über die Personification hinauskam:
da müssen die formalen Empfindungselemente noch stark wirksam den Vorstellungen einwohnen. Ich werde später in Betracht ziehen, welchen Einfluß die Ausbildung der Objectivirung
auch auf die Poesie hat; zunächst erkennen wir darin den Charakter der Poesie, daß in ihr das formale Element vor-
wiegt. Hierauf beruht auch der Unterschied des Schönen
nach seiner allgemeinsten psychologischen Bestimmung von
dem Wahren, der ästhetischen Vorstellungen im engeren
Sinne von den adäquaten logischen. In dem letzteren müssen
die inhaltigen Elemente der neuen, zu appercipirenden Vorstellungen mit den inhaltigen Elementen der apriorischen, bereits im Bewußtsein vorhandenen und appercipirenden Vorstellungen übereinstimmen, während in der ästhetischen Apperception die inhaltigen Elemente nur in gewissem Maße, aber
die formalen Elemente schlechterdings zusammenstimmen müssen.
In der ästhetischen Vorstellung appercipiren die formalen Elemente einander.

Weiterhin wird dieser Gedanke noch eine andere Einschränkung erfahren. Die Gattungen der Kunst, welche den Ausdruck
von Vorstellungen wesentlich zur Aufgabe haben, erreichen
das Ideal des Schönen, wenn sie alle formalen Elemente der
darzustellenden Vorstellungen den inhaltigen vollkommen entsprechend wachzurufen vermögen. Je höher entwickelt darum
die Vorstellung ist, desto schwieriger ist die Kunst, sie darzustellen. Denn je höher eine Vorstellung entwickelt ist, desto
reicher sind ihre inhaltigen Elemente. Nun kann aber sehr wohl
jedes inhaltige Element einer Vorstellung ein formales haben.
Die Vorstellung „Gott" z. B. hat unter vielen anderen die
Inhaltselemente der Liebe und der strafenden Gerechtigkeit.
Diese beiden inhaltigen Elemente haben je ein formales. Soll
nun die Vorstellung nach ihrem ganzen reichen Inhalte dargestellt werden, so muß der Künstler dieselben so zu ordnen wissen,

daß die formalen Elemente, ohne bis zum Extrem hinausgeführt
zu werden, einander nicht widerstreben, sondern harmonisch zusammengehen. Dies ist die höchste Anforderung, die wir an
den Künstler stellen. Freilich giebt es aber hierfür in der
Kunst selbst eine Grenze. Die Plastik konnte eben nur an
die polytheistische Vorstellung „Gott" herantreten, die monotheistische hingegen ist plastisch nicht darstellbar.
Das sollten endlich alle diejenigen einsehen, welche noch immer
gegen die künstlerische Unfruchtbarkeit des Semitismus eifern.
In der reichen, mit einer großen Anzahl abstracter, rein in-
haltiger Vorstellungselemente begabten Ausbildung der mono-
theistischen Gottesvorstellung liegt der wahre Grund der
Unmöglichkeit, dieselbe künstlerisch zu gestalten. Die schwarz-
blauen Augenbrauen, mit denen ein Gott nickt, kann man ab-
bilden, und auch die ambrosischen Locken, die ihm vom Haupte
herabwallen; aber die abstracten Vorstellungen von einem
Schöpfer aus dem Nichts, von anfangsloser Einzigkeit und
körperlicher Unveränderlichkeit, von unfaßbarer Größe und Milde,
heiliger Gerechtigkeit und Liebe: diese Vorstellungen lassen sich
plastisch nicht gestalten, weil die formalen Elemente ohne Be-
einträchtigung der inhaltigen sich nicht gesondert abheben
und so zum plastischen Ausdruck bringen lassen, daß durch
dieselben zugleich die inhaltigen Elemente geweckt würden.
Denn werden diese nicht erreicht, so werden auch die formalen
nicht erzeugt. Wie kein mußte einem strengen Monotheisten
der Zeus des Phidias erscheinen! Was den Griechen erhaben
dünkte, daß sein Zeus so groß schien, daß er, wenn er sich er-
höbe, die Wölbung einstoßen würde: wie eng mußte der Mono-
theist diese Vorstellung finden. Unsere Erwartungen müssen
übertroffen, unsere Vorstellungen müssen mit Einem plötzlichen Blick weit über ihr gewöhnliches Maß hinausgedehnt
werden, wenn wir den Eindruck des Erhabenen empfangen
sollen. Den gewöhnlichen Anblick durchmessen wir bald, aber
an dem Erhabenen läuft der Blick empor, ohne daß er es in
der gewöhnlichen Apperceptionsdauer erfassen kann. Weder
die Mitte, noch die Spitze der Pyramide ist erhaben, sagt
Jean Paul, sondern die Bahn des Blicks. Darum kann

der plaſtiſche Gott dem Monotheiſten niemals erhaben erſcheinen,
denn ſeine inhaltigen Vorſtellungen laufen weiter als das Bild=
werk reicht, und ſo können auch die formalen Elemente nicht
erzeugt werden.

Dieſe Bedingung gilt nun in erhöhtem Maße von der
Dichtkunſt. Die Dichtkunſt, die durch Worte, durch Vorſtel=
lungen Empfindungen zu erregen hat, ſoll und muß auch auf
die inhaltigen Elemente der darzuſtellenden Vorſtellungen ihre
Rückſicht lenken; denn nur mit dem inhaltigen kann das for=
male Element erzeugt werden. Dieſe Rückſicht auf die Inhalts=
vorſtellungen ſoll nun nicht ſo weit gehen, daß dieſelben nach
der logiſchen Ordnung gefügt werden müßten; die formalen
Elemente derſelben ſind Maß und Princip der äſthetiſchen Com=
bination. Dies beruht darauf, daß viele verſchiedene inhaltige
Elemente ein und daſſelbe formale Element haben können. Das
formale Element der Vorſtellung Liebe kann durch viele inhal=
tige Elemente erzeugt werden. In ſoweit nun, als ſie noch
immer daſſelbe formale Element haben, müſſen die inhaltigen nicht
durchaus übereinſtimmen. Wir verlangen nicht, daß Don
Carlos oder König Philipp des Drama den inhaltigen Ele=
menten unſerer geſchichtlichen Vorſtellungen von dieſen beiden
Figuren entſprechen, wohl aber, daß — und ſei es auch auf
Koſten jener inhaltigen Elemente (bis zu einem gewiſſen Grade) —
daß die formalen Elemente, die jene dramatiſchen Perſonen er=
zeugen, mit den formalen Elementen der Vorſtellungen Held,
Unglück, Liebe u. ſ. f. zuſammenſtimmen.

Auch das Häßliche, ſagt Leſſing, iſt im Schönen zu=
läſſig, wenn es furchtbar iſt. Dann iſt es eben nicht mehr
häßlich. Wenn in Vorſtellungen die formalen Elemente des
Häßlichen und des Furchtbaren zuſammengehen, ſo iſt das letztere
im Stande, das erſtere aus dem Bewußtſein zu verdrängen;
darum kann die äſthetiſche Apperception von Statten gehen.

Die inhaltigen Elemente, vermöge deren die Vorſtellung
Apollo, Maria wunderthätige, verehrte Bilder ſchuf, ſind längſt
aus unſerem Bewußtſein geſchwunden, aber noch immer ver=
binden ſich die formalen Elemente jener Vorſtellungen mit den
formalen Elementen unſerer Vorſtellungen von ſchöner Jugend=

kraft, oder von dem unsäglichen Gefühl der innigsten Mutter=
liebe: dieser Zusammenstimmung der formalen Elemente ver=
danken wir noch immer den Genuß des Schönen an diesen
Werken. Ursprünglich aber hat man die Götterbilder für
Götter angesehen. Viele Gnadenbilder lassen in den Sagen
einen Ring vom Finger, einen Schuh vom Fuße fallen, damit
ihn der arme Mann oder die arme Frau, die zu dem Götter=
bilde beten, aufnehmen. Die Realität der Kunstgebilde wird
überall geglaubt im Alterthum, im germanischen wie bei den
Indern und Griechen.*) Erst die monotheistische Polemik
spottet der Werke von Menschenhänden, die einen Mund haben
und nicht reden, Ohren und nicht hören — wie sie selbst sind
ihre Bildner. Das ist mit Bezug auf den Ursprung der
Kunst in der That psychologisch richtig: wie die Kunstwerke
sind die Kunstwerker. Man hätte nie Götterbilder gemacht,
wenn man nicht die Götterbilder selbst für die Götter gehalten
hätte. Aus dem Bedürfniß und zur Befriedigung des Cultus
sind die Werke der Plastik ursprünglich hervorgegangen. Es
ist psychologisch unmöglich, daß man Dinge schaffe, von deren
Inadäquatheit und Unrealität man von vornherein überzeugt ist.
In dem Bewußtsein des Künstlers lebt der Glaube an die ge=
diegene Wahrheit seines Werkes. Erst nachdem die Kunst
bereits Werke aus diesem Geiste heraus geschaffen hat, ist es
möglich, in anderem Geiste, in anders gerichtetem Geiste
nachzuschaffen. Dann wird die ursprüngliche Tendenz durch
eine andere, gleich würdige ersetzt. Das erste Urbild aber ist
die Gottesidee selbst, die den Künstler zur Schöpfung antreibt;
sodann ist diese Schöpfung für jeden nachfolgenden Künstler
eine objective Idee, die er in sich nacherzeugt und die er
in sich nacherzeugen kann, weil dieselben Bedingungen, dieselben
Elemente sich in seinem Bewußtsein regen, ohne daß das an=
fängliche Motiv des ersten Künstlers in ihm noch wirksam sein
müßte. Die inhaltigen Elemente können ganz andere geworden
sein; der erste Künstler sah in dem Werke den Gott selber,
der spätere Nachbildner, der dabei eine viel tiefere, gewaltigere

---

*) Grimm, deutsche Mythologie S. 103.

Originalität des Schauens haben kann, hat nur dasselbe formale Element noch: das Werk erzeugt in ihm die Empfindung des Großen, Ehrwürdigen. Sobald die formalen Elemente zusammenstimmen, wird das Werk vom Künstler geschaffen und vom Beschauer genossen.

Wir wenden diese Betrachtungen nun auf die Poesie an. Aus dem Mythos, d. i. aus einer für das Bewußtsein vollkommen adäquaten Auffassung der Dinge hervorgegangen, unterscheidet sie sich jetzt von der normalen Gedankencombination in dem wesentlichen Punkte, daß sie nur die Verschmelzung der formalen Elemente anstrebt, während die inhaltigen einander bis zu einem gewissen Grade ausschließen können. Und dieser Grad wird nur bestimmt durch das formale Element selbst. Der Baum kann sich nicht nach einem andern Baume sehnen; das inhaltige Element der wissenschaftlichen Vorstellung Baum ist demjenigen inhaltigen Elemente geradezu entgegengesetzt, das die poetische Vorstellung Baum enthält. Wir finden dennoch das Gedicht schön, weil die formalen Elemente der poetischen Vorstellung Baum zusammenstimmen mit den formalen Elementen der in dem Gedichte zum Ausdruck gebrachten Vorstellungen der Liebe, der Sehnsucht u. s. f. Wir vergessen ganz, daß die Vorstellung Baum auch ein inhaltiges Element hat, mit Einem Worte: die poetische Vorstellung Baum und die wissenschaftliche sind nur dem Worte nach dieselbe, der Sache nach aber verschieden. Sie haben noch dasselbe Wort, weil sie noch mehrere gleiche Inhaltselemente haben, aber die überwiegende Zahl der inhaltigen Elemente ist verschieden, dasselbe Wort hat zwei innere Sprachformen, bezeichnet zwei Vorstellungen. Der Dichter hält sich nun an die poetische Vorstellung und so allein erfüllt er seine Aufgabe. Er soll uns nach Humboldt in einen Mittelpunkt stellen, von dem aus nach allen Seiten Strahlen ins Unendliche gehen. Er darf uns also nicht bei der abstracten, streng begrenzten wissenschaftlichen Vorstellung festhalten, sondern er muß eine Vorstellung vorführen, die unbegrenzt ist. Dieser Bedingung entspricht das formale Element, denn es ist dasselbe bei dem Fichtenbaume, sofern derselbe von einer Palme träumen kann, wie bei der Ingeborg,

die sich nach dem fernen Frithjof sehnt. In beiden Vor=
stellungen wird das formale Element des Mitleids geweckt, weil
wir in beiden durch das gleiche formale Element die Vorstellung
der Liebe empfangen.

Inhaltig also ist die poetische Vorstellung Baum durchaus
eine andere als die botanische, aber appercipirt wird im Ge=
dichte vermöge der formalen Elemente. Dahingegen können
inhaltig gleiche Vorstellungen in der poetischen Apperception
nicht benutzt werden, wenn die formalen Elemente nicht zusam=
menstimmen. Die abstracte Vorstellung vom Blitzfeuer hat
dieselben inhaltigen Elemente wie die vom Streichholzfeuer.
Bei der späteren Objectivirung wird mit der abgeschwächten,
wo nicht ganz vertilgten Empfindung zugleich die Reizquelle,
also die Ursache des formalen Elementes im Bewußtsein
vernichtet und so werden beide Vorstellungen, als den gleichen
physikalischen Proceß darstellend, identificirt. Aber für die
poetische Apperception kann die eine Vorstellung keineswegs die
andere vertreten. Wo wir im Gedicht ein Blitzfeuer erwarten,
wird das Streichholzfeuer nur eine komische Wirkung haben.

Der Dichter braucht das Wort in der alten, mythischen
Sprachform. Daneben aber hat sich die aus den einzelnen
inhaltigen Elementen bestehende Vorstellung immer mehr zur
Allgemeinheit ausgebildet, die wir Begriff nennen: wie ist
nun bei der vollkommenen Gewöhnung an den wohlverstandenen
Begriff die ursprüngliche mythische Apperception haltbar?
Wie kann der Dichter in dem Worte noch den alten Inhalt
denken, während er den neuen kennt? Wie kann er die for=
malen Elemente durch Vorstellungen erzeugen lassen, die inhaltig
nicht mehr adäquat sind?

Um diese Frage, in der das alte Wie schärfer bestimmt
ist, befriedigend lösen zu können, müssen wir auf den innigen
Zusammenhang hinweisen, in dem die Vorstellung mit der
Sprache steht. Durch das Wort erst vollzieht sich die An=
schauung der Anschauung, die Vorstellung; denn in dem Worte
allein wird die Anschauung als ein Aeußeres gesetzt, und durch
diese Veräußerung der Anschauung entsteht die Vorstellung, die
sich von dem Objecte und der Anschauung desselben als eigene

Anschauung von dieser Anschauung dargiebt. Wer mit diesen
Bestimmungen nicht vertraut ist, den verweise ich auf „Gram=
matik, Logik und Psychologie" von Steinthal, S. 295—320,
und „Leben der Seele" von Lazarus, das Kapitel „Geist und
Sprache". Ich setze dies hier voraus, daß die Bildung der
Vorstellung im prägnanten Sinne, nicht wie wir bisher von
Vorstellung im Gegensatze zur Empfindung geredet haben, die
That der Sprache ist: in den Stufen der Sprachentwicke=
lung wird man die Entwickelung des Bewußtseins beobachten
können.

In der pathognomischen Stufe sehen wir den nie=
drigsten Grad der psychischen Action; die Interjectionen, die
auf derselben ausgestoßen werden, sind die unmittelbaren Re=
flexe der äußeren Reize, also der Empfindungen innerer Ver=
änderungen. Freilich wird auch auf dieser Stufe schon objecti=
virt, der Schmerz wird in die Hand verlegt; aber der Cha=
rakter der Sprachäußerung dieser Empfindung, der Charakter
des pathognomischen Reflexes in der Sprache, verräth
noch nichts von der höheren Objectivirung, sondern steht noch,
wenn nicht ausschließlich, so doch zum großen Theil, unter der
Herrschaft der Empfindung, die in dem Laute reflectirt wird.
Aber wir haben doch schon den Anfang einer Objectivirung
einer inneren Sprachform, einer Anschauung des Lautes behufs
der Vergleichung zwischen Laut und Bedeutung, wenn wir ge=
ringschätzig pah! sagen. Mit einer solchen Interjection stehen
wir schon auf der Grenze zur onomatopoetischen Stufe.
In dieser reflectirt das Wort nicht unmittelbar die Empfin=
dung von den durch das Ding hervorgebrachten Veränderungen
der eigenen Nervenbewegung, und so enthält sie schon den
Anfang eines inhaltigen Elementes, während der pa=
thognomische Ausdruck von der allerdings aufsteigenden Vor=
stellung nur das formale Element reflectirt. So viele inhaltige
Elemente die Vorstellung „essen" haben mag, durch die onomato=
poetische Wurzel pa, pappen, wird doch nur die Empfindung
der bei jener Thätigkeit vollzogenen Lippenbewegung reflectirt.
Es wird also nur das formale Element der Objectivirung, die
Empfindung der Veränderungen der eigenen Organe im Worte

fixirt. Wir sehen hier schon die Anschauung einer Bewegung ausgedrückt, aber doch nur nach Maßgabe der eigenen Empfindung des formalen Elementes der Vorstellung, zu welcher die Empfindung objectivirt ist. In der onomatopoetischen Stufe erkennen wir immer nur den Eindruck, den ein Ding auf den Menschen, auf des Menschen Empfindungszustand macht; daher die onomatopoetischen Worte bei den verschiedenen Völkern so schwer zu erkennen sind.

Eine klare, freie Inhaltsanschauung neben dem formalen Elemente entfaltet sich erst auf der charakterisirenden Stufe. Hier werden äußere Erscheinungen nach Merkmalen aufgefaßt, welche nicht die unmittelbaren Effecte der Reize und der durch sie bewirkten Empfindungen, und auch nicht die ersten Objectivirungen, die Total-Anschauungen reflectiren, sondern aus dem Getriebe des psychischen Mechanismus hervorgehen, auf Associationen und Apperceptionen beruhen, welche ursprünglich auf Empfindungszustände zurückgehen, aber durch ihre weite Ausbreitung und vielfache Verschlingung dem Ausdruck derselben entfremdet sind. Und wo das formale Element noch in der Wurzel, in dem Worte haftet, da ist doch die innere Sprachform eine dergestalt veränderte geworden, daß dasselbe mit dieser Vorstellung nicht mehr verbunden ist. Die innere Sprachform des Wortes Tugend ist nicht mehr das Taugende, das formale Element ist wohl auch in dem Worte Freund nicht mehr ganz dasselbe, als was es durch seine Beziehung zu freuen gewesen sein muß. Die inneren Sprachformen wechseln so tief, daß von der ursprünglichen Vorstellung Nichts erhalten bleibt, aber man sieht doch, daß selbst auf der charakterisirenden Stufe die Anfänge von den Reflexen der formalen Vorstellungselemente gemacht werden.

In der ausgebildeten Sprache bleiben aber nun nicht bloß Reste dieser drei Stufen zurück, sondern sie werden in den Entwickelungsstadien des Menschen von Neuem gebildet. Pathognomische Wörter werden von den Kindern gesprochen, onomatopoetische absichtlich von den Dichtern gebildet. Und nicht allein von den Dichtern, auch der logische Denker bemüht sich um anschauliche Darstellung seiner Gedanken; darum greift

Anschauung von dieser Anschauung dargiebt. Wer mit diesen Bestimmungen nicht vertraut ist, den verweise ich auf „Grammatik, Logik und Psychologie" von Steinthal, S. 295—320, und „Leben der Seele" von Lazarus, das Kapitel „Geist und Sprache". Ich setze dies hier voraus, daß die Bildung der Vorstellung im prägnanten Sinne, nicht wie wir bisher von Vorstellung im Gegensatze zur Empfindung geredet haben, die That der Sprache ist: in den Stufen der Sprachentwickelung wird man die Entwickelung des Bewußtseins beobachten können.

In der pathognomischen Stufe sehen wir den niedrigsten Grad der psychischen Action; die Interjectionen, die auf derselben ausgestoßen werden, sind die unmittelbaren Reflexe der äußeren Reize, also der Empfindungen innerer Veränderungen. Freilich wird auch auf dieser Stufe schon objectivirt, der Schmerz wird in die Hand verlegt; aber der Charakter der Sprachäußerung dieser Empfindung, der Charakter des pathognomischen Reflexes in der Sprache, verräth noch nichts von der höheren Objectivirung, sondern steht noch, wenn nicht ausschließlich, so doch zum großen Theil, unter der Herrschaft der Empfindung, die in dem Laute reflectirt wird. Aber wir haben doch schon den Anfang einer Objectivirung einer inneren Sprachform, einer Anschauung des Lautes behufs der Vergleichung zwischen Laut und Bedeutung, wenn wir geringschätzig pah! sagen. Mit einer solchen Interjection stehen wir schon auf der Grenze zur onomatopoetischen Stufe. In dieser reflectirt das Wort nicht unmittelbar die Empfindung von den durch das Ding hervorgebrachten Veränderungen der eigenen Nervenbewegung, und so enthält sie schon den Anfang eines inhaltigen Elementes, während der pathognomische Ausdruck von der allerdings aufsteigenden Vorstellung nur das formale Element reflectirt. So viele inhaltige Elemente die Vorstellung „essen" haben mag, durch die onomatopoetische Wurzel pa, pappen, wird doch nur die Empfindung der bei jener Thätigkeit vollzogenen Lippenbewegung reflectirt. Es wird also nur das formale Element der Objectivirung, die Empfindung der Veränderungen der eigenen Organe im Worte fixirt. Wir sehen hier schon die Anschauung einer Bewegung ausgedrückt, aber doch nur nach Maßgabe der eigenen Empfindung des formalen Elementes der Vorstellung, zu welcher die Empfindung objectivirt ist. In der onomatopoetischen Stufe erkennen wir immer nur den Eindruck, den ein Ding auf den Menschen, auf des Menschen Empfindungszustand macht; daher die onomatopoetischen Worte bei den verschiedenen Völkern so schwer zu erkennen sind.

Eine klare, freie Inhaltsanschauung neben dem formalen Elemente entfaltet sich erst auf der charakterisirenden Stufe. Hier werden äußere Erscheinungen nach Merkmalen aufgefaßt, welche nicht die unmittelbaren Effecte der Reize und der durch sie bewirkten Empfindungen, und auch nicht die ersten Objectivirungen, die Total-Anschauungen reflectiren, sondern aus dem Getriebe des psychischen Mechanismus hervorgehen, auf Associationen und Apperceptionen beruhen, welche ursprünglich auf Empfindungszustände zurückgehen, aber durch ihre weite Ausbreitung und vielfache Verschlingung dem Ausdruck derselben entfremdet sind. Und wo das formale Element noch in der Wurzel, in dem Worte haftet, da ist doch die innere Sprachform eine dergestalt veränderte geworden, daß dasselbe mit dieser Vorstellung nicht mehr verbunden ist. Die innere Sprachform des Wortes Tugend ist nicht mehr das Taugende, das formale Element ist wohl auch in dem Worte Freund nicht mehr ganz dasselbe, als was es durch seine Beziehung zu freuen gewesen sein muß. Die inneren Sprachformen wechseln so tief, daß von der ursprünglichen Vorstellung Nichts erhalten bleibt, aber man sieht doch, daß selbst auf der charakterisirenden Stufe die Anfänge von den Reflexen der formalen Vorstellungselemente gemacht werden.

In der ausgebildeten Sprache bleiben aber nun nicht bloß Reste dieser drei Stufen zurück, sondern sie werden in den Entwickelungsstadien des Menschen von Neuem gebildet. Pathognomische Wörter werden von den Kindern gesprochen, onomatopoetische absichtlich von den Dichtern gebildet. Und nicht allein von den Dichtern, auch der logische Denker bemüht sich um anschauliche Darstellung seiner Gedanken; darum greift er zur onomatopoetischen Gestaltung nicht so sehr der Dinge, als der eigenen Empfindungen, welche die Dinge in ihm erzeugen. Der Fortschritt des Denkens besteht in der richtigen Charakterisirung, in der Verbindung adäquater Vorstellungen, der Apperception von Gegenständen nach ihren inhaltigen Elementen mittels der inhaltigen Elemente bereits vorhandener, mehr oder weniger gleichartiger Vorstellungen. Nun sind aber die Empfindungen oft noch so wirksam im Bewußtsein wegen des durch die intensiveren Reize bewirkten größeren Ausschlages in den normalen Bewegungsexcursionen des Nerven, daß sich in die Bildung adäquater Vorstellungen vermöge der Apperception der inhaltigen Elemente das formale Element oder die Verbindung mehrerer derselben einschiebt und deshalb eine schiefe Vorstellung, ein falsch charakterisirendes Wort hervorbringt. Wo nun die Charakterisirung gemäß den inhaltigen Elementen fortschreitet, da ändert sich allmählich die innere Sprachform des Wortes, aber das Wort bleibt so lange, bis die Gemeinsamkeit der inhaltigen Elemente vollständig aufgehört hat. Je schärfer der Begriff des Organischen und unter diesem der des Pflanzenreiches gefaßt wird, desto klarer entfalten sich die inhaltigen Elemente dieser Vorstellung und desto schärfer scheidet sich die innere Sprachform des Wortes von der früheren, nach der die Wurzel des Baumes als ein Fuß betrachtet wurde, mit dem der Baum trinkt. Im Sanskrit bedeutet das Wort „Pflanze", „Baum" mit dem Fuße trinkend. Da diese Scheidung nun bei einer großen Anzahl von Wörtern erfolgt, so ist bei allen diesen die innere Sprachform verändert und wir sind eigentlich Alle Dichter, denn wir sprechen in dem Worte eine andere Vorstellung aus, als welche in demselben liegt. „Wenn wir heute sprechen, sagen wir immer ein Doppeltes oder dasselbe in doppelter Auffassung." (Steinthal.)

Ist nun in einem Worte die innere Sprachform deutlich und als geschwunden erkennbar, so stirbt das Wort langsam aus und an seine Stelle tritt ein anderes. Dieser Proceß vollzieht sich aber nur sehr allmählich, und obwohl das Copernikanische Sonnensystem in den Dorfschulen gelehrt wird, sagen wir doch: die Sonne geht unter. Wir sagen aber nicht mehr: in den Ozean, weil diese

Vorstellung vollkommen geschwunden ist. Daß die Sonne aber untergeht, das kann man deutlich jeden Abend sehen, dagegen hilft kein physikalischer Unterricht. Die Anschauung ist so deutlich, so eindringlich, daß sie im Bewußtsein nicht vertilgt, wenngleich durch eine wissenschaftliche Vorstellung verdrängt werden kann. Weil nun aber so viele solcher durch die Wissenschaft überwundener mythischer Anschauungen durch die tägliche Beobachtung sich erhalten, so ist hierin die erste Möglichkeit der Poesie auch in unserer Zeit gegeben.

Die mythische Kraft ist in dem modernen Menschen nicht erloschen, weil die mythologische Vorstellung nicht qualitativ von der wissenschaftlichen unterschieden ist, sondern nur in der Combination der Anschauungen. Die Anschauungen wiederholen sich aber, also auch die Vorstellungen. Selbst wenn es der wissenschaftlichen Durchbildung im späteren Alter gelingt, die frühere mythische Anschauungsweise zu verdrängen, so wird doch in dem Mechanismus der Vorstellungen von dem Kinde auf den Mann so viel vererbt, daß diese Vorstellungsweise nicht bis auf die letzte Spur vertilgt werden kann. Es ist eine Frage von der höchsten Bedeutung für alle Zweige der Erkenntniß, für die Ethik ebenso wie für die Pädagogik, ob es möglich sein wird, die mythischen Vorstellungen vollständig durch die wissenschaftlichen zu unterdrücken. Ein gründlicher Fortschritt kann nur auf diesem Wege erreicht werden. Die mythischen Vorstellungen sind die Producte ganz natürlicher, ja, der allein natürlichen Apperceptionen. Daß an Stelle dieser mythischen solche Vorstellungen als Apperceptionsorgane einrücken, welche der wahren Natur der Dinge entsprechen, das ist die Aufgabe aller Erziehung und aller Bildung, die um so schwieriger ist, je natürlicher die mythischen Apperceptionen sind.

Ich will hier ein paar Fälle anführen, an denen man, da die Sache bereits mehrfach abgehandelt ist, von Neuem erkennen mag, daß unsere Kinder noch heute Mythendichter sind, wie die kindliche Menschheit vor zwei- und dreitausend Jahren. Ein Knabe von nicht ganz zwei Jahren, der im Sommer mit seiner Mutter aus Afrika nach Deutschland gekommen war, sah im vergangenen Winter zum ersten Male schneien. „Mama", rief er, „die Schmetter-

linge haſchen ſich in der Luft." So hat er den Schnee als
Schmetterling appercipirt. Ein anderes Kind ſah den Schnee
zum erſten Male und hielt ihn für Zucker. Solcherlei Apper=
ceptionen gelten bei einem Volke, das ohne wiſſenſchaftliche
Bildung die Naturerſcheinungen anſtaunt, als richtig und wahr.
Erſt nachdem in Anſchauungen, die ſich in Worten fixirt haben,
andere Vorſtellungen, andere inhaltige Elemente ſich eingebildet
haben, durch welche der Unterſchied zwiſchen Schmetterling und
Schnee erkannt wird, oder zwiſchen dem Baume, deſſen Wurzel
aus der Erde ſeine Nahrung zieht und einem animaliſchen Weſen,
das mit dem Fuße Waſſer ſchöpft; erſt nachdem dieſer Unter=
ſchied in's Bewußtſein eingedrungen iſt, bildet ſich eine Span=
nung zwiſchen der früheren Combination und der neuen; beide
Vorſtellungen congruiren nicht mehr, und ſo ändert ſich, je
mehr ſich die Anzahl der ungleichen inhaltigen Elemente ver=
mehrt, die innere Sprachform des Wortes.

Für den modernen Dichter nun verlieren die Mythen ihre
inhaltigen Elemente faſt gänzlich, ſie werden Worte, die ihre
inneren Sprachformen wandeln und vor neugebildeten Worten
den Vorzug voraus haben, daß ſie die formalen Elemente zur
entſchiedeneren Anregung bringen. Das alte Wort war viel=
leicht onomatopoetiſch; jetzt aber charakteriſirt es nicht mehr die
alten in ihm verdichteten Vorſtellungen, deren formale Elemente
es dennoch weiter trägt. Oft iſt die neue innere Sprachform
der alten ſogar entgegengeſetzt, wie wenn wir die Selbſtauf=
opferungsfähigkeit mit dem Worte Tugend bezeichnen, welches
das Taugliche, Nützliche bedeutet. Der Fortbeſtand des Wortes
und ſeine Anwendbarkeit auch auf die neuen Vorſtellungen hat
zwar oftmals keinen anderen Grund als den des allmählichen
Ueberganges in eine im Vergleich zu der nächſt voraufgehenden
Stufe nur geringe Abart in der Entwickelung der inneren
Sprachform: oft hingegen läßt ſich dieſes Haften der neuen
Apperception am alten Worte durch andere Motive begründen.
Das Wort bezeichnet nämlich nicht allein die Bedeutung der
Vorſtellung als eines logiſchen Inhalts, ſondern zugleich den
geſammten Stand des Bewußtſeins unter der durch das Wort
auszudrückenden Vorſtellung. Im Worte ſind die formalen

Elemente eben so sehr verdichtet wie die inhaltigen. Die Durch=
dringung der inhaltigen Vorstellungselemente durch die for=
malen, die Sensuation der Abstractionen, das ist das
Geheimniß der Kunst, der neuen wie der alten Dichterfamilien.
Darum sucht sie das alte Wort, in dem die ursprüngliche Per=
sonification noch ungeschwächt erhalten ist, zu conserviren; darum
sucht sie das Widerspruchsvolle in dem Mythos, wenn der ein=
zelne Dichter es hier und da dunkel fühlen sollte, vom Instinkt
ihres Lebensbedürfnisses geleitet, zu verwischen. Denn in der
Erhaltung der formalen Elemente, welche im mythischen Worte
voller ausgebreitet entfaltet sind, liegt das wichtigste Mittel für
die dichterische Darstellung.

Das alte Wort scheidet manchmal gänzlich aus der Um=
gangssprache; dann lebt es in der Sprache der Götter, denn
die Menschen verstehen es nicht mehr. Dieses Schwinden eines
Wortes aus der Umgangssprache und sein alleiniger Gebrauch
in der Sprache der Dichtung ist der Grund für die auffallende
Erscheinung, die uns bei den Griechen und Deutschen entgegen=
tritt, daß die Götter eine besondere Sprache haben. Wo der
Dichter zwei Benennungen findet, legt er die ältere den Göt=
tern, die jüngere, gebräuchlichere den Menschen bei.*) In spä=
teren Zeiten wurden alte Wörter, wie sie ja schon früher, ob=
wohl zur Sprache der Götter gehörig, von dem Dichter vor=
nehmlich gebraucht wurden, ausschließlich in den feierlichen
Reden der Dichtung angewendet. Denn das alte, feierliche
Wort weckt besondere formale Elemente, das Wort der Um=
gangssprache kann nur dann die Werktagsstimmung heben, wenn
es mit ungewohnter Betonung gesprochen wird. Was nun
so für die Worte gilt, das gilt ebenso für die Wort=Verbindungen
und Stellungen, für ganze Sätze. Darum werden bereits auf=
gegebene, überwundene Apperceptionen von dem Dichter gern
nachgebildet, weil durch sie abnorme formale Elemente der Vor=
stellung erzeugt werden. Zudem sind die mythischen Apper=
ceptionen meist plastisch; Naturereignisse werden als Thaten
bestimmter Personen gefaßt. Je concreter, je persönlicher eine

---

*) Grimm, deutsche Mythologie S. 309, 310.

Handlung dargestellt wird, desto entschiedener wirkt sie auf die formalen Elemente der Vorstellungen. Was soll der Dichter mit einem willenlosen physikalischen Proceß anfangen, der Gesetzen folgt, welche kein eigenes Dasein führen, sondern nur in den Processen lebendig sind? Von Anfang in die individualitätslosen Beziehungen der großen Wechselwirkung der Dinge gestellt, kann es ihm mit seinen Mitteln nicht mehr gelingen, einen Mittelpunkt zu schaffen, von dem er in ein weiteres Unendliches Strahlen ausgehen lasse. Nur von den begrenzten Wirksamkeiten der Einzeldinge aus läßt sich die poetische Unendlichkeit erfassen. Dieses Begrenzte, Persönliche nimmt die Apperceptionen der Kinder gefangen, denen die causalen Beziehungen immer nur in directen Bewirkungen offen liegen. Diese ursprünglichen Apperceptionen nun bleiben im Bewußtsein wegen ihrer Natürlichkeit sowohl als auch wegen des früheren und ungestört lange andauernden Eindrucks für das ganze Leben und legen den Grund für jene Gattung der Apperceptionen, welche wir der Phantasie zuschreiben und welche nichts Anderes sind, als Vorstellungen mit ausgeprägten formalen Elementen, deren gegenseitige Apperception diejenige der inhaltigen Elemente vertritt.

Der erste Grund für die Möglichkeit der modernen Dichtung ist demnach ein doppelter. Die mythischen Apperceptionen werden erstens von dem Kinde, also auch von dem Dichter in seiner Kindheit geübt und bleiben wegen ihrer Eindringlichkeit in das noch leere, also empfänglichere Bewußtsein fest in denselben eingeprägt; dann aber kann sie auch der Mann nur schwer abweisen, weil sie sich in deutlichen Erscheinungen, wie bei dem Phänomen des Sonnenunterganges, darbieten.

Ist hiermit der erste Grund für die Möglichkeit unserer Poesie gewonnen, so müssen wir hier, ehe wir weitere Gründe aufsuchen, zugleich eine Betrachtung anstellen, durch die es klar werden soll, daß in dem Träger der Vorstellungen zugleich ein Anlaß liegt, der das Wachsthum der Phantasie, ihre Erhaltung und Ausbreitung im psychischen Mechanismus begünstigt. Jede Vorstellung hat ihr formales Element. Auf der pathognomischen und zum Theil noch auf der onomatopoetischen Stufe kommt nur dieses zum reflectorischen Ausdruck: erst auf der charakteristirenden sollen reine Objectivirungen durch Worte dargestellt werden. Nichtsdestoweniger sind aber in den Vorstellungen die ursprünglichen Empfindungen immanent und fortwirkend. Werden nun die abstracten Vorstellungen ausgedrückt, so drängen die formalen Elemente derselben nicht minder auf einen reflectorischen Ausdruck: sind sie es ja doch, die sehr wesentlich auf die Gestaltung der inhaltigen Elemente selbst einwirken. Diese Darstellung der formalen Elemente der Vorstellungen, welche in den Worten nicht zum gleichgewichtigen Ausdruck kommen können, sehen wir in der Poesie, oder genauer, in dem Rhythmus, dem Metrum und der Harmonie, die sich frühzeitig mit der Poesie verbinden. Denn der Ausdruck der formalen Elemente gehört der Musik ihrem ganzen Charakter nach an. Ohne inhaltige Elemente an sich wachzurufen, regt die Musik die harmonische Verbindung formaler Elemente an. Wo aber nun, wie in der Poesie, auch inhaltige Elemente zum Ausdruck kommen, da besteht der Unterschied dieses Ausdrucks vom prosaischen, vom wissenschaftlichen, darin, daß die formalen Elemente in Rhythmus und Metrum, im dichterischen Satzbau und in der ganzen Form des Styls reflectirt werden. So werden also nach einem unabweislichen psychischen Impulse vornehmlich durch diese musikalischen Elemente die mythischen Apperceptionen unterstützt, um auch die formalen Vorstellungselemente in der Poesie zum Ausdruck zu bringen.

Dies ist das Unsagbare, von dem Lazarus (Leben der Seele, II. S. 96) geredet hat. „Der Urmensch ist im hohen Drange der erwachenden Seelennatur reich an Barren des Gedankens, und er müht sich, sie zu prägen, um ihnen bestimmten und erkennbaren Werth zu geben. Eben deshalb sind vielleicht Gesang und Poesie nicht viel jünger als die Sprache selbst." Auch bei den Kindern hat man beobachtet, daß viele, wenn nicht alle (Sigismund) früher nachsingen als nachsprechen." Dieses Naturbedürfniß, auch in den abstracten Vorstellungen das Gefühlselement zum Ausdruck zu bringen, hat die Poesie in ihrer musikalischen Form, in Rhythmus und Metrum, und von der Harmonie begleitet, hervorgebracht und es bildet noch heute einen wesentlichen Hebel zum Fort=

beſtand der Dichtung. Die älteſten Dichtungen finden wir in geſchloſſenen Metren, und bei den Deutſchen gewahren wir in früher Zeit die einfachſte Form eines rhythmiſchen Verhältniſſes in dem Reim. Der Reim findet ſich bei den aſiatiſchen Völkern ebenſo wie bei den europäiſchen. Rhythmus und Metrum ſind ganz mit der Poeſie verwachſen, ſie beſtimmen den Charakter derſelben, inſofern ſie die adäquate Combination der inhaltigen Elemente hemmen. Der Zwang des Metrum giebt dem Gedanken oft eine ganz andere Wendung und der anders gewendete Gedanke iſt ein anderer geworden. Auf dem Verhältniß aber, welches zwiſchen beiden Elementen der Vorſtellung obwaltet, beruht im letzten Grunde der Unterſchied unter den verſchiedenen Arten der Gedankenverbindung. Je abſtracter eine Vorſtellung iſt, je objectivirter die Empfindungen ſind, deſto adäquater kann die Gedankencombination erfolgen. Je mehr aber in die Complexion der inhaltigen die formalen Elemente zum gleichzeitigen Ausdruck ſich eindrängen, deſto weniger wird ſie von Gefühlen gereinigt ſein.

Dieſe Schwierigkeit, die Vorſtellung gänzlich von formalen Elementen zu entmiſchen, liegt überhaupt im Weſen des Wortes. Das Wort iſt ein Klangbild, und die Klangvorſtellungen ſind im Gegenſatz zu den deutlicheren Geſichtsvorſtellungen unbeſtimmt.*) Man weiß, wie ſehr das Sprechen vom Verſtehen abhängt; wenn nun das Wort nur eine unbeſtimmte Vorſtellung (ſeiner pſychologiſchen Natur nach) ſchaffen kann, ſo iſt es an ſich nur ein Mittel für eine ebenſo unklare neue Apperception, und ſo iſt jedes Wort, auch das abſtracteſte, ein poetiſches Mittel. Die völlige Auflöſung der Sprache in abſtracte Formeln, wie ſie in der Mathematik geſchieht, iſt das einzige Mittel, zum adäquaten Ausdruck rein objectivirter Vorſtellungen zu gelangen. Ob die Menſchheit dies wünſchen dürfe und erſtreben ſolle — das iſt eine andere Frage: wie auch immer darüber die Entſcheidung falle, die Unzulänglichkeit und den Grund der Mißhelligkeiten, der für die abſtracte Forſchung in der Sprache liegt, ſoll man ſich auf jeden Fall neben

---

*) Grieſinger, pſychiſche Krankheiten S. 27.

dem Gewinn, den die Cultur des Geistes aus derselben zieht, eingestehen.

Die Philosophie hat dieses gemeine Schicksal der Vorstellungen am schwersten zu beklagen. In den rein theoretischen Bestimmungen fließen nicht nur die formalen Elemente unter und streben zum Ausdruck hervor: die theoretischen Vorstellungen selbst sind so lange einer völligen Durchführung durch alle ihre möglichen Apperceptionsprocesse unfähig, als sie mit den formalen Elementen anderer Vorstellungsreihen sich immer unwillkürlich verbinden. Und was das Schlimmste und doch das Natürlichste ist, es sind gerade die principiellen Punkte, in denen man deswegen so schwer zu einer freien Abstraction gelangen kann, weil in diesen die verschiedensten Vorstellungen aus den verschiedensten Reihen zusammenlaufen, die mehr oder weniger von formalen Elementen erfüllt sind. Rein metaphysische Fragen — um nur Ein Beispiel anzuführen — werden mit beständiger Rücksichtnahme auf die Ethik behandelt.

Die Poesie hat die Bedingung ihrer Existenz in diesem Verhältniß des Ausdrucks zwischen den beiden Elementen der Vorstellung. Die Phantasie Newton's unterscheidet sich also von der Phantasie Shakespeare's auf eine psychologisch bestimmbare Weise. Ein schwaches Merkmal einer Complexion, die in Newton's Mechanismus einmal eingetreten war, war im Stande, eine andere Reihe anzuziehen, in der jenes Merkmal ebenfalls sich fand. Darin besteht die große, wie man wohl sagt, phantasiehafte Combination eines Denkers, wie Newton war, daß die Reihen schon durch wenige an sich schwache Merkmale reproducirt werden, und das nennt man Phantasie. Aber Newton hatte nicht auf die formalen Elemente dieser Vorstellungen zu achten, sondern er mußte dieselben, wo sie sich eindrängten, außer Rechnung lassen; bei der Uebung, welche der logische Ablauf der Vorstellungen erlangt, wird diese Schwierigkeit immer geringer. Shakespeare jedoch muß die Gedanken zugleich so fügen und die Worte so setzen, daß die Vorstellungen in ihrer Gesammtheit mit beiden Elementen wachgerufen werden. Je höher nun ein Dichter seine Vorstellungen wählt, desto schwieriger wird die Aufgabe,

sie zugleich auch formal zu bewältigen, im gleichzeitigen Aus=
druck beide Elemente zu gestalten. An der Wahl der Gattung
der Vorstellungen und an dem Grade ihrer Gestaltung nach
ihren beiden Elementen ist die Kunstrichtung und die Kunst=
leistung zu beurtheilen. Wo die Unmöglichkeit eintritt, sei es
in dem inhaltigen, sei es in dem formalen Elemente, einen
gleichstimmigen Ausdruck zu erreichen, da ist die Grenze des
Schönen.

Die erhabensten Philosophen des Alterthums haben ver=
sucht, ihre Theorieen in Dichtungen darzulegen, aber sie haben
dadurch nur ihre Theorieen, die streng vermittelten Verbindungen
adäquater Vorstellungen, geschädigt, ohne daß sie überall den
vollen Ausdruck der formalen Elemente erreichen konnten. Denn
die formalen Elemente reflectiren zwar in dem Metrum, dem
Rhythmus, aber sie kommen nicht allein in diesen zum Ausdruck.
Die Inhaltselemente der Vorstellungen dürfen nicht ganz ab=
stract, aller individueller Beziehungen enthoben sein. Diese Be=
dingung ist nun freilich bei den alten Dichterphilosophen erfüllt,
ihre Kräfte, Haß und Liebe, geberden sich wie persönliche
Wesen, aber dadurch ist die Abstraction verblümt; und in so=
weit wieder diese die Conception beherrscht, das formale Element
verblaßt. „Dasjenige Gedicht", sagt Schiller*), „worin der
Gedanke selbst poetisch wäre und es auch bliebe, ist
noch zu erwarten.

Aber selbst da, wo die Vorstellungen aus den höheren
Gebieten des Denkens gezogen werden, da beeinträchtigt die
poetische Rücksicht die klare begriffliche Gestaltung. Ich denke
hier nicht an die irrigen Versuche, die man zu allen Zeiten
unternommen hat, abstracte Gegenstände poetisch zu behandeln,
wie noch im 13. Jahrhundert eine mathematische Abhand=
lung in Versen geschrieben sein soll**); in solchen virtuosen
Nachahmungen sehen wir den Charakter der Poesie offenbar
verkannt. Aber selbst in denjenigen Dichtungen, in welchen ein

---

*) Naive und sentiment. Dichtung. Cotta, 1825, Bd. 18. S. 270.
**) Montucla, Hist. des mathématiques I, 506. Vgl. Buckle
I. 254.

wahrer Dichtergeist rein gedankliche Reihen geformt hat, sehen
wir doch das eine oder das andere Element abwechselnd ge=
schwächt, so sehr es dem Dichter gelungen sein mag, beide zu
einem möglichst kräftigen Ausdruck zu bringen. Davon ganz
zu geschweigen, daß die Entwickelung eines wissenschaftlichen
Gedankens die nüchterne, sachliche Verbindung erheischt, während
die Dichtung die Ursachen zu Urpersonen umbildet. In
der skeptischen Anschauung des Dichters erscheint die Theorie
grau, und der realistische Gedanke in seinen verschiedenen
Formen, als hedonischer oder nur als antispeculativer,
wird im Haupte des Dichters zum goldenen Lebensbaum,
der doch zugleich grün sein kann, weil die formalen Elemente
dieser Vorstellungen einander sehr wohl appercipiren.

Es ist anziehend, die Form, die ein wissenschaftlicher Ge=
danke bei dem Dichter annimmt, mit der logischen Fassung
desselben zu vergleichen.

Man würde sich jedoch sehr täuschen, wenn man glauben
wollte, daß diese phantastische Verbindung der Vorstellungen
allein der Poesie eigen sei; sie ist in der Poesie allerdings
regelrechter Styl und wird durch Rhythmus und Metrum aus=
nehmend gefördert. Während die Vorstellungen in der wissen=
schaftlichen Production nach den logischen Beziehungen der
adäquaten inneren Sprachformen abfolgen müssen, gelangen in
der poetischen Conception mit Beihülfe der musikalischen Fac=
toren die formalen Elemente besonders zum reflectorischen Aus=
druck. Aber da alle unsere Vorstellungen in Worten geboren
werden, die Worte selbst aber die den Vorstellungen zu Grunde
liegenden Empfindungen wecken, so ist es schwer zu vermeiden,
daß auch in der wissenschaftlichen Construction die formalen
Elemente sich hervordrängen. Die Kunst des Styls beruht
auf der Fähigkeit, die Vorstellungsreihen in Reinheit von ein=
ander zu sondern und sie nicht bunt durchmischt abzuwickeln.
Ein großer Theil unserer abstracten Vorstellungen hat in sinn=
lichen Worten Ausdruck gefunden. Wir bezeichnen die Begriffe
als scharf und stumpf, Gedanken als hell und frei. Sogar die
Zeit wird durch den Raum vorgestellt, indem wir von einem
Zeitraum reden. Vischer hat ein lehrreiches Beispiel für

die Verbindung des Raumsinnes mit der Zeit aus Shakespeare angeführt: „der alte Glöckner Zeit, der kahle Küster." Hier ist kahl durch alt reproducirt worden; immerhin ist aber die Verbindung beider und besonders des letzteren Wortes mit der Zeit, die dadurch sehr plastisch als eine im leeren Raum hingestreckte Oede, d. h. als eine Succession ohne Ende gezeichnet wird, nur durch den weiteren Schematismus der Vorstellungen erklärbar, der die abstractesten Vorstellungen für den äußeren Sinn räumlich gestaltet.

Diese enge Verbindung beider Anschauungen ist auch in der Etymologie gegeben. „Unsere Sprache giebt mehrfache übergänge aus dem begriffe der zeit in den des raumes an die hand."*) Wir sehen auch hier die Entwickelung an dem Gängelbande aller Vorstellungen, dem Mythos, vorschreiten. Zeit und Raum, Zeit und Welt sind Erscheinungsformen der Götter. Wie sich aus den Göttern der Zeiten, der Jahreszeiten wie der Zeitalter, an der Hand der räumlichen Objectivirungen, denen zufolge der Fortgang der Zeit (tempus) als ein Vorrücken der himmlischen Deichsel (têmo)**) gedacht wurde, allmählich die Abstractionen von Raum und Zeit gebildet haben, das hängt mit der mythischen Uranschauung von der Sonne als einem Rade zusammen, aus dem später ein Wagen wurde, dem zuletzt Sonnenrosse beigegeben wurden. Wir sehen auch hier, wie aus dem Mythos in mannigfacher Vermittelung die Poesie und in manchen Wendungen die noch heute übliche Sprechweise hervorgegangen ist.

Bisher haben wir für unsere Frage nach der Möglichkeit der Poesie in unseren Tagen hauptsächlich nur die Antwort gegeben, daß die mythische Vorstellungsweise auch in uns noch lebendig ist, weil sie bei dem allmählichen Fortschritt der Bildung vom Kinde auf den Mann in unmerklichen Abstufungen übertragen wird, theils aber auch, weil die Naturerscheinungen in ihren gesetzmäßigen Zusammenhängen so schwer zu begreifen, besonders so schwer zu überschauen sind, daß die mythische

---

*) Grimm, deutsche Mythologie S. 750.
**) Ib. S. 687.

Apperception, welche mit dem Menschen heranwächst, nur durch die eindringendste Einsicht in den wahren Verhalt der Dinge bis auf die letzte Spur ausgetilgt werden kann. Von der Möglichkeit dieser Ueberwindung der mythischen Apperception durch die streng wissenschaftliche würde also zunächst die Zukunft der Dichtung abhängen. Das klingt freilich für poetische Naturen minder tröstlich, als die Zuversicht, die Schiller in seiner „naiven und sentimentalen Dichtung" ausspricht: „Der dichterische Geist ist unsterblich und unverlierbar in der Menschheit; er kann nicht anders als zugleich mit derselben und mit der Anlage zu ihr sich verlieren." Wie exact Schiller diese seine Betheuerung ausdrückt: „und mit der Anlage zu ihr", der Menschheit, als ob er in den Embryonalzellen, ja, noch tiefer zurück in den geologischen Bedingungen für das Wachsthum des genus homo die unverwüstliche Anlage für den dichterischen Geist entdeckt hätte!

Indeß, wenn man den Schiller'schen Gedanken tiefer untersucht, wird man einen ganz anderen Grund desselben und mit diesem eine ganz andere Bedeutung des dichterischen Geistes — vielleicht nicht ohne großes Erstaunen — entdecken. Den Grund der Unsterblichkeit des dichterischen Geistes sieht nämlich Schiller dort in dem innigen Zusammenhange desselben mit dem „moralischen Triebe". Nur aus dieser „engsten Verwandtschaft des dichterischen mit dem moralischen Triebe" folgert er, daß „der Begriff der Dichtung mit der Idee der Menschheit in Eins zusammentrifft". Hier sehen wir ganz andere Vorstellungsmotive wirksam, als welche in den stereotypen Dithyramben des dichterischen Genius merkbar werden. Wäre Schiller auf die psychologische Untersuchung von der Verbindung und Einwirkung dieser verschiedenartigen psychischen Processe mit- und aufeinander eingegangen, dann würde er zur Klarheit über das psychologische Wesen des dichterischen Geistes gekommen sein und nicht in einem unbefangenen Zwischensatz die gewichtige Definition eingestreut haben: „Wendet man nun, den Begriff der Poesie, der kein anderer ist, als der Menschheit ihren möglichst vollständigen Ausdruck zu geben" u. s. f. So aber sagt Schiller: „Es ist hier der

Ort nicht, diesen Gedanken, den nur eine eigene Ausführung in sein volles Licht setzen kann, weiter zu verfolgen." Wenn nicht hier, wo der Unterschied zwischen der naiven und sentimentalen Dichtung im Urwesen der Poesie begründet werden soll — wo dann?

Ob eine psychologische Complication, wie der sogenannte dichterische Geist ist, unsterblich ist oder nicht, das wird die Psychologie nicht rundweg entscheiden wollen: so viel steht fest, daß sie wandelbar ist. Das naive Wahrheitsbewußtsein des Mythendichters hat sich in der Poesie zu einem Doppel-Gewissen gespalten, und aus der mythischen Thatsache ist der poetische Vergleich geworden. Aus diesem Vergleich aber ist die wissenschaftliche Analogie hervorgegangen, wie aus dem mythischen Vorzeichen der Gedanke von der Geltung der Causalität. Die Analogie aber ist das Werkzeug der wissenschaftlichen Induction, und so hat sich der mythische Impuls zu einer physikalischen Hypothese im fortschreitenden Mechanismus der Geister umgesetzt. Dies ist ein weites Thema; in Andeutungen werde ich auf dasselbe zurückkommen. Denn streng gehört es nicht zu meiner Aufgabe, da es die Entwickelung der Wissenschaft aus dem Mythos betrifft.

Jetzt scheint es vielmehr geboten, einem Einwande zu begegnen, dessen der Leser sicherlich schon seit lange sich nicht entschlagen kann. Bei dem ungeheuren Unterschiede der mythischen von der wissenschaftlichen Apperception scheint es kaum begreiflich, daß der moderne Dichter, durchdrungen von dem naturwissenschaftlichen Zeitbewußtsein, deshalb zu dichten fortfahre, weil er als Kind ein Mythendichter gewesen und weil ihm auch später noch bisweilen eine mythische Hallucination begegnet, die er sofort berichtigt, — wenn nicht noch andere treibende Mächte außer diesem dem modernen Dichter mit den epischen Völkern gemeinsamen Momente die Ausbildung einer dichterischen Conception ermöglichen und zur dichterischen Production anreizen. Die Darlegung dieses Momentes führt mich auf die Betrachtung des Verhältnisses, in dem der subjective Geist zum objectiven steht.

Ich habe an der platonischen Ideenlehre, als einer

metaphysischen Entdeckung zu zeigen versucht*), wie diese
scheinbar originalste aller subjectiven Schöpfungen dennoch im
Entwickelungsgange des gesammten griechischen Culturlebens
vorgebildet war. Das Originale in einer Gedankenschöpfung
beschränkt sich bei genauer psychologischer Analyse auf einen
kurzen Schritt, der oft nur durch seine Wucht im schwerfälligen
Gange der Ideen, oder durch die unerhörte Richtung, die er
nimmt, die Kraft erlangt, weithin das Reich des Wissens neu
zu gestalten. In der Aufdeckung dieser Beziehungen des sub=
jectiven Denkens zu dem in der Literatur und im Leben ob=
jectiv gewordenen Geiste besteht die Arbeit des psychologischen
Historikers auf allen Gebieten geschichtlicher Forschung. Die
platonische Idee hat das Merkwort für den gesammten bis=
herigen Zug der Erkenntniß gegeben; darum darf sie als Typus
des objectiven Geistes gelten. Nicht nur alle Freude des ästhe=
tischen Genusses wie alle Zuversicht des sittlichen Pflichtgefühls,
sondern auch alle Ueberzeugung von der dauernden Wahrheit
des letzten, tiefsten Denkinhalts hat bis zu unseren Tagen auf
diesen Grund der platonischen Idee sich gestützt. So oft man sich
durch den theoretischen Zweifel in eine von sittlicher und künst=
lerischer Idealität verlassene Welt verschlagen glaubte, ist man
zu der Idee zurückgeeilt. Man hat dieser Ketten zwar ge=
spottet, indem man die Idee, wie Plato sie gedacht haben
sollte, als eine hypostasirte Göttin verschrie, von der man bloß
noch den Namen behalten habe. Wie es sich damit verhält,
das gehört nicht hierher, ebensowenig aber die Untersuchung,
wie es möglich sei, eine objective Idee zu denken, da doch nur
durch die Zusammenfassung aller subjectiven Ideen und ihrer
geringfügigsten Ansätze eine solche möglich scheine. Die syste=
matische Untersuchung dieses Problems gehört in die Meta=
physik; für die Psychologie kann es offenbar substantielle Ideen
nicht geben, wären dieselben selbst als ethische Postulate noth=
wendig und unentbehrlich. Die Nothwendigkeit bedeutet in
diesem Falle nicht eine logische, denn sie macht das Gegentheil
nicht unmöglich, und für die unbefangene psychologische Analyse

*) Diese Ztschr. Bd. IV. S. 403—464.

gilt fie = wünfchenswerth. Es ift, wie gefagt, der Ort nicht, diefe Betrachtungen zu ihren fyftematifchen Confequenzen hin= auszuführen: indem ich von dem Verhältniß des fubjectiven zu dem objectiven Geifte rede, liegt es mir nur an, vom pfycho= logifchen Standpunkte gegen die Auffaffung des objectiven Geiftes als eines außer den Subjecten denkbaren, mich im Vor= aus zu erklären.

Kann aber nun nach der pfychologifchen Methode der ob= jective Geift nur die Abftraction einer größeren Anzahl zur theoretifchen Einftimmigkeit vereinigter Geifter fein: wie bildet fich jene Einftimmung und wie das Verhältniß des Einzelnen zu der Gefammtheit? Diefe Frage foll uns nunmehr be= fchäftigen.

Wer fich mit dem Gedanken vertraut gemacht hat, daß die menfchlichen Vorftellungen unter dem Zwange eines Mechanis= mus ftehen, dem wird die Thatfache geläufig fein, daß zwifchen Gedanken einer zu einer irgendwie befchaffenen Gemeinfamkeit verbundenen Anzahl von Menfchen eine Wechfelwirkung der Apperceptionen ftattfinden muß. Jenachdem bei dem Einzel= nen die apriorifchen Elemente vorhanden find, wird er den Ge= danken eines Anderen appercipiren, den derfelbe vermöge ge= fammelterer Energie literarifch oder in irgend einem der gefell= fchaftlichen Sammelplätze niedergelegt hat. Sind die apriorifchen Elemente nur wenig vorbereitet, fo werden diefelben erft all= mählich anwachfen müffen und der Proceß wird fich in kaum merklichen Umbildungen vollziehen; bei hinreichender Vorarbeit hingegen ftoßen die wahlverwandten Elemente aneinander und erzeugen eine gefchichtliche Epoche. Aber wie die großart= tigfte Bewegung, fo übt auch die alltägliche Erfahrung auf das Bewußtfein jedes Appercipirenden, des Schärfften wie des Kurzfinnigften — wenn der Apperceptionsproceß überhaupt bei diefem möglich ift — feine unausbleibliche Wirkung; der Grad derfelben hängt von der Verfchiedenheit der appercipirenden Elemente in den einzelnen Perfonen ab; außerhalb und ober= halb der allgemeinen Wechfelwirkung fteht Niemand. Für Ro= fenkranz und Güldenftern ift Dänemark freilich kein Ge= fängniß, weil fie „anders darüber denken" als Hamlet, der,

wie ein Schüler Spinoza's — bevor dessen Philosophie in
Wittenberg gelehrt werden konnte — sagt: „An sich ist Nichts
weder gut noch böse, das Denken macht es erst dazu." Der
Schein des „an sich" setzt sich aus den Strahlen zusammen,
die von einer größeren Zahl gleich appercipirender Geister aus-
gesendet werden. Hat sich irgend eine mythische Auffassung,
die Anschauung des Feuers als einer Reibung sich begattender
Pflanzen, durch das allmähliche Zusammenwirken von Generationen appercipirender Menschen fortgesetzt erhalten, so wird sie
zuvörderst eine verdichtete Thatsache, unter welcher mehrere
analoge Erfahrungen als einer allgemeinen Form dieser Erscheinungen zusammengefaßt werden. Im weiteren Fortschritt
dieser Processe aber, die sich in der Geschichte der Ideen kenntlich machen, werden die ursprünglichen Anschauungen, nachdem
sie in ihrer Anwendbarkeit vielfach erschüttert sind, zu so tief-
innerlichen Voraussetzungen des Denkens, daß sie dennoch bei
allen späteren Operationen die latenten Motoren sind, die im
Dunkeln des Mechanismus wirkend, neue, aber ähnliche Vorstellungsmassen als Vertretungen einschieben. Ich verweise
hier auf Lazarus' „Ideen in der Geschichte" (d. Zeitschr.
Bd. III. S. 404 ff.). Hier ist die Wirksamkeit der appercipirenden Elemente am schwersten erkennbar; und doch ist gerade
hier eine zureichende Erkenntniß dringlich. Denn in diesen Vertretungen operirt nicht bloß der Historiker, sondern der Denker
überhaupt, und man darf sagen, daß es keinen großen Gedanken
giebt, dem nicht, nachdem er eine lange Zeit verdichtet im Vor-
dergrunde des gedanklichen Ausdrucks gewirkt hatte, das Schicksal geworden wäre, längere Zeit in Vertretungen als verborgenes
Apperceptions-Werkzeug fortzuarbeiten. Das Verhältniß des
religiösen zu dem sittlichen Bewußtsein beruht nicht zum geringsten Theil auf einer solchen Vertretung. Wo die specifisch
religiösen Elemente abgeschwächt sind, da fahren sie dennoch
fort, im Bewußtsein zu wirken, weil sie durch homogene sittliche Vorstellungsreihen vertreten werden.

Nicht anders ist das Verhältniß in den einzelnen Wissenschaften. Dies wird besonders aus den Beziehungen entfernterer
Wissenschaften zu einander deutlich. Die Kant'sche Kritik hat

auf die Naturwissenschaft mächtig eingewirkt. Dieser Einfluß ist bis auf die neueste Zeit nachweisbar, nachdem der ursprüngliche Kant'sche Gedanke vielfach umgeformt ist. In den physiologischen Forschungen auf dem Gebiet der Sinnesfunctionen ist er die methodische Voraussetzung für die **Subjectivität aller Wahrnehmungen**, obwohl er hier durch andere Vorstellungen vertreten wird, denn der volle Gedanke in seiner positiven Wendung ist in die Naturwissenschaft nur spärlich eingetreten. Aber noch unzweideutiger erkennt man die Vertretungen an den systematischen Haltpunkten der Forschung. Da ist es anziehend zu sehen, wie mannigfache Vertretungen sich produciren. Die alte Lehre von der Scheidung des Organischen vom Anorganischen wird von der Zellentheorie vertreten, und wer bereits die Kant'sche Definition vom Organismus aufgegeben, weil doch füglich die pathologischen Theile nicht gut des physiologischen Ganzen wegen da sein können und dafür die ältere, der zufolge der Organismus eine Maschine ist, eingetauscht oder wenigstens derselben in der Einzel=Forschung sich hingegeben hat, der läßt sich doch den „edleren" Kant'schen Gedanken durch den Begriff der Zelle vertreten, in der das Kant'sche Ideal eines Organismus erfüllt sein soll. Die psychologische Erforschung der Geschichte der Wissenschaften wird bei derartigen Untersuchungen auf die interessantesten Ergebnisse geleitet werden. Hier wollen wir durch diese Betrachtung nur eine Analogie geschaffen haben zum umfassenderen Verständniß unseres speciellen Problems, indem wir nunmehr zur Bestimmung des Verhältnisses übergehen, in welchem der einzelne Dichter zur objectiv gewordenen Dichtung steht.

Sehen wir die Sache vorerst rein historisch an, so ist schon aus den geschichtlichen Darstellungen der Entwickelung unserer modernen Dichter hinlänglich bekannt, daß das Lesen der Dichtungen den jugendlichen, ja, den kindlichen Dichter zum Nachdichten anreizt. Besonders lehrreich ist für diesen Punkt die Jugendgeschichte Göthe's, der ja selbst seine eigene Originalität durch den Hinweis auf die angeerbten Eigenschaften geschmälert hat: von der Mutter die Lust zu fabuliren, vom Vater des Lebens ernstes Führen, den Hedonismus vom Ur=

ahnherrn, der der Schönsten hold, und von der Urahnfrau die
Liebe zu Schmuck und Gold. Nach Art der Dichter hat er
das psychologische Problem gefällig formulirt: „Sind nun
die Elemente nicht Aus dem Complex zu trennen,
Was ist dann an dem ganzen Wicht Original zu nennen?"
Die Elemente sind aber aus dem Complex zu trennen, ich
meine nicht die physiologischen, sondern die in der objectiven
Dichtung für den originalen Dichter gelegenen.

Göthe's Mutter berichtet selbst, wie sie den kleinen
Wolfgang zum Dichter herangebildet. Man lese dies in dem
„Leben Göthe's" von Lewes nach. „Ich konnte nicht müde
werden zu erzählen, so wie er nicht ermüdete zuzuhören. Luft,
Feuer, Wasser und Erde stellte ich ihm unter schönen
Prinzessinnen vor, und Alles, was in der Natur vorging,
dem ergab sich eine Bedeutung, an die ich bald fester
glaubte als meine Zuhörer." (I. S. 23.) Die Mutter
hat also des Knaben Apperceptionsbahnen zuerst in die mythischen Geleise gelenkt, so daß es ihm möglich war, den ursächlichen Vorgängen in der Natur die Bedeutung einer persönlichen Wirkung unterzuschieben, zu welcher Auffassung, wie
wir erkannt haben, die eigene Natur des Kindes hinstrebt.
Denn es will ja alle diese Erscheinungen fassen, die auf seinen
Geist eindringen; es muß die Wolke, das Wasser, die Luft
nach den apriorischen Bedingungen seines Mechanismus sich
aneignen. Dieses Bedürfniß nach der mythischen Apperception,
weil für physikalische Vorstellungen im Bewußtsein keine Elemente vorgebildet sind, wird zugleich durch die Art der Entstehung und des Ablaufs der Vorstellungen vollauf befriedigt.
Die Apperception geschieht in der scheinbar willkürlichsten Verbindung von kaum objectivirten Empfindungen: aber in dieser
Willkür liegt das Gesetz des Mechanismus, denn die Willkür
ist nur eine reiche, aber gesetzmäßige Mannigfaltigkeit
der Reproductionen und Apperceptionen. Der Knabe sieht eine
weiße Wolke, nachdem er früher eine große Dame aus der
Nachbarschaft mit einem weißen Kleide gesehen hatte. Die so
eben von Neuem objectivirte Empfindung des Weißen reproducirt in ihm die frühere Objectivirung der durch den Anblick

der weißen Dame erzeugten Empfindung. Da aber auf den
Stufen der Objectivirung das Weiße als Farbe allein gar nicht
appercipirt werden kann, sondern immer nur der weiße Gegen=
stand in seiner Totalität, so hat sich im Bewußtsein bei dem
Anblick der weißen Dame die ganze Empfindung dieser Er=
scheinung objectiviren müssen — die Dame an sich ist in dieser
anfänglichen Complexion nur ein Merkmal — und so besitzt
das Kind die schwache Objectivirung des Empfindungszustandes,
in den es durch den Anblick der weißen Dame versetzt wurde.
Sieht das Kind nun eine weiße Wolke, so wird es nicht allein
das Weiße als die bereits bekannte Farbe wiedererkennen,
sondern da die langgestreckte Figur der Wolke die hohe Gestalt
der Dame reproducirt, die weiße Wolke als die weiße Dame
appercipiren.

Wie diese Apperceptionen, weit entfernt Unnatur zu sein,
nach den Naturgesetzen des psychologischen Mechanismus sich
vollziehen, so kann dem Menschengeiste in seiner jugendlichen
Entwickelung eine derartige Auffassungsweise durch Ueberlieferung
bereits vorhandener — sei es in großen Dichtungen, sei es in den
lebendigen Märchen des im Zwielicht erzählenden Volkes ob=
jectiv gewordener — Mythen eindringlich zugeführt werden. In
diesem Sinne kann man wohl von der mythischen Ueberlieferung
als einer höheren reden, wie dies Göthe in dem Satze thut:
„Das Abwesende wirkt auf uns durch Ueberlieferung. Die ge=
wöhnliche ist historisch zu nennen; eine höhere, der Ein=
bildungskraft verwandte, ist mythisch."*)

Sie mag eine höhere heißen, weil sie der „Einbildungs=
kraft" d. h. dem Mechanismus unserer appercipirenden Natur
verwandt ist, denn sie ist zugleich und in prägnanterem Sinne
als die gewöhnliche historische, ein Selbstergreifen des Ueber=
lieferten, indem die mythische Apperception den neu eintretenden
Erscheinungen auf halbem Wege entgegenkommt, weil die
apriorischen Elemente für diese Art der Auffassung in zu=
reichender Anzahl gegeben sind. So läßt sich das Kind sehr
leicht die mythische Auffassung der Luft als einer schönen Prin=

*) Maximen und Reflexionen Bd. III. S. 165.

zeſſin „überliefern“, weil es ſelbſt nahe daran war, die weiße
Wolke als die weiße Dame zu appercipiren. Schwer iſt es
aber, dem Kinde die phyſikaliſche Vorſtellung der Luft= und
Wolkenbildung begreiflich, ihm die „hiſtoriſche Ueberlieferung“
zugänglich zu machen, weil dieſe nicht das Ergebniß urſprüng=
licher, einfacher Apperceptionen iſt, ſondern erſt auf dem Wege
reiner Objectivirungen, in denen die formalen Elemente der
Vorſtellungen ſich völlig ablöſen, gewonnen wird. Und ſo
hat auch Göthe, ſo hat jeder Dichter die mythiſche Apper=
ceptionsweiſe früher geübt, als die wiſſenſchaftliche, und das
der eigenen Subjectivität als der ſchärferen Ausprägung des
urſprünglich Menſchlichen Verwandte in den erſten Proceſſen
des Mechanismus zur nachhaltigen Ausbildung gebracht. Der
Widerſpruch des Subjectiven und Objectiven hebt ſich, wie wir
ſehen, auf, denn das Objective ſelbſt entſpricht der eigenſten
innerſten Subjectivität. Was in jedem Kinde von Natur ſub=
jectiv lebt, das iſt in der Dichtung objectiv ausgeſtaltet.

Dieſes Verhältniß des ſubjectiven Dichters zur objectiv
gewordenen Dichtung erkennen wir aber nicht nur in der Ge=
ſchichte der einzelnen Dichter: es zeigt ſich offenbar an der
Entwickelung der Dichtung. Ueberall, wo ſich aus einem
ſtrebenden Volksleben eine Literatur hervorarbeitet, da wird ſie
von denjenigen Mächten groß gezogen, die ſchon im Volke ein
ausgebreitetes, wirkungsfähiges Daſein führen. Die Dichtung,
aus dem Kreiſe der religiöſen Feier hervorgegangen, bleibt in
Griechenland bis in die ſpäte Zeit unter dem Einfluß des del=
phiſchen Prieſterthums ſtehen. Wie die älteſten Sänger Hymnen=
dichter beim Orakeldienſt des Apollo geweſen waren, ſo erhielt
ſich in den verſchiedenen Gebieten der Kunſt, in der Baukunſt
und Plaſtik wie in der Poeſie — denn der Tempeldienſt for=
derte und nutzte zu ſeiner würdigen Ausſchmückung alle Gat=
tungen künſtleriſchen Schaffens — die Einwirkung des Prieſter=
thums, deſſen Hauptſitz Delphi der Mittelpunkt wurde, zu dem
alle in gleicher Richtung ihre Strahlen ſendeten. Und dieſe
Einwirkung des hieratiſchen Elementes blieb ſo mächtig, daß
noch in der ſpäteren Entwickelung der Dichtung der Einfluß
der verſchiedenen Perioden in der religiöſen Anſchauung ſich

17*

ausprägt. Die hesiodische Poesie ist von der homerischen durch
den inzwischen entwickelten Apollo-Cultus wesentlich geschieden,
und auch in der Lyrik bildet sich gegenüber der Individualitäts-
dichtung der Sappho der delphische Charakter des strengen do-
rischen Chorgesanges, bei dem der Dichter widerrufen mußte,
wenn der Priester die Beleidigung eines Gottes oder nur einer
Halbgöttin in dem Gedichte gefunden haben wollte. (Stesichoros
und Helena!) Ueberall aber und unter den wechselnden Einflüssen bilden sich Dichterschulen, wie bei den Israeliten der
Richterzeit Prophetenschulen, in denen der objective Geist der
lebendigen Dichtung vertreten ist, gleichwie derjenige der abgeschiedenen Dichter in den literarischen Denkmalen fortdauert.

So haben wir denn den zweiten Hauptgrund für die
Möglichkeit der Dichtung selbst in solchen Zeiten gefunden, in
denen die wissenschaftliche Apperception unbestreitbar das Bewußtsein auch der dichtenden Menschen ergriffen hat. Wie kann
die mythische Apperception auf das Gebiet dieser besonderen
abnormen Thätigkeit bewußtvoll zurückgedrängt und in demselben erhalten werden? Mit den alten Philosophen erkennen
wir, wenngleich in wesentlich verschiedenem Sinne, in der Nachahmung den Grund dieser Möglichkeit. Die Nachbildnng der
in gewaltigen Schöpfungen objectiv gewordenen Leistungen
Einzelner, welche in ihrem letzten Vorbilde, in ihren ersten Anfängen ihre volle psychologische Begründung haben in dem mythischen Bewußtsein jener frühen Culturepochen — diese Nach-
bildung mit den der Menschen-Natur so innig verwandten
Mitteln ursprünglicher Apperception ist bis in die spätesten
Zeiten der Hebel dichterischer Production geblieben. Man
empfand zu lebhaft, wie in den Saiten des eigenen Gemüthes
die Töne nachklingen, die aus dem Dichtersaal alter und jüngerer Zeiten herüberrauschten: was war da natürlicher, als daß
man selbst mächtig in jene Saiten griff und neue Lieder anschlug, die harmonisch und ebenwürdig zu den alten Sängen
stimmten. Denn wahrlich! gleiche Kraft, wenn nicht eine größere ist für den Dichter in solchen Zeiten erforderlich, wo die
mythische Apperception durch alle Mittel wissenschaftlicher Erziehung in der frühen Kindheit gehemmt wird, wenn er ein

plastisches Werk im alten klassischen Sinne schaffen will: er
muß an Ebenwerthigkeit der Kraft ersetzen, was ihm seine
Culturperiode an Ebenbürtigkeit entzieht.'

Hiermit will ich denn von vornherein den Vorwurf abgeschnitten haben, als sei nach dieser Auffassung der Natur der
Poesie als einer zum Theil nachahmenden Thätigkeit der Charakter der Genialität verkannt. Was ist Genialität? Die
überschwängliche Preisung dieser eigenthümlichen Art psychischer
Thätigkeit hat die psychologische Schätzung immer erschwert;
darum wird ein bündiger Ausdruck dessen, was man unter genialer Production verstehen darf, auch für unsere Untersuchung
von klärendem Einfluß sein.

Alles menschliche Thun läßt sich in zwei Stellungen bezeichnen, die wir zur Natur einnehmen: der Vorstellung und
der Darstellung. Vorstellung heißt die Auffassung äußerer
Dinge oder Verhältnisse im Gedanken, und Darstellung die
verschieden richtbare Thätigkeit des Geistes, dem Gedanken
durch eigene That eine außerhalb des Geistes räumliche Realität
zu geben, sei es durch das Wort oder an einem greifbaren
Stoffe. Dieser Dualismus der Thätigkeit hat zu einer Antinomie der menschlichen Fähigkeiten Anlaß gegeben, der zufolge
man von dem Verhältnisse, das zwischen diesen beiden Fähigkeiten bestehe, viel geredet und den Ausgleich dieser beiden als
entgegengesetzt gedachten Fähigkeiten gefordert hat, wenn anders
ein „geniales" Kunstwerk erstehen soll. Aber bei der Bestimmung dieses Verhältnisses ging man, weil beide Glieder der
Proportion antinomisch gefaßt wurden, begreiflicher Weise weit
auseinander. Die Einen sagten, die Kraft des Genies beruhe
in dem Ueberwiegen der darstellenden Fähigkeit, während die
vorstellende ganz normal bleibe. Die Andern hingegen setzten
allen Grund der Genialität ausschließlich in die vorstellende
Kraft und meinten, alle Darstellung sei das bloße Werk der
Technik, die ein Jeder, auch der Ungeweihte, erwerben könne.
Die erstere Ansicht ist die flachere, denn woher, so muß man
fragen, soll jene Kraft der Darstellung stammen, wenn nicht
aus der Vorstellung? Wenn der Künstler die Fähigkeit hat,
ein menschliches Gesicht mit allen seinen Regungen, in den

feinen Linien, in denen Bildung und Gesittung sich markiren, aus seinem Kopfe heraus auf die Leinwand zu setzen: sollte dann der Unterschied des Genies vom gewöhnlichen Buchstaben= maler, dem Schreiber, bei dem derselbe darstellende Proceß statthat, in dieser Fähigkeit allein gelegen sein, wenn doch auch dieser als Kind erst allmählich die Fertigkeit anüben muß? Sollte man da nicht fragen müssen: Wie ist aber der Eindruck dieses großen, in tausend und abertausend Gesichtswahrnehmungen zerlegbaren Bildes in den Kopf des Künstlers getreten, aus dem er es wieder darstellt? Hat der normale Beobachter die Fähigkeit, alle Nuancen des Blickes auch nur zu sehen, dauernd zu sehen und das Gesicht festzuhalten?

Wahrlich, diese Unterscheidungsweise ist nicht fern von der mythischen, nach der das Genie von dem Himmel fallen muß, aus der Götter Schooß, nach der es ein Geschenk der Musen ist, die den Dichter bei der Geburt anlächeln, ihm den Honig reichen, aus dem selbst die Götter dichterische Begeisterung schöpfen.

Aber auch die andere Erklärungsweise ist unzureichend. Wenn die Darstellung bei dem Genie die gleiche sein und nur die Kraft der Vorstellung den Unterschied bedingen soll, so bleibt die Verschiedenheit der Technik unerklärt. Wenn ein handlich oder — was die Dichtkunst betrifft — sprachlich voll= kommen ausgebildeter Mensch, dennoch bei gleicher Uebung nicht die Fähigkeit der gleichen Darstellungsleistung gewinnt, sollte dann nicht in der Specialität der Darstellung zugleich der Un= terschied mitbegründet sein? Ist nicht auch die Technik ein Product der inneren Arbeit der Vorstellungen, des Processes ihrer Ineinanderwirkung zu coordinirten Reflexen? Aber diese Zusammengehörigkeit der verschiedenen Arten psychischer Thätig= keit hat man übersehen und einen antinomischen Widerstreit er= dichtet, der in der Natur des geistigen Wirkens durchaus nicht besteht. Eine instructive Form hat dieser Gedanke in dem be= kannten Lessing'schen Worte in Emilia Galotti gefunden, nach dem Raphael auch ohne Hände ein Raphael hätte werden können. Abgesehen von der empirischen Leerheit dieses in der drama= tischen Conversation wohl statthaften Blitzwortes, insofern es

ja keinen Maler gegeben hat und geben kann, der nicht ein
Malender wäre, also Hände hätte; abgesehen von diesem Cha=
rakter des Gedankens, der sich nur vermöge der antithetischen
Form, in der er durch den Kopf schwirrt, im Bewußtsein er=
hält, ist auch das Halbwahre, das in ihm, wie in jedem geist=
reichen Worte ausgedrückt ist, schief gefaßt. Schief nenne ich
es, daß Lessing den halbwahren Gedanken, die Kraft der Dar=
stellung beruhe allein in der der Vorstellung, so daß alle künst=
lerische Genialität von der Technik unabhängig sei, so ausdrückt,
daß die Möglichkeit der Darstellung ganz und gar gestrichen
wird. Ohne alle Darstellung sei der Künstler einzig und allein
als Vorstellender ein Genie, ein Raphael! Das ist ja aber
auch keineswegs gemeint, sondern das Halbwahre sollte nur
scharf ausgedrückt werden, und in dieser brillanten Form wird
Alles auf den Kopf gestellt. Es ist eine falsche Pietät, solche
Stellen aus den Werken unserer großen Dichter, vor deren
hohem Geiste späte Geschlechter noch den Sinn beugen werden,
nicht zu beachten und zu kennzeichnen, damit ihre fernere Nach=
ahmung nicht weiteren Schaden stifte. In der Literatur soll
eine jede einzelne Production auf ihren Werth für die Gestal=
tung der künftigen Cultur geprüft werden, ohne daß man
fürchten müßte, der sich auf das Einzelne beschränkende Tadel
könnte maßlos über die Grenze seines Bezuges hinausgedehnt
werden.

Der Hauptfehler in der Beurtheilung des Wesens der
Genialität liegt also darin, daß man von der Antinomie aus=
gegangen und zu einer extremen Ausbildung derselben fortge=
schritten ist, während jede Antinomie nur durch die richtige Ver=
bindung ihrer beiden Glieder vermöge der Aufhebung ihrer
conträren Stellungen geschlichtet werden kann. Wie die Sprache
zu dem Geiste, so verhält sich die Darstellung überhaupt zur
Vorstellung. Wie durch das Wort die Entwickelung des Geistes
gefördert, ja bedingt wird, so ist jede Art der Darstellung
mitwirkend bei der Ausbildung der Vorstellung. Die Darstel=
lung ist der Reflex der Vorstellung, mithin wie jeder Reflex in
dem Grade seiner Schärfe und Schnelligkeit an die sensorielle
Function gebunden. Aber einerseits hebt der Reflex nun die

vorstellende Thätigkeit; andererseits setzt er selbst eine Coordi=
nation der reflectirenden Nerven= und Muskelgruppen voraus
und ist so in dem natürlichen Verhältnisse des Organismus vor=
angelegt. Wie aber die Reflexion durch die Uebung gesteigert
wird, so wird auch die Vorstellung, die Wirksamkeit des Geistes
erhöht durch die Uebung, durch die Bildung und Verbindung
vieler und neuer Apperceptionen und deren reflectorischer Dar=
stellungen. Beide Elemente also, Vorstellung wie Darstellung,
sind in gleicher Weise — wie man sagt — angeboren und
müssen in gleicher Weise angeübt werden. Das Wesen des
Genie besteht in der proportionirten Verbindung beider, schein=
bar antinomischer, im Grunde aber einander ergänzender Thä=
tigkeitsformen, die gleich angeboren sein und gleich angeübt
werden müssen.

Faßt man den Charakter des Genies in dieser Weise, so
kann es nicht befremden, wenn wir das Princip der Nachahmung
auch für das dichterische Genie gelten lassen wollen. Die nach=
zuahmenden Dinge werden von den apriorischen Vorstellungen
des Dichters appercipirt und treten in seinem Geiste mit den
alten Vorstellungsreihen in Verbindung. Dadurch bilden sich
neue Verflechtungen, je nachdem die Vorstellungen mehr oder
weniger übereinstimmen. Die zu appercipirenden Elemente
treten in den gelesenen Dichtwerken aber als dargestellte Vor=
stellungen entgegen und erregen so den ohnehin schon im Be=
wußtsein vorhandenen Trieb zur reflectorischen Darstellung der
neuen Ergebnisse des Apperceptionsprocesses an. Wenn dem
dichterischen Genius ein Gedicht, eine dichterische Vorstellung,
eine mythische Apperception geboten wird, so tritt dieselbe schnell
in neue Verbände mit den im Bewußtsein des Dichters apriori=
schen Vorstellungen und reizt ihn, insofern die Elemente nicht
verschmelzen, zu eigener Darstellung auf. Wie er die Vor=
stellung im poetischen Worte, im Ton, im Bild empfangen hat,
so reflectirt er sie wieder in derselben Form der Darstellung.

Zu diesem Motiv für die dichterische Production, das den
psychologischen Mechanismus des Individuums zwingt, kommt
nun noch ein anderes, völkerpsychologisches. Alles Bestehende,
lange Bestehende wird für das Bewußtsein der Menschen ein

Beständiges; obzwar es nur seine subjective Begründung hat, erlangt es einen objectiven Grund. Das zeigt sich in allen Fragen der Erkenntniß, der rein theoretischen, wie der ethisch=praktischen. Dieses Bewußtsein bildet und stärkt zu allen Zeiten den historischen Widerstand gegen das neu Andringende, zur Umgestaltung Strebende, und wie in dem Staatsleben ist es in dem Entwickelungsgange der Wissenschaften dasselbe Hemmniß mit dem gleichen Erkennungszeichen. Wo der Entwickelungs= gang ein stetiger ist, wo nicht neue umwälzende Ideen gähren, wie man denn in der ästhetischen Anschauung der Völker nicht erhebliche, unerhörte Neuerungen bemerken kann*), da lebt der objective Geist, der Glaube der Einzelnen an die Objectivität der geschichtlichen Gestalten, ohne merklichen Kampf bestehen zu müssen. Es genügt sich Alles in dem Neubilden nach den alten Prototypen. Ist ja doch der alte Geist noch immer le= bendig, die alte Cultur nicht ausgetilgt; noch immer rinnt das mythische Blut in den Adern naturforschender Spätgeborener, die Plastik der Sprache vermag beide in ihren Principien so getrennte Vorstellungsweisen in Verbindung zu setzen: warum sollte der Dichter, wenn er, wie er muß, alle die schönen und guten Gedanken, die schon die Ahnen, die großen Dichter der Vorzeit, die dichtenden Völker gedacht und gesungen haben, noch einmal neu denken und singen will — wie sollte er sie nicht in derselben Form nachdenken wollen, in der die Wahrheit im Gewande der Schönheit alle Herzen zwingt? Sagt doch Göthe selbst: „Alles Gescheidte ist schon einmal gedacht wor= den, es kommt nur darauf an, es noch einmal zu denken." Und wenn die Individualität des Homer verleugnet wird, so ist es doch schön, „der letzte der Homeriden zu sein." So kommt der Dichter gar nicht zu der Frage nach der Mög= lichkeit, so inadäquate Vorstellungen zu bilden, und wenn die Skepsis ihn beschleicht, wird sie alsobald durch das Bewußtsein verscheucht: diese Vorstellungsweise ist ja in der mehrtausend= jährigen Geschichte objectiv geworden. Wie nun der Dichter

---

*) Die Gleichheit der poetischen Stoffe in den verschiedensten Zeiten ist hierbei zu beachten. Faust und die mittelalterliche Faustsage.

während seiner Jugend, bevor er zur wissenschaftlichen Combi=
nation gereift ist, diese ursprünglichen mythischen Apperceptionen
selbständig erzeugt, so gehen sie im späteren Leben als histo=
rische Tradition neben den Wissenschaften einher, da sie in der
Geschichte der Dichtung ein objectives Dasein gewonnen haben.
Nun beginnt das Spiel der Vertretungen. Die Kunst wird
die Idealisirung der gemeinen Wirklichkeit, die Schaubühne
die „beste moralische Anstalt", die Dichtung die „Offen=
barung der Humanitätsidee". So wird jeder Zweifel an
der Richtigkeit des Unternehmens im Keime erstickt.

Spuren indessen von diesem Zweifel an der ferneren An=
wendbarkeit der alten mythischen Apperceptionen wird man
öfters in der Geschichte der Dichtung finden. Innerhalb der
productivsten Literatur gerade sind solche Bestrebungen hervor=
getreten, die veralteten Vorstellungsweisen durch andere der
Gesammtbildung entweder mehr entsprechende oder mehr förder=
liche zu ersetzen. Hierbei können sich Irrthümer geltend machen,
wie wenn Klopstock die altnordische Mythologie einführen und
zugleich die biblischen Figuren zu Apperceptionsorganen der
Dichtung machen wollte. Aber man erkennt doch aus solchen
Bestrebungen, daß das Rütteln an den hergebrachten Einrich=
tungen möglich war; die Erfolglosigkeit desselben beweist um
so mehr die Wichtigkeit der betrachteten Momente für das Be=
wußtsein der dichtenden Menschheit.

Aenderungen solcher Art werden jedoch immer nur für ein=
zelne Gestalten des allgemeinen poetischen Typus erstrebt; an
der allgemeinen Vorstellungsform der Dichtung wird kein er=
heblicher Anstoß genommen. Der Dichter selbst befindet sich
im reinsten Einklang mit der gesammten Culturbewegung.
Wenn die Dichtung auch — so weist er sein theoretisches Gewissen
zurecht — auf die Combination adäquater Vorstellungen keinen
Anspruch erheben dürfte, so ist sie gerade um desto werthvoller
für die Menschen, deren Ideen in Antinomieen schweben.
Die Dichtung löst die ängstlichen Fragen des Gemüthes, indem
sie jene mystische Verbindung herstellt zwischen dem Subjecte,
das sich uneins fühlt mit der Welt, und jenem System der
Kräfte, das in der allbefassenden Natur der Objecte kreiset!

Ob nun wirklich von der Dichtung dieses „Unbeschreib=liche gethan" wird, ob sie die gesteigerte Cultur des Geistes mit den Naturforderungen des Gemüthes — nicht zu be=schwichtigen, sondern auszusöhnen vermag, ob sie den wahren, allein wahren Genuß der Naturschönheit gewähren kann, in dem ein mit dem Culturgehalt seiner Zeit ausgerüsteter Denker — nach Kant's tiefem Ausdruck — „gleichsam Wol=lust für seinen Geist in einem Gedankengange findet", ob sie jene Erhabenheit des Gefühls erregen kann, welche wir bei der Offenbarung der Naturgeheimnisse empfinden, wie sie die Wissenschaft der gegenwärtigen Geschichtsperiode, die Wissenschaft der Natur, enthüllt?

Diese Fragen, so heftig sie sich zudrängen, streben über die Grenzen dieser Abhandlung hinaus. Ihre Lösung bleibt der Ethik vorbehalten, die aus dem Kerne der sittlichen Er=ziehungslehre des Individuums zur Ethik des Staates, der Völker, der Menschheit reifen wird.

Welche Richtung aber der dichterische Geist der künftigen Tage nehmen, mit welchem Inhalt er sich erfüllen wird, das dürfte sich erst bei dem unzweideutigeren „Gewahrwerden einer fremden Cultur" mit Sicherheit bestimmen lassen. Der psy=chologischen Untersuchung muß es genügen, die Uebereinstim=mung methodisch zu erforschen, welche zwischen ihrer Hypothese von der Einheit des Bewußtseins und dem psychischen Proceß der bisherigen Dichtung besteht.

Ludwig Tobler, Dr. Prof. an der Hochschule in Bern, Ueber die Wortzusammensetzung, nebst einem Anhang über die verstärkenden Zusammensetzungen. Ein Beitrag zur philosophischen und vergleichenden Sprachwissenschaft. Berlin 1868.

Der Verf. ist durch manchen sprachwissenschaftlichen Aufsatz in dieser wie in andern Zeitschriften schon längst vortheilhaft bekannt. In der vorliegenden ausgeführten Monographie tritt der Charakter seiner Bestrebungen noch deutlicher hervor, als dies schon in den kleineren Arbeiten der Fall war. Der Kreis von Thatsachen, innerhalb dessen er sich mit Freiheit bewegt, ist verhältnißmäßig (d. h. etwa mit Pott oder Gabelentz verglichen) nicht allzugroß; er umfaßt die klassischen, die germanischen und die romanischen Sprachen; diese aber beherrscht er bis in die Einzelheiten. Dabei ist er mit den Arbeiten über den asiatischen Zweig des indogermanischen Stammes, wie mit der ganzen, auch die fernstliegenden Sprachen einschließenden, sprachwissenschaftlichen Literatur wohl vertraut. Indessen, wie sorgfältig er auch um die relative Vollständigkeit, noch mehr um die richtige und genaue Darstellung der Thatsachen bemüht ist: nicht hier liegt der eigenthümliche Werth seiner Bestrebungen. Der ist vielmehr in der begrifflichen und idealen Durchdringung und Verknüpfung des Bestandes der Thatsachen zu erkennen. Das zeigt schon der Gegenstand, den diesmal der Verf. gewählt hat. Die Zusammensetzung der Wörter ist ja schon mehrfach vortrefflich bearbeitet. Zu Grimm's reichhaltigem Kapitel der deutschen Sprachen gesellt sich das gleichartige der romanischen Grammatik von Diez; Justi aber hat die Zusammensetzung durch den ganzen indogermanischen Stamm verfolgt, während auch Bopp derselben in seiner vergleichenden Grammatik angemessenen Raum widmete. Daß Schleicher in seinem Compendium sich darauf beschränkt, der Zusammensetzung eben nur ihren Platz anzuweisen, auf eine nähere Betrachtung aber nicht eingeht, wird vielleicht von Manchem bedauert, sollte aber vielmehr die Frage veranlassen, ob dazu nicht ein objectiver, in der Sache selbst liegender Grund Veranlassung gab. Von den specielleren Arbeiten neuester Zeit mag nur Richard Röbiger (De priorum membrorum in nominibus Graecis compositis conformatione finali) erwähnt werden. Wie reich und geistvoll nun aber auch diese Arbeiten sind, sie bilden doch ihrer eigentlichen Aufgabe nach nur die Grundlage für des Verf.s Bestrebungen. Sie sind sämmtlich ihrem Wesen nach etymologisch; dem Verf. ist es um „die philosophische Ergründung" zu thun; er wollte einen Beitrag „zu einer immer lebendigeren Wechselwirkung zwischen Philosophie und Einzelwissenschaften" liefern, in welcher er „das höchste Ziel und einzige Heil beider erblickt".

Sprechen wir erstlich nach der einen Seite hin, nämlich nach Seiten der Kenntniß und Aufnahme der Thatsachen kurz und schlechthin unsere Anerkennung aus, und prüfen wir nun nach der anderen Seite hin, inwiefern ihm die höhere Synthesis, nach der Ueberschau auch die Durchschau der Thatsachen gelungen ist.

Ungern vermissen wir ein besonderes Kapitel über den Begriff und das Wesen der Zusammensetzung an sich; und zwar hätte dieses an der Spitze des Ganzen stehen müssen. Der Verf. scheint zu meinen, daß der Begriff der Zusammensetzung eben Gegenstand des ganzen Buches sei und aus den Theilen desselben seine Merkmale gewinne. So ist es auch. Das heißt aber, der Verf. giebt uns seine Arbeit statt das Ergebniß derselben. Das ist mindestens ein stylistischer Fehler, durch den die Verständlichkeit verloren hat, vielleicht auch der Inhalt selbst. Wenn nämlich der Verf. im ersten Abschnitte die „Unterschiede der Zusammensetzung von scheinbar ähnlichen Wortbildungen" darlegt, dann im zweiten von den „inneren Unterschieden der Zusammensetzung; von echter und unechter, eigentlicher und uneigentlicher Zusammensetzung, von Trennbarkeit und Stellung der Glieder, von der Wortart des Ganzen" handelt, so muß sich freilich wohl hieraus der Begriff und die Lautform der

Zusammensetzung nach allen Momenten allmählich heraus ent=
wickeln; und durch die im dritten Abschnitte gegebene logische
und psychologische Betrachtung muß sich das Wesen der Zu=
sammensetzung enthüllen: das ist aber eben der Gang, den die
Arbeit des Verf.s genommen hat, und indem er diesen dar=
stellt, läßt er uns suchen, statt uns seinen Fund zu geben. Aus
der Vergleichung z. B. von Ableitung und Zusammensetzung
miteinander hellt sich gewiß der Begriff beider auf. Wäre uns
aber ein Begriff der Zusammensetzung durch eine Betrachtung
der unzweifelhaft unter diese Kategorie fallenden Thatsachen an
sich schon gegeben, so würde die Vergleichung derselben mit
andern sprachlichen Gestaltungen gewiß leichter, vielleicht auch
fruchtbarer. Wenn ferner über die Echtheit und das rechte
Maß der Composition und das Gegentheil ein sicheres Urtheil
gewonnen werden sollte, so hätte der Verf. sogleich im ersten
Kapitel nach Feststellung des Begriffs und der lautlichen For=
mung des Compositions=Processes und aus dem Inhalte dieses
Begriffes heraus die Stellung der Composition als eines eigen=
thümlichen Bildungsmittels in der Technik der Sprache, den
Ort ihrer Verwendung und damit ihre Bedeutung für den
Organismus der Sprache zu entwickeln gehabt. Wie will
man ein Abweichen vom Gesetz, ein Ueberschreiten des Maßes
constatiren, wenn nicht zuvor ein solches Maß und Gesetz ge=
geben ist? — Nehmen wir indessen den Verf., wie er sich uns
giebt, und fragen wir mit ihm zuerst: wie unterscheidet sich die
Zusammensetzung von Flexion und Ableitung?

Der Verf. antwortet (S. 1), Zusammensetzung finde Statt,
wenn „Wörter, d. h. selbständige und bereits geformte Sprach=
elemente, durch förmliche Verbindung mit einander ein neues
Wort erzeugen"; und er fährt fort: „Ein principieller Unter=
schied der Zusammensetzung von der Ableitung und Abwandlung
besteht also darin, daß die Producte der beiden letzteren zwar
theoretisch in Bestandtheile zerlegt, aber nicht wirklich aus
solchen zusammengesetzt werden können, weil höchstens der eine
von diesen sich als selbständiges Sprachelement ausweist, das
überdies eher Stamm als Wort zu nennen sein wird." Da
aber der Verf. nicht leugnet (S. 2), „daß auch die Derivations=

und Flexionsſylben, wenigſtens zum Theil, einſt ſelbſtändiges
Daſein und eigene Bedeutung nach Art von Wörtern mögen
beſeſſen haben", ſo würde der eben ausgeſprochene Unterſchied
doch keine principielle Bedeutung haben. Die abgeleiteten und
abgewandelten Wortformen wären bloß allmählich erſtarrte Zu=
ſammenſetzungen älteſter Zeit; erſtarrt ſind ſie, weil die ſchlie=
ßenden Elemente ihre Selbſtändigkeit als beſondere Wörter
verloren haben. Ja, ich meine, es ſei nicht ſchwer, den Ge=
ſichtspunkt zu finden, von dem aus die Wortformen noch nicht
einmal als erſtarrt und die Flexionsſylben nicht als unſelbſtändig
erſcheinen; wie andererſeits auch die Compoſita in einem Lichte
betrachtet werden können, wo ſie ſich als Gebilde zeigen, die
nicht zerlegt und nicht mehr „wirklich" aus ihren Beſtandtheilen
zuſammengeſetzt werden können; — und ſo würde das Geſagte
ganz in ſich zuſammenfallen. Daher fügt der Verf. hinzu
(daſ.): „Dieſer Unterſchied beruht auf der für alle Sprachbil=
dung entſcheidenden Thatſache, daß gerade bei den geiſtig be=
gabteſten Völkern der Urzeit ein Theil der Sprachelemente
ſcheinbar degradirt, in der That aber zu dem ausgezeichneten
und den ganzen Sprachbau erhöhenden Dienſte beſtimmt wurde,
mit Verzicht auf eigene ſtoffliche Bedeutung nur dem Ausdruck
formeller Beziehungen, alſo insbeſondere jener allgemeinen Denk=
formen zu leben, die man grammatiſche Kategorien zu nennen
pflegt." Dieſer Gedanke, den der Verf. faſt nur wie gelegent=
lich herbeizieht, wäre vielmehr an die Spitze zu ſtellen und
ausführlich zu begründen geweſen; von ihm aus hätte der Verf.
das Weſen der Compoſition wie der Wortformung in ihrem
Gegenſatze darzulegen gehabt. Statt nun dieſen Gedanken,
nachdem er auf ihn gekommen iſt, weiter auszuführen, ſpringt
der Verf. ab und kehrt zu ſeinem Ausgangspunkte zurück. Nun
formulirt er den Gegenſatz ſo, „daß die Flexion Wörter eben
erſt ſchafft, während die Compoſition ſolche bereits vorausſetzt".
Damit aber kämen wir nur dahin, daß die Flexion die urſprüng=
liche Zuſammenſetzung, die Compoſition eine auf Grundlage
dieſer erſten Zuſammenſetzung weiter fortgeſetzte Zuſammen=
ſetzung iſt.

Das iſt nun freilich nicht des Verf.s Meinung. Er ſpricht

vielmehr entschieden aus (S. 3): „Unstatthaft ist es jedenfalls,
die Flexion sowie die Derivation förmlich als bloße Arten
von Composition aufzufassen, indem man den engeren festen
Begriff von Composition, wie wir ihn gleich Anfangs aus dem
Sprachgebrauch entnommen haben, zu der vagen Allgemeinheit
von irgend welcher Aneinanderfügung irgend welcher Sprachelemente erweitert." Ganz richtig; völlig unstatthaft ist das.
Erwiesen aber wird diese Unstatthaftigkeit nur, wenn auf den
vom Verf. nicht genug hervorgehobenen Kerngedanken zurück-
gegangen wird, nicht aber, wenn man sich auf den Sprachgebrauch beruft, den unsere Gegner gerade umstoßen wollen.
Der Verf. kennt sie schlecht, unsere Gegner. Flexion und Derivation und Composition sind ihnen nicht einmal verschiedene
„Arten" der Zusammensetzung, sondern sie sind ihnen Zusammensetzung schlechthin, höchstens unwesentlich, etwa chronologisch
verschiedene Varietäten derselben Art, im Grunde gleichgültige
Modificationen derselben vagen Allgemeinheit.

„Dieser verdorbene Begriff", sagt der Verf. sehr richtig,
„wird auch nicht etwa verbessert dadurch, daß man die drei
Bildungsweisen als eben so viele Grade von Innigkeit oder
Festigkeit jener Fügung unterscheidet, denn dieselben liegen überhaupt nicht auf einer Linie als bloß quantitative Stationen,
sondern sie sind qualitativ verschieden, trotz äußerer Aehnlichkeit der Formen ihrer Producte, weil sie ganz verschiedenen
Bedürfnissen und Zwecken dienen." Das ist dreimal wahr!
Aber der Verf. hat uns noch gar nichts von diesen Bedürfnissen und Zwecken der Composition gesagt.

So dürfte wohl eine Ergänzung zu des Verf.s Darlegung
angemessen sein. Man gestatte mir ein grobes Gleichniß. Ein
Stuhl ist etwas Zusammengesetztes; er besteht aus Sessel,
Lehne und Fuß, von welchen Bestandtheilen jeder wieder aus
mehreren Stücken zusammengefügt sein kann: so ist ein Compositum aus zwei oder mehreren Stücken gebildet. Diese Stücke
sind Stoff, und die Composition ist also eine Vereinigung von
Stoffen. Der Stuhl aber sei von Birkenholz und belegt mit
Mahagoni-Plättchen: so ist auch dies eine Zusammensetzung,
aber offenbar eine Zusammensetzung, die zwar nur eben so durch

Leimen bewirkt ist, wie die jener Stücke, die aber doch einen
ganz anderen Sinn hat, — einen formalen, möchte ich sagen;
und in der Wortform entspricht dem Birkenholz die Wurzel,
den Mahagoni = Platten die Suffixe. Diese Platten, so ver=
werthet, zum bloßen Schmuck, zur Form des Stuhls, sind frei=
lich, bevor sie auf das Birkenholz geleimt sind, ein Stoff an
sich, und sie könnten z. B. zu Linealen verwendet werden und
blieben dann besondere Stoffe: so sind auch die Elemente, welche
zu Suffixen geworden sind, bevor sie dies sind, und an sich
genommen, ein Stoff, und es können daraus auch besondere
Stoffwörter gebildet werden; nun aber einmal als Suffixe ver=
werthet, dienen sie zur Formung der Wurzel. Das wird hof=
fentlich deutlich sein.

Aber auch der Lautproceß, durch welchen Composita ent=
stehen, hätte vor allen weiteren Unterscheidungen hingestellt
werden müssen. Hierbei möchte ich nur den wesentlichsten Punkt
herausheben. Es muß, meine ich, scharf ausgesprochen werden:
eine Flexionsform besteht aus einem Stamme mit einem Suffix;
ein Compositum aus zwei Stämmen, denen als Einheit ge=
nommen ein Suffix zukommt. So ist der Unterschied hand=
greiflich.

Wir übergehen, was der Verf. in den vier folgenden Ka=
piteln des ersten Abschnittes über die Unterscheidung der Zu=
sammensetzung von Reduplication und andern Erscheinungen
sagt, welche in den niedriger organisirten Sprachen vorkommen
und mehr oder weniger unserer Zusammensetzung ähnlich er=
scheinen. Wir begnügen uns, hier des Verfs. Umsicht und
vorsichtige Beurtheilung gebührend anzuerkennen. Besonders
muß ich, mit Absehung von allen Einzelheiten, dem Streben
des Verf.s überhaupt, das auch hier wieder entschieden hervor=
tritt, meine volle Uebereinstimmung zusichern, dem Streben näm=
lich, die vagen, unterschiedslosen Allgemeinheiten zu verbannen
und die bestimmten Charaktere der Sprach=Erscheinungen auf=
zufassen.

Wir kommen zum zweiten Abschnitt; und sehen wir zu=
erst, wie echte und unechte Zusammensetzung unterschieden wird.
Der Verf. knüpft hier an die von den indischen Grammatikern

so genannten Dvandva-Compofita an, d. h. an die paarende
Zusammensetzung, deren Glieder, wenn wir sie auflösen, durch
„und" verbunden werden, z. B. Vater=Mutter für Vater und
Mutter. Während bei den sonstigen Compofita ein Glied dem
andern untergeordnet ist, herrscht in jenen vielmehr Beiordnung
der Glieder. Schon Justi hat, indem er eine Stufenfolge
von Compofitionsweisen aufstellt, die Dvandva an die unterste
Stelle gesetzt. Der Verf. bemerkt (S. 35): „Ungenügend wäre
es jedenfalls, mit einseitiger Rücksicht auf die äußere Form und
abgesehen von ihrem inneren Werthe, die Dvandva-Compofita
mit den übrigen einfach darum gleich zu stellen, weil sie factisch
allerdings eine Vereinigung zweier Wörter so gut wie die an=
dern darbieten". Aber warum wäre denn das ungenügend?
oder welchen Mangel ihres inneren Werthes hat der Vrf. ihnen
vorzuwerfen? Wo ist gesagt, daß die Glieder der Zusammen=
setzung unter einander nothwendig in einem Verhältnisse der
Unterordnung stehen müssen? Will man aber dem Dvandva
eine niedrigere Stufe anweisen, so mag das vielleicht nicht mit
Unrecht geschehn; der Verf. jedoch will dasselbe nicht einmal
als echte Composition ansehn — warum nicht? (S. 38):
„Was solche Verbindung von echter Zusammensetzung noch
scheidet, ist eben gerade dieses rein copulative, mehr additionelle
als multiplicative Wesen, und je mehr die Verbindung dem
letzten Charakter sich nähert, um so mehr tritt an die Stelle
des Scheines das Wesen und der Werth der Zusammensetzung".
Wenn man auf solche Streitfragen und solche Entscheidungen
stößt, so wird denn doch wohl deutlich, daß es nicht ein bloßer
logischer Tick ist, wenn nach der alten logischen Regel gefor=
dert wird, der Schriftsteller solle vor Allem sagen, was das
ist, wovon er spricht. Wie will man sich ohne festen Begriff
in dem wirren Reiche der Thatsachen zurecht finden? Mag es
immerhin sein, daß sich die Thatsachen tausendfältig zu dem
Begriffskreise excentrisch verhalten und daß sie sich nicht in
regelmäßiger Kreisform bewegen; an Winkeleisen und Cirkel
muß doch alles gemessen werden.

Noch ein anderer Punkt kommt hier in Betracht. Unaus=
rottbar scheint die Neigung zu sitzen, das Vollkommenere als

aus dem Unvollkommeneren entwickelt anzusehen. Hiermit ver=
schmilzt noch etwas. Die Ueberschätzung des Sanskrit, die
freilich im Allgemeinen jetzt als überwunden angesehen werden
darf, tritt hier in dem besondern Falle in einem eigenthümlichen
Versteck auf. Das Sanskrit soll uns in seiner Alterthümlich=
keit mit dem Dvandva einen Rest niedrigerer Bildungsform
aufbewahrt haben, welche die europäischen Sprachen gänzlich
von sich abgestreift hätten. — Hiergegen will ich nun nicht ge=
rade in starrer Einseitigkeit behaupten, daß überall das Ur=
sprüngliche das Vollkommenere sei; aber so viel steht fest und
wird allgemein und auch vom Vrf. und namentlich in Bezug
auf die Composition zugestanden, daß das Sanskrit „in orien=
talisch überschwenglicher Entwickelung des echten Triebes der=
selben" (S. 34) vielfach von der maßvollen, gesetzmäßigen Ver=
wendung abgewichen ist. Und nur den indischen Mißbrauch
des Dvandva scheint man im Auge zu haben, wenn man diese
Compositionsform als unecht verdammt.

Ich halte das Dvandva für eine echte Composition und
table den Mißbrauch desselben. Sehr zweifelhaft scheint mir
des Vrf.s Behauptung (S. 38), daß „auf italischem so wie
auf griechischem Boden keine Spur von Dvandvabildung mehr
begegnet". Daß die Volkssprache der Hellenen viele Composita
dieser Art besaß, ist mir schon durch das Neugriechische gewiß,
wo z. B. folgende Fälle begegnen: τὸ ἀνδρόγυνον das Ehepaar;
τὰ γυναικόπαιδα Frauen und Kinder, τὰ μαχαιροπέρνα Messer
und Gabeln, τὰ γιδοπρόβατα Ziegen und Schafe, τἀμπελοχώραφα
die Weinberge und die Aecker, ja sogar eine Composition aus
Verben πηγαινοέρχομαι ich komme und gehe (s. Mullach,
Gr. d. griech. Vulgarspr. S. 148 f. Roß, Reisen auf d. gr.
Inseln II. S. 109). Aus dem Alterthum überliefert ist, ab=
gesehen von Ζηνοποσειδῶν Zeus und Poseidon*), βατραχο-μυο-

---

*) Beim Athenaeus H 337 c. Zu erwägen bleibt nicht sowohl dies,
daß uns der Name in einer scherzhaften Anekdote überliefert ist, denn der
Komiker hat ihn nicht erfunden; es muß einen Tempel Ζηνοποσειδῶνος in
Mylasa wirklich gegeben haben. Auch lehrt der Zusammenhang, daß der
Name so zu verstehen ist: Zeus und Poseidon. Es wird nämlich erzählt,
daß ein Musiker in Mylasa in keinem Gasthause Unterkommen fand. Als

μαχία der Frösche und Mäuse Krieg, su-ovi-taur-ilia (Opfer) von Schwein, Schaf und Stier, λευχο-μέλας weiß und schwarz, νυχθήμερον Nacht und Tag (Bopp). Daß die beiden erstgenannten Wörter nicht bloße Dvandva sind, thut nichts zur Sache. Ebenso das von Heerdegen aus Aristophanes (Ran. 966) angeführte σαλπιγγο-λογχ-υπηνάδαι tubas hastasque barbasque habentes.

Solche Beispiele lehren doch wohl, daß das Dvandva der alten Volkssprache nicht fremd war. Der Vrf. selbst bemerkt (S. 40): „daß die Dvandva-Verbindungen von Götternamen im Sanskrit nicht so ganz beliebig sind, sondern auf eine wirkliche innere Zusammengehörigkeit derselben gegründet, eine Dualität des Wesens, wie W. v. Humboldt sie für den Begriff des Dualis selbst, als grammatischer Form, zu Grunde legt." Es liegen, wie der Vrf. bemerkt (S. 41), im Dvandva „Paarungen oder Gegensätze, welche einander mit Naturnothwendigkeit ergänzen, wie Tag und Nacht, Himmel und Erde, Götter und Menschen." Wenn also der Vrf. später (S. 80) seine Ansicht beschränkend sagt: „Die Dvandva-Composita müssen von echter Zusammensetzung wenigstens dann ausgeschlossen werden, wenn sie nur eine äußerliche Gesellung, nicht eine innere Durchdringung bedeuten, eine Summe statt eines Productes", so meine ich, daß diejenigen Dvandva, welche hiernach

---

er sich nun deshalb vor einem Tempel niederließ und erfuhr, daß dies ein Tempel des Zeus und Poseidon sei, bemerkte er, es sei kein Wunder, wenn man in einer Stadt kein Unterkommen finden könne, wo es so eng ist, daß selbst die Götter paarweise (σύνδυο) wohnen. So würde jener Name eine Bildungsweise bekunden, die ganz genau den Zusammensetzungen indischer Götternamen entspricht. Indessen aus der Anekdote ergiebt sich zugleich, daß dieser Fall, daß ein Tempel zweien Göttern gehöre, einzig gewesen sein müsse. Ja, diese Auffassung scheint falsch gewesen zu sein, und vielleicht beruht das Lächerliche zum besten Theil auf der dem Erzähler bewußten falschen Erklärung. Denn jener karische Tempel war ungriechisch; man übersetzte bloß den fremden Gottesnamen, da er theils dem Zeus, theils dem Poseidon entsprach, mit Zenoposeidon und verstand darunter einen Poseidon, der von der Natur des Zeus an sich trägt (vergl. Welcker gr. Götterl. I. S. 641). Nur jener Muster gab absichtlich eine andere Deutung des Namens.

unechte Zusammensetzungen sind, eben auch unechte Dvandva
sind. Solch ein Compositum wie (hr̥śita + srag) + (ragau +
hina), zu deutsch etwa: Blumen=bekränzt (und) Staub=los, ist die
abgeschmackteste und niedrigste Redeweise, die auf indogerma-
nischem Gebiete vorkommen mag.

Kurz, wenn ich irgend weiß und fühle, was eine Zusammensetzung ist, so kann ich das echte Dvandva nur als durch=
aus echte Zusammensetzung ansehen, als die sinnlichste, am meisten
poetische, also kräftigste Form derselben. Gerade darum geht
sie, wie der Dual, mit der Entwickelung des abstracteren Ver=
standes verloren oder wird sinnlos gemißbraucht oder erhält
sich nur im niedrigen Volk und in der Komik. Und wie dem
Sinne nach, so ist sie auch der Lautform nach die entschiedenste
Gestaltung; das Wortpaar erhält eine Endung, durch welche es
entweder als Paar (durch die Dualform) oder als Einheit (durch
das Neutrum Singul.) bezeichnet wird. Und am lautesten redet
für die einheitliche Natur des Dvandva die unter dem Namen
ἑκαχέσα begriffene Erscheinung, daß nämlich nur ein Wort
statt des Wörterpaares gesetzt wird und zwar im Dual. ródası
die beiden Himmel, für Himmel und Erde. Gelegentlich ver=
stehen wir die ergreifende Macht des Dvandva noch ganz un=
mittelbar. Was es mit dem neugr. Παρονάξια, Παρος und
Ναξος, auf sich hat, weiß ich nicht; aber das deutsche Volk
hat es doch wahrlich mächtig gefühlt, was „Schleswigholstein"
und ein „Schleswigholsteiner" war. Nur das Dvandva konnte
hier ausdrücken, was wir meinten.

Uebrigens wird die Dvandva-Composition vom Vrf. im
Einzelnen mit vieler Feinheit behandelt. Nur, welcher Unter=
schied zwischen echter und unechter Composition besteht, das ist
mir aus des Vrf.s Darlegung nicht klar geworden. Den Unterschied eigentlicher und uneigentlicher Composition aber, den
er innerhalb der echten Zusammensetzung als eine untergeordnete
Besonderung findet, läßt der Vrf. nur unter dem Zugeständnisse
vieler Mittel= und Mischformen gelten. Hier zeigt sich nament=
lich oft der Widerspruch zwischen Lautform und innerer Bedeu=
tung. Ich möchte vorschlagen, diese Unterschiede von echt und
unecht, eigentlich und uneigentlich aufzugeben. Denn wenn man

so erst eine Zweitheilung vollzieht und dann den einen Theil wieder theilt, so geräth man mit solcher Division und Subdivision nothwendig in die Brüche. Dabei muß ich gestehen, daß mir nicht einmal klar geworden ist, wie sich in des Vrf.s Eintheilung der von ihm auch erwähnte Unterschied zwischen Zusammensetzung und Zusammenfügung einpaßt. Umschließt letztere nur die unechte oder auch die uneigentliche Zusammensetzung? Ich meine also, man sollte zuerst alles, was sich als Zusammensetzung darbietet, auch als solche anerkennen, und dann zwischen besseren und schlechteren, schöneren und häßlicheren, vollkommneren und unvollkommneren unterscheiden. Man hat nämlich zuerst die Forderungen auszusprechen, welche von begrifflicher und lautlicher Seite aus an ein Compositum zu stellen sind, und dann zuzusehen, wie die wirklich gebildeten Composita dieselben mehr oder weniger erfüllen, indem sie bald in diesem, bald in jenem Punkte nicht genügen. Diese Forderungen sind nicht a priori zu construiren, aber wohl aus den Bestrebungen der Sprache selbst, die sie in ihren gelungenen Erzeugnissen auch erreicht hat, zu erschließen. Darum sind es nicht Forderungen, welche der subjective Sprachforscher aussinnt, sondern welche die objective Sprache (oder der Volksgeist) an sich selbst stellt.

So kämen wir denn zu einer Stufenleiter von Compositionsformen, wobei es immerhin mehrfach unentschieden bleiben könnte, welche von zwei Formen höher oder niedriger steht; denn nicht in der Stufenfolge soll der Vortheil liegen, sondern darin, daß wir statt der unbestimmten Kategorieen „echt und unecht u. s. w." zu festeren, faßlichen Bestimmungen der Eigenthümlichkeiten gelangen und nicht bloß zu zwei oder vier Abtheilungen, welche in einander fließen, sondern zu mehr Klassen, welche noch dazu fest stehen.

Das Capitel „Trennbarkeit der Zusammensetzung" berührt wiederum tiefe Probleme. Doch ich eile weiter. Zu den beiden Capiteln „Stellung der Glieder in der Zusammensetzung" und „Wortart des Ganzen" will ich nur eine Bemerkung machen, den Accent betreffend. · Man vergleiche θεοειδής, θεοσίκελος, θεόςχθρος, ja sogar θέοινος mit unserm göttgleich, gött-

ähnlich, gottverhaßt. Was der Verf. hierüber sagt, wird
richtig sein und ist fein gefühlt. Ich muß aber Folgendes hin=
zufügen. Der hier über den griechischen Wörtern bezeichnete
Accent und der deutsche sind gar nicht dasselbe Wesen; das für
beide Sprachen angewandte Zeichen hat hier einen ganz anderen
Werth als dort. Man macht bekanntlich einen Unterschied
zwischen dem Wortaccent, welcher die Einheit des Wortes her=
stellt, und dem grammatischen oder Satzaccent, der Wörter zu
Satzverhältnissen und Sätzen zusammenbindet. Vom rhetorischen
Accent können wir absehen, da er nur gelegentlich vom gram=
matischen abweicht; und auch der Fuß= und Vers=Accent oder
der rhythmische kommt hier, wo es sich nicht um Verse han=
delt, nicht in Betracht. Nun unterscheidet sich das Compositum
vom Simplex dadurch, daß es, obwohl es wie dieses nur einen
Wortaccent hat, doch auch schon einen Satzaccent hat, den das
Simplex an sich nicht kennt. In den Satzverhältnissen hat
allemal das bestimmende Element den Hochton, und ebenso ist
es im Compositum; und das gilt, wie ich a priori behaupte,
für das Griechische wie für das Deutsche. Wenn wir nun den
Vorzug, welchen in den deutschen Wörtern das Element „Gott"
vor dem darauf folgenden hat, d. h. den grammatischen Hochton,
so bezeichnen: gottähnlich u. s. w., so müßten wir die grie=
chischen so schreiben: θεοειδής. Die griechischen Wörter stimmen
in dem, was der wagerechte Strich bezeichnen soll, mit den
deutschen überein, haben aber noch etwas Besonderes, was durch
den Acut angedeutet wird: dies ist der Wortaccent. Das
deutsche Compositum unterscheidet sich vom griechischen dadurch,
daß der grammatische Accent den Wortaccent aufgesogen hat.
Allerdings ist auch für den Wortaccent das Verhältniß der
Glieder der Composition zu einander nicht immer gleichgültig,
wie bekannt.

Doch kommen wir endlich zum dritten Abschnitt. Hier
soll es sich theils um eine Classification der Thatsachen, theils
„um die tiefer liegenden Fragen nach dem psychologischen Ur=
sprung und Werth der Zusammensetzung im Ganzen und in
ihren Hauptarten" handeln.

Logisch genommen stehen die beiden Glieder der Zusammen=

ſetzung entweder in dem Verhältniſſe der Beiordnung oder in
dem der Unterordnung; der allergrößte Theil der Fälle gehört
in die zweite Klaſſe. Die Unterabtheilungen derſelben werden
nach grammatiſchen Rückſichten gewonnen. Ja wenn ich bedenke, daß Bei- und Unterordnung doch auch in der Grammatik
ihre Rolle ſpielen, ſo möchte ich ſchon die Haupteintheilung
nicht logiſch, ſondern grammatiſch nennen. Das beſtimmende
Wort kann attributiv oder objectiv ſein. Noch ſpeciellere Verhältniſſe, wie der Redetheil der Glieder an ſich, machen noch
weitere Unterklaſſen.

Schließlich die Frage (S. 90), „ob ſich irgend welche
pſychologiſche Begriffe darbieten, mit deren Hülfe wir tiefer in das
Weſen der Zuſammenſetzung eindringen können.“ Der Vrf. geht
hierbei von folgendem Grundgedanken aus: „Da die Zuſammenſetzung im Allgemeinen eine Verbindung zweier Vorſtellungen
zu irgend einem Grade von Einheit iſt, ſo werden wir auf das
Gebiet der ſog. Aſſociationen hingewieſen, und es wird ſich
darum handeln, ob ſich die verſchiedenen Arten von Zuſammenſetzung in Hinſicht auf Motive und Reſultat der in ihnen enthaltenen Verbindung von Vorſtellungen auf allgemeine Arten
von Aſſociation zurückführen laſſen.“ Und was iſt das Ergebniß, zu dem der Vrf. gelangt? Er ſtellt ein pſychologiſches,
ein logiſches und ein grammatiſches Schema neben einander,
aber (S. 92) „nicht als ob zwiſchen den pſychologiſchen Cate-
gorien einerſeits und den logiſch-grammatiſchen andererſeits irgend eine unmittelbare Aequivalenz oder Abhängigkeit ſtatthaben
könnte, ſondern nur in dem Sinne, daß den ſprachlichen Thatſachen und Werthen pſychologiſche entſprechen, welche ungefähr
in den angegebenen Richtungen den erſtern allerdings zu Grunde
liegen“; und jenem dreifachen Schema fügt er einen meta-
phyſiſchen Geſichtspunkt hinzu. Das heißt allerdings einge-
ſtehen, daß der erſte Verſuch, der Lehre von den Zuſammen-
ſetzungen eine pſychologiſche Grundlage zu unterbreiten (und
der Verſuch des Vrf.s iſt der erſte), mißglückt iſt, wie anregend
und geiſtvoll auch alle hier vom Vrf. gemachten Bemerkungen
in der That ſind. Man vermißt das einheitliche Band für die
geſondert verfolgten Geſichtspunkte.

Unsere Aufgabe ist zuzusehen, woran der Verf. gescheitert ist. Wir finden die Ursache hiervon ganz wo anders, als wo sie der Referent für das Literarische Centralblatt (1868 Nr. 49) zu erkennen glaubt. Er meint, beim Vrf. trete die historische Betrachtungsweise zu sehr zurück; historisch, so belehrt er diesen, würde man finden, daß die Composition älter als die Flexion sei. Aus dem, was der Vrf. im ersten Abschnitte über scheinbare Composition der formlosen Sprachen bemerkt, hätte vielmehr der Ref. lernen sollen, daß die Composition unmöglich älter sein kann als die Flexion, daß also sein historischer Fund mindestens noch zweifelhaft sei. — Auch Hr. Gerland in der Zeitschrift für deutsche Philologie I. S. 357 ff. hat des Vrf.s Denk-Motive nicht verstanden. Ihm nämlich fällt nicht bloß „ein Mangel an Material störend auf", sondern er wirft dem Vrf. auch für die philosophische Seite Dilettantismus vor. Derselbe sei nirgends in der Philosophie, am allerwenigsten in der Psychologie sicher zu Haus. Hr. Gerland nämlich hat sich, wie es scheint, in der Psychologie gemüthlich eingerichtet mit dem alten Hausrath der Complication, Verschmelzung und Association; und da nun Tobler an diesem Hausrath etwas gerührt und gerückt und denselben in sanftester Form für wenig brauchbar erklärt hat, so versteht Hr. Gerland seine bescheidene Kritik nicht und ruft hinter ihm her die Scheltworte Dilettantismus und Anderes. — Auch positive Belehrung giebt Hr. Gerland: „Wollte also der Vrf. die Wortzusammensetzung philosophisch erklären, so mußte er den Proceß aufdecken, durch welchen z. B. in den indogermanischen Sprachen oft so heterogene Elemente wie Haus und Frau, lach(en) und Taube u. s. w. zusammentreten und eine neue Worteinheit erzeugen konnten. Diese Bildungen werden, nach allen von Justi aufgestellten, wohl zu Stande gekommen sein (um einmal kühn vorzugehen), daß man zuerst Vorstellungen, die man äußerlich zusammengehörig fand, auch äußerlich zusammenstellte, bis dann nach langem Gebrauch dem Sprachgeist die Idee aufging, daß manche von diesen Zusammenstellungen selbst wieder einen einheitlichen, neuen Begriff darstellten, welche Erkenntniß sich in der nun entstehenden neuen Wortformation reflectirte."

Ich weiß nicht, ob man diesen „kühnen“ Satz einer Kritik unterwerfen darf. Darum nur so viel: wie zwei äußerlich zusammengehörig gefundene und äußerlich zusammengestellte Vorstellungen jemals sollen als einen einheitlichen, neuen Begriff darstellend erkannt werden können, ist unersindlich. Die äußerlich zusammengestellten Vorstellungen Haus und Frau bleiben ewig zwei äußerlich zusammengestellte Vorstellungen, und wie soll die Idee aufgehen, daß sie einen neuen Begriff darstellen? Kurz, ich fürchte, der Dilettant wird Hrn. Gerland wenig für Belehrung zu danken haben. — Nein, des Vrf.s Mangel liegt ganz anderswo. Daß er die Unzulänglichkeit der bisherigen psychologischen Kategorien erkannt hat, gereicht seiner gewissenhaften Kritik, die sich nicht einbildet, erklärt zu haben, wo nichts erklärt ist, zur Ehre. Worin er aber fehl gegriffen hat, scheint mir Folgendes.

Wer einen organischen Stoff, Eiweiß, Roggenmehl u. s. w. nur nach den Gesichtspunkten der unorganischen Chemie betrachtete, der würde zu Ergebnissen gelangen, die wohl ganz denen ähnlich wären, mit denen der Vrf. abschließen mußte. Nichts was in der Seele vorgeht, ist ohne Anwendung der Kategorie der Association zu begreifen; aber mit dieser Kategorie und allen ihren näheren Bestimmungen allein wird kaum irgend etwas begriffen. Weder das Urtheil oder der Satz, noch ein Satzverhältniß wird als Association genügend begriffen; und auch nicht ein Compositum, denn auch dieses ist mehr als eine Association.

Und wie denn mehr? Mit den Namen Association und Complication bezeichnen wir Verhältnisse der psychischen Mechanik. Denken, Erkennen ist ohne und gegen diese Mechanik nicht möglich, ist aber dennoch mehr als sie, ist Apperception, und an die Verhältnisse der Apperception hätte sich der Vrf. wenden müssen. In ihr hätte er die Einheit für den logischen, grammatischen, psychologischen und metaphysischen Gesichtspunkt gefunden und zwar innerhalb der Psychologie. Denn appercipiren ist denken, insofern dieses eine psychische Thätigkeit ist; im Denken aber ist Metaphysisches, Logisches und Sprachliches

vereinigt, also ist alles dies, vereinigt mit Psychologischem, in
der Apperception psychologisch zusammengefaßt.

Wie jedes Wort ist auch das Compositum ein Organ, um
ein Object zu appercipiren, aber ein zusammengesetztes Organ,
und unter den Gliedern desselben besteht wiederum (abgesehen
vom Dvandva) ein Apperceptions=Verhältniß.

Bei dieser Andeutung muß es hier sein Bewenden haben.
Ja noch mehr, es muß dahingestellt bleiben, wie weit bei der
jetzigen Lage der Apperceptionslehre die gestellte Aufgabe gelöst
werden kann. Nur in Betreff der Aufgabe selbst ist noch Fol=
gendes zu beachten.

Zu Grunde gelegt muß die rein grammatische Anordnung
der Composita werden. Da wir es mit einem sprachlichen
Object zu thun haben, so muß von dem grammatischen Ge=
sichtspunkt der Ausgang genommen werden. Dieser ist zunächst
in aller Reinheit festzuhalten, und es darf nichts Fremdes in
die Betrachtung hineingetragen werden. Es muß erst das
grammatische Object für die psychologische Forschung gewonnen
werden. Für den Grammatiker aber ist ausschließlich die Laut=
form maßgebend, wenn diese nicht etwa zerstört ist.

Nun sehe ich nicht ein, wie der Grammatiker, wenn er
nur die Form der Composita in's Auge faßt, wie er muß,
mehr als folgende drei Unterschiede finden kann: erstlich die
paarenden oder copulativen Composita, welche einen Gegensatz
zu allen übrigen bilden, in denen entweder das erste Glied das
zweite bestimmt = attributive Composita, oder das erste Glied
das zweite regiert = objective Composita. Die Klasse der
attributiven Composita umfaßt nicht nur die Determinativa,
z. B. Weißbrod, Abglanz, natürlich mit Einschluß der sehr be=
schränkten collectiven Composita, z. B. dreimal, Dreischlag,
Viergespann, sondern auch sämmtliche sogenannte Abhängigkeits=
Composita, z. B. Himmelsheer, himmelaufjauchzend, pflicht=
kundig, geldgierig, racheschnaubend, gottähnlich; denn Abhängig=
keit wird hier durch die Form nicht ausgedrückt und findet hier
eben gar nicht statt. In allen diesen Composita der zweiten
Klasse, und die deutsche Sprache kennt kaum andere, ist das
erste Glied nähere Bestimmung des zweiten ohne jeden näheren

ist vielleicht ganz gerecht, wenn er am rechten Orte losbräche, in der Metaphysik, in der Religionsphilosophie; was will er aber in der Psychologie? Jener Philosoph beweist damit eben nur, daß er nicht weiß, was die letztere Wissenschaft zu leisten hat. Ist diese die Lehre von dem Mechanismus der seelischen Erscheinungen, so kann kein Satz derselben, auch nicht der Psychophysik oder Physiopsychologie, anders lauten, mag die Seele ein besonderes Princip sein oder Function des Gehirns mit Zubehör. Begreiflich aber ist, wie die Impotenz, welche ein Vorurtheil abgeschüttelt und gegen die Wahrheit eingetauscht zu haben glaubt, möge diese noch so inhaltsleer sein, sich Wunder was dünkt, wenn sie nur diese neue Wahrheit geltend macht. Wenn nun dieser Philosoph, der auch National=Oekonom ist und Mathematik liebt, von der Entwickelung der Psychologie nach „der Breite" und nach „der Tiefe" spricht: so weiß er sich bei ersterer nichts weiter zu denken, als die Breite der Erde; und so werden wir wenig begierig nach seiner Tiefe.

Das also bleibt zunächst zu wünschen: das Bewußtsein von der wirklichen Breite der Aufgabe der Psychologie. Es thut heute meistentheils noch noth, daß erst einmal der Anfang des Anfangs gemacht werde, daß man vor den seelischen Erscheinungen, vor dem Zusammenwirken der mannigfachen verwickelten seelischen Factoren zur Erzeugung geistiger Erfolge, gestaunt habe; daß das forschende Auge nur erst einmal die Festigkeit erlangt habe, in dem Gewirre des Seelenlebens ein Object anzuschauen. Zur Bildung solcher Kraft aber scheint vorzüglich die Sprachwissenschaft geeignet. Und weil die angezeigte Vorlesung gerade nach dieser Richtung hin besonders wirksam sein muß, darum liebe ich sie.

Der Gedanke, den sie ausführlich entwickelt, ist nicht neu; er findet sich nicht nur bei Wilhelm v. Humboldt, sondern auch bei Pott, bei G. Curtius. Es genügt aber nicht, daß Gedanken gelegentlich ausgesprochen werden, sie müssen durch die Breite der Thatsachen hindurchgeführt werden. Dies thut Hr. Bréal. Es handelt sich aber einfach darum. Der Sinn eines Wortes läßt sich nicht als bloße Summe dessen

Michel Bréal. prof., Les idées latentes du langage. Leçon faite au collège de France pour la réouverture du cours de grammaire comparée le 7 Décembre 1868. Paris 1868.

Arbeiten wie die hier angezeigte liebe ich sehr. Ich will sagen warum.

Es kann keine Wissenschaft zu vollem Gedeihen und Wachsthum gelangen ohne die allgemeine Theilnahme der gebildeten Welt. Es genügt nicht, daß einige wenige Männer irgend ein Gebiet der Forschung mit Erfolg anbauen; nein, es muß das Bewußtsein von dem Bedürfniß ihrer Bemühungen, von der Natur und dem Umfange ihrer Aufgaben, von den Mitteln und der Methode der Lösung wenigstens in allgemeiner Weise weit verbreitet sein, muß zum geistigen Inhalt der Bildung gehören. So weit sind wir mit der Psychologie, der jüngsten aller Wissenschaften, noch nicht. Noch nicht einmal durchgängig die Philosophen, denen doch wohl zunächst der allseitige Anbau derselben anliegt, wissen, was sie zu leisten hat; ja, ob die Philosophen in der That es sind, denen sie anheimgegeben werden soll, wird heute nicht durchweg bejaht — die Physiologen sollen sie schaffen. Gleichviel wem die Aufgabe zugeschrieben wird; das Schlimme ist, man kennt die Aufgabe selbst gar wenig. Kurz, es herrscht über die Sache noch vielfach eine Verwirrung in den Geistern, unter denen dieselbe leiden muß.

Die Sache muß wohl recht schwierig sein! — Ja, was ist schwierig? was ist leicht? Unter Umständen ist das Schwierigste leicht und unter andern Umständen das Leichteste unmöglich. Lachen muß ich, wenn ich sehe, wie ein Philosoph, wenn von Psychologie die Rede ist, in Zorn erglüht gegen diejenigen, welche ein besonderes seelisches Princip annehmen; lachen muß ich, nicht über seinen Feuereifer selbst gegen die Seele: dieser ist vielleicht ganz gerecht, wenn er am rechten Orte losbräche, in der Metaphysik, in der Religionsphilosophie; was will er aber in der Psychologie? Jener Philosoph beweist damit eben nur, daß er nicht weiß, was die letztere Wissenschaft zu leisten hat. Ist diese die Lehre von dem Mechanismus der seelischen Erscheinungen, so kann kein Satz derselben, auch nicht der Psychophysik oder Physiopsychologie, anders lauten, mag die Seele ein besonderes Princip sein oder Function des Gehirns mit Zubehör. Begreiflich aber ist, wie die Impotenz, welche ein Vorurtheil abgeschüttelt und gegen die Wahrheit eingetauscht zu haben glaubt, möge diese noch so inhaltsleer sein, sich Wunder was dünkt, wenn sie nur diese neue Wahrheit geltend macht. Wenn nun dieser Philosoph, der auch National= Oekonom ist und Mathematik liebt, von der Entwickelung der Psychologie nach „der Breite" und nach „der Tiefe" spricht: so weiß er sich bei ersterer nichts weiter zu denken, als die Breite der Erde; und so werden wir wenig begierig nach seiner Tiefe.

Das also bleibt zunächst zu wünschen: das Bewußtsein von der wirklichen Breite der Aufgabe der Psychologie. Es thut heute meistentheils noch noth, daß erst einmal der Anfang des Anfangs gemacht werde, daß man vor den seelischen Er= scheinungen, vor dem Zusammenwirken der mannigfachen ver= wickelten seelischen Factoren zur Erzeugung geistiger Erfolge, gestaunt habe; daß das forschende Auge nur erst einmal die Festigkeit erlangt habe, in dem Gewirre des Seelenlebens ein Object anzuschauen. Zur Bildung solcher Kraft aber scheint vorzüglich die Sprachwissenschaft geeignet. Und weil die an= gezeigte Vorlesung gerade nach dieser Richtung hin besonders wirksam sein muß, darum liebe ich sie.

Der Gedanke, den sie ausführlich entwickelt, ist nicht neu; er findet sich nicht nur bei Wilhelm v. Humboldt, sondern auch bei Pott, bei G. Curtius. Es genügt aber nicht, daß Gedanken gelegentlich ausgesprochen werden, sie müssen durch die Breite der Thatsachen hindurchgeführt werden. Dies thut Hr. Bréal. Es handelt sich aber einfach darum. Der Sinn eines Wortes läßt sich nicht als bloße Summe dessen

auffaſſen, was in der Wurzel und in den Affixen wirklich aus=
gedrückt iſt; es tritt überall eine Beſtimmung hinzu, die aber
nur im Gedanken hinzugefügt wird, ohne im Laute Ausdruck
zu finden. Der Vrf. beſpricht folgende Fälle.

Das franzöſiſche Ableitungs=Suffix ier (vom lat. aris,
are; arius, arium) bedeutet in pommier von pomme den
erzeugenden Gegenſtand, aber in encrier den Behälter (von
Tinte), in prisonnier das Enthaltene, in geôlier den Hüter,
und wieder Anderes in chevalier, bouvier, lévrier. Voi-
turier und dagegen carossier, dazu wieder cuirassier und
armurier. Der Stoiker Chryſippos kommt durch ſolche Be=
trachtung zu Ehren. Das Suffix ο bedeutet in ἀγός Führer
den Agens, in δόμος Haus das Actum, in τρόμος Zittern die
Action; τόκος bedeutet beides, das Gebären und das Geborene.
Ebenſo laſſen die Compoſita die Beziehung ihrer Glieder auf
einander ohne Ausdruck. Μεγάθυμος iſt Adjectivum, ohne daß
es ſich lautlich von θυμός unterſchiede; ebenſo ῥοδοδάκτυλος.
— In ἐσ-τι is=t haben wir den Begriff des Seins und einer
Perſon, in εἶ-σι geh=t das Gehen und eine Perſon; aber was
bindet beide zuſammen? Dieſelben Elemente liegen im lat.
ama-t lieb=t, und in ama-t(u-m) (ge=)lieb=t, in letzterem Falle
jedoch ganz anders combinirt. Sämmtliche Subſtantiva ſind
urſprünglich Adjectiva; z. B. la terre, terra iſt die „dürre“;
und die Verbalſtämme ſind eigentlich Nominalſtämme. Das
Adverbium iſt eine Caſusform eines Nomen oder Pronomen
und wird wiederum benutzt theils zur Präpoſition, theils zur
Conjunction. Kurz, jede grammatiſche Form enthält etwas
nicht im Laute Ausgedrücktes: une idée latente, durch welche
ſie erſt ihren eigentlichen ſprachlichen Werth erhält.

Alſo: La pensée est un acte spontané de notre
intelligence, qu'aucun effort venant du dehors ne peut
mettre en mouvement d'une manière directe et immédiate.
Tout ce que vous pouvez faire, c'est de provoquer ma
pensée. — C'est notre esprit qui anime le verbe d'une
force transitive, enchaîne et subordonne les propositions,
et dépouille certains mots de leur signification propre,
pour les faire servir comme les articulations et comme les

jointures du discours. L'unité de la proposition et de la phrase, non moins que celle du mot, est le fait de l'intelligence.

Die Folgen dieser Thatsache für Sprachwissenschaft und Psychologie hat der Vrf. in den letzten Sätzen seiner Vorlesung kaum angedeutet. Wir gelangen hier zu den feinsten und schwierigsten Untersuchungen. Mit Recht bemerkt der Vrf.: L'ésprit pénètre la matière, du langage et en remplit jusqu'aux vides et aux interstices. En n'admettant chez un peuple d'autres idées que celles qui sont formellement représentées, nous nous exposerions à négliger peut être ce que son intelligence a de plus vivant et de plus original. Puisque les idiomes ne sont point d'accord en ce qu'ils expriment, ils peuvent différer aussi par ce qu'ils sous-entendent. Wie soll man aber Letzteres erkennen? Wie sollen wir die Denkoperationen des Polynesiers erforschen, wenn sie von den unsrigen abweichen und doch nicht ausgedrückt sind?*) Wo hat das Hineindeuten seine Grenzen? Ja, wie soll nur der Deutsche den Franzosen und umgekehrt verstehen, da sie beide nicht alles sagen, was sie denken? Bedeutet z. B. de l'homme und hominis dasselbe? — Doch zuerst nur einmal gestaunt! Wie wenig sagt der Laut und wie viel giebt er uns zu verstehen!

---

*) Wie solche Aufgaben anzugreifen sind, habe ich in meinen „Mande-Neger-Sprachen" zu zeigen versucht.

H. Steinthal.

Poesie und Prosa.

Von

H. Steinthal.

In einem früheren Aufsatze*) habe ich das Verhältniß zwischen Stoff und Form der Rede näher zu bestimmen gesucht. Ich war aber mit der Analyse der betreffenden, so mannichfach in einander verschlungenen Elemente dort nicht zu Ende gelangt. Das damals gegebene Versprechen, den fallen gelassenen Faden des Knäuels von Bestimmungen, welche das Wesen des Styls bedingen, wieder aufzunehmen, will ich heute einlösen: wie sehr ich auch fürchte, daß ich mit der Abwickelung nicht weit gelangen werde.

Es wird doch wohl zugestanden, daß wir uns auf dem Gebiete der Aesthetik bewegen. Wir streifen es nicht bloß; nein, wir bearbeiten hier ein Stück desselben. Nun bilde ich mir nicht ein, daß ich alles, was für diese Wissenschaft bisher schon geleistet ist, völlig überschaute, und daß ich die widerstreitenden Ansichten betreffs der in ihr aufgetauchten Probleme vollständig und bestimmt erfaßt hätte. Ich fürchte jedoch keinen Widerspruch, wenn ich voraussetze, daß es kaum eine andere Wissenschaft giebt, deren ganzer Grund noch so schwankend ist, wie der der Aesthetik. Dieser Sachlage entnehme ich das Recht, hier meine Ansicht vorzutragen, ohne Rücksicht darauf, ob sie Neues bietet.

Wir haben es hier mit der Redekunst zu thun. Nun wäre es geboten oder rathsam, vor allem die unerläßlichen Grundbegriffe zu bestimmen. Bevor gesagt werden kann, was Redekunst ist, wäre zu erörtern, was Kunst überhaupt ist; und bevor die Gründe der Schönheit der Rede eingesehen werden können, müßte man wissen, was das Schöne im Allgemeinen

---

*) „Zur Stylistik", diese Zeitschr. Bd. IV. S. 465—480.

Zeitschr. für Völkerpsych. u. Sprachw. Bd. VI.

ist. Ich will in der That, wie ich muß, zuerst diese allgemeineren Begriffe zu erörtern versuchen, aber nur soweit es
zur Verständigung nöthig ist. Ich werde auch nur aussprechen,
was mir nach Vielem, was ich früher darüber gelesen habe,
scheinen will, und wobei ich mich vorläufig beruhigen zu können
meine. Ich verzichte auf eine weitere Begründung der von mir
vertretenen Gedanken, wie auch auf die Kritik anderer Ansichten.
Ich wäre dazu jetzt nicht im Stande und weiß nicht einmal,
wem und wie weit ich jedem zu Danke verpflichtet bin. Dies
bitte ich zu verzeihen.

I.
Von Kunst und Schönheit überhaupt.

Jedes besondere sinnliche Gefühl ist ein eigenthümlicher
Eingriff in unser Lebens= oder Gemein=Gefühl und ist eine
locale Abänderung desselben. Es zieht daher unsere Aufmerksamkeit auf sich oder auf den angegriffenen Punkt unseres Leibes
und ist immer eine locale Erhöhung des Lebensgefühls. Wird
durch diesen Eingriff unser Wohl erhöht (wenn auch nur vorübergehend und local, wie z. B. durch süßes Gift), so nennen
wir das Gefühl angenehm; wird im Gegentheil unser Wohl
dadurch verringert (wenn auch die Nachwirkung und ander-
weitiger Einfluß nützlich ist, wie z. B. die bittere und ekelhafte
Medicin), so nennen wir das Gefühl unangenehm. — Ist
aber ein besonders wichtiges Organ ergriffen, so zeigt sich die
Wirkung unmittelbar als Erhöhung oder Niederdrückung des
allgemeinen Lebensgefühls, z. B. wenn der Rhythmus des
Herzschlages oder des Athems abgeändert ist, oder wenn das
Central=Organ leidet.

Wie uns der Gesammtzustand der vitalen Functionen unseres ganzen Leibes ein Gemein= oder Lebens=Gefühl giebt, so
giebt uns der jeweilige Gesammtzustand unseres Bewußtseins
eine Stimmung. Zu dieser trägt natürlich unser Gemeingefühl
sehr viel bei; denn theils ist es ja selbst unmittelbar ein Moment unseres Bewußtseins, und zwar ein sehr mächtiges, theils
wirkt es als hebende Macht für gewisse verwandte Vorstellungs-
kreise und unterdrückt andere, ihm widerstreitende. Das Gefühl

leiblicher Kräftigkeit und Gesundheit hebt die Vorstellung unserer geistigen Macht und Fähigkeit; leibliche Schwäche, Depression der Nerven fördert zugleich den Gedanken unserer geistigen Ohnmacht. Erinnert muß noch werden, daß Vorstellungen in einem gewissen Zustande in unser Bewußtsein hinein wirken und also die Stimmung beeinflussen können, ohne sich im Bewußtsein zu befinden. Irgend ein großer Verlust z. B. wird nicht ohne Unterbrechung gedacht, während er doch dauernd auf die Stimmung mächtig einwirkt.

Jeder Gedanke nun, welcher machtvoll in den Zustand unseres Bewußtseins eingreift, sei es daß er durch eine Wahrnehmung von außen veranlaßt ist, oder daß er nach dem mechanischen Ablauf unserer Vorstellungen erinnert ist, jede Anschauung und jeder Gedanke also, welcher im Bewußtsein mächtig verdrängend oder herbeiziehend oder die Ordnung und die Verhältnisse der Vorstellungen umgestaltend wirkt, welcher einer verfolgten Gedankenreihe den gesuchten Abschluß und Ruhepunkt giebt oder abschneidet, erregt ein geistiges Gefühl, das zunächst unsere Stimmung abändert, dann aber auch auf das leibliche Gemeingefühl wirkt. Es ist wiederum angenehm oder unangenehm, je nachdem unser Ich dabei gefördert oder geschädigt erscheint. So entsteht ein angenehmes Gefühl durch einen Gedanken, der uns eine Thatsache darstellt, durch welche unser Ich irgendwie bereichert wird, der uns z. B. eine Erkenntniß giebt, nach welcher wir strebten. Es durchzuckt uns freudig, wenn, wie man sich ausdrückt, uns plötzlich ein Licht aufgeht, und zwar eben so entschieden, als wenn sich unserm leiblichen Auge eine verschränkte Aussicht plötzlich erweitert.

Sowohl der Leib als das Bewußtsein ist als eine Gesammtheit ununterbrochener geordneter Bewegungen zu denken. Jeder Eingriff ist also als Abänderung der stattfindenden Bewegung anzusehen, mag er nun eine neue Bewegung erzeugen oder die stattfindende fördern oder auch dieselbe hemmen. Geschieht nun diese neue oder die abgeänderte Bewegung so, wie sie nach der Organisation unseres Leibes und unseres Geistes vorgebildet ist, der Fähigkeit, Gewohnheit und Neigung entgegenkommend, dadurch auch andere Bewegungen fördernd: so

erzeugt sie ein angenehmes Gefühl, im Gegentheil ein unange=
nehmes. Irgend eine Form oder eine Combination von Klängen
ist angenehm, weil sie unsere Sinne zu einer Form der Thä=
tigkeit veranlassen, für welche sie vorzugsweise organisirt sind.
Die lebhaftesten Gefühle aber müssen entstehen, wenn der Ein=
griff in das Gemeingefühl oder in die Stimmung in continuir=
licher Veränderung vor sich geht. Demnach werden wir sagen:
Einzelne Empfindungen und zusammengesetzte Anschauungen,
wie auch leibliche Bewegungen, Vorstellungs= und Denkthätig=
keiten jeder Art (wenn unsere Empfänglichkeit dafür nicht schon
abgestumpft ist und wir gleichgültig dagegen geworden sind)
erregen in uns nach Maßgabe der durch sie bewirkten Abände=
rung des leiblichen und seelischen Gesammtzustandes ein ange=
nehmes oder unangenehmes Gefühl; sie machen uns Freude,
Vergnügen oder das Gegentheil. Von Schönheit aber ist hier
noch gar nicht die Rede. Nicht nur ein warmes Bad oder
Schlittschuhlaufen und Wohlgeschmack und Wohlgeruch sind
bloß angenehm und nicht schön; sondern auch die Färbung der
Dinge, die wir sehen, mag sie die natürliche oder eine künstlich
erzeugte sein, der Schwung einer Linie, die so oder so erzeugten
Schälle und Klänge, und auch die Harmonieen oder Disharmo=
nieen der Farben und der Töne, die Symmetrie der Linien sind
angenehm oder unangenehm, aber nicht schön oder häßlich;
und dem Rechner ist je nach seiner Uebung und Neigung die
Lösung eines Exempels (wenn er nicht gleichgültig dagegen ge=
worden ist) angenehm oder unangenehm, macht ihm Vergnügen
oder Verdruß. Schönheit sehe ich hier noch nirgends hervor=
treten. *)

Demnach findet in der ganzen Natur als solcher, wie im
gesammten praktischen, religiösen und wissenschaftlichen Leben
der Menschheit an sich genommen, die Schönheit keine Stätte.
Zunächst wenigstens müssen wir festhalten, daß weder ein Natur=
Gegenstand, noch eine wissenschaftliche Wahrheit, noch auch eine
sittliche That an sich schön sein könne.

---

*) Auch Sittlichkeit noch nicht. Bloß beiläufig jedoch will ich von
ihr nicht reden und zu weiterer Ausführung ist hier nicht die Gelegenheit.

Vielmehr scheint es mir gewiß: wie im All nichts weiter gut oder böse ist, als des Menschen Wollen, Gesinnung, That, so ist auch nichts weiter schön oder häßlich als die Kunst.

Kunst aber oder Schönheit ist reine Darstellung des Innern durch angenehmes Sinnliche. Wenn irgend etwas Seelisches in einer Anschauung ausgedrückt ist, die uns angenehm berührt: so ist diese schön. — Es kann sogleich hier hinzugefügt werden: das Häßliche, insofern es in der Kunst berechtigt, an seinem Platze, und also schön ist, ist reine Darstellung eines Innern durch unangenehmes Sinnliche, welches das Angenehme der Gesammtwirkung verstärkt.

Da als bekannt vorausgesetzt werden darf, was sinnlich ist, und da wir schon bemerkt haben, was angenehm und sein Gegentheil ist: so bleibt nur näher zu bestimmen, was Darstellung und was das Innere ist.

Darstellen heißt ein sinnliches Object in der Absicht und in der Art gestalten, daß der dasselbe Wahrnehmende es nicht bloß als das erfasse, was es, rein sinnlich genommen, ist, d. h. daß er es (anschauend) erkenne; sondern daß er daraus zugleich ein bestimmtes Innere, einen gewissen geistigen Inhalt, den der Darstellende in sich trug, erfasse, d. h. daß der Wahrnehmende das Object oder vielmehr den Darsteller verstehe.

Demnach ist Darstellung scharf und bestimmt geschieden von Handlung, und man hat auf die Frage, ob die Kunst theoretisch oder praktisch ist, weder herumschweifend zu antworten: sowohl das eine als auch das andere, noch durchschlüpfend: weder das eine noch das andere. Vielmehr ist die Kunst ganz eigentlich und genau theoretisch und nicht praktisch. Die praktische Thätigkeit, die Handlung, die sich auf ein Object erstreckt, will dem Objecte eine Gestalt geben, welche es fähig mache, den menschlichen Bedürfnissen zu dienen. Der Praktiker bearbeitet ein wirkliches Ding, damit es nicht so sei, wie es von Natur ist und wie es ihm nichts nützt, sondern damit es anders werde, auf daß es so sei, wie es seinen anderweitigen Zwecken und Absichten entspreche. Der Baumstamm z. B. wird zersägt und gespalten, damit er in keinen Stücken leichter brenne, oder er wird zum viereckigen Balken behauen, damit er in

irgend ein Gezimmer eingefügt werden könne, u. ſ. w. Wer
nun ſolch ein bearbeitetes Ding wahrnimmt, der erkennt es; er
ſieht, aus welchem Stoffe es bereitet iſt, und ſieht entweder
geradezu, wie es verwendet iſt, oder wenigſtens, wozu es beſtimmt iſt, welche Abſicht der Menſch damit hat. — Der
Künſtler dagegen, der Poet, verhält ſich theoretiſch, wie ſehr
er ſich auch am Objecte müht; denn das Ding, den materiellen
Stoff, den er bearbeitet, will er nicht zu irgend welchem nütz-
lichen Gebrauche geſtalten, ſondern er will ihn zum Ausdruck
ſeines Innern, zum Zeichen machen, er will damit etwas Gei-
ſtiges wahrnehmbar machen, darſtellen, ſo daß der Beſchauer
wiſſe, was in ihm, dem Künſtler, geiſtig geſchaffen war, und
daß er ihn verſtehe, d. h. daß die geiſtige Schöpfung aus dem
Geiſte des Künſtlers übergehe in den des Beſchauers, in dieſem
nachgeſchaffen werde.

Iſt nun aber die Kunſt nicht praktiſch, ſondern theoretiſch,
ſo iſt ſie doch andererſeits an ſich wenigſtens auch nicht Erkenntniß, obwohl ſie immerhin Darſtellung von Erkanntem ſein
kann, da ja unſer theoretiſches Innere, welches die Kunſt dar-
ſtellt, nur entweder Gefühltes oder Erkanntes enthält.

Um aber das Weſen der Darſtellung und das Verhältniß
des Innern zum darſtellenden Stoffe tiefer zu begreifen, ſcheinen
mir noch folgende Betrachtungen weſentlich.

Die Kunſt als Darſtellung des Innern beruht auf den
zwei folgenden Grundtrieben oder Einrichtungen des menſchlichen Weſens.

Erſtlich: Das Innere giebt ſich naturgemäß und nothwendig durch gewiſſe Wirkungen nach außen hin kund. Ich
deute hiermit auf den ganzen Kreis der Reflexbewegungen.
Lachen und Weinen mit den Ausrufungen der Freude und des
Schmerzes äußern, was innerlich vorgeht; Liebe und Haß,
Wohlwollen und Neid, Zorn und Gleichmuth u. ſ. w. ſpiegeln ſich
ab auf der Oberfläche und in der Haltung des Leibes; und
der Wille wird zur That.

Dieſe im Mechanismus des menſchlichen Weſens begründete
Einrichtung der Aeußerung alles Innern ermöglicht das gegen-
ſeitige Verſtändniß menſchlicher und thieriſcher Geiſter und er-

zeugt im Menschen unbewußt, aber unwiderstehlich, die Ge=
wohnheit, alles Aeußere als Erscheinung eines Innern zu be=
trachten und auch umgekehrt das Innere so aufzufassen, wie es
erscheint.

Was heißt denn aber das: Inneres erscheint im Aeußern?
Heißt das weiter nichts als: Inneres ist die Ursache des
Aeußern? Nein; es muß hier noch mehr vorliegen. Das
Aeußere, welches uns etwas Inneres darstellt, ist doch für
uns eben nur durch Wahrnehmung vorhanden, also als eine
Wahrnehmung und folglich als Inneres; und schließlich also
wird uns das Innere doch nur durch Inneres dargestellt.
Denn alles Aeußere ist für uns nur insofern da, als es uns
zu einem Innern wird. Das äußere Darstellungsmittel, wie
gegenständlich es auch sein mag, kann uns nichts mittheilen,
wenn es nicht zunächst von unserm Innern erfaßt ist — erfaßt
als das, was es als Gegenstand an sich ist. Zwischen dem
darstellenden Gegenstande aber, der nun ein innerer geworden
ist, und demjenigen Innern oder geistigen Inhalte, welcher uns
dargestellt werden soll, muß eine gewisse Verwandtschaft be=
stehen, vermittelst deren es möglich ist, daß für uns jener Ge=
genstand den Werth habe, diesen Inhalt zu vertreten — Ver=
wandtschaft sage ich, d. h. eine gewisse Gleichheit und Ueber=
einstimmung. Diese kann ja nun eine logische Grundlage,
einen logischen Gehalt haben; ja sie kann gänzlich fehlen und
durch Convention e$_r$setzt sein: man ist etwa übereingekommen,
dieser Gegenstand solle dieses oder jenes darstellen. In solchen
Fällen aber sagt man vielmehr, ein Gegenstand bedeute etwas,
und dann handelt es sich entweder um Erkenntniß oder um
Mittheilung. Die Quecksilbersäule z. B. kann uns den Grad
der Wärme der Luft darstellen in Folge wissenschaftlicher Deu=
tung und Convention; und die so über die Wärme gewonnene
Erkenntniß kann durch ein Zeichen einem Andern mitgetheilt
werden. Sache der Kunst aber ist weder Erkenntniß noch Mit=
theilung, und ihre Werke sollen nicht irgend etwas bedeuten.*)

*) Hier liegt der Unterschied zwischen Kunst und Sprache, welche beide
unter den Gattungsbegriff Darstellung fallen.

Die Verwandtschaft zwischen dem Darstellenden und dem Dargestellten beruht also nicht auf einer Gleichheit zweier Momente in Bezug auf ihren Erkenntnißinhalt, sondern auf einer Gleichheit der mit ihnen gegebenen Gefühlsbestimmungen. Nicht darum stellt eine Bildsäule der Venus das Weib dar, weil diese Bildsäule nach ihrer Form oder Gestalt unter dieselbe Art fällt wie die Frauen (das wäre die logische, inhaltliche Beziehung); sondern weil sie die Stimmung erweckt, welche auch der Gedanke des Weibes erregt. Diese gleiche Stimmung ist nicht nur das Band zwischen dem Inhalt und dem Darstellenden, sondern ist auch die schöpferische Kraft für die Aeußerung der Darstellung selbst.

Zweitens: Da jede in uns eintretende Erkenntniß, sei es eine Wahrnehmung, sei es ein Gedanke, den Zustand unserer Empfindungen und Vorstellungen abändert, so erzeugt sie auch ein Gefühl, und zwar wird nicht etwa bloß die Abänderung im Allgemeinen gefühlt; sondern wie der ältere, so giebt sich auch der neuere innere Zustand als eigenthümliche Seelen=Lage durch ein eigenthümliches Gefühl kund. Um dieses Gefühl, das mit der Wahrnehmung jedes Dinges verbunden ist, nicht für zu geringfügig zu halten, als daß man daraus irgend eine wesentliche Wirksamkeit erklären könnte, muß man nur bedenken, daß solche Wahrnehmung nicht bloß eine bestimmte Erregtheit der Nerven ist, die uns in bestimmter Form angenehm oder unangenehm berührt, sondern daß sie auch mit vielen Erinnerungen verknüpft ist. Solches Ding, es sei lebend oder selbst leblos, hat uns schon oft in mehrfacher Weise genützt oder geschadet, hat uns erfreut oder geschmerzt. Das Ding hat ferner in der Anwendung, die wir von ihm machten, und auch sonst sich bewegt und hat durch seine Bewegungsformen unsere Nerven sehr lebhaft berührt. Diese Gefühlswirkung wird jetzt bei dem Anblick des Dinges zugleich mitreproducirt. Die Kugel und das Rad mag jetzt ruhen; wir sehen sie dennoch rollend und sich drehend in der Erinnerung. Ja das Ding selbst mag uns bisher noch niemals begegnet sein; aber durch die Aehnlichkeit mit anderen, uns vertrauten Dingen erweckt es die Gefühle, die mit diesen zusammenhängen. Wir leben wie

mit den Personen, so mit den Dingen; alles was in unserer
Umgebung liegt, was wir brauchen und was wir wahrnehmen,
gehört näher oder ferner zu unserem Leben, hat einen Werth
oder eine Gemüthsbeziehung zu uns. Denn auch wenn es
solchen Werth an sich nicht hat, so steht es in Beziehung zu
andern Dingen theils an und durch sich selbst objectiv, theils
durch unsere selbstthätige Combination oder auch durch bloße
Vergleichung.

Die Dinge oder Wesen der Natur zeigen sich der unmittel=
baren Wahrnehmung als in Verkehr mit einander stehend. Wir
sehen sie drückend und gedrückt, einander stoßend und ziehend,
sich mannichfach zu einander hin bewegend oder sich trennend.
Wir beurtheilen an ihnen verschiedene Grade der Stärke und
der Schwäche, Sieg, Niederlage und Untergang, Zerstörung und
Entstehung. Durch all dies erregen sie unsere Sympathie.
Wir meinen zu fühlen, wie ihnen zu Muthe sein müsse, näm=
lich so wie uns zu Muthe wäre, wenn wir Gleiches erführen.
Darum meinen wir auch, daß ihren Bewegungen solche Motive
zu Grunde liegen, wie diejenigen, welche uns zu solchen Be=
wegungen veranlaßten. Annäherung scheint uns aus Liebe zu
folgen und ein Suchen zu sein, Entfernung dagegen Flucht aus
Abneigung oder Scheiden mit Schmerz. Das Männchen und
das Weibchen scheinen uns auch Mann und Weib nach Cha=
rakter und Gefühlsweise; und alles, was in seiner Form und
Bewegung, seiner Härte und Starrheit oder seiner Weichheit
und Schmiegsamkeit, in seiner Lage und Umgebung, kurz nach
irgend welcher Seite seines Verhaltens männliche oder weibliche
Stimmung in uns erweckt, erscheint uns auch als Mann oder
Weib. Und wie diese objectiven Bewegungen und Verhältnisse
in der Natur, so fühlen wir auch die logischen Verhältnisse
zwischen den Begriffen und Gedanken. Auch diese scheinen uns
kräftig und schwach, sich anziehend und abstoßend, kämpfend
oder ausgeglichen. Kurz, das unmittelbar zu Bewußtsein ge=
langende Leben und Treiben in der menschlichen Gesellschaft ist
der Maßstab, wonach alle rein natürlichen oder rein geistigen
Bewegungen beurtheilt, geschätzt werden. Wir schaffen eine
Hierarchie der Natur und des Geistes, in der jedes individuelle

Element eine bestimmte Stelle und Bedeutung erhält je nach
seinem Werthe.　Dieser Werth aber giebt sich ebenso unmittel=
bar in unserem Gefühle kund, wie Licht und Schall in unsern
Empfindungen.

Nun verlangen wir aber drittens, in Vereinigung der
beiden dargelegten Grundtriebe, daß jedes Ding äußerlich so
erscheine, d. h. uns sinnlich so berühre, wie es uns seinem
Wesen nach berührt; daß sein Aeußeres für unser Gefühl den=
selben Werth habe, welchen sein Inneres, sein Begriff und seine
Wirksamkeit, sein Dasein hat: so gilt uns sein Aeußeres als
Darstellung oder Ausdruck seines Innern.　Wir wollen aus
der Sinnlichkeit das Innere lesen, welches nach menschlicher
Ansicht die Dinge bewegt und treibt.　Diese nach der Eigen=
thümlichkeit des menschlichen Geistes geforderte Uebereinstimmung
zwischen Erscheinung und Inhalt wird in der natürlichen Ge=
stalt der Dinge nicht immer, ja sogar selten gefunden (in ge=
wissem Sinne sogar niemals); und so befriedigt sich der Geist
durch eigenes Gestalten, d. h. durch die Kunst.　Der Me=
chanismus der Natur und der Seele wirkt bei der Hervorbrin=
gung oder Gestaltung der Wesen niemals gerade nur mit der
Auswahl von Kräften und den Maßen an Kraft, so ganz un=
gestört von nicht dazu Gehörigem, wie nöthig wäre, um solche
Gestalten zu erzeugen, die vollständig und makellos das Innere
des betreffenden Wesens erscheinen ließen.　Mancher Mensch
sieht im Zorn oder im Schmerz so aus, daß er Lachen erregt.
Der Künstler nun zeigt uns, wie ein menschliches Antlitz aus=
sieht, wenn es durch gerechten, heiligen Zorn Furcht und Ent=
setzen erweckt, aber doch nicht Grausen; und wie der Schmerz
der Mutter aussieht, die ihre Kinder verloren; und wie Furcht
vor dem Untergange aussieht; und er läßt uns in solchem An=
blick solche Gefühle in Reinheit schmecken.　Er zeigt das Pferd,·
wie es den Sieger trägt, den Adler als König der Vögel, und
so jedes Wesen, den Stier, das Lamm, die Eiche, die Rose
u. s. w. in der Gestalt, in welcher uns die Stellung desselben
in der Schöpfung klar wird.

So tritt die Kunst ein, um das Wesen der Dinge als
erscheinendes darzustellen.　Sie stellt die Dinge nicht durch den

Mechanismus nur, durch welchen ihre Wirklichkeit gebildet ist, und schafft daher auch nichts Wirkliches; sie bringt nur den Schein der Dinge hervor, läßt ihre Gestalten und Bewegungen erscheinen ohne ihr wirkliches Sein. Das eben heißt darstellen: ein Ding dadurch zeigen, daß nur sein Schein, aber nicht es selbst vorhanden wird. Diese Scheinproduction geschieht nicht mit dem natürlichen Mechanismus, sondern nach eigener künstlerischer Causalität.

Nur der von der Kunst zum Behufe der Darstellung der Dinge geschaffene Schein ist schön. Was in diesem Schein erscheint, ist der Inhalt. Der Mechanismus, der diesen Schein trägt oder bewirkt, ist der Stoff des Kunstwerks. Der Schein ist die Form, die diesem Stoffe künstlich angebildet ist, Gestalt, Bewegung, Verhältniß, welche unsere Gefühle erwecken, und welche zwar an sich nur unter die Kategorieen des Angenehmen und Unangenehmen fallen würden, dadurch aber schön werden, daß sie uns an diesen Gefühlen den Werth des Dinges, dem der Schein gehört oder gebührt, rein und vollständig fühlen lassen.

Das Kunstwerk ist reiner Schein oder reine Darstellung, reine Form, weil an ihm eben nur diese Function, einen Inhalt scheinen zu lassen, in Wirksamkeit tritt, der Stoff aber an sich, insofern er nicht etwa schon durch sich selbst zum Schein beiträgt (wie z. B. schöner Marmor), gar nicht in Betracht kommt. Wenn ich durch ein sorgfältig gearbeitetes stereoskopisches Bild den Anblick einer Venus vor mir habe, so ist das derselbe Kunstgenuß und hat also denselben Kunstwerth, wie der Anblick der Marmor-Säule selbst.

Es handelt sich in der Kunst nur um Form, Gestalt, Verhältniß, nur um Linie und Oberfläche ohne Raumerfüllung. Sie zeigt uns strengste Nothwendigkeit, reinste Causalität, nämlich einen ganz und gar und lediglich vom Zwecke beherrschten und in ihm aufgehenden ursächlichen Zusammenhang formaler Verhältnisse. Nicht die Causalitäts-Verhältnisse der wirklichen Dinge kann sie auftreten lassen, nicht eine Nothwendigkeit der Stoff-Wirkungen bringt sie zur Geltung, sondern nur einen Zusammenhang der Formen. Nicht wie das Blut des Zornigen

rollt und sich in der Stirnader ansammelt, nicht wie sich der
Muskel zusammenzieht, zeigt die Bildsäule; aber sie zeigt, wie
dieses materielle Leben äußerlich, auf der Oberfläche erscheint.
Die Form des organischen Körpers ist nothwendig, d. h. ab=
hängig von den vegetativen Processen. Diese Nothwendigkeit
ist kein Moment der Kunst, sondern was hier in Betracht
kommt, ist nur erstlich die nothwendige Uebereinstimmung der
Lage der Glieder mit der eben sich vollziehenden Bewegung
oder mit der Lage des Körpers und die Wechselwirkung der
Glieder unter einander. Dieses Glied muß so gespannt oder
so gedrückt erscheinen, weil jenes in solcher Lage ist, und beide
müssen so sein, weil die Situation des Ganzen gerade diese
ist, und zugleich muß das durch solche nothwendige gegenseitige
Lage erzeugte Linien=Verhältniß angenehm sein. Daher bedingt
zweitens auch das eine Glied als bloße Linie das andere Glied
ebenfalls als Linie, insofern beide zusammengenommen dem Auge
angenehm sein sollen. Daher der Ausdruck, es scheine ein
Glied aus dem andern zu wachsen.

Die Kunst ahmt die Wirklichkeit nach, aber bloß im Scheine,
zum Scheine. Und was stellt sie also dar? Nicht eigentlich
die Wirklichkeit, sondern nur wie wir das Wirkliche in unserm
Gefühl tragen. Nicht das Weib, nicht den Zürnenden inhaltlich
stellt sie dar, und sie erweckt auch in uns nicht inhaltlich die
Liebe zum Weibe; nicht den wirklichen Zorn oder irgend eine
Leidenschaft, einen Affect, ein Gefühl erregt sie in uns; sondern
sie läßt uns nur den Werth fühlen, den die sinnliche oder die
geistige Neigung zum Weibe, den irgend eine Gemüths=Erregung
für unser menschliches Leben hat. Sie stellt dar, was das All
und jedes Ding und Wesen im All, und also auch, was der
Mensch in seiner vielfältigen Thätigkeit und Erregtheit, mit den
Formen seines sittlichen Lebens und seiner Schicksale dem
Menschen gilt, und zwar stellt sie dies für das Gefühl dar durch
scheinbare Nachahmung der Wirklichkeit. Weil sie aber den
Inhalt des nachgeahmten Dinges darstellt, so kann man auch
kurz sagen, sie stelle dieses Ding dar. Festzuhalten ist jedoch,
daß die Kunst nicht kindischer Nachahmungstrieb, nicht Copie
der Wirklichkeit ist. Denn der Künstler schaut, was nicht da ist.

Er übersetzt Gefühl in Gestalt, welche er rein innerlich schafft
und in Stoff legt. Der Beschauer geht den umgekehrten Weg;
er nimmt die Gestalt auf und diese setzt sich in Gefühl um.
Die Gestalt ist nicht ein Abbild eines Wirklichen, aber wohl
ein Bild oder ein Ideal. Diese Bilder oder Ideale schaffende
Thätigkeit verstehen wir unter Phantasie.

Das hier über das Wesen der Kunst und der Schönheit
Bemerkte kann zunächst wohl für unsern Zweck genügen. Es
ist vorzugsweise von den bildenden Künsten abstrahirt, und die
Anwendung auf die Dichtung soll ja ausführlich dargelegt
werden, wobei auch Gelegenheit zu näheren Bestimmungen sich
bieten wird. Zur größeren Bestätigung wird aber vielleicht ein
Wort über Baukunst und Musik hinzuzufügen sein. Die bil=
denden Künste stellen uns Gegenstände der Natur und den
Menschen dar. Was in ihren Darstellungen erscheint, ist klar:
das Wesen der Gattung, wie sie als Idee in uns lebt; das
Bild ist der Typus, die ideale Form des dargestellten Gegen=
standes. Unsere Idee vom Weibe in ihren Individualisirungen
erscheint in den Gestalten der Juno, Venus u. s. w. Ebenso
unsere Idee vom Pferde, Löwen u. s. w. Aber was erscheint denn in
dem Werke der Baukunst und in dem der Musik? Die letztere
ist doch wohl die wunderbarste Kunst. Sie gebietet entschieden
über die reichsten Mittel. Während die Poesie in der Zeitfolge
abläuft, die bildenden Künste ein ruhendes Nebeneinander bieten,
wirkt die Musik durch ein Nacheinander und auch durch ein
Zugleich sehr vieler Mittel (man denke an ein vollständig be=
setztes Orchester). Und ihr Mittel ist schon an sich das er=
greifendste: der Ton, und ist der mannichfaltigsten Gegensätze
und Lösungen fähig. Und was erscheint in ihr? Nichts Be=
stimmtes, nicht dieses oder jenes Object, dieser oder jener Ge=
danke, sondern unmittelbar eine geistige Stimmung selbst in
ihrer objectlosen Beschaffenheit, das Gemüth an sich ohne an=
schaulichen oder gedanklichen Inhalt. Hierin stimmt sie (so be=
rühren sich auch hier die Gegensätze) mit der materiellsten Kunst,
der Baukunst, die schon an der Grenze der Kunst dem Leben
dient. Auch der Tempel, das Haus drückt nur Stimmung aus,
und zwar viel beschränkter als die Musik, nur wenige Stim=

mungen: der Tempel — die Andacht; das Haus — das Wohn-
liche, das Gemüthliche, das Prächtige, das Geschäftsgefühl.
Weil diese beiden Künste unmittelbar auf die Stimmung schlechthin wirken, so ahmen sie auch nicht nach. Sie wirken durch
Linien- und Ton-Verhältnisse, ohne uns ein Ding der Natur
vorzuführen.

Wenn es oben hieß, nur das Kunstwerk, nur der Schein
sei schön: sollen wir denn nun in Wahrheit niemals sagen
dürfen, dieser Mensch, dieser Baum u. s. w. sei schön? O gewiß!
insofern wir nämlich das Object der Wirklichkeit nur von Seiten
des Scheines beurtheilen, d. h. insofern wir das Wirkliche so
ansehen, als wäre es bloßer Schein, reine Gestalt; und die
Kunst soll uns dahin führen, die Natur auch als schön zu genießen. Die reinigende Kraft der Kunst beruht darauf, daß
sie nicht die wirkliche Leidenschaft in uns entzündet, wirkliche
Affecte weckt, sondern durch Spiegelbilder derselben, welche sie
uns vorhält, uns ihre Bedeutung fühlen läßt. So sollen wir
nun lernen, auch das Wirkliche so zu betrachten, daß es uns
nicht in leidentliche Zustände versetzt, sondern daß es nach seinem
idealen Werthe gefühlt werde. Beim Anblick von Dingen, zu
denen wir nach unserer Lebensweise und Gewöhnung überhaupt
nicht leicht in utilistische Beziehung treten, von denen wir keinen
sinnlichen Genuß haben, wird es leicht, die Anschauung nicht
nach der subjectiven und einseitigen Beziehung des Dinges zu
uns, sondern nach dessen objectivem und allseitigen Werthe für
das All auf uns wirken zu lassen, z. B. wenn wir eine Eiche,
eine Landschaft u. s. w. sehen. Diese Dinge wecken in uns
kein Verlangen, und so können sie unter Erfüllung gewisser
Bedingungen ganz ebenso wie ein Bild als schön genossen
werden. Nicht leicht ebenso ein völlig nacktes lebendes Weib.
Dieses mit gleicher Freiheit anzusehen wie das Bild des Weibes
vermöchte wohl nur Jemand, dessen plastischer Sinn die vollste
Herrschaft über das Gemüth gewonnen hat.

Hiermit ist schon der Werth des Schönen berührt. Daß
er häufig und namentlich in Deutschland in der klassischen wie
in der romantischen Zeit unserer Dichtung überschätzt worden
ist, braucht jetzt nicht mehr erinnert zu werden. Sollte es viel-

leicht gar an der Zeit sein, die Kunst, den reinen Schein, in
Schutz nehmen zu müssen? Ja, in der That, können wir übersehen, daß der Schein, welch' hohe Ideen in ihm auch erscheinen
mögen, doch immer ein leerer Schein ist, ein unerfüllter? Ge-
ziemt seine bloße Oberfläche dem Ernste unseres menschlichen
Strebens? Zeigt er seinen Inhalt in einer Weise, die sich mit
unserer sonstigen Auffassung des Wirklichen, wie des Wahren
und Guten, verträgt? Gehört vielleicht die ganze Betrachtungsweise, auf welcher die Kunst ruht, einem niedern Standpunkte
geistiger Entwicklung an, den wir heute überwunden zu haben
uns freuen dürfen? Dürfte vielleicht Lotze (Geschichte der
Aesthetik in Deutschland, S. 190) zu schnell über diesen Punkt
hingegangen sein, den er an der Stelle berührt, wo er von
Hegel mittheilt: „Ihm ist die Kunst weder der Form noch dem
Inhalte nach die höchste Weise, dem Geiste seine wahrhaften
Interessen zum Bewußtsein zu bringen .... „„Es giebt eine
tiefere Fassung der Wahrheit, in welcher sie nicht mehr dem
Sinnlichen so verwandt und freundlich ist, um von diesem Material in angemessener Weise aufgenommen und ausgedrückt zu
werden. Der Geist unserer heutigen Welt, unserer Religion
und Vernunftbildung erscheint als über die Stufe hinaus, auf
welcher die Kunst (wie bei den Griechen der Fall war) die
höchste Weise ausmacht, sich des Absoluten bewußt zu sein.
Nach der Seite ihrer höchsten Bestimmung bleibt die Kunst
für uns ein Vergangenes; was durch Kunstwerke jetzt in uns
erregt wird, ist außer dem unmittelbaren Genuß zugleich unser
Urtheil, in dem wir den Inhalt, die Darstellungsmittel des
Kunstwerks und die Angemessenheit beider unserer denkenden
Betrachtung unterwerfen. Die Wissenschaft der Kunst ist uns
daher mehr Bedürfniß als die Kunst selbst; nicht Kunst
wieder hervorzurufen trachten wir, sondern, was Kunst
sei, zu verstehen.„„ Lotze geht wohl darum zu leicht über
diese Herabsetzung der Kunst hinweg, weil er zu voll ist von
der Verehrung des Schönen. Hegel ist nicht der einzige
Kunstverächter; er hat die edelsten Vorgänger unter den Griechen
selbst.

Wir haben uns also zugleich vor Ueber= und vor Unter=
schätzung zu hüten. Nun möchte ich drei Gesichtspunkte geltend
machen.

Erstlich: Die Kunst ist doch nicht etwa eine Göttin, welche
aus zweibeinigen Bestien Menschen macht, indem sie denselben
Gefühl für Schönheit ins Herz gießt, oder welche diese Aufgabe
hätte und erfüllt oder nicht erfüllt. Also spreche man auch nicht
so von ihr, daß man fragt: was hat sie geleistet, uns vom
Aberglauben zu befreien, die Menschheit glücklich, gebildet zu
machen? Sie ist ein Erzeugniß einer gewissen geistigen Be=
wegung und fördert diese Bewegung — weiter nichts. Sie
entsteht aus künstlerischem Sinne und schafft oder weckt künst=
lerischen Sinn — zunächst wenigstens: weiter nichts. Es ver=
steht sich allerdings von selbst, daß sie als ein bestimmtes Mo=
ment der geistigen Bildung mit allen andern Momenten derselben
in Wechselwirkung steht, und daß sie von gewissen Grundtrieben,
welche die ganze Gestaltung des geistigen Lebens bedingen, mit
geleitet wird. So ist sie denn auch bei der Beurtheilung irgend
eines Zeitgeistes, einer Culturgestaltung, mit in Betracht zu
ziehen als ein Moment derselben nach ihrer Bedeutung für die
andern geistigen Momente und für den ganzen Geist, wie auch
umgekehrt nach ihrer Abhängigkeit vom Ganzen und dessen ein=
zelnen Momenten.

Zweitens scheint mir: Man begreift doch nur, was man
in sich erlebt hat. Nun frage ich: haben wir etwa die wahre
und volle Wirksamkeit der Kunst erlebt? Nur ein Jahrhundert
hat es gegeben, wo die Kunst das im Leben war, was sie
ihrem Leben nach sein soll: das Jahrhundert des Perikles, d. h.
des Aeschylus und Phidias. Seitdem war sie zu keiner Zeit
mehr als das Genußspiel einer Coterie, einer engern oder
weitern, oder gar Moment des privaten Luxus, der persönlichen
Eitelkeit — mit wenigen und doch auch wieder nur bedingten
Ausnahmen, wie unser Schiller. Unsere Erfahrung an diesem
Dichter reicht wohl hin, um uns klar zu machen, was eine
Kunst bedeuten würde, die mitten in einem kräftigen Leben
stünde und selbst ein kräftiges Moment in diesem Leben wäre,
die nicht aus Kennerthum und Liebhaberei, sondern unmittelbar

„als ob die (letztere) nüchterne Ansicht, welche für die Dichtung einen gemeinsamen Ursprung mit allen andern Culturgattungen vermuthet, trotz ihrer Irrthümer die methodisch geradere sei. In der Geschichte der Meinungen wenigstens hat sie sich als die förderlichste erwiesen." Ich meine umgekehrt, die nüchterne Ansicht sei die methodisch krumme. Wenn der Vrf. mit Recht mahnt, die Einzelerscheinungen des Bewußtseins aufzufassen, wie schief muß die Erklärung werden, welche die Dichtung aus einem Grunde ableiten will, der nicht der Dichtung, sondern der Erscheinung x zu Grunde liegt. Ist dieser Grund aber so allgemein, daß er nicht bloß das x und die Dichtung und „alle anderen Culturgattungen" zu erklären vermag, so erklärt er gewiß nichts. Hat die erste Ansicht wenigstens das Verdienst, eine Einzelerscheinung, wenn auch undeutlich in sich und mit verworrenen Grenzen, wie ein unbewaffnetes Auge sie sieht, als ein Einzelnes hinzustellen und so den Anfang einer Unterschei= dung zu machen: so läßt die andere Ansicht jeden Unterschied verschwinden. Hier kommt man dann zu dem einzigen psycho= logischen Gattungsbegriff „Culturgattung" oder „Gedankenbil= dung"; und das ist sicherlich kein guter Gattungsbegriff. — Noch weniger kann ich zugestehen, daß die nüchterne Ansicht in der Geschichte der Meinungen über die Dichtung die förderlichere gewesen sei. Es war dies eben die Ansicht der Alexandriner und der alexandrinischen Köpfe des 18. Jahrhunderts, in denen kein Funke dichterischen Verständnisses war. Dieses beginnt womit? Mit der Behauptung der Schöpferkraft des Dichters, wie sie von den Männern unserer goldenen Literatur ausging.

Das war sogar ein unermeßlicher Fortschritt, alle Nach= ahmung und sonstige nüchterne Principien, d. h. alle Irrthümer wenigstens einmal von sich gestoßen zu haben. Nun war doch tabula rasa gemacht und es ließ sich etwas bauen. Und selbst derjenige, der in aller Strenge behauptete: Die Dichtung ist absolut Schöpfung aus sich selbst: der hat die festzuhaltende Wahrheit erfaßt, daß die Dichtung etwas ist, was auf eigenem Grunde steht. Daran war nur dies falsch, daß man nicht sah, wie überhaupt jedes Ding auf sich steht. Aber dieser Irrthum ward sogar bald überwunden. Denn bald behauptete man

20*

hat, bleibe dahingestellt; gewiß ist, daß mancher, der es aus=
gesprochen hat, sogleich hinzufügte, der Dichter müsse das
menschliche Leben, das er darstellen wolle, in sich erfahren haben.
Die dichterische Schöpfung, meinte man also, bedürfe des Ma=
terials der Erfahrung. Und so würde ich als Psychologe auch
ganz zufrieden sein, wenn man zugesteht, daß es „poetologische"
Gesetze gebe; schlimm wäre nur, wenn man dies leugnete und
dagegen behauptete, das poetische Schaffen sei gesetzlos.

Nun geht der Vrf. gegen die Phantasie. Sie sei „kein
guter Gattungsbegriff". Das heißt doch wohl nur, daß man
bis jetzt diesen Begriff noch nicht gut definirt habe. Der Vrf.
citirt (S. 183) billigend Herbart's Ausspruch: „Oder hat
schon jemand vollständig nachgewiesen, wie sich die Einbildungs=
kraft verschiedentlich in Dichtern, in Gelehrten, in Denkern, in
Staatsmännern, in Feldherren äußere? Was den Verstand der
Frauen, der Künstler und der Logiker unterscheide?" Verstehe
ich nun unter Einbildungskraft, was man nach dem Sprach=
gebrauche darunter zu verstehen pflegt, so muß ich die erste
Frage ganz abweisen; denn weder der Gelehrte, noch der Denker,
noch der Staatsmann, noch der Feldherr hat Einbildungskraft;
die hat ausschließlich der Dichter. Es könnte sich treffen, daß
der Staatsmann Kleon auch ein Dichter wäre und der Dichter
Sophokles auch ein Feldherr: wie ein Schneider auch ein
Schuster sein kann. Die Schuhe aber macht dieser Schneider
nicht wie die Schneider, sondern wie die Schuster. Nehme ich
ferner Verstand nach der Definition von Herbart, so muß
ich auch die andere Frage ablehnen; denn weder der Künstler
noch der Logiker als solcher hat Verstand: den hat nur der
Realist.

Dies könnte nun freilich beweisen, der Vrf. habe Recht,
wenn er meint, die üblichen psychologischen Gattungsbegriffe
seien nicht genügend begrenzt. Wer möchte dies auch bestreiten?
Er selbst scheint im Folgenden die Verschwommenheit des Be=
griffs ganz übersehen zu haben. Wenn man nämlich einerseits
die Dichtung aus etwas ganz Besonderem erklärte, aus „der
schaffenden Phantasie des Genius", andererseits aus der in
Balladen erzählten Geschichte, so will es dem Vrf. scheinen,

„als ob die (leßtere) nüchterne Anficht, welche für die Dichtung
einen gemeinfamen Urfprung mit allen andern Culturgattungen
vermuthet, troß ihrer Irrthümer die methodifch geradere fei.
In der Gefchichte der Meinungen wenigftens hat fie fich als
die förderlichfte erwiefen." Ich meine umgekehrt, die nüchterne
Anficht fei die methodifch krumme. . Wenn der Brf. mit Recht
mahnt, die Einzelerfcheinungen des Bewußtfeins aufzufaffen,
wie fchief muß die Erklärung werden, welche die Dichtung aus
einem Grunde ableiten will, der nicht der Dichtung, fondern
der Erfcheinung x zu Grunde liegt. Ift diefer Grund aber fo
allgemein, daß er nicht bloß das x und die Dichtung und „alle
anderen Culturgattungen" zu erklären vermag, fo erklärt er
gewiß nichts. Hat die erfte Anficht wenigftens das Verdienft,
eine Einzelerfcheinung, wenn auch undeutlich in fich und mit
verworrenen Grenzen, wie ein unbewaffnetes Auge fie fieht, als
ein Einzelnes hinzuftellen und fo den Anfang einer Unterfchei=
dung zu machen: fo läßt die andere Anficht jeden Unterfchied
verfchwinden. Hier kommt man dann zu dem einzigen pfycho=
logifchen Gattungsbegriff „Culturgattung" oder „Gedankenbil=
dung"; und das ift ficherlich kein guter Gattungsbegriff. —
Noch weniger kann ich zugeftehen, daß die nüchterne Anficht in
der. Gefchichte der Meinungen über die Dichtung die förderlichere
gewefen fei. Es war dies eben die Anficht der Alexandriner und
der alexandrinifchen Köpfe des 18. Jahrhunderts, in denen kein
Funke dichterifchen Verftändniffes war. Diefes beginnt womit?
Mit der Behauptung der Schöpferkraft des Dichters, wie fie
von den Männern unferer goldenen Literatur ausging.

　　Das war fogar ein unermeßlicher Fortfchritt, alle Nach=
ahmung und fonftige nüchterne Principien, d. h. alle Irrthümer
wenigftens einmal von fich geftoßen zu haben. Nun war doch
tabula rasa gemacht und es ließ fich etwas bauen. Und felbft
derjenige, der in aller Strenge behauptete: Die Dichtung ift
abfolut Schöpfung aus fich felbft: der hat die feftzuhaltende
Wahrheit erfaßt, daß die Dichtung etwas ift, was auf eigenem
Grunde fteht. Daran war nur dies falfch, daß man nicht fah,
wie überhaupt jedes Ding auf fich fteht. Aber diefer Irrthum
ward fogar bald überwunden. Denn bald behauptete man auch

von der Sprache, von dem Mythos, von der Philosophie, von
der sittlichen Lebenseinrichtung, von allem voll Menschlichen,
daß es aus unerreichbarer Tiefe des Gemüths quelle. Kurz:
die nüchterne, von den Griechen überlieferte Ansicht war grund-
falsch und verkehrt; die neuere, überschwengliche, deutsche hatte
in Wahrheit den Sinn, die Dichtung sei unerklärlich. Und
dies war insofern wahr, als sie nicht nur für unerklärt gehalten
werden mußte, sondern aus jenen nüchternen Gründen wirklich
unerklärlich ist. Man war zum Wissen des Nichtwissens gelangt und irrte nur darin, daß man das Nichtwissen für die
unüberschreitbare Schranke erklärte.

Der Vrf. war ungerecht gegen die letztere Ansicht; aber
das Eingehen auf die erstere veranlaßt ihn sogleich zu einer
Correctur seines Urtheils über beide. Die Behauptung, die
Dichtung sei Nachahmung, wird nun kurzweg geleugnet, indem
er beispielsweise auf Heinrich Heine's Gedicht vom Fichtenbaume und der Palme hinweist. Es ist offenbar nicht Nachahmung, wenn der Dichter von einem einsamen Fichtenbaume
im Norden sagt, es schläfre ihn, und er träume von einer
Palme im Morgenlande, welche einsam und schweigend trauert.
Nun citirt der Vrf. Wilhelms v. Humboldt Ansicht mit
Vischer's Commentar — aber nur, um danach das absonder-
liche Wesen der Dichtung auf's schroffste hinzustellen und sich
damit das Problem vollständig vorzuhalten (S. 198): „Der
durchgreifendste Unterschied zwischen der poetischen Gedankenbildung und jeder andern Combination ist dieser, daß der
Dichter Dinge und Verhältnisse denkt, die nicht vorhanden sind
oder wenigstens in der Weise nicht vorhanden sind, in welcher
sie der Dichter denkt. Der Dichter selbst ist sich der Unrealität
seiner Dinge bewußt; er macht aber nicht nur nicht den Anspruch an sich, adäquate Vorstellungen von den Dingen zu
bilden, sondern er geht gerade darauf aus, zu erfinden:
dichten ist erdichten." Wie ist dies psychologisch möglich?
fragt der Vrf. „Sehe ich einen Baum, so muß ich ihn als
Baum erkennen, ich mag wollen oder nicht" — nach psychologischer Nothwendigkeit. „Wir müssen uns zwingen, den Baum
einen Mann zu nennen, und indem wir es thun, fühlen wir

die Wirkung der psychischen Hemmung in der unvermeidlichen Vorstellung der Inadäquatheit." Nichtsdestoweniger nennt der Dichter einen Baum Mann, muthet uns zu, dasselbe zu thun, und wir thun es. „Wie ist diese Getheiltheit des Bewußtseins nach unseren psychologischen Annahmen (nach der Hypothese von der Einheit des Bewußtseins) möglich? Ist Dichtung etwa Hallucination, Illusion?" Ein berühmter Arzt hat es halb bejaht. Der Vrf. ist dagegen.

Die Erinnerung an das Drama, das eben so wenig wie die Lyrik, und, wie wir hinzufügen müssen, eben so wenig wie das Epos, wirklichen Verhältnissen entspricht, führt den Vrf. zum Mythos, als der Grundlage der Dichtung. Nun zeigt er, daß die mythischen Anschauungen und Erzählungen ursprünglich als die adäquaten Auffassungen der Natur galten und als solche ganz der psychologischen Causalität gemäß entstanden sind; und damit ist „in dem mythendichtenden Volke, dem ersten Dichter, die Einheit des Bewußtseins dargethan". Die dichterische Phantasie nun appercipirt in allen folgenden Zeiten vermittelst des Mythos. Wie aber erhebt sich Poesie in Verschiedenheit vom Mythos? Vortrefflich, wie mich dünkt, weist der Vrf. nach (S. 215—217), wie „aus der mythischen Apperception, welche sich im Vollbewußtsein der Wahrheit fühlt, eine ihrer Inadäquatheit bewußte poetische Vergleichungsapperception wird", indem die mythische Anschauung des Dinges zum Bilde, zum Vergleiche umgestaltet wird.

Danach fragt es sich weiter vom Fortbestande der Poesie in den Perioden immer höher entwickelter wissenschaftlicher Bestrebungen. Wie kann derselbe Mann dichten und nach philosophischer und naturwissenschaftlicher Erkenntniß ringen? Um dies zu erklären, unterscheidet der Vrf. in der Vorstellung ein inhaltiges und ein formales (Gefühls=) Element. Letzteres wird durch die mannichfachen Combinationen und Abstractionen, durch Objectivirung, immer mehr geschwächt und soll im reinen Denken vernichtet sein; in der Poesie wiegt es vor. In dieser appercipiren die formalen Elemente der Vorstellungen einander rein und vollständig, während dies von den inhaltigen Elementen nur in gewissem Maße gilt. Maß und Princip der ästhetischen

Combination der Vorstellungen sind die formalen Elemente.
Daß aber die Apperception je nach der geistigen Richtung ent=
weder nach den inhaltigen oder nach den formalen Elementen
vollzogen werden kann, ohne daß die eine mit der andern con=
gruent sein müßte, dies beruht darauf, daß viele verschiedene
inhaltige Elemente ein und dasselbe formale Element haben können.
Das formale Element der Vorstellung Liebe kann durch viele
inhaltige Elemente erzeugt werden. „Insoweit nun, als sie noch
immer dasselbe formale Element haben, müssen die inhaltigen
nicht durchaus übereinstimmen. Wir verlangen nicht, daß Don
Carlos oder König Philipp des Drama den inhaltigen Elementen
unserer geschichtlichen Vorstellungen von diesen beiden Figuren
entsprechen, wohl aber, daß — und sei es auch auf Kosten
jener inhaltigen Elemente (bis zu einem gewissen Grade) —
daß die formalen Elemente, die jene dramatischen Personen er=
zeugen, mit den formalen Elementen der Vorstellungen Held,
Unglück, Liebe u. s. f. zusammenstimmen." — „Die inhaltigen
Elemente, vermöge deren die Vorstellung Apollo, Maria wun=
derthätige, verehrte Bilder schuf, sind längst aus unserm Be=
wußtsein geschwunden, aber noch immer verbinden sich die for=
malen Elemente jener Vorstellungen mit den formalen Elementen
unserer Vorstellungen von schöner Jugendkraft, oder von dem
unsäglichen Gefühl der innigsten Mutterliebe: dieser Zusammen=
stimmung der formalen Elemente verdanken wir noch immer den
Genuß des Schönen an diesen Werken."

Endlich aber fragt der Vrf. (S. 233): Wie kann der
Dichter, indem er vom Baume spricht, der doch für uns nur
einen botanischen Begriff bildet, formale Elemente in uns er=
zeugen, wie Liebe, Sehnsucht u. s. w., die wohl der mythi=
schen Betrachtung einwohnten, unserm Begriffe aber gar nicht
anhängen können? Hierauf antwortet der Vrf. Folgendes:

Erstlich erneuern sich täglich trotz der wissenschaftlichen Er=
kenntniß die mythischen Anschauungen. Auch der Astronom
sieht die Sonne untergehen. Ferner sind die mythischen Ge=
bilde, welche der Geist jedes Kindes schafft, im Manne nicht
bis auf die letzte Erinnerung ausgetilgt. Ganz ebenso ist es
mit dem Volksgeiste: die Wörter der Sprache bewahren die

ursprünglichen formalen Elemente älterer Zeit bis auf uns.
Insofern aber diese aus der Wortbedeutung schwinden, geben
sie sich doch noch durch den Laut kund, nämlich durch Rhythmus
und Harmonie (S. 241).

Wenn dieser erste Grund uns zeigt, wie man bis heute
noch dichten konnte, so ist noch zu zeigen, warum man es immer
noch wollte. Was reizt zur dichterischen Production? Dies
erklärt sich aus der Beziehung des subjectiven Geistes zum objectiven (S. 248), aus der Macht der gewaltigen Schöpfungen
der vorhandenen, objectiv gewordenen Dichtung, welche, da die
Anlage zu solchen Productionen noch nicht geschwunden ist,
diese zur Wirksamkeit, zur Nachahmung, Nacheiferung anspornt.
„Man empfand zu lebhaft, wie in den Saiten des eigenen Gemüthes die Töne nachklingen, die aus dem Dichtersaal alter
und jüngerer Zeiten herüberrauschten: was war da natürlicher,
als daß man selbst mächtig in jene Saiten griff und neue
Lieder anschlug, die harmonisch und ebenbürtig zu den alten
Sängen stimmten" (S. 256). „Ist ja doch der alte Geist noch
immer lebendig, die alte Cultur nicht ausgetilgt; noch immer
rinnt das mythische Blut in den Adern naturforschender Spätgeborener, die Plastik der Sprache vermag
beide in ihren Principien so getrennte Vorstellungsweisen in
Verbindung zu setzen: warum sollte der Dichter, wenn er, wie
er muß, alle die schönen und guten Gedanken, die
schon die Ahnen, die großen Dichter der Vorzeit, die dichtenden
Völker gedacht und gesungen haben, noch einmal neu denken
und singen will — wie sollte er sie nicht in derselben Form
nachdenken wollen, in der die Wahrheit im Gewande der Schönheit alle Herzen zwingt?"

Daß uns in des Vrf.s Darlegung eine offenbare Ungunst
gegen die Poesie entgegentritt, darf uns nicht irren, da er die
Frage über den eigentlichen Werth der Poesie noch durchaus
offen gelassen hat. Vergessen wir nicht, daß er nur eine psychologische Frage aufwirft, die Frage von der psychologischen
Möglichkeit poetischer Apperceptionen. Es genügt nicht zu
sagen, die Poesie, wie die Kunst überhaupt, biete das Unendliche
im Symbol, in der Anschauung, und was man sonst noch zur

Verherrlichung des Dichters rühmen mag: die Frage bleibt immer, wie kommt der Dichter zu solchen Anschauungen, die der Wirklichkeit widersprechen und psychologisch unmöglich er- scheinen müssen.

Gestehen wir nun einerseits zu, daß der Vrf. zur Lösung dieser psychologischen Aufgabe einen werthvollen Beitrag ge- liefert hat, so will uns doch scheinen, als habe die ungünstige Ansicht, die der Vrf. von der Poesie hat, sich nicht nur über- haupt, obwohl unausgesprochen offenbart, sondern auch auf die rein psychologische Seite einen schädlichen Einfluß geübt. Man sucht eben andere Gründe für vorübergehende, pathologische und andere für ewige Erscheinungen.

Daß der Vrf. so großes Gewicht auf den Rest mythischer Erinnerung legt, der in der Sprache aufbewahrt wird, wie auf die im Manne noch nicht ausgelöschten mythischen Anschauungen aus der Kindheit, versteht Jemand, der in der Kunst etwas ab- solut Humanes sieht, so wenig, daß es ihm lächerlich erscheinen muß. Also weil sich Göthe in der Kindheit die Luft, das Feuer und das Wasser als eine schöne Prinzessin dachte, so konnte er als Mann die Iphigenie, Tasso, Faust dichten! Allerdings der objective Geist kam hinzu. Wäre aber der ob- jective Geist weiter nichts gewesen, als läppisches, kindisches Zeug, so hätte er ebensowenig zur Erzeugung jener Kunstwerke beitragen können. Der Vrf. hat den Kern seiner Entwickelung nur kurz zum Schlusse angedeutet und zwar in offenbar ver- spottendem Tone (S. 262): „Nun beginnt das Spiel der Ver- tretungen. Die Kunst wird die Idealisirung der gemeinen Wirklichkeit, die Schaubühne die „„beste moralische Anstalt““, die Dichtung die „„Offenbarung der Humanitätsidee““. So wird jeder Zweifel an der Richtigkeit des Unternehmens (näm- lich: dichten zu wollen) im Keime erstickt." Wer hat wohl je aus Schiller's oder Goethe's ästhetischen Betrachtungen den Eindruck gewonnen, als handle es sich darin nur darum, den erwachten oder erwachenden Zweifel an der Berechtigung des Dichtens niederzukämpfen? Und sind diese Abhandlungen so kurz, so leichtfertig, daß man sähe, es sei dem Gegner nicht volle Gelegenheit gegeben, seine Kraft geltend zu machen. Der

historische Proceß, der uns in Schiller u. s. w. entgegentritt,
mag immerhin eine Vertretung sein. Aber auf solchen Ver=
tretungen beruht ja, wie der Vrf. selbst erwähnt (S. 251 f.),
der Fortschritt in der Geschichte. Wenn die Dichtung das ist,
wozu sie, die Anfangs Mythos war, durch Vertretungsprocesse
umgestaltet ward, nämlich Schöpfung von Idealen, Lehrerin der
Sittlichkeit und Humanität: so fällt des Vrf.s pathologische
Frage weg. Dagegen wäre dies die Frage geworden, wie solche
Vertretungen sich vollzogen haben, wodurch sie bedingt, geför=
dert wurden. Es hat eben zu keiner Zeit ein Dichter an der
Berechtigung der Poesie gezweifelt: so mächtig war in ihm der
Vertretungsproceß, d. h. so mächtig war in ihm der Drang
zur Poesie. Glaubt der Vrf. wirklich mit seinen kleinlichen
Gründen dies erklärt zu haben! Aeschylus und Pindar hätten
darum gedichtet, hätten darum dichten gekonnt und gewollt, weil
das Kind in ihnen noch nicht erstorben war, weil sie noch
kindlich zu fühlen verstanden, vielleicht gar, weil sie eifersüchtig
auf den Ruhm, ich weiß nicht wessen, waren?

Der Vrf. hat sich selbst widerlegt. Denn er beginnt frei=
lich mit dem Problem, das ihm seine Dialektik stellte, die Poesie
sei eine abnorme Vorstellungsweise. Im Verlaufe seiner Dar=
legung aber macht er klar, daß sie ganz und gar nicht abnorm
sei, sondern ganz normal. Daß sie zwar abnorm scheine,
wenn man die inhaltigen Elemente beachtet; daß sie aber eben
eine Apperception unter den formalen Elementen ist und als
solche ganz normal, in gleichem Grade normal, als sie auch
Poesie und schön ist. Wovon jeder Dichter und jeder poetisch
gestimmte Geist unmittelbar überzeugt war, so überzeugt, daß
ihm der Zweifel seltsam erscheint, das hat des Vrf.s Dialektik
und Psychologie klar dargelegt.

Die Verschiedenheit der Ansicht des Vrf.s gegen die in
Deutschland herrschende, der ich mich anschließe, besteht also
kurz darin. Der Vrf. geht von der Voraussetzung aus, das
Dichten habe seine „besondern" Gründe; denn es trage keine
Nothwendigkeit in sich, die aus der gesetzmäßigen Construction
des Bewußtseins erfolgte, sondern es sei ein Nebenproduct, das
zwar nothwendig sei, weil die Verhältnisse nun einmal so liegen,

das aber in Wahrheit zufällig sei, insofern es nicht zur eigentlichen Sache, zum Wesen der Entwickelung des Bewußtseins gehöre. Nothwendig sei die Schöpfung des Mythos; die Tradition
des Mythos dagegen, auf der die Poesie beruht, habe nicht die
gleiche Nothwendigkeit, sei nur Product des Trägheitsgesetzes.
Der Vrf. mußte also dieses Verhältniß darlegen, um die Möglichkeit der Poesie zu erklären. — Wir aber meinen: der Dichter
dichtet nicht aus besonderem Grunde, sondern nur weil er
Mensch ist; und der Mensch dichtet, weil er Dichter ist. Das
veranlaßt eine andere Betrachtung auch für den Mechanismus
der dichterischen Phantasie.

Wenn der Vrf. zugesteht (S. 238): „Für die modernen
Dichter nun verlieren die Mythen ihre inhaltigen Elemente fast
gänzlich, sie werden Worte, die ihre inneren Sprachformen
wandeln und vor neugebildeten Worten den Vorzug voraus
haben, daß sie die formalen Elemente zur entschiedneren Anregung bringen", so sehe ich gar nicht mehr ein, wie er ein
so großes Gewicht auf den noch in uns lebenden Mythos legen
kann. Denn dieser tritt ja gar nicht als solcher in die Poesie
ein, sondern erst in Folge einer Wandlung ihrer inneren Form,
zu dem Zwecke, etwas zu vertreten, was unmittelbar gar nicht
in ihm liegt. Auf dem vom Vrf. verhöhnten Vertretungsproceß beruht die Poesie, und ihn mußte man darlegen, wenn
man den Mechanismus der Phantasie analysiren wollte. In
dem Heine'schen Gedichte, von dem der Vrf. ausging, handelt es sich ganz und gar nicht von Fichte und Palme; nur
grammatisch (buchstäblich) genommen ist hier „ein Fichtenbaum"
Subject, mit dem das Prädicat „er träumt" verbunden ist, zu
welchem „von einer Palme" als Object gehört. Dargestellt ist
in diesem Mythos, diesem Gramma, diesem Logos oder Epos,
etwas ganz Anderes. Dargestellt, d. h. vertreten. Ja, wem
jenes Gedicht nicht das zu erwecken vermag, was es darstellt,
der hat es nicht verstanden. Also ist nicht das die Frage (wenigstens nicht bloß das): wie kann man Fichte als träumend
appercipiren, sondern wie sind solche Vertretungen möglich.

Die Dichtung ist nicht Fortsetzung des Mythos, sondern
Aufhebung desselben. So lange er wirklich Mythos ist, kann

von Poesie im eigentlichen Sinne noch nicht die Rede sein. Eine Procession, eine Liturgie, mag sie noch so dramatisch sein, ist kein Drama. Unzählige Völker hatten dramatisch gefeierte Feste, aber kein Drama. Der Mythos thut's nicht. Also kann auch der Knabe, der in Delphi den Gott Apollo agirte, nicht Ursache des Drama's in Athen sein. Es muß wohl zum Mythos etwas hinzukommen; was ist das? Das bleibt zu zeigen.

Ist denn der Mythos wirklich so wesentlich für die Poesie, wie der Vrf. stillschweigend voraussetzt? Was sollen wir denn z. B. zu dem bekannten Goethe'schen Gedichte sagen:

Ueber allen Gipfeln ist Ruh;
In allen Wipfeln spürest du
Kaum einen Hauch;
Die Vöglein schweigen im Walde:
Warte nur, balde
Ruhest du auch.

Ist das schön? Und wo ist hier ein Mythos? Oder beruht hier die Poesie lediglich auf Reim und Versmaß? Und wie verhält es sich mit der Novelle und dem Roman in Prosa?

Geschichtlich, das ist richtig und ist oft ausgesprochen, hat sich die Poesie und alle Kunst innerhalb der Religion entwickelt, und zwar innerhalb der mythischen Religion oder des religiösen Mythos. Ursprünglich ist sie nichts weiter als schlechthin die erhabene, dem gemeinen Verkehr enthobene Rede, die Sprache, mit welcher man sich an die Götter wendet, in welcher man bei feierlicher Gelegenheit sich ausdrückt. Da ist sie religiös, weil es nur religiöse Feier giebt; da ist sie reiner Mythos, weil man nur mythisch denkt. Es sind die Epochen des menschlichen Lebens, Geburt und Tod und der Eintritt in den Ehebund, es sind nationale Ereignisse, wie der bevorstehende Kampf, es sind Abschnitte in dem Naturlaufe, wie der Anbruch des Morgens, des Frühlings, welche Opfer und Feier der Götter veranlassen und den dichterischen Ausbruch des bewegten Gemüths hervorrufen. Das Dichterische liegt hier lediglich in der edeln und rhythmischen Sprache. Das ist wohl kaum mehr

als Keim der Poesie, noch nicht sie selbst. So verhält es sich
am klarsten, wie mir scheint, in den altindischen Hymnen, den
Veden. Eigentliche Poesie erhebt sich allmählich mit der Ver-
weltlichung der Feste; es ist das fröhliche Nachspiel des Gottes-
dienstes, wobei der Frohsinn immer noch unter Festesglanz in
edlen Worten hervorbricht. Auch die Götter lachen und freuen
sich des Daseins; es giebt neben dem erhabenen Mythos auch
einen heiteren. In dem Maße, wie der Mythos zur Sage
wird, verliert die Poesie den hieratischen Charakter und nähert
sich ihrem Wesen. So entwickelt sich das ursprüngliche Epos.
Dann bedient man sich wohl der Poesie auch zu weltlichen
Zwecken, zunächst zu den allgemeinen staatlichen, in Ermahnungen
zu Vaterlandsliebe und Tapferkeit in Zeiten der Gefahr, zu
Klagen in Zeiten allgemeiner Noth. So erhebt sich die Lyrik,
in welcher sich die Poesie immer mehr auch des individuellen
Gemüthslebens bemächtigt. Um diese Zeit entwickelt sich denn
auch schon die Prosa, welche den heilig gebliebenen Mythos
der Religion überläßt, die Sage aber als unwahr verurtheilt
und die Wahrheit sucht. In einem Gegensatze zur Prosa er-
steht nun die Poesie als sie selbst.

Zeigt sich also, daß der Mythos der Poesie nicht nothwendig ist; ist er nur ein mögliches Mittel für dieselbe; wird
er dies aber erst durch eine innere Verarbeitung: so muß man
vielmehr behaupten, daß Poesie und Mythos trotz einer gewissen Verwandtschaft und trotz des historischen Zusammenhanges
dennoch wesentlich verschieden sind, eben so sehr, wie auch
Wissenschaft und Mythos. Wo Mythos als solcher erscheint,
da ist keine Poesie.

Wenn, wie der Vrf. bemerkt, der Mythos dem mythisch
denkenden Menschen als objective Auffassung der Dinge gilt,
Poesie aber eine Vergleichungs-Apperception ist, so ist die
Nabelschnur, welche die Poesie noch mit dem Mythos verband,
völlig durchschnitten; die Poesie ist ein Wesen mit eigenen Le-
bensbedingungen, und der Mythos ist in ihr untergegangen.
Der Vrf. bemerkt, wir können immer noch die Schönheit des
Apollo und der Madonna genießen, weil die formalen Elemente
dieser Vorstellungen auch in uns noch entsprechenden, apper-

ceptionsfähigen Elementen begegnen; und er will damit nur beweiſen, daß daſſelbe formale Element durch verſchiedene inhaltige
erzeugt werden könne. Wir benutzen dieſen Fall, um daran
zu zeigen, wie völlig verſchieden Kunſt und Mythos iſt. Derjenige, auf welchen eine Raphael'ſche Madonna nur die Wirkung übt, welche jedes Heiligen=Bild, das am Wege ſteht, ebenfalls übt, der genießt das Kunſtwerk Raphael's und deſſen
Schönheit nicht; und derjenige, für welchen die Vorſtellung
Apollo, Maria, ein wunderthätiges Bild ſchaffen konnte, hat
nie ein Kunſtwerk hervorgebracht. Ich habe von vielen wun-
derthätigen Bildern gehört, darunter aber war keins von einem
nennenswerthen Künſtler. Die Bilder verlieren in demſelben
Maße an Wunderkraft, als ſie an Schönheit gewinnen. Wenn
Raphael die ſchönſte Madonna hervorgebracht hat, ſo iſt ihm
dies nicht darum gelungen, weil er am feſteſten an Maria geglaubt, am inbrünſtigſten zu ihr gebetet hätte, ſondern weil er
der größte Maler war: ſonſt hätten ihn gewiß die Maler der
früheren Jahrhunderte weit übertroffen.

Umgekehrt muß man ſagen, die Kunſt ſei Freiheit vom
Mythos. Wer ein ſchönes Bild von Maria und Jeſus ſchaffen
wollte, mußte ſich bewußt ſein, kein Portrait zu liefern. Er
fühlte ſich dem Mythos gegenüber ſo frei, wie gegenüber irgend
einer Thatſache, deren allgemein menſchlicher, durch die Kunſt
darſtellbarer Inhalt herausgehoben werden mußte. Indem er
aber dies in Bezug auf Maria that, hat er den Mythos als
ſolchen vernichtet. — Und hier hat die höhere Kritik dieſer
Kunſt anzuknüpfen. Werden wir immerfort meinen, Jungfrau-
ſchaft und Mutterliebe auf demſelben Geſichte zeigen zu können?
Und werden wir die Reinheit der Jungfrau nicht anders denken
können, als mit verhimmelnden Augen und auf der Bruſt ge-
falteten Händen?

Der Mythos iſt an ſich und urſprünglich, wie ſchon wiederholt bemerkt iſt, die vermeintlich objective Auffaſſung der
Naturerſcheinungen, wird dann zu einer quaſi=hiſtoriſchen Erzählung, einer Sage, endlich zu einem Märchen; alſo iſt er,
wenn er in der Poeſie erſcheint, etwas von ihr Ergriffenes,
ein Gegenſtand: ebenſo wie irgend eine geſchichtliche Thatſache,

irgend eine Begebenheit im menschlichen Leben, irgend ein Ding der Natur, Gegenstand der Poesie werden kann.

III.
Die Factoren der Poesie.

Wir haben in dem Eingangs citirten Aufsatze nur das Verhältniß zwischen der Sprache und dem in ihr dargestellten Inhalte an der Hand der beiden Kategorieen Stoff und Form erörtert. Wir hatten gesehen, wie sich von verschiedenen Standpunkten aus sowohl die Sprache als der Inhalt je als Stoff oder als Form ansehen lasse. Fassen wir die dort gewonnenen Ergebnisse mit dem zusammen, was sich uns hier schon ergeben hat, so gelangen wir zu einer mehrfältigen Unterscheidung und einer bestimmteren Fassung der unterschiedenen Momente. Wir haben nämlich erstlich dem Marmor des Bildwerkes parallel ein Material der Poesie; dies ist die Sprache. Von dieser nun abgesehen unterscheiden wir weiter an dem, was sie ausdrückt, an ihrem Inhalte, drei Momente; nämlich erstlich einen Gegenstand, welcher aus irgend einer Sphäre des Alls, irgend einem Kreise der Natur oder des geistigen Lebens und der geistigen Erzeugnisse gewählt sein kann. Wie uns der Maler einen Baum oder eine Landschaft darstellen kann, so auch der Dichter. So zeigt uns z. B. Freiligrath in einem Doppelbilde „die Tanne", so giebt uns Goethe mehrere Mondlandschaften („Luna", „An den Mond"), und Heine in dem oben erwähnten Gedichte zeichnet Pol und Aequator. Zweitens aber ist es nicht um den Gegenstand als solchen zu thun, sondern um unser Gemüths= und geistiges Verhältniß zu ihm, um Stimmung oder Idee, um ein Inneres, welches an jenem Gegenstande erweckt und dargestellt wird. Dies wird erreicht drittens durch die künstlerische Formung oder Vorführungsweise des Gegenstandes. Erst wenn wir diese Momente jedes einzeln näher dargelegt haben, können wir auch die Sprache als Material der Poesie betrachten.

Der Gegenstand ist dem Wesen des Kunstwerkes fast noch eben so äußerlich wie das Material. Auch dieses ist ja freilich nicht gleichgültig für die Charakteristik des Künstlers und seines

Werkes; es ist wesentlich, ob derselbe ein bildender oder redender
Künstler ist. Dies verhält sich aber doch nur darum so, weil
je nach der Eigenthümlichkeit der Phantasie dieses oder jenes
Material der Darstellung das geeignetste ist. Der so oder so
individuell bestimmte künstlerische Genius arbeitet seine innern
Bilder nicht gleich vollkommen für Stein oder für Farbe aus,
und sein Bild läßt sich überhaupt nicht in gleich günstiger
Weise so oder so zur Aeußerung bringen. Kurz, wer innerlich
ein Bild entwirft, thut dies sogleich mit bestimmter Rücksicht
auf das Material, in welchem es ausgeführt werden soll,
z. B. der Maler mit Rücksicht darauf, ob es ein Wandgemälde
oder ein Oelbild sein soll, und welche Dimensionen es haben
soll. In gleicher Weise nun ist auch nicht jeder Gegenstand
geeignet, um aus ihm jede Idee strahlen zu lassen. So ist
allerdings die Geschichte der Gegenstände der Poesie, wie die
des Materials der Künste nicht bloß etwas Aeußerliches, aber
doch nur secundär wichtig, als Symptom, da das Primäre doch
immer die innere Thätigkeit bleibt. Dabei kommt auch noch
die Natur der Kunstart in Betracht. Die Geschichte der In=
strumente mag eine höhere Bedeutung für die Musik haben;
die der Farben für die Malerei nicht minder; ebenso die des
Materials für die Bauwerke: während sie für die Plastik schon
gleichgültiger ist. Sehr wichtig dagegen ist anerkanntermaßen
die Natur der besondern Sprache für die Dichtung. Es ist
nur Folge des universellen, allumfassenden Charakters der Poesie,
daß der Gegenstand für sie weniger in's Gewicht fällt. In=
dessen ist auch hier mit Recht z. B. oft genug auf das Ver=
hältniß der Dichtung zur Natur hingewiesen, als auf einen
Punkt, in Bezug auf welchen sich Völker, Zeiten und Indivi=
dualitäten unterscheiden. Daß die höfische Poesie des Mittel=
alters vorzugsweise den bretonischen, die nationale Poesie in
Deutschland zur selben Zeit den altgermanischen, in Frankreich
den karolingischen Sagenkreis bearbeitet, ist für das innerste
Wesen dieser Dichtungen bestimmend. Es ist auch gewiß
charakteristisch für Schiller, daß er für seine Dramen (abge=
sehen von der fremden Turandot oder etwa von der Braut von
Messina?) weder Novellen noch Sagen zur Grundlage wählte,

wie doch Goethe und Shakespeare thaten, und daß er für
seine erzählenden Gedichte (mit Ausnahme des Fischerknaben im
Anfange von Tell) nicht jene geheimnißvollen Mächte herbeizog,
welche in den berühmtesten Balladen wirken. Es ist hier nicht
der Ort, auf diesen Punkt näher einzugehen. Da es mir an
dieser Stelle nur darum zu thun ist, zu zeigen, daß einerseits
sich schon in der Wahl des Gegenstandes die Eigenthümlichkeit
des dichterischen Genius klar herausstellen läßt, andererseits aber
doch dieselbe nur ein Symptom ist: so brauche ich, um dies
zu genügender Deutlichkeit zu bringen, nur auf die Gegenstände
hinzuweisen, welche Tieck im Gegensatze zu Schiller bear=
beitete. Denn einerseits zeigt sich so unmittelbar die ganze
Kluft, welche jenen Romanticisten von diesem „modernsten"
Dichter trennt, und doch ist damit noch gar nicht auf das
Wesen der beiderseitigen Bestrebungen und Weltanschauungen
eingegangen.

Hieraus ergiebt sich das richtige Maß der Wichtigkeit,
welches in der allgemeinen Literaturgeschichte jenen Untersuchungen
zukommt, die in neuester Zeit im Gefolge der vergleichenden
Sprach= und Mythenforschung mit umfassender Gelehrsamkeit
über die Wanderungen der von der Dichtung ergriffenen Er=
zählungen angestellt worden sind. Als bloße Betrachtung der
Gegenstände bleibt sie in der Vorhalle der Literatur; aber
nicht bloß ist von hier aus der Eintritt in das Innere nahe=
gelegt, sondern es tritt auch noch eine andere Rücksicht hinzu.
Jene Erzählungen (z. B. von zwei Liebenden aus feindlichen
Häusern, oder die durch einen Strom getrennt sind; von einer
Frau, die sich dem Manne überlegen dünkt und sich dennoch
von ihm überlisten läßt; von der Schönen, die durch Lösung
eines Räthsels zu gewinnen ist; vom sogenannten Urias=Briefe),
welche sich in mannichfacher Abwandlung über den Orient und
Occident verbreiten, bilden, noch abgesehen von der dichterischen
Bearbeitung, die sie erfahren, schon an sich Theil einer Art
bloß im Munde lebender Volksliteratur. Wenn auch zuweilen
noch nicht in rhythmische Sprachform gebracht und insofern
noch außerhalb der Volkspoesie stehend, bilden sie so zu sagen
die prosaische Ergänzung zu letzteren. Solche Sagen, Erzäh=

lungen, Märchen, Schwänke tragen wie die Mythen einen
poetischen Charakter und Keim in sich. Wir können in ihnen
selbst schon einen Gegenstand, eine Idee und eine Form unter=
scheiden, wie an jedem Kunstwerke. Sie sind die eigentliche
Urpoesie, Poesie in primärster Gestalt oder in erster Potenz;
und nun, von einem Dichter als Gegenstand ergriffen, werden
sie in zweiter Potenz in die wirkliche Poesie erhoben. Und
gern natürlich wendet sich der Dichter an sie, die selbst schon
Dichtung sind, wenn auch noch kein Gedicht; er wendet sich an
sie lieber als an einen unmittelbaren Gegenstand der Natur
oder des geistigen Lebens. Sie bieten ihm einen Stein, an
dem die erste Zubereitung schon vollzogen ist, den er nur der
feineren Bearbeitung zu unterwerfen hat. Solche Erzählungen
haben an sich schon formalen, idealen Werth, und so treten sie,
wenn vom Dichter ergriffen, nur relativ als Gegenstand und
Stoff eines Kunstwerks auf, sind aber an sich schon Form
oder Idee. Wenn S ch i l l e r solche schon zubereitete poetische
Stoffe für seine Dramatik liegen ließ und sich unmittelbar aus
dem gesellschaftlichen Leben und der Geschichte den Stoff holte,
den er dichterisch formte, so zeigt dies die hohe Energie seines
Geistes, die aber fortan dem modernen Dichter nicht mehr zu
erlassen sein wird. Wenn wir darum in der ersten Zeit nur
mangelhafte Dichtungen erhalten werden, so dürfen wir uns
wohl mit der Hoffnung trösten, daß diese Werke folgenden Ge=
schlechtern die nothwendigen poetischen Vorarbeiten für Werke
eines höheren poetischen Styles liefern werden.

Die Betrachtung der poetischen Idee und Formung würde
uns unmittelbar in die speciellere Aesthetik führen. Hier tritt
uns nun aber der Hauptunterschied unter den Gattungen der
Redekunst entgegen, der vor allem zu erledigen ist, nämlich der
von Poesie und Prosa; und zu diesem wenden wir uns jetzt.
Ihn darzulegen war ja, wie die Ueberschrift ausspricht, der
Zweck dieser Abhandlung.

IV.

Poesie und Prosa nach ihren Zwecken und Stoffen.

Wenn hier der Unterschied zwischen poetischer und pro=
saischer Redekunst dargelegt werden soll, so ist eben schon vor=
ausgesetzt, daß wir hier unter Prosa nicht die unkünstlerische
Rede verstehen, wie man das gewöhnlich thut. Also nicht, wie
man die Prosa des Lebens und der Wirklichkeit der Poesie der
Ideale entgegenstellt, nicht in diesem Sinne reden wir hier von
Prosa. Wir müssen jedoch diesen Begriff bestimmter begrenzen,
indem wir genauer bezeichnen, was von ihm ausgeschlossen
bleibt und was nur mißbräuchlich mit jenem Worte bezeichnet
wird. Wir schließen aus die Umgangssprache, die mündliche
wie die schriftliche, also jeden Geschäftsstyl, Brief=, Canzlei=
und Gesetz=Styl, jede Formel=Sprache, wie wichtig sie auch
für die Wissenschaft sein mag. Dies alles ist nicht Prosa,
sondern Noth= und Verkehrs=Sprache. Solches Reden
ist Praxis, Kundgebung des Willens, der ausgeführt werden
soll, Mittheilung, Belehrung, Hülfsmittel für Erkenntniß. Was
hier erstrebt wird, ist genaue Bezeichnung dessen, was gemeint
wird, und unzweifelhaftes Verständniß. Aesthetische Rücksicht
darf in solche Rede gar nicht eintreten. Wenn wir nun auch
diesen ganzen Kreis der Geschäfts=Rede als völlig unkünstlerisch
von der Prosa ausscheiden, so können wir doch bemerken, daß
es auch hier nicht nur Unterschiede giebt, sondern auch größere
oder geringere Entfernungen von der Kunst. Eine Familien=
Anzeige in der Zeitung soll nicht den Anspruch auf wirkliche
Prosa erheben; wir finden es nicht gebildet, hier von „dem
unerforschlichen Rathschlusse der Vorsehung" zu reden. In=
dessen wüßten wir kaum, wie es anders lauten könnte, wenn
Hr. N. N. anzeigt, seine Frau sei von einem Knaben entbunden,
ja ein Söhnchen oder Knäblein wird seiner Vaterfreude gern
gestattet, und er kann auch drucken lassen: meine liebe Frau.
Die Polizei aber notirt: „geboren: ein Kind männlichen Ge=
schlechts". Daß es ein „gesunder, kräftiger Knabe" ist, meldet
die Anzeige ebenfalls; der Polizei ist das gleichgültig, sie hat
nicht für Arzt und Arzenei zu sorgen. Nur wenn der Knabe

stirbt, ist der Tod zu melden, gleichviel, ob er sehr gelitten hat oder nicht. Erst wenn der Zeitpunkt gekommen ist, wo er Soldat werden soll, geht seine Gesundheit den Staat an.

Die eigentliche Geschäftssprache also hat (mit der Beschränkung, die später anzugeben sein wird) keinen ästhetischen Charakter. Denn für sie, wie für alle Praxis, ist als wesentlich bezeichnend dies hervorzuheben, daß hier überall die Gegenstände in ihrer endlichen Erscheinung als Einzelheiten aufgefaßt werden sollen, um mit ihnen oder auf sie praktisch zu wirken. Wir bewegen uns hier im Gegensatze zu aller Kunst und Wissenschaft, welche auf das Allgemeine gehen und rein theoretisch sind. Wie verschieden ist die Thätigkeit des Untersuchungs-Richters von der des wissenschaftlichen Juristen! Jener hat dén einzelnen Fall festzustellen mit allen seinen näheren Umständen; er hat es mit dieser Person und dieser Sache zu thun, welche so aufzufassen ist, daß sie durchaus als diese und keine andere ganz unverwechselbar hingestellt werden muß.

Unter Prosa als Redekunst wird also nur die wissenschaftliche Darstellung (abgesehen von aller formelhaften Ausdrucksweise) und die Beredsamkeit begriffen. Letztere wird gewöhnlich in viel höherem Grade als die erstere zu den Künsten gezählt, und sie trägt vorzugsweise den Namen Redekunst. Und dies mit allem Rechte, wie in die Augen springt, sobald man den Blick auf die Reden irgend welcher Art richtet und mit der entsprechenden Wissenschaft vergleicht, die religiöse Rede mit der Dogmatik und Ethik; die gerichtliche Rede mit der Sprache des Gesetzbuches oder der Aktenstücke, überhaupt der Jurisprudenz; die politische Rede mit der Geschichte und Politik, und welchen Wissenschaften sonst noch der Redner seine Gedanken entnimmt. Dies scheint aber insofern abnorm zu sein, als die Wissenschaft mit der Kunst das Allgemeine und das rein Theoretische gemeinsam hat, während die Beredsamkeit auf das Einzelne und Wirkliche und die Praxis geht und sich dadurch eben so sehr von der Kunst entfernt, als sie sich dadurch ganz auf Seiten des Verkehrs stellt. — Die Stellung der eigentlich so genannten Reden gegen die Werke der Wissenschaft ist aber allerdings eine bedeutend niedrigere, wie unmittelbar

einleuchtet, wenn man die tausend gerichtlichen Reden über Dieb=
stahl, Betrug u. s. w. und auch tausend Verhandlungen politischer
und gesetzgebender Corporationen in Betracht zieht. Dieselben
stehen so wenig auf dem Boden der Kunst, wie die Aktenstücke,
auf welche sie sich stützen. Nur wo der Gegenstand der Ver=
handlung allgemeine und hohe sittliche Interessen berührt, wo
sich der Verkehr zu seiner vollen Höhe menschlicher Zwecke er=
hebt, da gewinnt die Rede einen künstlerischen Charakter, weil
die lebhaftesten Gefühle erweckt werden, und diese sind es, durch
welche die Beredsamkeit mit der Kunst verbunden ist.

Gehen wir nun näher auf das Wesen der Prosa und
Poesie ein, so wird sich zeigen, um das Ergebniß vorauszu=
schicken, daß nur die Poesie wahrhaft und ganz in die Reihe
der Künste gehört, die Prosa aber, selbst nur im engern und
höhern Sinne, doch bloß eine „anhängende Kunst" zeigt, we=
sentlich aber einem ganz anderen geistigen Gebiete angehört.
Sie stehen zwar beide in gleich scharfem Gegensatze zur Sprache
des Verkehrs, wie zu aller Praxis überhaupt; aber jede thut
dies in so verschiedener Weise, daß schon hier der unter ihnen
bestehende Gegensatz klar hervortritt.

Die Praxis ist auf das Einzelne gerichtet, um an ihm
irgend einen subjectiven Zweck zu objectiviren. Dieser Zweck
ist etwas Allgemeines; und wenn irgend ein Stoff dazu bear=
beitet und geformt wird, um einem unserer Bedürfnisse zu ge=
nügen, um unsern Körper zu kleiden, unsern Hunger oder Durst
zu stillen, uns durch den Raum zu tragen oder um als Werk=
zeug und Mittel zur Beschaffung der Dinge zu dienen, durch
welche wir unsere Bedürfnisse irgend welcher Art befriedigen:
so wird immer einem begrenzten einzelnen Stoffe eine durch
das Subject bestimmte Form angebildet; es wird in das Ob=
ject eine Allgemeinheit gesenkt, welche aus dem Gedanken und
den Verhältnissen des Subjects stammt. So entsteht ein ein=
zelnes Ding, das insofern einen allgemeinen Werth in sich
trägt, als es zum Ausdrucke eines bestimmten menschlichen Ge=
dankens geworden ist: ein Kleidungsstück, ein Messer. Der
Zweck, das Kleiden, das Schneiden, ist ein allgemeiner Gedanke
subjectiver Art, d. h auf die Verhältnisse und Bedürfnisse des

Menfchen berechnet, aus denfelben entfprungen, und diefer ift
dem Stoffe immanent gemacht worden, fo daß nun das Kleid
eine Einheit von Einzelheit und Allgemeinheit ift. — Das
Kunftwerk ift ebenfalls eine Einzelheit, ein gegebener Stoff,
dem etwas Allgemeines eingebildet ift; infofern fteht es dem
verfertigten Dinge gleich. Es unterfcheidet fich aber von diefem
dadurch, daß das Allgemeine nicht ein fubjectiver Zweck ift,
fondern eine objective Idee. Eben darum ift das Kunftwerk
nicht nützlich, dienlich, fondern es ftellt dar. — Die Wiffenfchaft
bietet Abftractionen, alfo nichts Einzelnes, fondern das objective
Allgemeine an fich. Sie fteht alfo in diefer Rückficht in dop-
pelfeitigem Gegenfatze zur Praxis, aber auch zur Kunft. Dem
Einzelnen abgewandt, welches jene beiden hervorbringen, ift fie
wie die Kunft auf das objectiv Allgemeine gerichtet, während
die Praxis auf die fubjective Allgemeinheit geht. Das wiffen-
fchaftliche Allgemeine aber ift dennoch ganz anderer Art als
das künftlerifche, wie fich im folgenden Paragraphen ergeben
wird.

Scheint hier die Wiffenfchaft der Praxis ferner zu ftehn,
als die Kunft, fo zeigt fie fich in anderer Rückficht derfelben
näher als diefe. Nämlich die Praxis ift auf die Wirklichkeit
und zwar auf die Beherrfchung derfelben gerichtet; die Wiffenfchaft geht auch auf diefelbe, wenn auch zunächft nur auf ihre
Erkenntniß. Das Caufalitätsverhältniß der Wirklichkeit, welches
die Wiffenfchaft zu erkennen ftrebt, wird von der Praxis vor-
ausgefetzt; die Kunft will bloß den Schein — ein Unterfchied,
der fchon oben erörtert ift (S. 295 f.), den wir aber hier noch
einmal mit der befondern Rückficht auf den uns in diefem
Paragraphen befchäftigenden Punkt erläutern wollen.

Schien uns nämlich foeben die Wiffenfchaft der Praxis
ferner zu ftehen als die Kunft, weil fie mit dem Einzelnen als
folchem gar nichts zu thun hat, fondern ausfchließlich auf das
objective Allgemeine geht, während die Kunft wie die Praxis
Einzelnes hervorbringt, fo tritt fie damit zugleich auch der
Kunft ferner als die Praxis. Und dies führt nun auf einen
andern Unterfchied.

Die Kunft ift ihrem eigentlichen Wefen nach Darftellung;

die Wissenschaft aber ist an sich bloßes Erkennen, und es ist ihr genau genommen ganz äußerlich, mitgetheilt und darum dargestellt zu werden.

Die Wissenschaft will die Wahrheit des Seins erfassen, die Poesie will den wahrhaften Schein darstellen. Darum also hat jene das Gewebe der mechanischen Kräfte nach den mannichfachen Verschlingungen der Fäden zu verfolgen. Sie hat die Dinge der Natur, wie geschichtliche Ereignisse oder Thaten, als Wirkungen vorhandener Bedingungen nach objectiven Gesetzen zu erklären. Und so steht sie eben der Praxis zur Seite, welche dieselben Kräfte und Bedingungen für ihre Zwecke zu verwerthen sucht. Die eine wie die andere bedarf des Sinnes für die Wirklichkeit. Im Gegensatze zu beiden sucht die Kunst nur die Nothwendigkeit des Scheins festzuhalten, welcher subjectiven Gesetzen unterworfen ist, weil er überhaupt nur für die Subjectivität des Beschauenden vorhanden ist. Die Aufgabe des Historikers, zu zeigen, an welchen bestehenden feindlichen Mächten und an welchen ihm und seinen Verhältnissen inwohnenden Schwächen ein Held zu Grunde gegangen ist, muß sehr verschieden sein von der poetischen Gerechtigkeit und der poetischen Nothwendigkeit, wie ein Gedicht sie zu bieten hat. Ja, es wäre vielleicht die unbeschränkte Behauptung aufzustellen, daß es für die Geschichte keinen Helden giebt, daß ein solcher nur für die gemeine Betrachtungsweise und für die Poesie existirt   Denn die Geschichte als rationale Wissenschaft muß selbst die Personen als bloße Mächte behandeln und erkennt in ihnen nur gewisse in persönlicher Erscheinung zusammengebundene Kräfte. Sie sind für die Wissenschaft Producte von Bedingungen und Ursachen für Wirkungen. Ja meist erscheinen die vorwiegenden historischen Mächte nicht einmal als Personen in individueller Lebendigkeit, sondern als Collectivum, als Institution, als Idee. Die Geschichte ist doch wahrlich nicht die Geschichte von Personen, sondern (jenachdem man es ansehen mag) von Völkern, oder die Entwickelung von Schöpfungen der Cultur und Civilisation. Die Poesie aber, da sie in Bildern arbeitet, bedarf der Helden, wollender, wirkender und sich genießender Persönlichkeiten, in denen die geschichtliche Macht

zu schöner Erscheinung kommt, unserm Gemüthe faßbar wird.
Die geschichtliche Person aber, wie sie in der That auftritt,
wirkt mit Mechanismen, mit Fremdem, für Andere; ja sie ist
selbst nur ein einheitlicher Mechanismus: der poetische Held
wirkt aus sich, zu seiner Genugthuung und fühlt das Glück
und das Unglück, und mit ihm wir, die Zuschauer.*)

Steht also die Wissenschaft in so schroffem Gegensatze zur
Kunst, so fordert das Schönheits=Gesetz, welches verlangt, daß
jedes Wesen in seiner Eigenthümlichkeit erscheine — es fordert,
daß die Wissenschaft nicht poetisch dargestellt werde. Nur wie
jedes Geräth und alles Praktische eine „anhängende Kunst"
haben kann, so auch die Wissenschaft, was später näher zu be=
stimmen sein wird. Wir können daher schon vorläufig be=
merken, daß, wie jedem Geräth, so auch der Sprache des
praktischen Verkehrs eine gewisse Kunst oder Schönheit anhangen
kann. Ja, wenn dies nicht wäre, so wäre Beredsamkeit un=
denkbar, da diese nur die·vollendetste Sprache des Verkehrs ist.

V.
Poesie und Prosa in ihren psychologischen Formen und Processen.

Wir kommen endlich zu dem Cardinalpunkte. Hier muß
der Unterschied zwischen poetischer und prosaischer Rede nach
seiner eigentlichen Bethätigung und in seinem Ursprunge klar
werden. Nach dem aber, was schon bemerkt ist, wird es keiner
weitern Erklärung darüber bedürfen, daß hier als Prosa nur
die Darstellung der Wissenschaft beachtet wird. Von der Be=
·redsamkeit später.

Die Wissenschaft will die Wirklichkeit erfassen. Das Er=
zeugniß der geistigen Auffassung eines Wirklichen nennt man
psychologisch eine Anschauung. Die gemeine, niedrige An=
schauung wird durch sinnliche Wahrnehmung erzeugt; die wissen-

---

*) Eine Vergleichung Scipio's, Hannibals und etwa noch Demosthenes
(oder Philopömens oder Alcibiades) in Bezug auf ihre geschichtliche Bedeut=
samkeit und ihr ästhetisches Interesse könnte vielseitig vorgenommen werden
und müßte dann lehrreich sein für den Unterschied zwischen Geschichte und
Poesie.

schaftliche Anschauung ist eine intellectuelle, d. h. nach der Natur unserer Intellectualität, eine durch Begriffe vermittelte. Darum ist sie von Allgemeinheiten durchzogen, und wir nennen sie viel= mehr gewöhnlich eine Idee. In Wahrheit, eine Idee ist einer Anschauung sehr unähnlich. Wenn diese wesentlich auf der Thätigkeit unserer Sinne beruht und nur ein einzelnes Ding erfaßt: so fehlt zwar der Idee nicht die Sinnlichkeit, und zwar liegt ihr eine sehr massenhafte und sehr sorgfältige zu Grunde; aber sie ist ganz von Allgemeinem aufgesogen, in Allgemeines umgesetzt (z. B. die Idee des Zoologen vom Thier und vom Hecht).

Die Wissenschaft producirt also Ideen, indem sie die (ge= meine) Anschauung begrifflich bearbeitet. Alles Einzelne als solches ist hier getilgt. Eine Kette von Begriffen constituirt die Idee des Wirklichen. — Rechnen wir das Sittliche ohne Weiteres zum Wirklichen, so gilt von dem Wissen desselben auch eben nur das, was von dem des natürlichen Daseins ge= sagt ist (vgl. den Kauf eines Hauses und das Erwerbungs=Recht).

Die Kunst dagegen soll uns durch Vorführung von Ge= stalten und Bewegungen den Werth der Ideen fühlen lassen. Sie wirkt also erstlich gar nicht auf die Intellectualität, son= dern auf das Gefühl; und sie wirkt zweitens nicht mit Begriffen und Allgemeinheiten, sondern durch Bilder. Ein Bild, welches uns den Werth einer Idee erscheinen läßt und zu Gefühl bringt, ist ein Ideal. Die Kunst producirt nicht Ideen oder Begriffe, sondern Ideale. Begriffe erzeugen nennt der Psychologe Ver= stand, Ideale erzeugen: Phantasie.

Alles was da ist, erklärt die Wissenschaft; sie zeigt die Wirklichkeit von Seiten ihrer mechanischen oder causalen Noth= wendigkeit: was alles, und wie und woburch es ist. Auf die Frage aber, wie dem Menschen bei all dem zu Muthe ist, ant= wortet die Kunst. Die Wissenschaft giebt ihre Antworten in Begriffen; denn nur das Allgemeine ist das Nothwendige: die Kunst giebt die ihrigen in Gestalten, welche sie so formt, daß dieselben denjenigen Muth wecken, den die Wirklichkeit theils wirklich erweckt, theils erwecken würde, wenn sie überall voll= endet wäre. Gestalten aber sind einzelne Bilder. Die psycho= logische Auffassung solcher Bilder aber geschieht in derselben

Form, wie die der wirklichen Einzelheiten, nämlich durch Wahr=
nehmung; jene wie diese fallen unter die Kategorie der An=
schauung.

Die Wissenschaft erhebt die Anschauungen durch Begriffe
zu Ideen; die Kunst erhebt die Anschauungen durch Bilder zu
Idealen. Jene stellt die Ideen hin, bietet sie an sich und nach
ihrem Gehalte dar; diese stellt den Schein der Ideen hin und
läßt uns dadurch fühlen, was sie unserm Gemüthe gelten.

So berühren sich Wissenschaft und Kunst niemals, und
können darum nie in Widerspruch gerathen. Wenn uns der
Maler oder der Dichter eine Landschaft vorführt, so hat das
mit Geographie, Geologie, Botanik und Zoologie gar nichts
zu thun.

Dieser psychologischen Verschiedenheit der Producte gemäß
sind auch die erzeugenden Processe verschieden. Die wissen=
schaftliche und die künstlerische (prosaische und poetische) Apper=
ception werden mit andern geistigen Organen in andern Formen
vollzogen.

„Sehen!" ist eine Forderung, die wir in gleich unerläß=
licher Weise an den wissenschaftlichen Forscher wie an den
Künstler (und auch an den Praktiker) stellen. Nur daß jeder
von diesen ganz anders sieht. Das wissenschaftliche Sehen ist
Beobachten. Hier kommt es darauf an, die subjective Natur
unserer Empfindungen einmal zugestanden, die sinnlichen Qua=
litäten eines Gegenstandes so objectiv und genau zu erfassen
wie möglich. Mit großer Energie macht sich der besonnen Be=
trachtende zum bloßen Reflex des betrachteten Objects, also
thätig aufnehmend. Was die gemeine Anschauung obenhin,
leicht und schnell thut, das wird hier mit Besonnenheit, Sorg=
falt, Genauigkeit, in vielfältigen Beziehungen und also mit
reicherem Erfolge gethan. — Das poetische Sehen ist ein Schauen.
Geschaut aber wird mehr als gesehen. Es wird in das Object
hinein= und aus ihm herausgeschaut, was gar nicht in ihm
liegt. Es ist nicht ein passives Widerstrahlen, sondern ein
Bilden. Das künstlerische Bild ist fern von den schwankenden
Linien und allem Unbestimmten der gemeinen Anschauung; es
hat mindestens die gleiche Schärfe der Umrisse als die wissen=

schaftliche Anschauung; aber diese Bestimmtheit der Form ist
nicht von außen her in das Bewußtsein genommen, sondern
innerlich geschaffen. Der Künstler sieht nicht oder nicht bloß
die Formen, welche die Natur wirklich hervorgebracht hat, son=
dern welche sie hat hervorbringen wollen; er sieht den Urtypus,
nach welchem sie geschaffen hat. Auch die Wissenschaft bleibt
nicht dabei stehen, bloß einzelne Formen aufzunehmen; die
Morphologie zeichnet ebenfalls ewige Urtypen und bestimmt
das Gesetz der Gestalten (und unterscheidet sich dadurch von der
Praxis, der es um die Erfassung der Einzelheit als dieser be=
stimmten Form zu thun ist). Das Gesetz aber, welches die
Wissenschaft construirt, bezeichnet ein Causalitätsverhältniß im
Werden der Dinge; die Kunst zeigt vielmehr ein erstrebtes Ziel
der Natur. Sie führt aus, was die Natur angelegt hat.

Wer gelernt hat, eine Linie als Fortsetzung einer andern
zu appercipiren und so den Begriff und die Anschauung der
Fortsetzung appercipirt hat, der kann hieraus auch die Fortsetzung
der Fortsetzung appercipiren, und das kann man eine rein
apriorische Apperception nennen, welche über das in der Er=
fahrung Gegebene hinausgeht. So ist das künstlerische Bilden
eine die Erfahrung überschreitende Fortsetzung der Natur, ein
apriorisches Gestalten, eine Vollendung der Tendenz der Natur.
Natürlich muß oder kann diese Tendenz nur der Natur selbst
abgelauscht sein. Es wird eine Linie verlängert oder verkürzt,
mehr oder weniger gekrümmt; es wird die unterbrochene Linie
zusammenhängend gemacht. Für diese Correctur ist das Gefühl
der unmittelbare Maßstab.

Der Poet schafft, wie jeder bildende Künstler, Bilder aus
Natur=Anschauungen. Da er aber seine Gestalten nicht sinnlich
vorführen kann, so hat er die Aufgabe, durch einzelne Züge,
die sich durch das Wort bezeichnen lassen, die Phantasie (die
bildende Apperceptions=Thätigkeit) des Lesers zu veranlassen,
aus dem gegebenen Zuge eine Gestalt zu entwickeln. Ist er
insofern im Nachtheil gegen den Künstler, so hat er den Vor=
theil, den Gefühls=Eindruck, den die Gestalt hervorbringen soll,
unmittelbar auszusprechen und dem Leser mitzutheilen und ihn
zu veranlassen, eine Gestalt zu bilden oder zu denken, welche

solchen Eindruck hervorzubringen vermag. Er malt nicht die
Landschaft; aber er läßt uns so fühlen, als wenn wir sie sähen,
und aus diesem Gefühl heraus appercipiren wir sie, das heißt
schauen wir sie.

Demnach wirkt der Dichter in entgegengesetzter Reihenfolge
als der bildende Künstler; aber daraus dürfte kaum folgen, daß
in ihm der Gefühlseindruck mächtiger, in diesem die Anschauung
oder das Bild bestimmter sein müsse. Denn beides bedingt sich
gegenseitig. Aus dem Gefühlseindruck heraus idealisirt der
Künstler die gegebene Gestalt, und aus der scharfen Auffassung
der Gestalt bestimmt sich im Dichter das Gefühl. Jenes ob=
jective und dieses subjective Moment lehrt auch den Dichter
unmittelbar, welchen Zug er herauszugreifen hat, um mit einem
Schlage Gestalt und Eindruck dem Leser mitzutheilen.

Bei der Bildung der wissenschaftlichen Anschauung hat
jedes Gefühl zu schweigen; in der poetischen, überhaupt künst=
lerischen Apperception soll es zum Ausdruck kommen. Es wird
der Maßstab für die Fortsetzung und Correctur des Gegebenen;
denn es gilt als Inhalt der Tendenz der Natur. Der Dichter
appercipirt also jedes Ding mit dem Gefühl, welches dasselbe
erweckt. Nicht nur geht der ganze Apperceptions=Proceß unter
Leitung dieses Gefühles vor sich, sondern dasselbe kann sich so
stark hervordrängen, daß es dem Objecte selbst zugeschrieben
wird, daß das Object ganz an Stelle unserer selbst als Sub=
ject auftritt. So wie der Dichter spricht: „Ein Fichtenbaum
steht einsam Im Norden auf kahler Höh'. Ihn schläfert, mit
weißer Decke Umhüllen ihn Eis und Schnee": so stehen wir
plötzlich im eiskalten Norden und genießen dessen schauervolle
Schönheit; und so fühlen wir unmittelbar, wie uns dort zu
Muthe wäre. Und eben mit diesem Gefühle hat der Dichter
das nordische Bild appercipirt. Unmittelbar und unbewußt
verschmilzt durch die Macht des Gefühls unser Selbst mit der
angeschauten Fichte. Wir verschwinden vor uns selbst, und was
in uns rege ist, wird dem selbst zugeschrieben, was uns so er=
regt hat: denn wir sind ganz in das Bild versenkt. Wir
appercipiren uns in ihm, d. h. es als uns. — Aus
dem Gegensatze heraus appercipirt dann der Dichter die Palme;

aber er erfaßt auch zugleich den Gegensatz selbst und das zer=
störende Wesen extremer, exclusiver Zustände, und daher das
Bedürfniß der Ergänzung. Vereinsamt trauern beide, und
träumend sehnen sie sich nach einander, nach Ausgleichung ihrer
Naturen.

Liebe zur Natur ist die Ursache der poetischen Naturauf=
fassung und ihre Wirkung. Tausend Dinge, an denen wir mit
Wissenschaft gleichgültig vorübergehen, tausend Bezüge, die wir
mit kaltem Verstande völlig übersehen, enthüllt uns der Dichter,
der sie gemüthvoll appercipirt hat und uns zeigt.

Läuft denn nicht Alles, was oben über das Wesen der
Kunst gesagt ist, darauf hinaus: Kunst ist, Alles mit Liebe
sehen und Jedes so erscheinen lassen, wie der es Liebende es
sieht? — Und ist Liebe etwas Anderes als Tausch der Ge=
müther? sich im Andern, also den Andern als sich appercipiren?
Und das ist Poesie.

Danach können wir aber vier Apperceptions=Verhältnisse
unterscheiden. Es kann erstlich der Dichter irgend eine Be=
ziehung zwischen Naturwesen in tiefer Symbolik, und insofern
ganz objectiv, und doch so darstellen, daß wir unmittelbar ein
großes Verhältniß anschauen und fühlen: wie dies in dem
Heine'schen Gedichte geschieht. — Oder es wird zweitens an
etwas Natürliches etwas Menschliches angeknüpft, angelehnt: eine
Apperception nach Analogie. In einem natürlichen Ereignisse
wird ein menschliches Schicksal erfaßt, oder umgekehrt. So
wenn uns Freiligrath zuerst die Tanne auf des Berges
Höhen vorführt und sie dann als starken Mast inmitten der
Fregatte zeigt. Der Dichter führt uns das Schicksal des
Baumes vor und er verkündet, was dieser aus uns heraus
spricht, oder wir aus ihm, und er spricht aus, wie ihn oder
uns, unbefriedigt von allem was wir bei der Reise um die
Erde erfahren haben (wir im Baume), ein starker Zug nach
dem Heimathberge zieht. — Oder drittens es tritt ein bloßes
Spiel, ein Unterschieben ein. Doch Spiel gehört zur Liebe.
So schreibt man dem Baume oder der Bergspitze einen mensch=
lich gedachten Verkehr mit den Wolken zu und den Wurzeln
mit den Metallen und Edelsteinen. Das Mädchen, das durch

Blumendüfte vergiftet wird, wird von den Geistern der abge=
schnittenen Blumen aus Rache getödtet. Dieses Spiel belebt
die Anschauung und behält darum als ein untergeordnetes Ele=
ment, als poetischer Schmuck, seine Berechtigung. Wir schmücken
gern den Gegenstand unserer Liebe; und obwohl wir wissen,
daß der Schmuck nicht zur Person der Geliebten gehört, hängen
wir ihr denselben dennoch um, weil er schön läßt. — Wenn
aber endlich viertens unmittelbar aus der Mythologie her die
Kräfte der Natur mit belebten und bewußten Wesen vertauscht
werden, wenn die Naturdinge mit den Augen des Märchens
angesehen werden, ohne daß dieses Märchen an sich einen be=
sondern Werth beanspruchen kann; wenn man meint, man könne
uns den Wald lieb und werth machen, wenn man ihn als
Zauberwald darstellt, Alles darin als verhext, die Natter als
ein Königskind u. s. w. u. s. w., so fragt man allerdings, wie
mir scheinen will, mit Recht, wie lange man wohl noch an
dergleichen Gefallen finden wird, oder wer wohl heute noch an
dergleichen Gefallen findet. Nur wenn wir uns dann mit be=
wußter Ironie in das kindliche Vorstellen zurückversetzen, kann
diese Poesie genossen werden.

Ueberhaupt aber ist der wichtigere Gegenstand der Poesie
nicht die Natur, sondern das menschliche Leben. Dieses soll
uns die Dichtung in seiner Wahrheit vorführen. Der Natur
ist der ideale Inhalt von uns eingedichtet; dem Menschen=Leben
wohnen die Ideen ursprünglich inne. Die Dichtung, welche
die Natur ergreift, versenkt den Geist in einen ihm nicht homo=
genen Stoff, bewirkt eine Vermählung aus Leidenschaft. Wenn
sie aber den idealen Gehalt der Beziehungen zwischen Mensch
und Mensch oder das Verhältniß des Menschen zu sich selbst
und zum Schicksal in Ereignissen aus dem Menschen=Leben
darlegt, so bewegt sie sich in einem Kreise, dessen sämmtliche
Factoren ihrem Wesen nach zu einander passen. Sie schreibt
freilich nicht die Wirklichkeit unmittelbar ab: Wahrheit ist nicht
Wirklichkeit — ist ihr aber doch nicht fremd. Die Dichtung
kann, wie sie nicht Physik zu lehren versteht, auch nicht die
Räthsel des Menschen=Schicksals lösen; aber sie giebt uns den
Werth alles wahrhaft Menschlichen zu fühlen. Sie ist weder

Geschichts=, noch Religions= und Lebens=Philosophie; aber sie
läßt uns fühlen, wie wir in höchster Form Menschen sind.

Wie appercipirt der Dichter das menschliche Treiben? Nicht
wie der Geschichtschreiber oder Ethiker, nicht wie der Statistiker,
nicht wie der Richter und Polizist. Die Letzteren, der Praxis
gewidmet, suchen irgend eine einzelne That in ihrer Vereinzelung
nach ihrem Verlaufe genau festzustellen, und schließlich ist die
Frage: ist hierbei irgend ein Recht oder Gesetz verletzt oder
nicht? Es kommt darauf an, die Thatsache so zu appercipiren,
wie sie sich wirklich begeben hat. Der Statistiker will aus den
Summen gleichartiger Fälle von Ereignissen und Thaten aus
dem Menschen=Leben allgemeine Verhältnisse, wo möglich Ge=
setze bilden. Das liegt dem Dichter ganz fern. Er appercipirt
wohl gelegentlich einen Polizei= oder Criminal=Fall, den er
entweder unmittelbar erlebt hat oder den er einer actenmäßigen
Darstellung entlehnt. Aber auch hier wird ihm die Anschauung
zum Bilde, die einzelne, halb oder ganz zufällige Geschichte
wird zum Bilde der menschlichen Natur. Der Apperceptions=
Proceß vollzieht sich hier ganz analog dem des bildenden
Künstlers bei der Auffassung der Gestalt des einzelnen Natur=
wesens. Namentlich aber hat er die Lücken der unterbrochenen
Linien auszufüllen und engen Zusammenhang herzustellen.

Der Künstler muß genau wissen, welche Lage jeder Theil
des Körpers bei irgend einer Bewegung annimmt; wie sich bei
jeder Haltung die Oberfläche gestaltet. Was dagegen unter
der Haut vorgeht, das braucht er eigentlich nicht zu wissen,
denn das ist der Mechanismus, mit dem er sich nicht beschäftigt.
Eine analoge Scheidung zwischen Oberfläche und Anschauung
einerseits und verdecktem Mechanismus andrerseits läßt sich auch
im geistigen Leben machen, wenn auch in unräumlicher Weise.
Was ein bestimmter Mensch unter gewissen Umständen thun
wird, weiß Jeder aus Lebens=Erfahrung ohne Psychologie.
Was nun solche Erfahrung weiß, ist Oberfläche (obwohl sie
ins Innerste dringt); was die Psychologie hinzuthut, ist die
Analyse des Mechanismus. Wenn der Himmel eine gewisse
Färbung zeigt, so schließt Jeder auf Regen, auf Donner und
Blitz, auch wer nicht weiß, was jene Färbung eigentlich bedeutet

und was Donner und Blitz und Regen wirklich ist. Wer be=
hauptet, er kenne den Charakter eines Menschen, was weiß er
wohl von ihm? Er hat bemerkt, wie sich dieser in zehn, in
hundert Fällen benommen hat, und er glaubt zu wissen, wie
er sich in jedem Falle, in den er gerathen sollte, benehmen
würde. Fordert man ihn auf, den Charakter dieses Mannes
zu bezeichnen, so gebraucht er vielleicht ein allgemeines Beiwort
wie „gut", oder, da ihm dies wohl nicht genügt, er erzählt,
wie sich derselbe einmal benommen hat; ja vielleicht sagt er,
der Mann sei so, daß er in einem solchen oder solchen Falle,
der als möglich gedacht werden könne, sich so oder so benehmen
würde. Er erdichtet einen Fall, um zu charakterisiren. —
Das Wissen, was ein Mensch im gegebenen Falle thun wird,
ist ein Schluß aus Analogie, auf einen Fall nach hundert ähn=
lichen Fällen. Das Erdichten eines Falles und des dabei zur
Erscheinung kommenden Benehmens ist eine schöpferische Apper=
ception nach Analogie. Solch ein Erdichten schafft eine
Dichtung, wenn der Fall eine werthvolle Idee des
geistigen Lebens verwirklicht.

Jeder Dichtung liegt doch mindestens so viel Wirklichkeit
zu Grunde, wie irgend einem Bilde. Wenn aber eine wirkliche
Begebenheit zur poetischen Fabel gestaltet werden soll, so wird
sie derartig appercipirt, daß Anfang und Ende und alle Punkte
miteinander nach den allgemein geltenden Erfahrungen über
menschliche Charaktere und über Ursache und Folge im mensch=
lichen Verkehr in Zusammenhang gesetzt, was in diesen nicht
paßt, ausgesondert oder umgestaltet, was in demselben fehlt,
hinzugedichtet werde. Was hierüber für viele Dichtwerke in
ästhetisch = kritischer und dramaturgischer Beziehung bemerkt
worden ist, dürfte ein fruchtbarer Gegenstand für psychologische
Forschung werden.

Die Dichter unterscheiden sich gewiß in der Rücksicht, ob
die nothwendige, idealisirende Umgestaltung der gegebenen Ge=
schichte unmittelbar, ohne Sinnen vorgenommen wird, so daß
nicht sowohl der Dichter am Vorliegenden ändert, als dieses
vielmehr von selbst sich im Bewußtsein des Dichters unbewußt
umgestaltet; oder ob das Ergänzen und Abändern stückweise

geschieht, wie auch die Lücken erst nach und nach gefunden
werden. Wichtiger aber ist jedenfalls, ob überhaupt die Umge=
staltung zum vollen Bilde glücklich ausgeführt ist.

Der Künstler hat nicht nur zu beachten, welche Form der
Arm bei solcher Haltung zeigen muß, sondern auch, ob es der
Arm einer Diana oder einer Venus ist; d. h. maßgebend für
alle Gestalt und alle Causalität ist die Idee. So ist auch für
die Gestaltung einer Thatsache in Bezug auf Bestimmung des
Charakters, wie auf den Ablauf der Ereignisse und Thaten die
Idee, mit welcher sich der Dichter dem Gegenstande naht, das
innerlichst und entschieden maßgebende Moment. Das wird
besonders einleuchtend, wenn man vergleicht, wie derselbe My=
thos, dieselbe Sage, dieselbe geschichtliche Thatsache in ver=
schiedenen Tragödien behandelt worden ist. Denn die Idee
bestimmt zunächst den Ablauf des Ereignisses, dieser aber ist
in solcher Form nur unter Voraussetzung bestimmter Charaktere
möglich.

Kommen wir jetzt zur Vergleichung des Dichters mit dem
Prosaiker. Wir dürfen wohl die Philosophie und die rationale
empirische Wissenschaft, welche Begriffe, das abstract Allgemeine
oder Ideen in ihrer Abstractheit suchen und mit Begriffen
operiren, ohne weiteres hier ausscheiden; denn ihr wesentlicher
Unterschied liegt auf der Hand. Die Kunst zeigt die Idee im
Einzelnen, in einem Bilde; für jene Wissenschaften kommt das
Einzelne als solches gar nicht in Betracht. Anders ist es mit
der Geschichte.

„Die Geschichte hat es mit der Zusammenfassung zur Ge=
sammtheit, zum Ganzen zu thun, aber nicht mit dem Allge=
meinen .... Die Wissenschaft arbeitet mit logisch allgemeinen
Begriffen, die Geschichte mit Verdichtungen und Vertretungen;
zwar wird auch in diesen ein Mannichfaltiges zusammengefaßt
und als Einheit gedacht, aber der concrete Inhalt soll darin
als dies Besondere erhalten bleiben. Die Wissenschaft sucht
Gesetze, die Geschichte jedes einzelne Factum und die Gesammt=
heit derselben; letztere hat es allemal mit diesen bestimmten
Personen, Thaten, Begebenheiten zu thun; ihre Aufgabe ist das
Einzelne als concrete Individualität, als individueller Proceß"

(Lazarus, diese Zeitschr. III, S. 408). — Hiernach ist offenbar die Prosa der Wissenschaft einerseits der Poesie ebenso
entgegengesetzt, als sich andererseits die Geschichtschreibung mit
der Dichtkunst, fast sollte man meinen, identificirt.

In der That, wenn ich lese, wie man zuweilen die Geschichtschreibung der Poesie entgegenstellt, so muß ich vor Allem
leugnen, daß die behaupteten Unterschiede stattfinden, und schon
einmal habe ich (Geschichte der Sprachwissenschaft bei den
Griechen mit besonderer Rücksicht auf die Logik S. 267) behauptet: „Die Geschichte ist nicht nur philosophischer, sondern
auch poetischer als die Poesie." Dies ist freilich cum grano
salis zu nehmen. Daß es übrigens Kapitel der Geschichte
giebt, die uns unmittelbar wie Dichtung anmuthen, wird wohl
niemand leugnen. Doch sehen wir die Sache näher an.

Ausgehen müssen wir von dem Grundgedanken: Ist die
Geschichte Auffassung der Idee der Menschheit in ihrer realen
Entwicklung, so haben wir in ihr die höchste und umfassendste
Idee in wirklicher Gestalt. Und gilt dies von der Geschichte
als Ganzheit, so ist dies nothwendig auch wahr von jedem
Theile derselben je nach Verhältniß. Hierauf beruht in Wahrheit die tiefe innere Verwandtschaft zwischen der Geschichtschreibung und der Dichtung, wie Wilhelm von Humboldt
sie in seiner berühmten Abhandlung dargelegt hat. Vischer
glaubt folgenden Unterschied hervorheben zu müssen (3,1208).
Durch Ausscheidung des störenden Zufalls vollbringe die Poesie
die Versöhnung des Thatsächlichen mit der Idee „hier, auf
diesem Punkte", während die Geschichte, welcher es um den
Stoff als solchen zu thun sei, solche Ausscheidung nicht vornehmen dürfe, jene Versöhnung also nur durch den weiten Blick
über die Zeiten und Ereignisse gewinne. Hiergegen muß geltend gemacht werden, daß was man gewöhnlich Trübung der
Idee nennt, dies in Wahrheit nicht ist, sondern nur dem be-
schränkten Blicke so erscheint; und dann läuft der Unterschied,
der noch verbleibt, auf ein rein quantitatives Verhältniß des
von der Poesie und von der Geschichte eingenommenen Hori-
zontes hinaus. Die Geschichte verlangt einen weitern und tiefer
eindringenden Blick als die Poesie. Abgesehen nun davon, daß

fie die schwerere Mühe und Arbeit durch ein gediegneres Er=
gebniß vergütet, ist auch der quantitative Unterschied an sich
betrachtet gar nicht so groß, wie ihn Bischer hier hinstellt.
Von einer Aussöhnung, die hier, auf diesem Punkte vollzogen
werde, kann doch höchstens nur beim bildenden Künstler die
Rede sein. Sein Werk ist wesentlich zeitlos und nimmt eine
keine Spanne des Raumes, ein Hier, ein. Diese Spanne ist
jedoch nicht so klein, daß nicht auch hier das Auge eine dis=
cursive Arbeit zu vollziehen hätte. Lassen wir nun einmal das
lyrische Werk unberührt, so gilt jenes „Hier" gewiß nicht vom
dramatischen, noch weniger vom epischen Gedicht. Dem letztern
ist es wahrlich nicht um schleunige Erfüllung zu thun, und
auch dem Dramatiker nicht, Shakespeare und Schiller noch
weniger als Aeschylus, der übrigens nicht nach den einzelnen
Stücken, sondern nach seinen Trilogieen beurtheilt werden muß.
Kann man also wohl beim Drama von einem „Hier und diesem
Punkte" reden? Muß man nun vielmehr auch hier die epito=
mirende (verdichtende) Kraft des Geistes in Anspruch nehmen,
so kommt es nur darauf an, wie geübt, wie stark diese Kraft
ist. In der Geschichte giebt es allerdings noch mehr retardirende
Momente als im Epos; aber für uns ist ein Jahrhundert und
ein Jahrtausend ein „Hier", ein „dieser Punkt".

Wesentlich ist der andere Punkt, den ich kurz so ausdrücken
möchte: der Dichter motivirt, der Historiker causirt. Was ich
meine, wird aus früher mehrfach Wiederholtem klar. Der Ge=
schichte kommt es auf die Ursachen an, wie sie im Getriebe der
wirklichen Verhältnisse gegeben sind. Ihr erscheint alles als
Ereigniß, wenn auch als geistiges, weniger aber als individuelle
That, wie sie sich im Scheine darstellt.

Kurz: die Geschichte im objectiven Sinne mögen wir
immerhin ein Kunstwerk nennen, das unendliche Drama. Der
Historiker aber verhält sich zu diesem Drama nicht als Dichter;
weder dichtet er es, noch dichtet er darüber; sondern sein Ver=
halten zur wirklichen Begebenheit ist eher das des Kritikers,
der eine Kunstrede nach Inhalt und Form darlegt, zum tiefsten
Verständniß bringt. — Mit gleichem Rechte ließe sich sagen,
der Dichter sei der Interpret der Geschichte, d. h. mit gleichem

Unrechte. Was er thut, ist etwa Folgendes. Vor unsern Augen
ist ein Blatt mit unzähligen sich nach allen Richtungen durch=
schneidenden Linien bezogen. Unter diesen giebt es einige,
welche eine schöne Figur bilden. Aus dem Linien=Gewirre aber
findet das gemeine Auge diese Figur nicht heraus. Der
Künstler nun ist es, der uns dieselbe zeigt, ihre Umrisse mit
dem Stabe verfolgend oder durch Färbung in das Gesicht
fallen lassend.

Das ist ein Gleichniß. Die Sache in ihrem psychologischen
Wesen ist diese. Der Historiker erkennt in den Thatsachen die
Idee; er umfaßt sie als Mann der Wissenschaft nach ihrem
abstracten Inhalte durch Begriffe und vermittelt sie durch Ab=
straction und verständige Thätigkeit mit den einzelnen Begeben=
heiten, wie er auch diese für sich nach Gesetzen unter einander
zusammenhängend erkennt. So mag immerhin das Ergebniß,
wenn es vollständig gelungen ist, für den Historiker eine große
Geschichts=Anschauung sein, die wiederum wie die Geschichte
selbst als ein Kunstwerk gelten kann: das historische Werk aber,
die Thätigkeit des Urhebers wie des Lesers, ist doch nur ver=
mittelnd und hat die Erzeugung jener Geschichts=Anschauung
zum Ziele, ohne dieselbe darzustellen. Der Dichter hingegen
erfaßt die Idee und stellt sie dar unmittelbar in der Thatsache,
ohne sie von dieser getrennt noch besonders auszusprechen, ohne
sie überhaupt anders zu haben als in diesen. Er braucht
es weder, noch könnte er seinem Werke ein haec fabula docet
beifügen.

Wenn also auch die Geschichte im objectiven Sinne ein
Kunstwerk sein mag, so ist doch die Geschichts=Anschauung nur
in dem Sinne schön, wie die Anschauung eines schönen Natur=
Objects. Außerdem tritt noch folgender Unterschied hinzu.
Die ästhetischen Gefühle, welche die Natur=Anschauung erweckt,
sind von der naturwissenschaftlichen Erkenntniß ganz unabhängig.
Ob wir unser Zimmer mit Blumen schmücken, ob wir uns des
bunten Wiesenteppichs freuen, ob wir uns an Berg und Wald
und Vogel, an Sonnenschein und Luft ergötzen: das hat gar
nichts mit Botanik, Geologie u. s. w. gemein, wird dadurch
nicht gestört, vielleicht erhöht. Wenn nun aber der Botaniker

den Baum ästhetisch genießen kann, ohne sich dabei seiner Wissenschaft als solcher zu erinnern, so ist der Historiker gegenüber der Geschichte nicht in gleicher Lage. Er hat die Geschichte immer nur als wissenschaftliches Ergebniß in sich. Dieses aber besteht wesentlich, neben anschaulichen Thatsachen, aus abstracten Vermittelungen derselben, die nichts Aesthetisches an sich tragen.

Wenn man, wie man doch sollte, unter Anschauung nur die Auffassung oder Reproduction von sinnlich Wahrnehmbarem versteht, so sollte man gar nicht von wissenschaftlicher und auch nicht von Geschichts=Anschauung reden, da ja der wesentliche Inhalt dessen, was hierunter verstanden wird, nichts Anschaubares, sondern etwas Begriffliches und Abstractes ist. Man würde auch nie von dergleichen gesprochen haben, wenn nicht folgender Gedanke zu Grunde gelegen hätte, der eine wesentliche Verwandtschaft zwischen der sinnlichen und der so zu sagen geistigen oder allgemeinen Anschauung zu begründen schien.

Der Anschauung eigenthümlich ist, gegenüber dem discursiven Denken, die Gleichzeitigkeit der das Ganze ausmachenden Theile, im Unterschiede gegen deren Aufeinanderfolge im Urtheilen und Folgern. In so weit es nun gelingt, lange und mit einander verflochtene Gedanken=Reihen gleichzeitig im Bewußtsein gegenwärtig zu haben, entsteht die Meinung, dies bewirke ebenfalls eine Anschauung, und zwar höherer Art. Daß die Gleichzeitigkeit hier doch nicht ganz vollständig ist, wird wenig in Anschlag gebracht; denn sie ist es bei der Anschauung eines auch nur einigermaßen großen und reichen Bildes auch nicht. Genug daß, wie hier der sinnliche Blick, so dort der innere Sinn nur wenig Bewegungen auszuführen hat, die sich leicht dem Bewußtsein entziehen. Ferner legen wir leicht einem Gedanken=Schema (wie schon dieses Wort besagt) räumliche Gestaltung unter. Indem so ein Schein der Anschauung entsteht, meint man auch in ihr ästhetische Elemente zu haben.

Genauere psychologische Betrachtung aber lehrt, daß jenes gleichzeitige Ueberschauen großer Gedanken=Gewebe durch ein Mittel erreicht ist, welches der ästhetischen Anschauung sehr fern steht, nämlich durch Verdichtung oder gar bloß Vertretung.*) Wenn Jemand die Parteien, welche in der ersten französischen Revolution nach einander zur Herrschaft gelangten, jede mit einem treffenden Beinamen bezeichnet, welcher die Bestrebungen derselben ausdrückt, so kann dies eine Verdichtung sein, und die Vergegenwärtigung dieser Beinamen kann die ganze Geschichte der Revolution so vertreten, daß man dieselbe anzuschauen meint. Jene Epitheta aber, auf welchen dieser ganze Proceß beruht, sind Vorstellungen ohne wesentlich anschauliches Element, vielleicht allgemeine Begriffe, die selbst schon nicht sowohl Verdichtungen, als vielmehr ziemlich inhaltsleere, jedenfalls ganz abstracte Vertretungen sind.

Solche Verdichtungen und Vertretungen aber sind allerdings dem Geschichtsforscher unentbehrlich, gehören der Geschichtsbetrachtung wesentlich an, und zwar derartig, daß zuerst die Einzelheiten einer Begebenheit in solchen verdichtenden oder stellvertretenden Gebilden des Geistes zusammengefaßt, dann aber die so gebildeten Verdichtungen von neuem verdichtet oder vertreten werden, und so fort in immer umfassenderer Weise, bis zu den letzten Zusammenfassungen, wie sie uns in „Alterthum, Mittel-Alter, Neue Zeit" geläufig sind. So kann, mehr als bloß scheinbar, der Historiker die ganze Menschen-Geschichte im Bewußtsein gegenwärtig haben.

Die Poesie arbeitet ebenfalls mit gewissen Verdichtungen und Vertretungen. Dichtung ist ja schon ihrem eigentlichen Wesen nach nichts Anderes als Verdichtung von vielen Thatsachen zum Ausdruck einer Idee, zu einem idealen Bilde. Aber abgesehen davon bedarf sie der Vertretungen, wie der dichtende Volksmythos, zum Behufe der Motivirung; indessen die Form, in welcher sie hierbei vorgeht, ist von der des Historikers verschieden, ergiebt doch wieder nur ein anschauliches Bild. Ein Held ist in Wirklichkeit durch Intriguen der Höflinge untergegangen.

---

*) Ich bitte den Leser, hierbei und für diesen ganzen Abschnitt über Geschichte sich das zu vergegenwärtigen, was Lazarus in dieser Zeitschr. Bd. III. S. 402—406 bemerkt hat.

Diese vielen kleinen, gemeinen Geschichtchen erlangen eine den
Helden vernichtende Macht. Indessen sind sie ganz und gar
unpoetisch. Der Historiker kann sich, wenn der Charakter der
maßgebenden Persönlichkeiten dargestellt ist, damit begnügen,
alle jene Geschichtchen durch den Begriff „Intrigue" vertreten
sein zu lassen. Der Dichter muß ebenfalls eine Vertretung
schaffen, aber durch eine vielleicht ganz fingirte Geschichte, welche
den Charakter der wirklichen zeichnet und die Wirkung derselben
haben kann. Denn seine Motivirung, der Zusammenhang, den
er zwischen den Ereignissen und Thaten aufdeckt, muß unmittel=
bar faßlich, anschaulich sein.*)

-----

*) Es würde zu weit in die Technik der Poesie, namentlich des Dramas
führen, wollten wir das oben über die poetische Verdichtung Bemerkte
weiter ausführen. Das Gesagte wird genügen, um unsern Gedanken klar
auszudrücken. Nur folgende zwei Punkte hinzuzufügen kann ich mir nicht
versagen.

Daß den neuern Dichtern das historische Drama noch nicht recht hat
gelingen wollen, scheint mir hauptsächlich daran zu liegen, daß sie nicht genug verdichtet haben. Diese Arbeit an dem geschichtlichen Stoffe ist unum-
gänglich, kann freilich nur auf Kosten der Treue gegen den geschichtlichen
Buchstaben vollzogen werden, findet aber volle Freisprechung, wenn dadurch
die Treue gegen den geschichtlichen Geist gewinnt. Und nach unserer Ansicht
ist der geschichtliche Geist der höchst poetische. Es gehört aber eine viel
mächtigere Gestaltungskraft dazu, die Geschichte, als den Mythos dichterisch
zu bearbeiten.

Das Zweite soll dies sein. Ohne Verdichtung wird kaum ein Drama
bestehen können, und dies oder die Natur solcher Verdichtungen scheint mir
die Kritik des Realisten zuweilen verkannt zu haben. Die Forderung kann
freilich gestellt werden, daß irgend ein thatsächlicher Zug, der in der Absicht
der Verdichtung erfunden ist, nicht nur seinem Inhalte nach diesen Dienst
leiste, viele oder mehrere Thatsachen gleicher Art vertrete und so zur Darstellung bringe, sondern daß er auch allein und für sich (da er eben nur
allein erscheint) die Kraft habe, das hinlänglich zu leisten, was jene Masse
leistet, welche er vertritt. Eine erfundene Intrigue z. B. müsse, so läßt sich
fordern, die Wirkung haben können, welche die hundert in Wirklichkeit an-
gesponnenen Intriguen, welche von jener vertreten werden, gehabt haben.
Nur scheint mir, mit dieser Forderung dürfe nicht voller Ernst gemacht
werden; es giebt (und muß geben) eine gewisse, möchte ich sagen, poetische
Convention. Die Oper ist ohne Anerkennung solcher Convention undenkbar.
Wollten wir dem Dichter ohne diese Bereitwilligkeit entgegentreten, so

Fassen wir nun die Unterschiede zwischen Geschichte und Dichtung zusammen.

Zu dem Hauptunterschiede, daß

1) der Dichter die Idee unmittelbar in einem Vorgange, in einer That, zur Erscheinung bringt, während der Historiker durch mühsame wissenschaftliche Denkprocesse aus Thatsachen Ideen entwickelt, wobei immer Thatsachen und Ideen, eben weil sie erst vermittelt werden, auch aus einander gehalten werden — tritt

2) in Bezug auf die Vermittelung der Thatsachen unter sich der andere, nicht minder wesentliche Unterschied hinzu, den wir oben mit den Worten bezeichnet haben: „der Historiker causirt, der Dichter motivirt", und welcher folgende Sätze in sich schließt:

a) Der Historiker vermittelt die einzelnen Momente einer Begebenheit und Begebenheiten mit einander causaliter durch Nachweis einer gesetzlichen Wirkung und Folge, der Dichter durch anschauliche Momente, deren Zusammenhang unmittelbar einleuchtet.

b) Der Historiker schafft Verdichtungen und operirt mit Hülfe von Vertretungen; der Dichter kann Vertretungen, weil sie des anschaulichen Inhaltes entbehren, gar nicht in Anwendung bringen, und die Verdichtungen, welche auch er schaffen muß, sind anderer psychologischer Art. Der Historiker verdichtet große Massen von Einzelheiten in gehaltvollen höheren Begriffen, der Dichter wiederum nur so, daß in einer anschaulichen Thatsache der Sinn und Werth sehr vieler Thatsachen mit einem Schlage geboten wird.

---

würden die größten Tragödien dem vernichtenden Tadel um so weniger entgehen, als es sich meist gerade um die Motivirung des tragischen Zusammenstoßes oder des Ausganges handelt. Nur unter der Voraussetzung, daß eine Scene etwas bedeuten könne, was sie eben nur andeutet, nicht wirklich hinstellt, ist der Anfang des Lear, der Räuber, ist die Scene mit dem Tuche in Othello, mit dem Briefe in Kabale und Liebe, mit der unterbrochenen Post in Romeo und Julie gerechtfertigt.

VI.
Dichtung in Prosa.

Kein Zug unterscheidet die schöne Litteratur der neuern
Völker gegen die der alten so augenscheinlich als die Novellen
und Romane in Prosa. Sie sind für uns von so großer
Wichtigkeit, daß nicht nur der Litterarhistoriker ihnen einen
weiten Platz einräumen muß, sondern auch der Aesthetiker nicht
umhin kann, ihnen in seinem Systeme eine Stelle anzuweisen.
So bedeutend sie nun auch für das geistige Leben der letzten
Jahrhunderte gewesen sind, und obwohl sie heute eine ganz
hervorragende Rolle spielen, so scheinen doch die Aesthetiker
über ihren Werth noch zweifelhaft, ja oft genug wird diese
Gattung als zwitterhaft verurtheilt.

Bedenkt man, wie groß der Reiz der Verse ist, und wie
wenig Mühe unsern Dichtern die Verse machen, so kann schon
die Bereitwilligkeit, mit welcher Schriftsteller und Leser auf
diesen Schmuck verzichten, den genügenden Beweis liefern, daß
jene Dichtungen nicht zufälligen Ursachen ihr Dasein verdanken
und nicht Erzeugnisse mangelhafter Schöpfungskraft sind. Sie
müssen vielmehr als eine nothwendige Entwickelungsstufe der
Poesie angesehen werden.

In Poesie und Philosophie begann das staunende mensch=
liche Auge, welches die Welt erfassen sollte, mit dem Himmel
und senkte sich allmählich zur Erde, begann mit dem Fernsten
und dem Fernen und kam immer mehr zum Nahen und Nächsten.
So ist die älteste Poesie Götter= und Heroen=Dichtung und
steigt allmählich in das menschliche Getriebe hinein. Die No=
vellen und Romane (wie auch das bürgerliche Drama) ver=
lassen die höheren Lebensbethätigungen der menschlichen Gesell=
schaft und greifen in das sociale, das Familien= und das indi=
viduelle Leben. Will man leugnen, daß es hier eine unerschöpf=
liche Fülle von Gegenständen giebt, welche unser reinstes und
höchstes Mitgefühl erwecken, Ideen, welche die idealste Gestal=
tung zulassen? Jener unendliche Kreis von Gemüthsbewegun=
gen, welcher nicht unmittelbar in die Geschichte gehört, aber
den Zustand des Nationalgeistes ausmacht, das Einzelne, in

welchem der Gesammtgeist, die Institution, die Cultur und Civilisation einer Zeit sich bethätigt, muß wohl einen allgemein menschlichen Gehalt haben und poetischer Idealisirung fähig sein. Ja, hier hat die Poesie ihre größte Aufgabe, nämlich die, im Verkehr, wie Bedürfniß und Nothwendigkeit ihn bedingt, also in der eigentlichen, gemeinen Prosa des Lebens die Poesie, die Idealität, zu enthüllen.

Weil es nun darauf ankommt, den rein prosaischen Stoff zum poetischen Bilde zu gestalten, so kann hier auch der Mechanismus des menschlichen Handelns und Treibens, auch alles, was wie Staatsformen und Einrichtungen und Gesetze und Convention von umfassenderer und beschränkterer Geltung den Menschen unfrei macht, ihn treibt und drängt, so kann der ganze Niederschlag der Geschichte, der, an sich todt, der fortwährenden Belebung durch geistige Bethätigung bedarf, so kann nichts, was zur nackten Wirklichkeit gehört, aus dieser Art der Dichtung ausgeschlossen werden. Nicht nur die Bosheit, auch die Rohheit findet hier Zugang.

Wo ist denn nun die Grenze zwischen solcher Dichtung und — ich sage nicht der Geschichte, sondern den Criminal-Erzählungen und den alltäglichen Lebenserfahrungen?

Diese Frage zu beantworten, kann schwer sein. Daß aber ein Unterschied besteht, und zwar ein schneidender, sagt uns das Gefühl, mit welchem wir eine große Anzahl von Novellen und Romanen lesen.

Wesentlich mag Folgendes sein. Wenn uns gerichtliche Aktenstücke und Begegnungen oder Erfahrungen zeigen, wie gemein, wie schwach und unfrei der Mensch ist, so soll die Dichtung zeigen, wie im Gegentheil der freie Mensch gegen die Schranken, in welche er gezwängt ist, machtvoll ankämpft, um sie zu durchbrechen oder daran zu Grunde zu gehen. Auch hier herrscht die ganze Tragik mit allen ihren Gesetzen und in voller Strenge und Macht, nicht anders als bei Aeschylus; der einzige tragische Held, Prometheus (der einzige, obwohl höchst vielgestaltige Held) tritt auch in jedem Roman und in jeder Novelle auf: der Mensch im Kampfe mit seinem Schicksal. So proteusartig der Mensch, so vielgestaltig ist auch der Gott oder das Schicksal, gegen welches er anzukämpfen hat, und welches wesentlich selbst ein menschliches, ja des Helden eigenes Werk ist. Zwischen dem Helden des Romans und dem des Dramas ist kein so wesentlicher Unterschied; nur der Widerstand, welcher ihm entgegentritt, ist hier und dort ein anderer, und dem= gemäß ist dann auch die Weise der Vermittelungen eine andre. Der Glanz des idealen Scheines ist gedämpft; nur stellenweise bricht er ungehemmt hervor. Viele Einzelheiten sind an sich ganz unpoetisch, ganz und geradezu der Wirklichkeit entnommen; nur der größere Zusammenhang, in welchen sie verwoben sind, die weiteren Umrisse des poetischen Bildes, innerhalb deren sie gestellt sind, nehmen ihnen die Stumpfheit und Starrheit, ver= leihen ihnen Glanz und schöne Beweglichkeit.

Realismus ist der Grundzug der Novellen und Romane, und man möchte behaupten, daß das Maß ihres Werthes nicht so sehr von der Erfüllung aller dichterischen Forderungen ab= hänge, als davon, wie sehr der Kreis von Charakteren, Ver= hältnissen und Ereignissen, innerhalb dessen uns ein poetisches Bild aufgerollt wird, der Wirklichkeit gleich kommt. Wie in der Baukunst alle Pfeiler, Säulen und Balken und Wände, indem sie in schönen Verhältnissen zu einander stehen und ein schönes Ganzes bilden, doch auch einen realen Dienst leisten nach mechanischer Gesetzmäßigkeit, und zwar nicht versteckt, son= dern ganz offenbar den Dienst, den sie leisten, zur Schau stellend, so mögen auch im Roman alle Theile nach den Ge= setzen und Formen der Wirklichkeit zusammenhängen und müssen doch als Ganzes und darum in diesem Ganzen auch an sich als schön erscheinen.

Wie der Roman vermag, was das Drama nicht würde, gemeine Bausteine zu verwenden und einen poetischen Bau hin= zustellen, das würde sich nur zeigen lassen, wenn auf die ver= schiedene Technik beider genauer eingegangen würde, was an diesem Orte nicht geschehen kann. Nur an den Grund=Unter= schied werde erinnert. Das Drama führt vor die äußern Sinne, der Roman nur vor den innern Sinn. Darum wird der Geist vom Roman theils in schwächerer Abhängigkeit ge= halten, theils zu größerer Selbstthätigkeit angeregt. Alle Kunst des Romans besteht nun darin, das Gemeine so hinzustellen, daß es sich dem Geiste so wenig fühlbar wie möglich macht, das Ideale dagegen fortwährend in wirksam erregender Kraft zu erhalten, so daß das Gemeine vom Idealen ununterbrochen zerschmolzen wird.

Von der Geschichte aber bleibt der Roman gerade so fern, als er einerseits mitten in der Poesie steht, andrerseits aber das persönliche Leben der Individuen auffaßt. Was ist denn aber ein historischer Roman? Der Roman hat ja nothwendig immer eben so wohl die allgemein menschlichen Gefühle und Beziehungen zum Gegenstande, als er auch gewisse historische Zustände nothwendig voraussetzt. Wir nennen aber einen historischen Roman einen solchen, der uns den Einfluß großer geschichtlicher Ereignisse auf ein Familien= und persönliches Leben, ihren Eingriff in dieses darstellt, wobei auch wohl die geschichtlichen Persönlichkeiten in ihren persönlichen Beziehungen und Gefühlen vorgeführt werden. Auch hier bleiben wir der eigentlichen Geschichte fern, welche nur den Hintergrund des Gemäldes liefert.

Es ist schon angedeutet, was doch noch ausdrücklich gesagt werden mag, daß Alles, was hier von Roman und Novelle gesagt ist, auch für das prosaische Drama gilt. Der Unterschied liegt nur in der specielleren dichterischen Form.

VII.
Anhängende Schönheit der Redewerke.

Wir haben in den frühern Paragraphen die wissenschaftlichen Werke allseitig von der Kunst abzusondern gesucht. Es sei hier noch einmal daran erinnert, daß dies aus den zwei Hauptgründen geschehen ist: erstlich, daß die Wissenschaft das Wahre und nicht das Schöne will, und zweitens, daß sie an sich gar nicht die Aufgabe hat, darzustellen, während Darstellung gerade Sache der Kunst ist. Hier liegt es uns ob, nachzuweisen, inwiefern dennoch Elemente der Schönheit sich auch in der Wissenschaft geltend machen können.

Freilich nicht im Wissen an sich. Aber nicht bloß soll das Gewußte auch mitgetheilt werden, was nur durch Darstel-

lung geschehen kann; sondern nach der Natur unseres Bewußt=
seins, welches ja nicht ohne Unterbrechung den gesammten In=
halt unseres Geistes gegenwärtig haben kann, wird es für den
Wissenden selbst unerläßlich, so oft er sich selbst seine Wissen=
schaft vergegenwärtigen will, sich dieselbe darzustellen, wobei er
gerade so zu verfahren hat, als ob er einem Andern mittheilen,
also darstellen wollte. Nicht zum Besitze der Wissenschaft, aber
zur Energie des Wissens (um in diesem Augenblick etwas zu
wissen) gehört also nothwendig Darstellung.

Jeder, auch der kleinere Kreis wissenschaftlicher Bestim=
mungen oder Erkenntnisse ist ein aus mannichfaltigen Vorstel=
lungs=Geweben zusammengesetzter Organismus. Da ist immer
ein Central=Kreis, um den sich nach vielen Richtungen hin an=
dere Kreise lagern, die unter sich und mit dem Centrum in
mannichfacher Beziehung stehn. Klar und deutlich denken, das
heißt jene vielen Vorstellungen, welche ein Erkenntniß=Ganzes
bilden, mit ihren vielen gegenseitigen Beziehungen in scharfer
Sonderung und fester Fügung dem Bewußtsein vorführen.
Hierbei möchte man eine wissenschaftliche Phantasie anerkennen,
welche der eigentlich so genannten Thätigkeit, der Schöpfung
von Bildern, insofern analog ist, als es sich auch hier um An=
ordnung (verschieden von Zusammenfassung, überhaupt von der
denkenden Thätigkeit) von Theilen zu einem Ganzen handelt,
welches erst im Geleite dieser Anordnung von dem auffassenden
Denken ergriffen werden kann. Im producirenden Geiste erzeugt
eben das Denken zugleich die Anordnung, im receptiven Geiste
ermöglicht die Anordnung das Verständniß.

Wie nicht ohne Phantasie der Hergang einer Schlacht gut
beschrieben werden, ja, nicht ein Zimmer mit seiner Einrichtung
oder ein noch einfacherer Gegenstand in Worten dargestellt werden
kann, so erfordert es in gleicher Weise Darstellungs=Kunst, ein
Gedanken=Gewebe oder einen begrifflichen Organismus in Sprache
auszudrücken. Es ist dies zwar nur eine anhängende Kunst,
da sie nicht den Inhalt des Wissens berührt; aber sie berührt
aufs innigste die Thätigkeit des Bewußtseins.

Anhängende Schönheit wollen wir definiren als eine
Form, welche, indem sie den Sinnen wohlthut und angenehm

ist, nur den utilistischen Zweck des Gegenstandes, an welchem sie erscheint, zur Erscheinung bringt. Die Form der Vase z. B. ist schön, wenn die Schwingung der umschreibenden Linie dem Auge gefällig ist und zugleich die Bestimmung der Vase offen=bart, etwas aufzunehmen, in sich zu fassen.

Demnach wäre eine schöne wissenschaftliche Darstellung eine solche, welche einerseits die auffassende Thätigkeit begünstigt, er=leichtert (die zur Apperception geeigneten Vorstellungsmassen mit Bestimmtheit in Bewegung setzt und Organe der Apperception heraushebt, welche die Vermittelung zwischen jenen Vorstellungen und dem zu appercipirenden Stoff sichern und beschleunigen), andererseits die objective Gliederung des wissenschaftlichen Ge=danken=Inhalts rein und klar hervortreten läßt.

Die letztere Beziehung ist allerdings die wesentlichere. Eine stumpfe Darstellung, in welcher der Gegensatz, der Fortschritt in seinen Krümmungen wie in seiner geraden Richtung, die Sonderung und die Zusammenfassung, die Ueber= und Unter=ordnung, das größere und geringere Gewicht der Momente u. s. w. nicht ihren scharf geprägten Ausdruck finden, ist ohne Weiteres unschön. Diesen Forderungen könnte indessen derartig genügt werden, daß die Auffassung immer noch eine schwierige, anstrengende Arbeit wäre. So muß denn, wenn die Darstellung schön werden soll, zur objectiven noch die andere, subjective Rücksicht auf den Empfänger hinzutreten.

Wo Schönheit anerkannt werden soll, muß Genuß sein. Der Genuß aber, den die wissenschaftliche Darstellung gewähren soll, kann nur ein solcher sein, der aus der Thätigkeit des auf=fassenden Verstandes erfolgt. Daß auch der theoretischen Ver=standes=Thätigkeit ein Genuß inwohnen kann, beweist der Witz. Denn, ohne daß wir nöthig hätten klar einzusehen, worauf die Freude am Witz beruht, ist so viel gewiß, daß derselbe gefällt und eine Bewegung des verständigen Bewußtseins in sich schließt. Auch ist schon im ersten Paragraphen darauf hingewiesen, daß, wie jede leibliche Bewegung, so auch jede des Bewußtseins ein angenehmes oder unangenehmes Gefühl erweckt. Der gute wissenschaftliche Darsteller versteht es, so zu reden, daß alles was er bietet, mit allem was sich im Leser vorfindet, sich leicht vereinigt, daß er überhaupt Apperceptions-Processe, Gedanken-Bewegungen einleitet, welche der Organisation des Bewußtseins zusagen. Er besitzt den Zauberstab, durch dessen Berührung der Kopf des Lesers productiv, Gedanken-schaffend wird. Der Genuß der Zeugung würde aber verkümmert, wenn vielmehr die Ermüdung der Arbeit gefühlt wird. An der Hand des Autors soll der Leser auf ebenem, ununterbrochenem Wege geführt werden und muß nicht jeden Augenblick genöthigt sein, über Gedanken-Klüfte und Gedanken-Berge zu springen. Er will auch nicht durch jedes seichte Gewässer waten und über jeden losen Sand- und Maulwurfs-Haufen schreiten, sondern vom Autor schnell hinübergehoben sein (was durch geschickte Verdichtungen und Vertretungen ermöglicht wird).

Doch jene doppelte Beziehung erschöpft (vielleicht die Güte, aber gewiß) die Schönheit der Prosa noch nicht. Eine weite Strecke mit geebneten und strenge Figuren zeichnenden Wegen zu durchwandeln ist noch kein schöner Spaziergang, wenn die weite Strecke öde ist. Das bloße Gefühl angemessener Bewegung und frischer, stärkender Luft wird dankbar genossen, aber nicht schön genannt. Das Gemüth verlangt noch besondere Anregung. Auch diese gewährt die schöne Prosa.

Wer's nicht fühlt, dem kann man's nicht geben. Ich aber meine: die Gedanken leben und erscheinen wie Personen, handelnd und fühlend. Wenn uns schon die leblosen Dinge ein Gefühl der Theilnahme abzwingen, um wie viel mehr müssen es die Gedanken! Wie leicht müssen sie uns als Persönlichkeiten gelten, in denen wir unsere eigene Persönlichkeit besitzen, in denen wir uns als diese individuelle Wesen fühlen. Was einem unserer Gedanken begegnet, trifft ein Glied unseres Geistes.

Wer's nicht in sich erfahren hat, mag es und muß es für Phantasterei halten: Unser Bewußtsein ist eine Bühne, auf der Gedanken ihre Tragödie und ihre Komödie (auch der Irrungen) agiren, und dieses Schauspiel ist unser Ich. Das ist aber auch für uns gar nichts Wunderbares; denn die Helden des Dramas, gelesenen oder aufgeführten — gleichviel, sind sie für uns anders als eben so, daß sie unsere Gedanken sind? Ist die

Bühne für uns nicht dadurch vor uns, daß sie in uns ist? Spielt also doch in Wahrheit jedes Drama nur in unserm Bewußtsein, so mag auch unser Bewußtsein immer eine Bühne sein. Wir fühlen die Gedanken=Schritte, wir fühlen die Ge= danken=Schicksale, wie sie gegen einander stoßen, sich an ein= ander zerreiben, sich freundlich einander anziehen u. s. w. Wer noch nicht gefühlt hat, wie eine Kritik eine gute (obwohl un= dramatische) Tragödie sein kann, der weiß nicht, was eine gute Kritik ist; und ein Begriff ist ein Charakter, der im Fortgange der Abhandlung seinen Charakter entfaltet. Es fehlt auch nicht an Peripetieen und Katastrophen.

Hierin also liegt die Schönheit der Prosa, abgesehen von ihrer objectiven und subjectiven Angemessenheit, daß wir das zu fühlen bekommen, was den Gedanken widerfährt. Der Styl aber ist verschieden. Anders wirkt Iphigenie, anders Richard III und Hamlet. Der Gang ist langsamer und schneller; der Schluß ist von Anfang an sichtbar oder tritt überraschend auf; das an= fänglich Gegebene scheint arm und schwach, und wächst zusehends von innen heraus an Kraft, und erweist sich als reich und stark, oder es erhält aus der Ferne Hülfe, welche aber, obwohl fern, mit Nothwendigkeit heranzieht, durch innere Verwandt= schaft getrieben. Ein schmaler Bach schwillt an zum mächtigen Strome. — Fragen setzen in Affect, lang unterhaltener Zweifel erregt Bangigkeit; man geräth an einen Abgrund, und da heißt es: verzweifeln oder entsagen; plötzlich öffnet sich eine lichte Aussicht vor uns, die sich doch vielleicht bald wieder schließt oder auch glücklich erweitert. Ein Fund, gesucht oder unerwartet gefunden, wird allseitig betrachtet. Man schreitet in gerader Linie vorwärts oder kehrt in immer reizvollen Windungen un= geahnt zu demselben Mittelpunkte zurück, von dem man sich zu entfernen schien.

Kurz, es giebt Gedanken=Rhythmen und Gedanken=Melodieen und eine Gedanken=Plastik.

Fern aber bleibe, hier wie in aller Kunst, das pathologische Interesse. Wem nur gefällt, was Wasser auf seine Mühle ist, und weil es dies ist, wird nie die Schönheit der wissenschaft= lichen Prosa fühlen. Reinheit der Gesinnung, frei von Egoismus und Hingebung an die Sache, Güte, ist erste Bedingung für Aufnahme der Schönheit wie der Wahrheit.

Darum kann ich die rhetorische Prosa so hoch nicht stellen, wie die wissenschaftliche. Ihr ausgesprochener Zweck ist es, den Hörer in Affect zu setzen, pathologisch zu berühren. In allem was sie der Wissenschaft und der Geschichte entlehnt, sollte sie zwar diesen gleich stehn; und durch das was sie außerdem noch hat, erweist sie sich als Dichtung in Prosa; sie sondert sich jedoch von allen diesen durch die Absicht. Das gestaltet sich aber freilich, wenn wir Demosthenes und Cicero lesen, für uns ganz anders. Für uns sind diese Staatsmänner nicht verschieden von dramatischen Helden; wir genießen ihre Reden wie die des Thukydides als Kunstwerke, und zwar (weil hier alle Gefühlsmomente aufs entschiedenste aus den Gedanken hervorbrechen, und darunter gerade die höchsten und mächtigsten: Patriotismus, Liebe zur Freiheit und zum Recht, und weil alle erzählten Thatsachen zum Bilde gestaltet sind, das unsere Phantasie und unser Gemüth aufs lebhafteste ergreift) als die vollendetsten Redewerke in Prosa. Ich sage nicht, daß uns darum Demosthenes größer erscheint, als er wirklich war; aber er wirkt auf uns anders, als er wollte und als er auf seine Hörer wirkte; nämlich für uns ist er, der Staatsmann war, reiner Künstler, oder vielmehr reine Poesie. Darum ist der Wettkampf eines lebenden Redners mit ihm ein völlig ungleicher, eigentlich ein unmöglicher, undenkbarer.

VIII.
Schönheit in der Natur und im Leben.

Wenn auch schön im eigentlichsten Sinne nur die Kunst heißen kann, so muß doch schon aus den letzten Paragraphen klar geworden sein, inwiefern auch in der körperlichen und geistigen Wirklichkeit Schönes genossen wird und anerkannt werden muß. Dichtung in Prosa und schöne Prosa wäre unmöglich, wenn uns nicht häufig das Wirkliche unmittelbar wie ein Kunstwerk als schön anmuthete. Der Hauptpunkt ist schon ausgesprochen. Das Wirkliche ist an sich häufig sehr vollkommen, gesund, wahr, gut. Wir können es aber auch unter dem Ge-

sichtspunkte der Kunst betrachten, und es kann dann schön erscheinen: ein Kunstwerk der Natur und des menschlichen Lebens.

Es ist zunächst nur rein ästhetische Bildung, Empfänglichkeit für Formen und Verständniß für ihren Sinn, was uns
auch in der Wirklichkeit Schönes genießen läßt und sie schön
zu gestalten treibt. So viel scheint nun damit gewonnen, daß
durch die ästhetische Bildung die gemeine Genußsucht, welche
egoistisch ist und das Object zerstört, überwunden wäre. Der
niedrige Genuß ist materiell; denn er geht auf die Wirklichkeit,
auf das, wodurch das Dasein des Gegenstandes bedingt wird;
er ist chemischer und physiologischer Natur und besteht in der
Mischung von Stoff mit Stoff. Das gilt auch mit geringer
Abänderung von der unkörperlichen Befriedigung der Leidenschaft, die immer auf das Wohlergehn gerichtet ist. Das
ästhetische Interesse dagegen wird durch die formalen Verhältnisse
befriedigt. Schlimm freilich, wenn die formale Befriedigung
nur dazu dient, den materiellen Genuß um so heißer ersehnen
zu lassen*); schlimm, wenn selbst der geistige Genuß seinen Abschluß erst (wie Mephistopheles meint) in der Befriedigung
sinnlicher Lust finden soll. — Ein andrer, ebenso großer Uebel-
stand und mit dem soeben angedeuteten oft verbunden ist der,
daß die Gewöhnung, das Schöne zu suchen und zu genießen,
eine Gleichgültigkeit gegen Inhalt und Wirklichkeit erzeugt,
welche der Wahrheit und Sittlichkeit gefährlich wird. Doch
krankhaft kann alles werden; und jener einseitige und feige
Aestheticismus, den wir in manchen Zeiten zu beklagen finden,
ist nur Symptom und Folge einer Geistes-Krankheit, die ihren
Heerd ganz wo anders hat.

Doch hiervon war schon die Rede (in § I Schluß), und
an dieser Stelle ist die Frage nicht sowohl, wie entwickelter
Schönheitssinn im Leben wirkt, auch nicht wie sich die Schönheit mitten innerhalb der Praxis ihr Reich gründet, wie sie
jedes Werkzeug und Geräth, Haus und Hausrath und Klei-

---

*) Die Fabel: „Wie schön schlägt die Nachtigall! — wie schön muß
die schmecken!" begegnet leider gar häufig und in viel roheren, verdammungs-
würdigeren Formen, als Lessing andeutet.

dung, Haltung und Bewegung des eigenen Leibes und den ganzen geselligen Verkehr, Betragen und Unterredung gestaltet, als vielmehr, wie, unter welchen Bedingungen das Wirkliche an sich als schön erscheint. Jenes bildet das Reich der dem Leben anhängenden Schönheit; hier handelt es sich von derjenigen Schönheit, welche der Natur und der Sittlichkeit an sich, nach ihrem eigensten Wesen, zukommen kann.

Ein unabsehbares Fruchtfeld ist nicht schön. Wenn indessen der Wind darüber hinfährt und die starken kornreichen Halme sich neigend Wellen bilden, so gewinnt es schon einen gewissen Reiz. Wenn wir früh durch solche Felder einen Spaziergang machen, — der Himmel blau, die Luft rein, kühl und stärkend, in Thautropfen glitzert die noch niedrige Sonne, die Lerche steigt mit ihrem Tirili, so sagen wir: ein schöner Morgen. Was ist hier schön? es ist ja nicht einmal eine einheitliche Anschauung gegeben! Das Subject, das gar nicht vorhanden ist, wird vertreten durch die Zeitbestimmung. Genauer hieße es: uns ist schön zu Muthe. Wir genießen das Erwachen. — Oder ein Abend-Spaziergang; die Sonne ist unter, der Vollmond geht auf, die Nachtigall schlägt u. s. w. und wir sagen: ein schöner Abend. Wir genießen die Ruhe nach dem Tagewerk. Was wir in uns fühlen, wird uns von der Natur dargestellt, und so nennen wir die Wahrnehmung schön.

So ist überhaupt die Natur schön, insofern sie nicht bloß da ist, sondern uns etwas aus unserm Gemüthsleben darstellt, uns uns selbst entgegenbringt, so daß wir uns in ihr genießen.

Thiere sind schön, wenn sie mit gefälligen Umrissen irgend einen Charakterzug darstellen, wie das Pferd, der Löwe, der Hund (Muth, Kraft, Treue).

Der Verkehr der Menschen, ihr Treiben und Handeln, verhält sich zur Schönheit wie die Natur; nur insofern er uns etwas Gemüthvolles darstellt, ist er schön. Wie das Räderwerk einer Maschine höchstens nur anhängende Schönheit haben kann, so hat auch alles Geschäftsmäßige höchstens die Schönheit des äußern Anstands, äußern Schmuckes. Alles berufsmäßige Arbeiten, alle Erfüllung seiner Pflicht und Schuldigkeit, jede Abhängigkeit und Unterwürfigkeit ist bei aller Ehrlichkeit und Treue, mit Erfolg und Entsagung, wie sittlich auch immer, doch nicht schön. Schöne, sittsame Hausfrauen, welche pünktlich die Wirthschaft führen und Kinder gebären, während der Mann Schätze sammelt, schöne Nä[h]terinnen, die sich häßlich nähen, um sich zu ernähren, sind nicht schön. — Wirklich nicht? unter allen Umständen nicht? Nicht bloß hundert Romane beweisen das Gegentheil, nicht bloß Schillers didaktische Poesie, sondern auch die Tragik Fausts, der in Gretchens Zimmer tritt. Es kommt auf das Auge an, d. h. auf den innern Sinn, mit dem man alles dies ansieht.

Wie ein bewegtes Kornfeld schon einen gewissen Reiz hat, so kann niemand stumpf bleiben bei dem Anblick von Tausenden sich hin und her bewegender Arbeiter in einer großen Maschinen=Fabrik. Es tritt uns hier die Größe der Kraft des Menschen, seine Herrschaft über die Natur entgegen. Neben dem was unsere Augen sehen, erhält unser Gemüth noch eine Erhebung durch das was sich dort darstellt.

Jede übliche Thätigkeit, die wir beobachten, läßt uns kalt, wie sehr wir sie auch loben. Die Beobachtung einer besondern Geschicklichkeit und Kraft aber schon, selbst des Gauners, der Muth eines Mörders gewinnt uns Theilnahme ab. Aber wo die Erfüllung der Pflicht besonders erschwert war und besonders hohe Sittlichkeit voraussetzt, wo Schnelligkeit des Entschlusses und unmittelbares, kühnes Erfassen des rechten Mittels in besonders schwieriger Lage Rettung brachte, wo Großes vollzogen ward, das nicht zu fordern oder nicht zu erwarten stand, wo Muth sich zu Edelmuth erhob, hohe Kraft in hoher Güte wirkte, da sagen wir mit Recht nicht bloß: das war gut, sondern: das war schön. Hier ward uns dargestellt, was der Mensch ist.

Und nun endlich der erwähnte, stille Lauf des Lebens, die Frau in der gemeinen Prosa des Hauses, der Mann im Geschäft, wie wird hier Schönheit verspürt? Wenn nur erstlich dafür gesorgt ist, daß das absolut Häßliche, der Schmutz, der sich allem Wirklichen ansetzt, weggeschafft ist, daß man das Reine sieht, nicht die Reinigung, und wenn dann das Allergewöhnlichste so gezeigt wird, wie es unmittelbar als Energie

dem Innern der Persönlichkeit entquillt, und wie es darum
Zeichen des Charakters ist: so sind wir mit ganzem Gemüthe
dabei, sind ästhetisch bewegt; man hat uns den Menschen
enthüllt.

Oder vielmehr: wer in der Thätigkeit das Innere sieht,
das sich darin verkörpert, der hat den offenbarenden Blick des
Dichters, dem ist das Menschen-Leben schön.

Wer aber so handelt, daß er in jede That das erzeugende
Innere so greifbar legt, daß jeder für Poesie empfängliche
Mensch es mit erfaßt, der ist poetisch handelnd, Dichter in That,
eine schöne Seele.

Mit dem vorstehenden Aufsatze sollten begriffliche Bestimmungen und Unterscheidungen geboten werden, welche als Ausgangspunkte für die Litteraturgeschichte dienen und Kategorien
zur Bestimmung der Style liefern könnten. Nach oben hin
müßte das Gesagte (abgesehen von dessen Unvollkommenheit an
sich) durch das ergänzt werden, was ich in dieser Zeitschr. II.
S. 279—283 formelhaft ausgesprochen habe und später auszuführen gedenke; nach unten hin wäre die Untersuchung mit
Rücksicht auf die Verschiedenheit der Dichtungs-Gattungen fort-
zuführen, wobei sich auch über das hier schon Berührte Ge-
naueres ergeben würde. Dann erst wäre schließlich die prosaische und dichterische Sprache in Betracht zu ziehen.

Steinthal.

Zur Theorie der Geberdensprache.

Von
Dr. Kleinpaul.

Tot linguae quot membra viro.

I.

Kruse, der taubstumme Lehrer taubstummer Schüler, erzählt folgende merkwürdige Geschichte, welche sich zu Anfang
dieses Jahrhunderts zugetragen hat: Ein taubstummer Knabe,
welcher ohne allen Unterricht geblieben war, wurde während
seines Herumlaufens in Prag von der Polizei aufgegriffen;
man konnte nichts aus ihm herausbringen und schickte ihn in
eine für Unglückliche seiner Art bestimmte Anstalt, damit er
seine Geschichte erzählen lerne. Nachdem er hier einigen Unterricht genossen, war er im Stande, zu verstehen zu geben,
daß sein Vater eine Mühle habe; und von dieser Mühle, der
Ausstattung des Hauses und dem Lande rings um dieselbe machte
er eine genaue Schilderung. Er gab einen umständlichen Bericht über sein dortiges Leben: seine Mutter und seine Schwester
seien gestorben, sein Vater habe wieder geheirathet, seine Stief-
mutter ihn mißhandelt und er sei davon gelaufen. Er kannte
seinen Namen nicht und ebensowenig den der Mühle, aber er
wußte, daß sie von Prag aus gegen Morgen lag. Auf ge-
schehene Nachforschung fand sich die Angabe des Knaben bestätigt. Die Polizei fand seine Heimath, gab ihm seinen
Namen und sicherte ihm seine Erbschaft (Chambers Journal).

In der That ist für den Sprachphilosophen nichts inter-
essanter und belehrender, als einen Blick in ein Taubstummen-
institut zu thun und die Mittel zu beobachten, mit welchen
diese Unglücklichen einen nicht minder bewundernswerthen Zeichen-
organismus entwickelt haben, als die vorzugsweise Redenden.
Er wird dann gewahr, daß er hier vor einem oft ebenso ge-
heimnißreichen Gewebe von Beziehungen und Ausdrucksweisen
steht, als wenn er im Auslande fremde Zungen reden hört:
hundertäugig und tausendarmig erhebt sich die Geberde und die
stummen Glieder beginnen eine Sprache, die mit wunderbarer
Geläufigkeit blitzeschnell den scheuen Gedanken sichtbar werden
läßt. Ja, wenn man bedenkt, daß z. B. im Berliner Taubstummen-Institut 5000 Zeichen in Anwendung kommen, während
die Engländer ihren Zungenvorrath doch nur auf 20 mal mehr,
d. h. auf 100,000 Stück schätzen und nach Max Müller's
Berechnung sich ein gewöhnlicher englischer Bauer oder Feld-
arbeiter etwa 300 (genau so viel hat ein Geistlicher von einem
friesischen Eilande bei einem Tagelöhner seines Kirchspiels gezählt), ein Mann, der eine Durchschnittsbildung hat, 3000 bis
4000, ein großer Redner höchstens 10,000 verschiedener Wörter
im täglichen Verkehr bedient; daß nach einer Notiz des Athe-
näums in Manchester Shakespeare's Henry IV. in Patterson's
Zurichtung von Taubstummenzöglingen in Gegenwart ihrer taubstummen Mitschüler und einer hierfür sich interessirenden Anzahl
Zuschauer — man kann nicht wohl sagen Zuhörer — aufge-
führt wurde, indem sie den Text durch ihre Zeichensprache ver-
sinnlichten, welcher das Publicum leicht folgen konnte: so erscheint es fast als ein Zufall, daß die Lautsprache bei uns eine
so ausschließliche Geltung gewonnen hat, da es gar nicht zu
bezweifeln steht, die Geberdensprache, wäre sie wie die Lautsprache Jahrhunderte lang durch den Verkehr von Millionen
ausgebildet worden, sie würde ihr an Vollkommenheit, Bequemlichkeit, Mannichfaltigkeit kaum nachzusetzen sein.

In der That aber ist auch die Geltung der Lautsprache
keine so ausschließliche. Es ist bekannt, daß die Geberdensprache bei allen Südländern, namentlich bei den Neapolitanern
und Sicilianern, so scharf ausgeprägt ist, daß sie fast beständig

in zwei Sprachen sprechen, indem sie jeden Satz zugleich durch Worte und durch Gesten versinnlichen (A. de Ferio, La mimica degli antichi investigata nel gestire Neapolitano. Neapel 1832); bekannt, daß besonders alle wilden Völker, denen es schwer wird, sich in Worten auszudrücken, sich fast mehr durch Geberden als durch Laute verständigen. Daher kommt es denn, daß, wie man in Chambers Journal und im Ausland 1865, Nov. 18., lesen kann, den nordamerikanischen Indianern so viele Zeichen mit den Taubstummen gemein sind, wobei ich dahingestellt lassen will, ob die Uebereinstimmung allein auf der Natürlichkeit des Zeichens beruht oder ob die Lehrer es nicht vielleicht geradezu von den Indianern entlehnt haben, denn es wäre gewiß eine ganz richtige Praxis, die Taubstummen eine Sprache zu lehren, welche instinctmäßig und unbewußt erfunden worden ist, also jedenfalls den Vortheil der psychologischen Möglichkeit für sich hat. Beide also bezeichnen z. B. das Feuer auf dieselbe Weise, indem sie mit den Fingern Flammen nachahmen, beide den Regen, indem sie die Fingerspitzen der theilweis geschlossenen Hand abwärts biegen, beide drücken den Begriff des Sehens dadurch aus, daß sie die ersten zwei Finger getrennt gleich dem Buchstaben V halten und sie dann von den Augen abstoßen. Daß diese Uebereinstimmung aber sich nicht bloß auf einzelne Zeichen erstreckt, beweisen die eben daselbst erwähnten Fälle, wo z. B. ein Eingeborener von Hawai, in ein amerikanisches Institut gebracht, sogleich mit den Kindern in Zeichen zu sprechen anfängt, ihnen seine Reise beschreibt und das Land nennt, aus dem er kam; oder wo ein taubstummer Knabe Namens Collins zu einigen Lapländern mitgenommen wird, die man sehen ließ und diese dann, während sie sich um andere Menschen nicht im geringsten kümmerten, doch sogleich mit ihm über Rennthiere und Elche zu sprechen beginnen und „lächelten ihm viel zu".

Es ist wahr, man braucht nicht erst in ein Taubstummen-Institut zu gehen, auch nicht erst nach Neapel und Sizilien zu reisen, um die Geberdensprache zu studiren: schon bei uns auf Markt und Straße, im Wirthshaus und im Gesellschaftssalon, allüberall wo Menschen sind, ja wo nur ein Lebendiges existirt,

bieten sich dem Beobachter die merkwürdigsten Belege dar, wie
alle Wesen die ihnen zu Gebote stehenden Organe ausbeuten,
um sich ihre guten oder schlechten Gedanken zu verdolmetschen.
Allerdings muß man namentlich die Bewegungen lebhafter
Menschen, die ausdrucksvollen Geberden der Käufer und Ver-
käuferinnen, der Markthelfer und Köchinnen ins Auge fassen,
aber jeder gebildete Mann ist alltäglich ein Mimiker, so sehr,
daß er sich ohne das kaum getraute, den Ruf seiner Bildung
zu bewahren; uns Allen sind gewisse Geberden zur Gewohnheit
geworden, wir machen sie unzählige Male, ohne nur im Mindesten ein Bewußtsein davon zu haben, daß wir sie machen
und warum wir sie machen, es ist eben wie mit der Sprache
überhaupt. Wollte uns nun Jemand daran erinnern, so erschienen sie uns vielleicht zu unbedeutend und der Betrachtung
unwerth. Quid mihi cum nugis istis?

Aber das ist das Kennzeichen der wahren Philosophie,
daß sie auch das Triviale interessant finden und in dem Aller-
geringsten wissenschaftliche Probleme entdecken kann. Dem Philosophen ist nichts unbedeutend, ihm ist der Gassenjunge, welcher
vor seinem Kameraden in bedeutsamer Symbolik die Zunge
herausstreckt, ebenso merkwürdig wie der griechische Redner, der
in der vollendetsten aller Sprachen Leuchtkugeln des Witzes und
des Spottes steigen läßt; der Subalternbeamte, welcher seinen
Vorgesetzten durch Hutabnehmen grüßt, ebenso der Erklärung
bedürftig wie der Lictor, welcher vor dem Consul die fasces
herträgt. Manche Leute denken eben immer, andere nur zu ge-
setzten Zeiten.

Wir haben die Mimik des Lebens, diese Sprache des
ganzen Menschengeschlechtes, die Sprache, mit deren Hülfe
Eskimo's und Mohren, Hottentotten und Tataren conversiren,
die Sprache, welche es dem Handwerksburschen, welcher kaum
sein Deutsch ordentlich versteht, möglich macht, mit fremden
Nationen zu verkehren, wir haben diese eigentliche Weltsprache
ebenso wissenschaftlich zu classificiren, wie es mit den Typen
des Sprachbau's, mit den isolirenden und flectirenden Sprachen
geschehen ist. Es sei uns vergönnt, im Folgenden einige Gesichtspunkte flüchtig zu bezeichnen und in zwangloser Weise

etliche der geläufigsten Geberden dabei zu deuten: nihil humani
a me alienum puto.

II.

Es könnte fraglich sein, ob die Leitrufe der Fuhrleute an
das Zugvieh: hü! hüst! hott! u. s. w. eine gewisse symbolische
Bedeutung haben, die beiden letzten sollen wohl rechts und links
bedeuten. Mir scheinen sie doch an sich bedeutungslose Laute
zu sein, nur dadurch significativ, daß sich der Fuhrmann ver=
mittelst ihrer seinen Pferden bemerklich macht. Denn es ist die
einfachste Form der Geberdensprache, daß man, ohne irgend
etwas ausdrücken zu wollen, einen sinnlichen Eindruck auf einen
Andern hervorbringt, nur um dessen Aufmerksamkeit zu erregen,
die ja nach Main de Biron die Bedingung jeder Wahrnehmung
ist. Der, welcher aufmerksam gemacht wird, bekommt dann
entweder die Mittheilung, weshalb es geschehen ist, oder er
muß sich den Grund davon selbst hinzudenken.

Einen sinnlichen Eindruck, denn kein Sinn wird geschont,
sondern, wo der Andere nur zu fassen ist, da packt man ihn,
um sich ihm aufzudrängen. Nichts ist gewöhnlicher, als daß
man in Gesellschaft Einen, dem man etwas sagen will, am
Rocke zupft oder ihm auf die Schultern klopft:

aliquis cubito stantem prope tangens inquiet
Hor. sat. 2, 5, 42;

es hat ganz dasselbe zu bedeuten, als wenn man ihn bei seinem
Namen oder wenn man he! rufen würde; man will eben nur
seine Aufmerksamkeit rege machen, denn ohne diese hörte er uns
nicht. Eben dazu dienen ja auch die Alarmvorrichtung beim
Nadel=, der Weckapparat beim chemischen Drucktelegraphen,
während bei den Morse'schen Telegraphen ein besonderer Wecker=
apparat nicht nöthig ist: das Aufschlagen des Schreibstiftes
bringt ein solches Geräusch hervor, daß dasselbe zur Erweckung
der Aufmerksamkeit auf der entfernten Station ausreicht. Will
der Telegraphist eine Depesche geben, so ruft er die betreffende
Station durch wiederholtes Anschlagen des Schreibstiftes; der
gerufene Telegraphist antwortet: „Ich bin bereit" und läßt das

Uhrwerk seines Apparates los, und nun beginnt die Cor=
respondenz.

Bei den Römern scheint besonders das Ohrläppchen die
Zielscheibe eines derartigen Angriffs gewesen zu sein, ohne den
selbst der Gott Apoll nicht auskommen kann:

cum canerem reges et proelia, Cynthius aurem
vellit et admonuit Virg. ecl. 6, 3.

Aber nicht bloß Menschen und Götter, sondern auch die
Thiere kennen diese Art der Geberdensprache. Wenn z. B.
mein Lieblingshund beim Essen neben mir sitzt, so kommt es
nicht selten vor, daß er mit seiner Nase an meinen Arm stößt,
damit ich seiner nicht vergesse. Die Ameisen, Bienen u. s. w.
machen sich durch ihre vielgestaltigen Fühler, die Spinnen durch
ihre Fußspitzen untereinander bemerklich; gerade so wie Nestor
den Diomedes (Il. x, 158), oder Telemachos den Peisistratos
(Od. o, 45) durch einen Stoß mit der Ferse aus dem Schlafe
weckt. Wir klatschen in die Hände, wenn wir uns verirrt
haben, wir feuern in der Wüste eine Pistole oder auf Schiffen
Kanonen ab, damit Andere es vernehmen und uns aus der
Noth helfen; Andere nur unsere bloße Existenz errathen zu
lassen, das ist das Einzige, was uns übrig bleibt, es sieht recht
aus wie wollen und nicht können. Odysseus pfeift dem Dio=
medes, nachdem er die Rosse des Rhesos weggetrieben hat, wo
ausdrücklich das Pfeifen als ein Reden bezeichnet wird:

ροιζησεν δ᾽αρα πιφαυσκων Διομηδεϊ διῳ Il. x, 502.

Verschiedene Insekten entwickeln Licht, um ihr Nahen oder
ihre Gegenwart anzuzeigen; Vögel sträuben die Federn, Menschen
erheben die Hände, um die Aufmerksamkeit auf sich zu lenken:
kurz alle Sinne, die den Anderen mit der Außenwelt in Ver=
bindung setzen, werden erregt, um ihm anzuzeigen, daß er sie
gebrauchen solle.

Sehr oft macht man die Leute aufmerksam, um sie zu
warnen, um sie von irgend etwas zurückzuhalten. In großen
Gesellschaften, wo man viele Dinge nicht laut sagen kann, zupft

wohl eine feine Mutter ihr Kind und giebt ihm dann durch
einen Blick zu verstehen, daß irgend etwas am Anzuge nicht in
der Ordnung ist. Es genügt aber auch hier oft, den Be=
treffenden eben überhaupt aufmerksam zu machen, damit er sein
eigenes Thun bedenke und die Gefahr oder Unziemlichkeit des=
selben selbst errathe. Nun hierher gehört die Gemsenvorhut in
Schiller's Tell 1, 1:

> Die spitzt das Ohr und warnt
> mit heller Pfeife, wenn der Jäger nah't.

Oder wenn die Studenten im Colleg wegen des zu schnellen
Dictats nicht nachkommen können, wenn sie ein Wort nicht ver=
standen haben, so fangen sie mit den Füßen an zu scharren,
wie mir scheint, nicht um etwa symbolisch eine gehinderte Be=
wegung anzudeuten, sondern rein, um sich dem Professor be=
merklich zu machen; dieser merkt dann selbst leicht, woran es
fehlt, ebenso wie der Kellner, wenn die Gäste mit den Deckeln
an dem Bierglas klappern, oder wie der Regisseur, wenn das
Publikum vor Beginn des Stückes ungeduldig mit den Füßen
pocht. Schon etwas Conventionelles liegt darin, wenn in
Neworleans jeder Nachtwächter, sobald er an die Ecke gekommen
ist, seinen Stock dreimal fallen läßt, zum Zeichen, daß er da sei.

III.

Wenn bei dieser ersten Form der Geberdensprache das
Gewicht darauf zu legen war, daß alle Mittheilung hier durch=
aus nur in der Nöthigung zur Aufmerksamkeit auf eine Mit=
theilung bestand, daß der Betreffende wie dort Diomedes und
Peisistratos gleichsam immer nur aus dem Schlafe geweckt
wurde, von welchem sein Bewußtsein befangen war: so folgt
nun naturgemäß die eigentlich mittheilende Geberde, wo wirk=
lich ein reales Verhältniß ausgedrückt und bezeichnet wird. Es
gehört hier oft ebensoviel Combinationsgabe dazu, das mimische
Zeichen zu erfinden, als die Bedeutung desselben zu verstehen.
Um es zu erfinden und es dieses erste Mal zu verstehen.
Denn freilich, nachdem es einmal erfunden ist, wird es con=

ventionell, und der Sprechende gebraucht's, der Angesprochene
versteht's, ohne den ursprünglichen Zusammenhang zwischen
Zeichen und Bezeichnetem zu ahnen. Dieser aber ist es, auf
den es uns ankommt: wir sind Etymologen der Geberdensprache.

Freilich giebt es Fälle genug, wo kein solcher ursprünglicher Zusammenhang vorhanden, das Zeichen also von Anfang
an conventionell gewesen ist. Wir sind ja oft genug dabei,
wenn solche Zeichen vielleicht nur für eine kurze Frist eingesetzt
werden. In einer Versammlung sagt der Präsident: Jeder,
welcher für den Vorschlag stimmt, erhebe sich, hebe die Hand
in die Höhe, nehme die Mütze ab u. dgl. In der Schulstube
streckt der, welcher es weiß, die Hand empor. Ein Kanonen-
schuß verkündete in Jeddo, daß ein Todesurtheil vollstreckt sei.
Schiffe, die in Häfen einlaufen oder sich einander begegnen,
grüßen durch mehrere blinde Kanonenschüsse, welche das begrüßte
Schiff mit einer geringeren Anzahl von Schüssen erwidert.
Auch Forts werden von Schiffen, die in deren Häfen einfahren,
salutirt und antworten. Dergleichen Zeichen haben nun, nachdem sie bekannt geworden, dieselbe expressive Kraft wie die
naturwüchsigen, aber es fehlt ihnen ganz der sinnige Reiz der
letzteren, man erkennt so deutlich die nichtssagende Willkür gegenüber der stillen Naturnothwendigkeit; es muß ein recht lächer-
licher Mann gewesen sein und er muß ein recht großes Bedürfniß gehabt haben, sich geltend zu machen, der seinen Sclaven
᾿Αλλαμην nannte.

Indessen hiervon abgesehen, wird man wohl behaupten
können, daß erst diese expressive oder significative Geberdensprache den Namen einer Sprache überhaupt verdiene, denn
diese setzt eben voraus, daß wirklich ein Gedanke ausgedrückt
und verdeutlicht wird. Es ist z. B. eine große Verwirrung
der Begriffe, Interjectionen zu der Sprachmaterie zu rechnen,
denn diese sind ja ganz unwillkürliche, ich möchte sagen Reflexbewegungen der Kehle, wobei an eine absichtliche Mittheilung
nicht im Entferntesten zu denken ist. Klopfe ich ferner meinem
Kameraden auf die Schulter, um ihm etwas ins Ohr zu sagen,
so ist zwar die Absichtlichkeit des Klopfens nicht zu leugnen,
wohl aber die Mittheilung, denn diese soll eben erst folgen: es

ift nur die Vorbereitung auf eine Mittheilung, nicht felbft eine
Mittheilung, alfo auch ftreng genommen keine Sprache, denn
diefe ift die Offenbarung des Gedankens, die im Urtheil voll=
zogen wird.

Da wir nun unter Urtheil die Verbindung von Subject
und Prädicat durch die Copula verftehen und zwar eine Ver=
bindung, daß, was hier fubjectiv in Subject und Prädicat ge=
fchieden ift, als objectiv identifch, mithin in der Wirklichkeit
das Prädicat längft im Subject vorhanden gedacht wird: fo
entfteht nun die Aufgabe, zu zeigen, wie mit Hülfe der Ge=
berde Subject und Prädicat verfinnlicht und dem Angefprochenen
durch eine Ausfage eine wirkliche Erweiterung des Wiffens ge=
boten wird. Es kommt alles darauf an, die objective Iden=
tität von Subject und Prädicat zu faffen: hier liegt das Ge=
heimniß des Denkens wie der Sprache.

Wenn ich meine Fauft balle, auf Jemanden losgehe und
drohend den Arm erhebe, fo ift das eine fehr naive Sprache,
die der Andere wohl verfteht. Und doch ift hier kein Urtheil,
fondern die noch nicht in Subject und Prädicat zerlegte ob=
jective Identität felbft gegeben; man kann eben die ganze Welt
als ein Urtheil implicite auffaffen. Ich zeige mich dem An=
dern, wie ich im Begriffe bin zu fchlagen: ich felbft erfcheine
ihm als ein folcher, objectiv, realiter: feine Gedanken erft
werden mich in Subject und Prädicat zerfällen und die von
mir repräfentirte Wirklichkeit verftehen. Bin ich felbft das
Subject, mit dem das Prädicat in der Vorftellung identificirt
werden foll, fo ift es eben das Einfachfte, diefe Identität gleich
in mir felbft leibhaftig darzuftellen; was wir in der Lautfprache
erft zertheilen müffen, um es zu verbinden, erfcheint hier fchon
verbunden von Anfang an.

Was ift es aber, höre ich fragen, wenn hier bloß die
reine, an fich unbegriffene und eben erft zu begreifende Wirk=
lichkeit gegeben wird, was diefe Darftellung der Wirklichkeit
zur Sprache macht? Ift denn nicht die ganze Wirklichkeit des
Univerfums eine Sprache, ein Buch, wie man fie oft bezeichnet
hat? Ich fehe einen gereizten Buben wüthend einem andern
Buben nachlaufen, fchon die Hand zum Schlag erhoben. Auch

dieſer Bube ſagt mir, er iſt im Begriff zu ſchlagen. Wodurch unterſcheidet ſich nun dieſer Fall von dem vorigen? Thut der etwas mehr, der ſich drohend vor mich hinſtellt, wenn ich mich an ſeinem Eigenthum vergreife? Ja, er thut etwas mehr, denn er will, daß ich ihn verſtehen ſoll, während Jener viel= leicht gar nichts davon weiß, daß ich ihn verſtehe; die Abſicht der Mittheilung iſt es, welche die eine Geberde von der andern unterſcheidet, während ſie vielleicht an ſich ganz gleich ſind. Die Sterne, welche in ihren Sphären tanzen, ſprechen auch eine Sprache und keiner der Philologen mag ſie ergründen, aber ſie tanzen und kümmern ſich nicht darum, was wohl das Auge, welches andächtig und ahnungsvoll hinaufſchaut, in ihnen leſen mag.

IV.

Durch die vorſtehenden Betrachtungen werden wir nun einen tieferen Blick in das Weſen der Geberdenſprache gewonnen haben und die Geſten, mit denen wir ſo oder ſo unſere eigenen Zuſtände bezeichnen, als implicite gegebene Prädicate verſtehen können.

Als Zeus der Thetis mit Worten verſprochen hatte, ihre Bitte zu erfüllen, da neigte er zur Bekräftigung ſeiner Rede das unſterbliche Haupt Il. α, 528, denn das bleibt nicht un= erfüllt, was Zeus durch Kopfnicken beſtätigt hat (daraus, daß, während die Geberde ſich offenbar auf das ganze Haupt bezieht, v. 528 nur die Augenbrauen genannt ſind, ſieht man, um mit Leſſing zu reden, quanta pars animi ſich in ihnen zeige, cf. Laokoon 22.) Während alſo bei den Türken das Kopfſchütteln Bejahung, Nicken Verneinung bedeuten ſoll, galt das Kopf= nicken dem Griechen, wie noch uns, für den Ausdruck des Bei= falls, der Zuſage, der Beiſtimmung, daher κατανευειν und ἐπινευειν geradezu für verſprechen, verſichern gebraucht werden. Umgekehrt heißt ἀνανευειν ſoviel wie verſagen, verbieten, z. B. Il. π, 251, χ, 205, ω, 317, 671; Od. ι, 468 u. ſ. w. In= dem man den Kopf in die Höhe, zurückwarf, drückte man alſo aus, daß man nicht beiſtimmte. Wir werfen in dieſem Falle den Kopf weniger zurück, sondern wir schütteln ihn. Wie kommen wir dazu?

Der König von Preußen schenkte einst dem Kaiser, wenn ich nicht irre von Japan, einen Galawagen, und der Ehrwürdige ließ den Bock niedriger machen, weil er es für unangemessen hielt, daß sein Kutscher höher sitze als er. So lächerlich uns dies vielleicht erscheinen mag, so handeln wir doch alle tagtäglich nach der Maxime dieses Kaisers. Sitzt nicht auch bei uns der König oder Präsident auf erhöhtem Throne? Denn allen Rang und alle Macht bemißt man nach der Höhe und unter dem Bilde einer Scala denken wir uns die ganze Welt. Höhe und Niedrigkeit haben für uns eine moralische Bedeutung gewonnen, was wahrscheinlich mit der größeren Freiheit des Blicks und der durch die Höhe gegebenen natürlichen Ueberlegenheit zusammenhängt: man betrachtet den Besseren als höher stehend, man steht unter ihm und ist ihm daher unterwürfig. Der Sclav beugt sich vor seinem Herrn, vor seinem hochgebornen Herrn; Hoheit, Celsitudo, Altesse sind ja geradezu Fürstentitel. Man neigt sich daher bei einem Gruß aus Höflichkeit, wie sich vor Josephs Garbe seiner Brüder Garben, und wiederum vor Joseph Sonne, Mond und Sterne neigten, Mos. I., 37, 7. In der Türkei kreuzt man beim Gruß die Hände auf der Brust und beugt sich mit dem Kopfe gegen den, welchen man grüßt, denn die Höflichkeit besteht eben darin, daß man Jemanden zu erkennen giebt, man betrachte ihn als vornehmer und vortrefflicher als sich, so daß man einen Diener macht; wie z. B. der urbane Chinese sich selbst Schimpfnamen im Gespräche beilegt und statt: „ich habe" sagt: „Diener hat, Knecht hat, Dieb hat, Dummkopf hat." Daher bringt sogar J. Grimm den Stamm tu mit einer Wurzel zusammen, die groß sein, wachsen bedeute, so daß du eigentlich „Größe" wäre, wie wenn man sagt: Euer Gnaden, your honour.

Ueberall werfen sich die Niederen vor den Höheren auf die Erde; padam do nog, falle zu Füßen, Herr, sagt der polnische Bauer zu dem Edelmann, oder er umfaßt bei der Begrüßung wirklich die Kniee und küßt die Schulter. In Asien stufen sich die Begrüßungen nach dem Range des zu Grüßenden

ab und bestehen wie bei den Hindu's in Berührung der Stirne
und Beugen des Kopfes bis auf die Erde, oder wie in China
im Nicken mit dem Kopfe, Uebereinanderschlagen der Hände
und allerhand freundlichen Worten, oder wie in Sumatra und
andern ostindischen Inseln im Niederwerfen auf die Erde und
darin, daß man den Fuß des zu Grüßenden auf die Brust,
den Kopf, das Knie des Grüßenden setzt. Ja, dieselbe Höf=
lichkeit beobachtet der Mensch auch gegen seinen Gott: der Böhme
macht seine Reverenz vor einem am Wege stehenden Christusbilde
und der Christ liegt im Gotteshause voll Andacht auf den Knieen.
Nicht umsonst steht der Czar von Rußland, wenn das ganze Heer
zum Gebete niederknieet, allein aufrecht als Herr der Kirche.

Auch das Hutabnehmen findet nur so seine Erklärung.
Seit dem 17. Jahrhundert ist das Entblößen des Hauptes
zum Zeichen des Grußes ziemlich allgemein geworden; es
kommt, wie· alte Bildwerke zeigen, bereits im 15. Jahr=
hundert vor, wurde aber im Anfange nur von Niederen gegen
Höhere beobachtet. Die Mitglieder des Bürgervereins und des
großen Clubs in Braunschweig haben kürzlich einen bereits vor
20 Jahren gefaßten Beschluß erneuert, sich des Hutabnehmens
auf der Straße zu enthalten und bitten das Publikum in einer
Anzeige, eine Berührung des Hutes oder eine grüßende Be=
wegung mit der Hand als Ausdruck der Achtung anzunehmen;
also ähnlich wie man bei Militairs den guten Willen für die
That gelten läßt, wenn sie den Hut, Czako oder Helm mit der
rechten Hand nur anfassen. In England neigt man sich auch
vor dem respectabelsten Mann nur mit dem Kopf, ohne den
Hut abzunehmen; vor Damen dagegen zieht man ihn, darf sie
aber nicht zuerst grüßen. Die Franzosen sind in der That die
galanteste von allen Nationen, wie sie überhaupt die höflichste
sind. Zu jeder Jahreszeit und bei jeder Witterung begleitete
Louis XIV die Damen seines vertrauten Umgangs entblößten
Hauptes zum Wagen vor dem Palast und der galante König
hat zahllose Vorbilder und Nachahmer. Kein Franzose der ge=
bildeten Klasse spricht anders als den Hut in der Hand mit
einer Dame, wo er ihr auch begegnen mag.

Nun, daß ich mir selber meinen Kopf kühle, das macht

die Höflichkeit nicht aus, sondern wenn, wie Lotze in seinem Mikrokosmus treffend bemerkt, der Hut, vor allem der majestätische Cylinder eine Verlängerung unserer Existenz, also eine Erhabenheit über andere Subjecte mit sich bringt, so folgt nach dem Obigen von selbst, wie ehrend es für den Anderen sein muß, wenn ich durch Ziehen des Hutes meine Existenz wiederum vor ihm verkleinere, gleichsam vor ihm den Kopf niedriger trage als gewöhnlich. Vielleicht hängt es hiermit zusammen, daß der Hut, den in Griechenland nur kränkliche Leute und Proletarier trugen, von den Römern zum Symbol der Freiheit erhoben wurde, weshalb auch die Sclaven bei ihrer Freilassung einen Hut erhielten; nach Cäsar's Ermordung setzte man den Hut als Zeichen der Freiheit zwischen zwei Schwertern auf die Münzen, was später die Republik der vereinigten Niederlande nach der Abwerfung des spanischen Joches nachahmte. Wer kennt nicht den reichen güldenen Kelch mit dem böhmischen Wappen:

Die stolze Amazone da zu Pferd,
Die über'n Krummstab setzt und Bischofsmützen,
Auf einer Stange trägt sie einen Hut
Nebst einer Fahn', worauf ein Kelch zu sehn.
Könnt Ihr mir sagen, was dies all' bedeutet? —

Die Weibsperson, die Ihr da seht zu Roß,
Das ist die Wahlfreiheit der böhm'schen Kron'.
Das wird bedeutet durch den runden Hut
Und durch das wilde Roß, auf dem sie reitet.
Des Menschen Zierrath ist der Hut, denn wer
Den Hut nicht sitzen lassen darf vor Kaisern
Und Königen, der ist kein Mann der Freiheit.

Schiller: Piccolomini 4, 5.

Sehe man sich doch einen Schmeichler an, einen recht kriechenden Schmeichler. Er kriecht in der That gleichsam unter die Erhabenheit seines Gegenstandes: er möchte es wenigstens. Denn worauf zielt jene duckende Bewegung seines Kopfes, in-

dem er bei feiner Antwort mit demfelben gewöhnlich von links
nach rechts einen Halbkreis nach unten zu beschreibt,

stans capite obstipo multum similis metuenti
Hor. sat. 2, 5, 92?

Darauf, sich als einen Unterworfenen, einen Gefangenen
der Autorität, einen der Ueberlegenheit sich willig Fügenden
zu charakterisiren, ein Sclave zu sein und sich einen Sclaven
zu nennen:

οὐ ποτε δουλειη κεφαλη ἰθεια πεφυκεν,
ἀλλ' αἰει σκολιη καὐχενα λοξον ἐχει.
Theogn. 547 f. cf. Pers. 3, 80.

In gleicher Weise sagt also der nickende Zeus zur Thetis,
daß er sich ihr in diesem Punkte fügen wolle; er will ihr beistimmen und da Beistimmung eine Unterordnung ist, so stellt
er sich wenigstens der Intention nach unter sie. Nur ist natürlich die Unterordnung des Zeus ein majeſtätiſches Gewähren;
der überlegene Götterkönig weiß, daß sein Nachgeben im höchsten
Grade freiwillig ist, und daher erheben doch selbst bei dieser
Demuth des Herrschers die Höhen des Olympos.

Die gerade entgegengesetzte Geberde ist das trotzige Zurück-
werfen des Hauptes; sie drückt demnach die Negation der Unter-
thänigkeit aus, ohne daß, wie mir scheint, durch das Zurück-
werfen ein Verwerfen symbolisch ausgedrückt werden sollte.
Beim Kopfschütteln dagegen schüttelt man recht eigentlich die
Sache von sich ab, gerade so wie viele Menschen mit der aus-
gestreckten rechten Hand in der Luft herumvagiren, als wollten
sie etwas daran Haftendes abfallen machen, indem sie sagen:
damit ist nichts. Wollen sie umgekehrt Jemanden aufmuntern,
so klopfen sie ihm auf die Schultern, wie man ungefähr seinem
Pferde auf die Seiten klatscht, um es anzufeuern. Das Achselzucken wird wohl bedeuten, daß man ein Ding auf der einen
Seite annimmt, auf der andern Seite fallen läßt, was freilich
nur auf das allerdings auch gewöhnliche einseitige Achselzucken
paßt. Endlich mit den Augen zwinkern heißt bejahen im Sinne
von zugestehen, nicht sehen wollen, ein Auge zudrücken wollen.

Wenn ein Cardinal in Rom mit einer Dame spricht, so muß sie aufstehen und wäre es die Fürstin Borghese. Es sind nicht die häßlichsten, denen diese Gunst widerfährt und so sah man einst eine der schönsten Frauen während eines ganzen Abends unter dem Abonnement aller anwesenden Cardinäle zu permanentem Stehen verurtheilt. Hier besteht die Höflichkeit wohl darin, daß man es sich vor der Respectsperson weniger bequem macht, sich vielmehr vor ihr zusammennimmt; geradeso wie man Höhergestellten gegenüber die Wörter nicht so nachlässig wie im gewöhnlichen Gespräch verkürzt, „wünsche guten Morgen" sagt statt bloß „guten Morgen", Monseigneur statt Monsieur ꝛc.

Noch sei hier der Anstandsregel erwähnt, daß man Damen, überhaupt Personen, denen man Achtung schuldig ist, rechts von sich gehen läßt (comes exterior Hor. sat. 2, 5, 71. latus tegere ib. 18. Eutrop. 7, 13 verglichen mit Suet. Claud. 24. latus claudere Iuven. 3, 131). Das Gehen zur Linken ist ein Beweis der Ehrerbietung, weil die Linke wie eine des Schutzes bedürftigere Außenseite betrachtet wird, cf. Xen. Cyrop. 8, 4, 3, wo Cyrus den Gast, welchen er am meisten ehren will, zu seiner Linken sitzen läßt.

V.

Der Posaunenvirtuos Stabstrompeter Böhme aus Dresden wurde in Paris durch Hervorruf beehrt. Als er im Gefühle der Dankbarkeit, aber des ihm mangelnden Sprachidioms die rechte Hand auf die linke Brust legte, da wollte der Beifall kein Ende nehmen, denn diese Herzenssprache gefiel den Franzosen erst recht.

Händedruck, Umarmung und Kuß gelten als Ausdruck freundschaftlicher Gesinnungen. In England giebt man einer Dame, der man vorgestellt wird, sogleich die Hand; wenn wir recht herzlich unsere Freunde grüßen wollen, so fassen wir sie mit beiden Händen. Bei den Juden pflegten sich Personen, die genauer miteinander bekannt waren, wechselseise die Hand, das Haupt und die Schulter zu küssen. Während aber bei

das conventionelle Zeichen der Befriedigung geworden; plaudite
schloß schon im alten Rom die Komödie. Hieraus ist auch das
Ausspeien zum Zeichen der Verachtung zu erklären. Bei den
Gefühlen des Ekels und des Abscheu's sammelt sich nämlich
zunächst ganz unwillkürlich Speichel im Munde, welcher von
den Drüsen abgesondert wird: und es ist dann durchaus natür=
lich, denselben zu entfernen. Indem man sich nun diese phy=
siologische Folge merkte, that man später dasselbe, auch wo sie
vielleicht noch nicht eingetreten war, um den Anderen aus der
Folge die Ursache errathen zu lassen. Auf einem ähnlichen
Princip beruht wohl der Fall, den mir der Director des Leip=
ziger Taubstummen=Instituts erzählte: Als 1849 ein Anschlag an
den Straßenecken klebte, wo von „verrotteter Gottesgnaden=
wirthschaft" die Rede war, griff ein Taubstummer, der es ge=
lesen hatte, unwillkürlich wie schnäuzend an die Nase und schien
etwas wegzuwerfen; darauf ging er fort.

VII.

Ein anderes Zeichen der Verachtung giebt sich der Gassen=
bube oder Proletarier durch das Herausstrecken der Zunge,
häufig combinirt mit dem s. g. Nasendrehen, wie es im Klabbe=
radatsch vom 17. März 1867 der Sachse hinterm Rücken des
Preußen macht. Diese höchst merkwürdige Geberde, welche na=
türlich von der eben erwähnten völlig verschieden ist, lehrt uns
zugleich, wenn die nachfolgende Erklärung richtig ist, eine neue
Form der ausdrückenden Geberdensprache kennen, wo man sich
nämlich nicht selbst, sondern andere Menschen oder Dinge dar=
stellen will, also das Subject des Urtheils nicht wie bisher die
eigene Person, sondern eine fremde ist. Denn ein geistreicher
Mann interpretirte sie so: Nichts ist gewöhnlicher, als dem
Anderen seine Dummheit dadurch plastisch zu veranschaulichen,
daß man selbst ein sehr dummes Gesicht macht. Nun scheint
es das Zeichen thierischer Dummheit zu sein, die Zunge heraus=
zustrecken, denn man sagt: er ist so dumm, daß er bläkt. Man
würde also dem Betreffenden durch das Herausstrecken der Zunge

das Prädicat thierischer Dummheit octroyiren; denn daß man sich nicht selbst als Subject hinzudenkt, ist wohl sehr begreiflich.

Mir will das nicht recht einleuchten, daß das Heraus= strecken der Zunge ein Zeichen von Dummheit sein solle; man denke sich z. B. einen Jagdhund mit herabhängender Zunge. Ich will daher versuchen, eine andere Erklärung aufzustellen. Man erinnere sich daran, wofür es in W. Menzel's Ge= schichte der Deutschen mindestens drei Belege giebt, daß selbst Prinzessinnen es nicht verschmähten, durch Entblößung und Zu= wendung eines anderen Theiles Hofleuten ihre Verachtung zu bezeigen. Sie wollten damit sagen, daß ihr schnödester und niederster Theil für solches Pack gehöre, daß sie sich vor ihm auch ihrer gemeinsten Stellen nicht schämten. Nun mag ich zwar nicht behaupten, daß dem Menschen in Bezug auf sein geistiges Zeugungsglied nach Analogie eine gewisse Schamhaftig= keit innewohne, jedenfalls aber hat er das Gefühl von der Un= ziemlichkeit, ein Glied, das wir nicht erst durch Kleider be= decken, sondern das unser Körper selbst bedeckt, zur Schau zu stellen, abgesehen von der Häßlichkeit der Erscheinung. Man würde also dann dem Anderen sagen, daß man sich vor ihm selbst der unziemlichsten Handlung nicht schäme, daß man ihm das zeige, was man vor jedem anständigen Menschen ver= berge — —

Indessen täusche ich mich über die Unzureichendheit dieser zweiten Deutung nicht. Man wird doch wohl zu der ersten zurückkehren müssen, indem man vielleicht noch hinzufügt, daß in der That das Aufsperren des Mundes überall ein Zeichen von gaffender Stupidität ist, daß das Herabhängen der Unter= lippe Gutmüthigkeit, aber auch die oft damit verbundene Ein= falt bekundet, daß aber das Herabhängen der Zunge, welches man sogar gradweise beobachten kann, nur eine Fortsetzung dieser Akte und somit der Ausdruck geistiger Schlaffheit und Energielosigkeit, also Dummheit ist, den man dann in absicht= licher Nachahmung wiedergiebt. — Das zur Zeit des Rabe= lais gewöhnliche spöttische Firiren (taking a sight?), das Schnippchen schlagen u. s. w. übergehe ich hier.

VIII.

Eine anständigere und besonders in dem s. g. Vogelsteller höchst anmuthige Geberde ist die des drohend erhobenen Zeigefingers. Man versteht dieselbe sofort, wenn man sich einen Menschen denkt, der mit einem Stocke zuschlagen will: der Zeigefinger ist nichts Anderes als ein etwas abgekürzter Stock.

Der Zeigefinger dient aber nicht bloß dazu, Stöcke, sondern auch dazu, ganze Menschen zu vertreten. Dies geschieht nämlich beim Heranwinken, wo wir den Zeigefinger in der Richtung nach uns bewegen, während der Italiener gerade umgekehrt die Hand mit dem Rücken an die Brust legt und nun die Finger nach dem zu spielen läßt, der herankommen soll. Freilich wird man schwerlich im ersten Falle sagen können, der Finger sei gleichsam ein Vorbild für den Herangerufenen, der dieselbe Bewegung im Großen machen solle, wie er im Kleinen, denn die Hauptsache ist doch wohl nur, daß die Richtung und das Ziel bezeichnet wird, im zweiten Falle dagegen nur die Richtung. Gerade so deutet man mit dem Kopf, der Hand, dem Stocke dahin, wohin man Jemand haben will; Achilles weist den Patroklos durch ein bloßes Zucken der Augenbrauen an, dem Phönix ein Lager zu bereiten:

ἦ καὶ Πατρόκλῳ ὅγ᾽ ἐπ᾽ ὀφρύσι νεῦσε σιωπῇ
Φοίνικι στορέσαι πυκινὸν λεχος

Il. ι, 620.

Der Kutscher, der knallt, giebt ein Warnungszeichen der oben beschriebenen Art; zeigt er mit der Peitsche auf die Seite, so sagt er, man solle aus dem Wege gehen; und steht Jemand unten, der mit seiner Hand wiederholt schnell vorwärts deutet, so versteht er, daß er schnell weiterfahren soll.

Eine vorzugsweise sprechende Geberde ist die, die geöffnete rechte Hand vor sich zu halten, gleich als ob es offen vor Augen liege, was man suche; man sieht sie z. B. an dem h. Zacharias von H. Wagner in der Münchener Pinakothek. Den Begriff des Schließens drücken die Taubstummen aus, indem sie mit dem rechten Zeigefinger erst den Daumen, dann den

Zeigefinger der linken Hand berühren. Es folgt! Aehnlich
zählt man ja auch an den Fingern die Gründe her, wie z. B.
in außerordentlich charakteristischer Weise Sokrates auf Rafael's
Schule von Athen.

Noch Eins vom Zeigefinger, was sogar für Reisende eine
gewisse praktische Bedeutung hat. Will man in Neapel die
zudringlichen Bettler los werden, so erhebe man den Zeigefinger
und den kleinen Finger der linken Hand bis zum Ohr, indem
man die übrigen Finger einbiegt und dabei hastig mit den
Achseln zuckt: Sofort reißen sie aus, denn der Jettature-
Aberglaube knüpft sich an diese Geberde.

IX.

Wenn Menschen sich untereinander auslachen, besonders
Kinder und schalkhafte Damen, so legen sie den Zeigefinger der
rechten Hand auf den Zeigefinger der erhobenen linken Hand
und fitscheln darauf hin und her, gewöhnlich mit den Worten:
ätsch! ätsch! oder auch: Schimpf! Schimpf! (Braunschweig.)
Es ist dies eine sehr sonderbare Geberde, die in Nord= und
Süddeutschland gewöhnlich ist. Man glaubt ihrem Ursprunge
auf die Spur zu kommen, wenn man hört, daß sie Rübchen=
schaben genannt wird (schieb, schieb Möhrchen!); der linke
Zeigefinger wird also jedenfalls als eine Rübe betrachtet, die
man schabt. Aber wie ist das zusammen zu reimen? Soll es
heißen, der Verspottete müsse mit dem Abschabsel zufrieden sein,
eine Erklärung, die ich in Körte, Sprichwörter der Deutschen
(Leipzig, 1862) gefunden habe? Oder ist es etwa ein inten=
sives Zeigen? Aber wie kommt man auf die Rübe?

Umsonst sucht man in Grimm's Mythologie — oft sind
solche Sachen Geheimnisse der Mythologen —, umsonst in
alten Wörterbüchern, welche zuweilen seltsame Repertorien für
allerlei Weisheit bilden, nach Aufklärung über diese sonderbare
Sitte; sie ist ihnen jedoch nicht unbekannt. Adelung, Wörter=
buch der hochdeutschen Mundart, Leipzig 1777, sagt: Jemanden
ein Rübchen schaben, eine im gemeinen Leben, besonders unter
Kindern gewöhnliche Art, seine Schadenfreude an den Tag zu

legen, da man den Zeigefinger der linken Hand mit dem Zeigefinger der rechten Hand so streicht, als wenn man eine Rübe
schabet. Campe, Wörterbuch der deutschen Sprache (Braunschweig 1809): Einem ein Rübchen schaben, im gemeinen Leben,
besonders bei Kindern, seine Schadenfreude an den Tag zu
legen, oder Einen necken und beschämen dadurch, daß man mit
dem Zeigefinger der rechten Hand wiederholt über den der linken
Hand so hinstreicht, als wenn man eine Rübe schabte. Endlich
Sanders, Wörterbuch der deutschen Sprache (Leipzig 1863):
„Einem ein Rübchen schaben", ihn neckend höhnen, indem man
wiederholt mit dem Zeigefinger der rechten Hand über den der
linken streicht (wie Rübchen schabend); auch „ein Schabe-
rübchen machen" (ätsch! ein mildhöhnender Ausruf, manchmal
allein, manchmal mit der Geberde des Rübleinschabens).

Schauen wir einmal um, ob wir nicht irgendwo einen
Volksglauben entdecken, wo die Rüben eine Rolle spielen. Nun
ich denke, es fällt Jedem sogleich jener berufene Berggeist ein,
der im Riesengebirge sein Wesen treibt und „voll zwergischer
und koboldischer Laune" die Bewohner neckt (in Mähren läuft
die Sage von dem Seehirten, einem schadenfrohen Geist, der
in Gestalt eines Hirten, die Peitsche in der Hand, Reisende in
einen Moorbruch verlockt; Sagen aus der Vorzeit Mährens,
Brünn 1817, p. 136—171 — giebt wohl keinen Anhalt).
Lassen wir uns also von Musäus einmal die alte Geschichte
wieder erzählen. Als Rübezahl die schöne Prinzessin Emma
in sein Schattenreich entführt hatte und sie sich aus Mangel
an Gesellschaft einsam fühlte, da zog er auf einem Acker ein
Dutzend Rüben aus, welche Emma nur mit einem kleinen Stabe
zu berühren brauchte, um ihnen jede beliebige Gestalt zu geben.
Als aber die Rübengesellschaft welk und alt geworden war,
säete Rübezahl neue Rüben, mit denen die Prinzessin ihr Spiel
wieder beginnen konnte. Sie aber verwandelte die Rüben jetzt
in Bienen, Grillen, Elstern u. s. w., welche sie als Liebesboten
zu ihrem früheren Geliebten, Fürst Ratibor, entsendete, und
bereitete sich vor zu entfliehen. Einst sagte sie zu Rübezahl,
er habe ihr Herz besiegt und sie fordere nur noch als Probe
seiner Treue, daß er die Rüben auf dem Acker alle zählen solle.

Während nun der Gnome zählte, sich verzählte und wieder zählte, metamorphosirte Emma eine in Bereitschaft gehaltene saftvolle Rübe in ein Roß, auf welchem sie in's Marienthal zu Ratibor entfloh.

Was ich nun hinzuzusetzen habe, ist dies: Man lacht Jemanden aus, wenn man ihn überlistet hat; dafür ist jenes Rübchenschaben der eigentliche Ausdruck. Die Prinzessin überlistete ihren Paladin in der That dadurch, daß sie mit ihrem Stäbchen die Rüben bestrich und sie so verwandelte; jedenfalls versteht man unter dem Schaben diesen Akt; Rübchenschaben und überlisten ist also Eins. Die Dame, welche demnach einem Herrn Rübchen schabt, lacht ihn aus, weil sie ihn wie Emma überlistet hat; und daß diese Sitte so allgemein geworden, daß jetzt jeder Vogel, welcher dem Buben aus dem Käfig geflogen ist, demselben Rübchen schabt, beweist, wie viel Anklang die Schlesierin in der gesammten deutschen Frauenwelt gefunden hat.

Ideen zu einer vergleichenden Syntax.

— Wort- und Satzstellung. —

Von

Georg von der Gabelentz.

1.

Vor allem ein paar Worte pro domo. Ideen habe ich
den Inhalt der folgenden Seiten genannt, nicht eine Skizze;
denn eine Skizze soll ein Ganzes in seinen Umrissen geben,
während, was ich dem Leser biete, seinem Umfange nach frag-
mentarisch und in seiner Ausführung leider nur skizzenhaft sein
wird. Was ich gebe und was ich vorläufig nur geben kann,
sind Beobachtungen, welche ich beim Studium einiger Sprachen
der indogermanischen, finnotatarischen, indochinesischen, malaiisch-
polynesischen Stämme und des Japanischen gemacht, Analogieen
und Verschiedenheiten der Erscheinungen, die ich zu ordnen, zu
erklären versucht habe; und wenn ich die Ergebnisse für meine
Ideen ausgebe, so geschieht dies wahrlich nicht mit der Prä-
tension, erster Entdecker zu sein, hieße dies doch die vielen
scharfen und feinen Bemerkungen übersehen, welche sich namentlich in den Werken des Herrn Prof. Steinthal zerstreut
finden. Auch bin ich mir des Precären meiner Ansichten und
der Mangelhaftigkeit der von mir gebrauchten Terminologie wohl
bewußt, und ich fühle nur zu tief, wie sehr meine Arbeit der
Nachsicht bedarf, welche man Erstlingen nicht leicht versagt.

2.

Die Frage, die ich mir gestellt habe, lautet: Auf welchen
allgemeinen Principien beruhen die Wort- und Satz-

stellungsgesetze der einzelnen Sprachen? Welche Bedeutung hat nun diese Frage für die Wissenschaft? Der leider zu früh
verstorbene Schleicher hat seiner Zeit die Grundsätze, nach welchen
sich die Wortbestandtheile zum Worte zusammensetzen, in einer
„Morphologie der Sprache" geordnet, er hat dargethan, wie
constant diese Grundsätze innerhalb der einzelnen Sprachstämme
sind, welch' hervorragenden Einfluß sie auf die Bestimmung
der Sprachverwandtschaft ausüben. Und unser Thema? Vergleiche man einen lateinischen Satz mit einem französischen, und
welch himmelweiter Unterschied! Hier werden wir das: „le
style c'est l'homme" analog wiederfinden: wie ein Volk seine
Begriffe, seine Gedanken ordnet, so ordnet es seine Sätze: die
Stellungsgesetze können innerhalb eines Stammes beständig
sein, und sie sind es in vielen mehr oder weniger, z. B. im
Ural-altaischen, im Malaiischen, aber sie sind es nicht in allen,
weil Richtung, Methode, ja Fähigkeit des Denkens bei sprachlich sehr nahe verwandten Völkern sehr verschieden sein können.
Mit anderen Worten: Der Werth unserer Aufgabe ist in erster
Reihe völkerpsychologischer, nur in zweiter Reihe sprachgenealo-
gischer Natur.

3.

In der Wahl meiner Erkenntnißquellen, der Beispiele,
welche ich beizubringen gedenke, werden mich, abgesehen von
den Schranken, die mir mein positives Wissen setzt, die Grenzen
bestimmen, welche ich meiner Arbeit vorgezeichnet habe. Von
ihr soll alles, was der rhetorischen Wort- und Satzgruppirung
angehört, ja vorläufig selbst die Inversionen des Relativ-, des
Befehls- und des Fragsatzes ausgeschlossen bleiben. Umstellun-
gen z. B., wie wir sie zu machen gewöhnt sind, wenn uns
der Angeredete nicht verstanden hat und wir den gesprochenen
Satz noch einmal wiederholen müssen, lassen wir für diesmal
unberücksichtigt, und je weniger fest innerhalb einer Sprache
die Regeln über die Anordnung der Satzbestandtheile sind, desto
weniger taugt diese Sprache für unsern Zweck. Sprachgeschicht-
lich werthvoll werden wir die Composita finden, denn in ihnen
zeigen sich alte Wortstellungsgesetze so zu sagen in krystallinischer

Form. Hier mag nur darauf hingewiesen werden, daß eine
Sprache um so mehr an feste Stellungsgesetze gebunden ist,
je weniger Mittel sie besitzt, die Beziehungen der Worte zu
einander, ihre Functionen im Satze zum lautlichen Ausdrucke
zu bringen.

4.

Die einfachste Mittheilung durch die Sprachorgane geschieht
durch Laute, welche nur eine Erscheinung, eine Wahrnehmung,
Empfindung zum Ausdrucke bringen, ohne kund zu geben, an
wem oder was der Redende (wenn man das ein Reden nennen
will) wahrnehme u. s. w. Z. B. der Ruf: Plautz! erweckt in
dem Hörenden nur die Vorstellung eines gewissen Geräusches,
dessen Ursache, Ursprungsort u. dgl. er unbestimmt läßt. Derartige Lautgesten, um mit Heyse zu reden, mögen in einem
früheren, naiveren Stadium der Sprachentwickelung eine hervor-
ragendere Rolle gespielt haben, sind es doch bei uns Kinder und
Ungebildete, die sich ihrer am häufigsten bedienen: für unseren
Zweck sind sie werthlos; sie sind Satzsurrogate, nicht Sätze, ja
ihrem Wesen nach oft nicht einmal Satztheile.

5.

Was bezweckt man nun, indem man zu einem Andern
etwas spricht? Man will dadurch einen Gedanken in ihm erwecken. Ich glaube, hierzu gehört ein Doppeltes: erstens, daß
man des Andern Aufmerksamkeit (sein Denken) auf etwas hin-
leite, zweitens, daß man ihn über dieses Etwas das und das
denken lasse; und ich nenne das, woran, worüber ich den Angeredeten denken lassen will, das psychologische Subject,
das, was er darüber denken soll, das psychologische Prä-
bicat. In der Folge wird es sich zeigen, wie verschieden oft
diese Kategorieen von ihren grammatischen Seitenstücken sind.
Von der Copula sehe ich ab, denn ein selbständiger, von dem
Prädicate getrennter Ausdruck derselben gehört nicht zu den
sprachlichen Nothwendigkeiten.

Um einen Vorgeschmack für das Folgende zu geben, anzudeuten, wie verschiedene Dinge fähig sind, Subjecte eines Satzes

zu werden, erinnere ich gleich an dieser Stelle an die phi-
lippinischen Sprachen. Diese haben außer der activen Redeweise noch eine dreifache passive, durch welche bald das ursprüngliche Object, bald das Werkzeug, bald der Ort der
Handlung zum Subjecte erhoben werden können.

6.

Die Stellung jener beiden psychologischen Haupttheile
des Satzes ist nun meines Erachtens naturgemäß die, daß das
Subject zuerst, das Prädicat zu zweit steht. Diese Anordnung
bildet hinsichtlich der entsprechenden grammatischen Kategorieen
in allen mir bekannten Sprachen die Regel, für die psychologischen ist sie ein Gesetz, das, wie mir scheint, keine Ausnahme
zuläßt. Man muß uns eben den Gegenstand zeigen, wenn wir
ihn betrachten, das Werkzeug in die Hand geben, wenn wir
es benutzen, uns an den Ort führen, wenn wir uns daselbst
umschauen sollen. Nur wenn wir den Gegenstand bereits im
Auge, das Werkzeug in der Hand haben oder wenn wir uns
schon an Ort und Stelle befinden, bedarf es dieser Vorbereitung nicht. Hieraus erklären sich die in manchen Sprachen,
z. B. im Chinesischen, dem Mandschu, dem Japanischen, so
häufigen Ellipsen des Subjectes, eine Redewendung, die bekanntlich auch uns nicht fremd ist; z. B.: „Was! schon wieder
da?" „Ja, und alles besorgt", wo: „du bist" und „ich habe"
sich von selbst verstehen.

7.

Bemerkt mag werden, daß es für unsern Zweck keinen Unterschied macht, ob der betreffende Satztheil aus einem oder
aus mehreren Wörtern oder aus einem ganzen Satze (Vorder-,
Neben-, Zwischen-, Nachsatz) bestehen. Ausdrücke wie: gestern
vor einigen Jahren, nachdem dies geschehen war, sind Adverbien;
in dem Satze: er fragte, ob ich kommen würde, sind die vier
letzten Worte Object u. s. w.

8.

Ich sagte nun, in dem Satze nehme stets das psychologische
Subject die erste, das psychologische Prädicat die zweite (letzte)

Stelle ein. Ist dies richtig, so springt ins Auge, wie verschiedene Rollen oft die grammatischen Satzbestandtheile und ihre psychologischen Seitenstücke spielen.

In allen mir bekannten Sprachen kommen die Adverbien in doppelter Stellung vor: bald treten sie unmittelbar zu dem Verb, vor oder nach dasselbe je nach den Regeln der einzelnen Sprachen, bald beginnen sie den Satz. Nun ist es gewiß im Erfolge ein und dasselbe, ob ich sage: Napoleon wurde bei Leipzig geschlagen, oder: bei Leipzig wurde Napoleon geschlagen; durch den einen Satz erfährt der Hörer nicht mehr und nicht weniger als durch den andern. Psychologisch aber besteht ein tiefer Unterschied: in dem einen Falle ist es Napoleon, in dem andern die Gegend bei Leipzig, von der ich rede, auf die ich den Gedanken des Angeredeten hinlenken will, also mein psychologisches Subject. Letzteres könnte man mit den Worten: Leipzig ist die Stadt, bei welcher (oder: die Umgegend von L. ist es, wo) N. geschlagen wurde, umschreiben, Ersteres nimmermehr. Beispiele wie: gestern war Sonntag, und: Sonntag war gestern, sind vielleicht noch prägnanter; Ersteres läßt sich ohne Weiteres in: der gestrige Tag war ein Sonntag, Letzteres in: der Sonntag fiel auf den gestrigen Tag übertragen, dort ist das Adverb psychologisches Subject, hier Theil des Prädicates. Wenn er kommt, soll es mir angenehm sein, ist gleich: sein Kommen soll mir u. s. w.

Der Gedanke läge nahe, jene Adverbien und Adverbialsätze, insoweit sie den Satz beginnen, lediglich als dessen Attribute (s. u.) anzusehen. Mir scheint dies aus zwei Gründen bedenklich: einmal finden sich derartige satzbeginnende Adverbien auch in Sprachen, in welchen das Attribut stets hinter das näher zu bestimmende Wort oder doch das Adverb stets hinter das durch dasselbe zu bestimmende Verbum zu treten hat (Ersteres in den malaiischen Sprachen, Letzteres im Französischen), und dann scheinen die Inversionen, deren sich manche Sprachen nach satzeröffnenden Adverbien bedienen, z. B. das Deutsche, das Französische in: demain sera mon jour de fête, darauf hinzudeuten, daß man den folgenden Satz als ein in sich abgeschlossenes Ganze auffassen müsse.

9.

Beschränkteren Gebrauches ist die Stellung des grammatischen Prädicates oder eines Theiles desselben vor dem Subjecte. Hierher gehören:

a) unsere Personalendungen in der Conjugation, ein Gemeingut der indogermanischen, semitischen, finnischen und noch mancher anderen Sprachstämme; z. B. sanskrit: svapi-mi, ich schlafe, ungarisch: tud-om, ich weiß;

b) die Stellung gewisser, namentlich intransitiver (also auch passiver) Verben zu Anfange des Satzes, z. B. sanskrit: âsîn Madrêschu dharmâtmâ râjâ es = war zu = Madras ein = tugendsamer König; lateinisch: incipit liber de ...; deutsch dialectisch: kommt ein Vogel geflogen, statt: es kommt u. s. w. In der Sprache der Alifurus von Amurang (Nord=Celebes), welche ich aus einer Uebersetzung des Matthäus=Evangeliums erlernt habe, sind derartige Inversionen bei intransitiven Activverben und bei der sehr häufigen passiven Ausdrucksweise gestattet, z. B. weaweanem anwiitu tou essa war daselbst Mensch ein = es war dort ein Mensch, kepakaanakkem si Jezus nachdem = geboren = worden der Jesus, aitiaam watu essa geworfen = wurde Stein einer. Manche Sprachen entbehren dieser Inversion gänzlich, so die mongolische und mandschuische; andere, deren Satzbau in mittheilender (nicht fragender, befehlender) Rede die Stellung des Verbums zu Anfange des Satzes nicht gestattet, helfen sich mit Surrogaten, lassen vor das Verbum das unpersönliche Fürwort oder ein Adverb treten, z. B. deutsch: es, franz.: il, dagegen ital.: ci und engl.: there. Ich glaube, psychologisch ist hier das Prädicat Subject und das grammatische Subject Prädicat. Z. B. A. hinkt, B. fragt ihn: Was fehlt dir? Die Antwort lautet: Es drückt mich (oder mich drückt) der Stiefel. Aber A. giebt dem Schuhmacher den Stiefel zurück mit den Worten: Der Stiefel drückt mich. B. wollte wissen, was dem A. fehlte, der Schuhmacher sollte erfahren, was der Fehler des Stiefels sei. Mich blendet das Licht, werde ich sagen, um zu erklären, warum ich blinzele; das

Licht blendet mich, sage ich, um über das Licht zu urtheilen. Dort ist es die Erscheinung, von welcher ich die Ursache (das Subject), hier der Gegenstand, von welchem ich die Erscheinung, die Wirkung dem Angeredeten zu wissen thue. Ebenso mit Subjectssätzen: Meine Sorge war, er möchte behindert sein; daß er noch gekommen ist, war mein Glück. Hier spreche ich im ersten Satze von meinem Zustande, der Sorge, diese ist mir Subject, von ihr sage ich aus, worauf sie sich bezogen habe; im zweiten Satze rede ich von seiner Ankunft, deren Wirkung auf mich ist Gegenstand des Prädicates.

Die allgemeine Anwendung der Personalendungen (vgl. unter a) erklärt sich, wenn man annimmt, daß Lautgesten (vgl. 4) die primitivsten Sprachbehelfe gebildet haben, mit andern Worten, daß man sich in der Kindheit der Sprache begnügt, den Anderen auf die Erscheinungen, Empfindungen an sich aufmerksam zu machen und ihm erst in zweiter Reihe das grammatische Subject (den Urheber, Leidenden, Empfindenden) genannt habe.

10.

Die zwei ursprünglichen Satztheile treten vielfach in zusammengesetzter Form auf. Insbesondere sind es zwei Erweiterungen, die wir hier in's Auge fassen:

a) **Nebenprädicate.** Es können einzelne Satztheile (namentlich auch das psychologische Subject außer dem Hauptprädicate) noch mit besonderen Prädicaten versehen werden; der Redende will den Hörenden wissen lassen, wie er sich das Subject, wie er sich das Hauptprädicat des Näheren vorzustellen habe. Was er ihm dabei mittheilt, sind beiläufige Prädicate, nähere Bestimmungen (Genitive, Possessive, Adverbien, Adjective, Participien u. dgl.). Die Stellung derselben kann eine doppelte sein:

aa) hinter dem näher zu bestimmenden Worte; so in den malaiischen, polynesischen, melanesischen Sprachen, im Annamitischen, Siamesischen. Z. B. Alifuru: tou sakit essa Mensch krank ein = ein kranker Mensch, ranu anggor Wasser Wein = Weinwasser, Most, watu apo Stein Vorfahr = Urgestein,

Fels, si amang-amu si andarem in sorga der Vater = euer der im = Innern n. gen. Himmel.

bb) vor dem näher zu bestimmenden Worte. So in den finnotatarischen Sprachen, dem Chinesischen, Japanischen; z. B. chinesisch: jîn sûn des Menschen Herz, min tse lai Volk Kind kommt = das Volk kommt wie ein Kind; japanisch: tami kóno gotoku kitaru Volk Kindes ähnlich kommt; mandschu: musei emu sain sargan jui bi unser ein gut Weib Kind ist = es existirt ein uns angehöriges hübsches Mädchen; ungarisch: jó bór guter Wein. Daß diese Wortstellung in den indogermanischen die ursprüngliche gewesen sei, dafür sprechen die Composita: mahârâjâ = Großkönig, γλαυχῶπις = blauäugig. Hier scheint mir erst der parenthetische Werth derartiger Prädicate recht zum Bewußtsein gekommen zu sein; mit ihrer Stellung vor dem zu bestimmenden Worte haben sie ihre Prädicatseigenschaft verloren und den Charakter eines neuartigen Satztheiles angenommen. Dort dagegen sind sie im Wesentlichen Prädicate geblieben, und höchstens Conjugationsbildungen, Artikel (Demonstrativwörter), oder Copulasurrogate deuten, wo sie sich finden, den Unterschied zwischen Haupt= und Nebenprädicat an.

11.

b) Das Object; ich fasse hierunter das directe und das indirecte zusammen. Die Verwandtschaft desselben mit dem Adverb ist leicht begreiflich und hat in den Sprachen mehrfach Ausdruck gefunden; indem das Object die Richtung der Verbalhandlung bezeichnet, bestimmt es diese näher. Domum eo übersetzen wir durch: ich gehe nach Hause, also adverbial; im Sanskrit werden Adverbien durch den Accusativ neutr. des Adjectivs gebildet, und im Chinesischen kann das directe Object, das sonst hinter das Verbum zu treten hat, mit vorgesetzter Partikel ï = mit, benutzend, also adverbial vor das Verbum treten, z. B. ï thian-hia iü jin benutzend Reich geben Menschen = das Reich einem Menschen geben, ihn damit beleihen.

Es wurde eben angedeutet, daß die Wortstellungsgesetze des Chinesischen einen Unterschied zwischen Adverb und Object machen: jenes tritt vor, dieses hinter das Verbum, und dasselbe

Gesetz gilt u. A. auch im Ungarischen, während die tatarischen Sprachen und das Japanische, ebenso wie die malaiisch-polynesischen Sprachen der Stellung nach keinen wesentlichen Unterschied zwischen beiden machen: beide treten dort vor, hier hinter das Verbum. Aehnlich im Deutschen: er sagte dem Freunde schnell Lebewohl, und: nachdem er dem Freunde schnell Lebewohl gesagt. Unterscheidungen aber, wie sie das Chinesische macht, nöthigen zu der Annahme, daß doch das Sprachgefühl wenigstens einzelner Völker einen erheblichen Abstand zwischen beiden kennt. Worin beruht dieser? Ich glaube darin, daß diese Völker in dem Verbum transitivum den Vermittler zwischen Subject und Object erblicken, etwa den Weg, auf welchem jenes zu diesem gelangt, und daß sie dieses Verhältniß versinnlichen müssen.

12.

Es ist klar, daß, wie wir es unter 8. bezüglich der Adverbien gesehen haben, so auch directe und indirecte Objecte zu psychologischen Subjecten des Satzes werden können, sobald nur die Sprachgesetze die Stellung des Objectes zu Anfang des Satzes zulassen. Wo sie dies nicht gestatten, da treten, wie im Deutschen beim Verbum (vgl. unter 9.), Surrogate ein. Wir sahen, wie sich das Chinesische mit der Partikel ï behilft (11.), Andere erheben das Object zum grammatischen Subjecte durch Anwendung des Passivums, und unter 5. ist darauf hingewiesen worden, wie weit es eine kleine Sprachengruppe darin gebracht hat; das Französische liebt Umschreibungen durch Demonstrativ- und Relativsätze: c'est à vous, que je parle, c'est toi que je regarde. Das Mandschu, dessen Gesetze in der Regel Stellung des Objectes zwischen Subject und Verbum verlangen, kann vermöge seiner Casuszeichen ebensogut wie das Lateinische, Griechische, Sanskrit u. s. w., ohne Weiteres invertiren: age-i ferguwecuke gônin be bi wacihiyame saha des = Herren ausgezeichnete Gedanken nota acc. ich vollkommen habe = verstanden = Ihre Ansicht ist mir wohlbekannt. —

Hiermit schließe ich diesen Versuch, dessen Zweck es mehr war anzudeuten als auszuführen.

Aesthetisches und Ethisches im Sprachgebrauch.

Indem die Sprache dem Geist, oder vielmehr der Geist selbst sich mittelst der Sprache, Ausdrücke für seine gesammte Vorstellungswelt geschaffen hat, sind darunter auch Bezeichnungen ästhetischer und ethischer Dinge inbegriffen, deren Besitz ja zum Wesen des Geistes im Unterschied von bloßer Naturseele vorzüglich gehört. Alle Bezeichnungen für geistige Dinge sind aber durch stufenweise Vergeistigung von Bezeichnungen natürlicher Dinge auf dem Wege der Metapher u. s. w. entstanden und so auch die Bezeichnungen ästhetisch = ethischer Dinge, wenn sie nicht von bereits geistigen hergenommen sind. Der Sprachgeist als solcher ist weder ästhetisch noch ethisch, sondern kennt nur einen logischen Werth der Wörter, so wie das Sprechen ursprünglich ein organisch = psychisches, nicht ein ästhetisches oder ethisches Thun ist. Aber im Verlauf der Cultur und Geschichte scheint die Sprache doch ästhetischen und ethischen Einflüssen noch in einem engern Sinne unterworfen zu werden als bloß so, daß sie eben für alle aufkommenden ästhetischen und ethischen Vorstellungen irgendwie aus ihrem Vorrath Bezeichnungen herschaffe und mit sich führe, ohne dadurch aus ihrer sonstigen Indifferenz gegen Werthbestimmungen jener Art herauszutreten, sondern so, daß gleichsam innerhalb der Sprache selbst ästhetische und ethische Unterschiede auftauchen und sich festsetzen, indem nicht nur Bezeichnungen aller möglichen sittlichen Zustände, Thätigkeiten und Werthstufen in den Wortschatz einbringen, sondern auch Benennungen von an sich indifferenten Dingen einen Anflug ästhetisch = ethischen Werthes gewinnen. Dies ist zunächst Folge davon, daß immer mehr Gegenstände in den Kreis ethischer und ästhetischer Cultur oder wenigstens Betrachtung gezogen werden; aber dies gilt eben auch von der Sprache selbst.

Wie alles Natürliche, kann auch das Sprechen mit der Zeit veredelt werden; es entwickelt sich eine Sprache der höheren Stände in ihrem amtlichen und geselligen Verkehr, sodann eine wirkliche Kunst der Rede, ein rhetorischer und poetischer Stil; je mehr öffentliches, zum Theil feierliches Reden im Dienste sittlicher Zwecke des geselligen Lebens aufkommt, um so mehr werden Ansprüche an die Leistungsfähigkeit der Sprache in dieser Richtung erhoben und erhöht. Was die Sprache darin wirklich zu leisten vermag, ist ein wesentliches Element dessen, was wir im Unterschied von natürlicher Sprache und Sprach= entwicklung den gebildeten Sprachgebrauch nennen, worunter wir also nicht den Gebrauch verstehen, den irgend ein Subject von der Sprache mit mehr oder weniger Willkür und Geschick macht und für den es selbst ästhetische und ethische Beurthei= lung erfährt, sondern eine objective, einigermaßen constante und obligatorische Auswahl von Gebrauchsweisen, die zunächst Ge= genstand der Sprachwissenschaft sind, obwohl wir nicht Alles, was der Geist aus uns mit der Sprache macht, ihr selbst zu= rechnen können.

Daß nun an Wörter, welche nicht unmittelbar ethische oder ästhetische Dinge bezeichnen, dennoch Werthbestimmungen dieser Art sich ansetzen können, muß freilich logisch vermittelt sein, wie alles Sprachliche, aber es wird eben darum nicht schwerer zu erklären sein als die Entstehung geistiger und ethischer Be= griffe überhaupt auf der Grundlage sinnlicher Anschauungen, zumal da es sich hier nicht um wirklichen materiellen Ueber= gang der Bedeutung aus einer Begriffssphäre in eine andere handelt, sondern mehr um eine nur dem Gefühle vorschwebende formelle Modification der Gebrauchsweise je nach dem Zusam= menhang der Rede. Auch eine solche ästhetische Bedeutungs= sphäre kann sich doch nur aus der logischen entwickeln, nach denselben Motiven und Gesetzen wie die Bedeutungsänderungen überhaupt; gerade in dieser Richtung ist der Sprachgebrauch weniger „Tyrann" als vielleicht in manchen Wort= und Satz=

formen, obwohl auch dort das sog. Tyrannische eben nur etwas noch nicht Erklärtes betrifft. Es müssen also in der logischen Bedeutungssphäre irgend welche besondere Elemente oder Momente gegeben sein, welche das betreffende Wort bei gewissen Gelegenheiten zu einem spezifischen Gebrauche von der fraglichen Art nicht bloß befähigen, sondern fast nothwendig erscheinen lassen.

Solche Beschaffenheit einzelner Wörter kann nicht leicht bloß Resultat „natürlicher Auswahl" sein; dieses Princip, das nach Darwin den jeweiligen Bestand der Spezies in der organischen Natur beherrscht, erklärt in so allgemeiner Fassung nur den materiellen Bestand an Wörtern und Bedeutungen in der Sprache, nicht spezifische Gebrauchsweisen; es müssen der Wirksamkeit eines allgemeinen Prinzips für die einzelnen Fälle ja doch immer wieder besondere Bedingungen zu Hülfe kommen, welche sich freilich nicht immer nachweisen lassen. Ein solcher Factor ist für die Bedeutungsgeschichte einzelner Wörter unstreitig der Sprachgebrauch hervorragender Schriftsteller, welcher nicht bloß als Folge, sondern zugleich auch selbst mit als Grund der fraglichen Erscheinung zu betrachten ist. Classisch werden ja gewisse Schriftsteller, abgesehen von dem reinen Gedankengehalt ihrer Werke, wesentlich auch durch ein formell künstlerisches und zwar individuell schöpferisches Verfahren, womit sie den überkommenen Sprachgebrauch zwar nirgends umstürzen, aber vielfach umbilden. Die von ihnen getroffene Auswahl muß zwar selber wieder Gründe haben in vorgefundenen Beschaffenheiten des Wortmaterials und findet einen solchen z. B. darin, daß durch den Gang des allgemeinen volksthümlichen Sprachgebrauchs nach dem Princip natürlicher Auswahl einzelne Wörter, besonders ältere, selten geworden sind und nur einen engen Kreis von Anwendung beibehalten haben. Indem nun ein vielgelesener genialer Schriftsteller solche Wörter hervorzieht und ihre Spezialität benutzt, um neue Anschauungen darein zu kleiden (damit zu appercipiren), kommen sie neuerdings in Curs, jedoch mit diesem aufgefrischten Gepräge, welches nun, wie es glücklich getroffen erscheint, eine Zeit lang haften bleibt. Nicht selten wird die dichterische Auswahl davon

geleitet, daß ein echt volksthümlicher, einheimischer, natürlicher
Ausdruck neben einem sachlich gleichbedeutenden fremden, künstlich
entlehnten und nationalisirten, den Vorzug größerer Kraft oder
Gemüthlichkeit besitzt. Ein anderer Factor, der Wörtern einen
eigenthümlichen Charakter verschaffen kann, sind Umstimmungen
der öffentlichen Meinung über gewisse Dinge, nicht durch Ein=
fluß der Litteratur, sondern in Folge allgemeinen Bildungs=
ganges, herangereift im Schooße des Volkes selbst und vielleicht
verstärkt durch besondere Ereignisse in der Politik oder Cultur=
geschichte. Auf diesem Wege entstehen z. B. sprüchwörtliche
Redensarten, vergleichbar den Citaten aus Schriftstellern, und
Wörter, welche in solchem Zusammenhang üblich sind, erhalten
davon eine spezifische Färbung, wodurch sie auch wieder zu
besonderer Farbengebung geeignet werden.

Die Thatsache, deren weitere Besprechung wir mit diesen
Erklärungen zunächst einleiten wollten, ist der Unterschied eines
edleren und gemeineren Sprachgebrauchs, in dem Sinne,
daß die Sprache unter den sog. Synonymen solche besitzt,
welche sich als edlere und gemeinere Bezeichnung scheinbar des=
selben Dinges unterscheiden. Daß dieser Unterschied ästhe=
tischer Art ist, liegt auf der Hand; daß er auf logischen
Verschiedenheiten (Verengerung oder Erweiterung der Begriffs=
sphäre, Abschwächung oder Steigerung der Bedeutungsintensität
u. dgl.) beruhen muß, ist oben voraus bemerkt worden; es
wird also, wie bei den andern Synonymen, der Satz gelten,
daß das verschieden benannte Ding im Grunde — eben selbst
ein verschiedenes sei, nur daß dieser Grund hier durch einen
geradezu ästhetisch gewordenen Charakter des einen Wortes
verhüllt wird. Was hier „ästhetisch“ und vorher „edler“ ge=
nannt wurde, wird in unsern Wörterbüchern meist als „dich=
terisch“ vom gewöhnlichen Sprachgebrauch unterschieden, und
wir können uns, nach den obigen Bemerkungen über die künst=
lerische Ausbildung des Sprachgebrauchs und den Einfluß
classischer Schriftsteller auf denselben, diese Bezeichnung wohl
gefallen lassen; nur wird jenes „Edlere“, nachdem es vielleicht
zunächst von Dichtern aufgebracht worden ist, auch von Rednern
und überhaupt von Jedem beobachtet, der auf den sprachlichen

Ausdruck zu beſondern Zwecken einige Sorgfalt verwendet; es
kann daher auch zur Sprache des höhern geſelligen Anſtandes
gehören, der nichts Poetiſches an ſich hat und hinwieder vom
Dichter, ſowie auch vom Redner, im Intereſſe der Naturwahr=
heit ausnahmsweiſe kann bei Seite geſetzt werden. Ferner ſoll
die Bezeichnung „edler“ nicht den Sinn haben, daß der andere
Ausdruck darum etwas „Gemeines“ in tadelhaftem Sinne an
ſich trage; wir wählen eben darum die Form des Compara=
tivs für beide Prädicate, um die Relativität des Werthunter=
ſchiedes anzudeuten, und behalten uns eine Erörterung des
Poſitivs beider Begriffe noch vor; der „edlere“ Ausdruck
unterſcheidet ſich zunächſt nur vom „gewöhnlichen“, der ganz
unverfänglich und makellos ſein kann; alſo indem er ein poſitiv
neues Element hinzubringt, nicht negativ ein wirklich gemeines
ausſchließt. Endlich ſchicken wir den folgenden Beiſpielen auch
noch die Bemerkung voraus, daß wir uns mit denſelben aus=
ſchließlich auf den Boden der herrſchenden Schriftſprache ſtellen,
da in der Volksſprache nach Dialekten und Mundarten zum
Theil wieder andere Spezialwerthe gelten, wenn ſie überhaupt
jenen Unterſchied und dieſelben Ausdrücke wie die Schriftſprache
kennt.

Die Beiſpiele ſelbſt nun machen natürlich auf Vollſtändig=
keit keinen Anſpruch und ſind nicht aus ſyſtematiſcher Durch=
forſchung des Wortſchatzes zuſammengebracht; dennoch werden
ſie ſo ziemlich die Hauptgebiete vertreten, auf welchen die frag=
liche Spracherſcheinung vorkommen kann.

Wir beginnen mit dem Namen eines Hausthiers, welches
von je her als edel und geradezu als das edelſte anerkannt
wurde und dem als ſolchem wenigſtens die deutſche Sprache
auch einen edleren Namen neben dem gewöhnlichen zugeeignet
hat, während freilich für die Zufälligkeit ſprachlicher Anſchauungen
das neugriech. ἄλογον als Benennung deſſelben Thieres (auch
in der Poeſie) einen Beleg liefert. Unſer Wort Pferd, ahd.
pferfrit, aus mittellat. paraveredus, bezeichnet etymologiſch
eine Art von leichten Wagenpferden, alſo das Thier nicht wie
es aus der Hand der Natur hervor, ſondern wie es bereits
durch die Hände menſchlicher Dreſſur gegangen iſt, und konnte

also leicht zur stehenden Bezeichnung des Hausthieres im praktischen Leben und am Ende auch zur naturwissenschaftlichen
Benennung der Gattung werden; aber die Poesie versagt es
sich, wenigstens wo diese mit dem bloßen Namen ohne ausdrückliche Attribute gerade diejenigen Eigenschaften des Thieres
hervorheben will, die es vorzugsweise edel und menschenähnlich
seelenhaft erscheinen lassen.   Es ist wie wenn der zwitterhafte
und darum doppelt fremde Ursprung des Wortes (aus griech.
παρά und dem lat. kelt. verēdus) das deutsche Sprachgefühl
abgehalten hätte, dasselbe ohne Weiteres im edeln Sinne zu
gebrauchen. Auf romanischem Boden, franz. palefroi, ital.
palafreno, mochte das Wort immerhin in den Rang eines
vornehmen Paradereitpferdes (auch für Damen, gleich unserm
ebenfalls fremden Zelter, aus mittellat. tolutarius (von Paß-
gang) aufsteigen, es haftet ihm immer etwas Unfreies, künstlich
Abgerichtetes an; der natürlich edle Stolz, Muth und Schwung
des Thieres, wodurch es Göttern heilig und Helden vertraut
werden konnte, liegt in dem altdeutschen Worte Roß (hros),
welches freilich im Englischen (horse) allgemeinere Bedeutung
angenommen hat und im franz. rosse (Schindmähre) vollends
begradirt worden ist, wahrscheinlich zur Vergeltung dafür, daß
wir dem romanischen Pferd nicht größere Ehre angethan
haben, — ein bemerkenswerther, obwohl nicht eben erfreulicher
Zug internationaler Sprachbeziehungen! Alles was die epische
Dichtung der Völker von unserm Thiere Rühmliches und Rüh-
rendes erzählt, kann im Deutschen nur dem Roß zugeschrieben
werden, obwohl nicht zu leugnen ist, daß diesem Worte zuweilen
auch ein Zug natürlicher Wildheit und Rohheit nachgeht,
wodurch es sich von dem zahmeren Pferde weniger günstig
unterscheidet; aber in der Poesie nehmen sich ja auf diesem
Naturgrunde die daraus hervorbrechenden Züge edleren Wesens
nur um so lebhafter aus, z. B. das Weinen der Rosse des
Achilles.

Es ließe sich vielleicht die Frage aufwerfen, ob diesen
Rossen Thränen oder Zähren zuzuschreiben seien; doch treten
wir mit diesem Beispiel bestimmter auf menschliches Gebiet
über. Zähre, eigtl. Plural des althochd. zahir (= δάκρυ,

lacry-ma), wie Thräne von trahen, Tropfen, hat ursprüng=
lich mit diesem auch diese Bedeutung gemein, wie noch Theer
(niederd. tär), von tropfendem Harze, und das Compositum
Zährtiegel = Schmelztiegel zeigen; auch werden beide land=
schaftlich von Tropfen edeln Weines gebraucht (vgl. lacrimae
Christi, der Wein am Vesuv). In der besondern Anwendung
auf das Naß der menschlichen Augen hat aber Thräne, ob=
wohl es den Ausfluß der edelsten Empfindungen bezeichnen
kann, eine allgemeinere Bedeutung behalten, da es auch von
der Wirkung bloß physischen Reizes (durch Schärfe, Kitzel)
gesagt werden kann, was bei Zähre nie der Fall ist. Dieses
Wort hat sich im Gebrauch ausschließlich eingeschränkt auf
Kundgebung der zartesten Rührungen des Herzens und ist
eben dadurch edler geworden.

Aehnlich hat sich die ursprüngliche Identität von Athem
und Odem (niederd. Form) gespalten, indem letzteres nicht mehr
von Menschen, sondern nur noch vom Wehen göttlichen Geistes
in der Natur gebraucht wird, wodurch freilich die Synonymie
nahezu aufgehoben ist.

Der edelste Theil des menschlichen Leibes selbst nun heißt
als solcher nicht Kopf, sondern Haupt. Kopf kann zwar
metonymisch auch als Sitz des Verstandes diesen selbst, beson=
ders als Kraft der Erfindung, bezeichnen, aber die eigentliche
Würde des menschlichen Geistes und Gemüthes liegt in Haupt,
und nur landschaftlich zählt man Vieh nach Häuptern (engl.
cattle, aus capital) wie Menschen nach Köpfen. Haupt
ist eben auch das alte und echt deutsche Wort und als solches
bevorzugt wie Roß vor Pferd (s. oben) und Leib vor Kör=
per, während Kopf, entlehnt aus dem romanischen coppa,
cuppa (vgl. Kuppe von Bergen) ursprünglich nur die gefäß=
ähnliche runde Höhlung der Hirnschaale bezeichnet; daher noch
mhd. und landschaftlich Kopf = Becher (nicht von der alten
Sitte, aus den Schädeln erlegter Feinde zu trinken) vgl. franz.
tête aus testa, Scherbe. Aehnlich wie Haupt zu Kopf ver=
hält sich griech. κάρα, κάρηνον (letzteres auch von edeln Thieren
und Bergen) zu κεφαλή; das lat. caput, obwohl mit Haupt
ebenso nahe als mit cuppa verwandt, hat, besonders auf ro=

manischem Boden, eine Menge Bedeutungen entwickelt, welche nicht alle so geistig sind wie die bildliche von Haupt (frz. chef).

Zu den „edeln“ Theilen des Leibes gehört neben dem Haupte wenigstens noch die Brust mit dem Herzen, als Sitz des tiefsten Lebensgefühls, in welchem Sinne auch der gleich edle Ausdruck Busen gilt. Für die übrigen, niedrigeren Funktionen bienenden, Theile giebt es meist nur Einen Ausdruck, der dann auch ästhetisch indifferent ist, ausgenommen etwa Bauch, wofür die feinere Sprache Leib (im engern Sinne) verlangt, und die Beine, an welche sich, sowie an das betreffende Kleidungsstück, etwas Komisches angehängt hat, so daß im höhern Stil nur die Füße genannt werden dürfen. Für die andern Theile dieser Sphäre besteht der edlere Sprachgebrauch darin, daß sie überhaupt gar nicht genannt werden, ausgenommen wo Rohheit und Gemeinheit absichtlich dargestellt werden soll, obwohl auch dann eine Schranke des Anstandes nicht überschritten werden darf. Nur sollte dieser Anstand nicht so weit gehen, auch ganz unschuldige Wörter verpönen zu wollen, wie etwa Schweiß, dessen bildliche Bedeutung (= Mühe) durch bekannte Stellen der Bibel und unserer Dichter durchaus edel ist. Feinere Unterscheidungen beginnen wieder, wo sich auf der Grundlage des Unterschiedes der Geschlechter die unerschöpflich tiefen und reichen Berührungen derselben zu Liebe und Ehe gestalten. Am besten spiegelt sich die sprachliche Auffassung dieser Verhältnisse in der ästhetisch-ethischen Rangordnung der Namen für weibliche Personen als Gegenstand männlicher Verehrung und Werbung.

Das Wort Jungfrau trägt den reinen edeln Charakter der weiblichen Blüthe, die es bezeichnet, während die verkürzte Form Jungfer entweder bienenden Stand oder nur leibliche Unversehrtheit („Jungfernschaft“ verschieden von „Jungfräulichkeit“) bedeutet und dadurch vom höhern Stil ausgeschlossen ist. Speciell für das germanische Alterthum und Mittelalter gilt das dichterische Wort Maid (aus maget), während Magd zur Bezeichnung einer Dienerin herabgesunken ist, wenn es nicht durch begleitende Adjectiva wie rein, hold, z. B. in Anwendung auf die h. Jungfrau, seinen ältern Werth bewahrt.

Die diminutive Form desselben Stammes, Mädchen, hat zwar nichts Unedles, aber so allgemeine Bedeutung erlangt, daß sie auch das weibliche Kind, vor der Geschlechtsreife, und andererseits auch wieder den dienenden Stand bezeichnet, und die edlere Bedeutung = Jungfrau durch besondere Attribute hervorgehoben werden muß. Dirne (ahd. diorna, Ableitung von dem einfachen diu, Dienerin) bezeichnete allerdings schon ursprünglich eine dienende Person, aber ohne den übeln Nebenbegriff, den es in neuerer Zeit meist mit sich führt, wenn er nicht durch ausdrückliche Attribute fern gehalten wird; auch dann aber ist es auf Personen niedrigeren Standes eingeschränkt und bezeichnet nicht zarte, sondern derbe, wenn auch gesunde und unverdorbene und insofern nicht unedle Natur.

Ueber den Rang der Benennungen Frau und Weib stritten schon die Minnesänger, und die Etymologie und Geschichte der beiden Namen würde uns zu weit führen. Auch im heutigen Sprachgebrauch halten sie einander noch so ziemlich die Waage; keiner von beiden ist ausschließlich edel, aber beide können es je nach dem Zusammenhang werden. Weib bezeichnet den ausgereiften Geschlechtscharakter als solchen, Frau die erfüllte Bestimmung desselben durch eheliche Verbindung mit dem Manne und häuslichen Beruf. Insofern Weib die natürliche Ausstattung des Geschlechtes bezeichnet, welche in den socialen Verhältnissen leider nicht immer zur Geltung kommt, könnte es edler als Frau scheinen, aber auffallend bleibt das sächliche Geschlecht des Wortes, welches doch vielleicht eine ursprünglich weniger als später hohe Schätzung des weiblichen Geschlechts auch bei den Germanen verräth (es wäre denn, daß Weib, ursprünglich collectiv wie Frauenzimmer, den Inbegriff aller Personen dieses Geschlechtes von jedem Alter bedeutet hätte, und zwar als zu dienenden Functionen bestimmt) durch die sonst auffallende Thatsache des Sprachgebrauchs, daß der Plural Weiber, mit seiner offenbar neutralen und ursprünglich collectiven Bildungssylbe, gemeiner ist als der Singular, und in der edeln Sprache durch Frauen ersetzt werden muß, welches Wort ursprünglich und wesentlich die Herrin (des Hauses) bezeichnet. Da aber im Mittelalter Frauen gerade

der höheren Stände auch Liebesverhältnisse mit andern Män=
nern pflegen durften (wenigstens in der höfischen Poesie), so
konnte dieses Wort freilich auch überhaupt weibliche Personen
mehr nach der geschlechtlichen Seite bezeichnen. (Im älteren
Nhd. bedeutet Frauenhaus sogar Bordell.) So wurden im
Mittelhochdeutschen mit vrouwe auch adeliche Jungfrauen an=
geredet und mit vröuwelîn auch Bauernmädchen, während
Fräulein jetzt wieder vornehmer, aber dadurch nicht edler
geworden ist, ungefähr wie Dame, dessen fremde Herkunft
(zunächst aus dem Französischen, zuletzt aus dem lat. domina,
ital., span. donna) eben auch mehr bloße Höflichkeit als wahre
Verehrung mit sich führt. So ist ja auch das deutsche Frau
in England (wo doch der Frauencultus reiner als bei den Ro=
manen blüht) herabgesunken zu frow, Schlampe, nur weil das
Wort in dieser Gestalt eben erst später aus Niederdeutschland
eindrang. Daß umgekehrt alt einheimische Wörter solcher Ver=
schlechterung eher widerstehen, sehen wir an Buhle, welches,
verschieden von Buhlerin und den übrigen Gliedern derselben
Wortfamilie, die alle einen übeln Sinn angenommen haben,
wenigstens noch den edleren Zug mit der Leidenschaft verbun=
dener Treue zu bewahren vermocht hat. Unverfänglich sind
die Bezeichnungen Lieb, Liebchen, Liebste; Geliebte ist
etwas höher, ernster und tiefer; volksthümlich, mit einfach viel=
sagendem Bild und immer noch edel, ist Schatz, Schätzchen
durch die Diminution etwas leichter wiegend. Wo die Nei=
gung tief, aber mehr geistig und nicht gerade auf den Besitz
gerichtet ist, kann ihr Gegenstand würdig und schön auch
Freundin genannt werden.

Schließen wir aber diese Aufzählung mit dem, was im
natürlichen Verlauf Ziel und Krone der Liebe ist. Die Ehe
hat freilich auch ihre prosaische, geschäftliche Seite und die
Sprache besitzt keinen Ueberfluß an Ausdrücken, welche diese
wichtige Handlung bezeichnen, ohne ihr den poetischen Duft der
Liebe mehr oder weniger abzustreifen. Heirath, heirathen
ist terminus medius, Ehe und besonders ehlichen erinnern
schon mehr an rechtliche Bedingungen und Formen; am schönsten
ist unstreitig freien, weil es ursprünglich lieben, dann

werben bedeutet, also mehr den innern Grund und den freien
Trieb zu der Verbindung als die äußere Gestalt ihrer Ver-
wirklichung. Verlobung ist edler als Versprechen, weil
dieses daneben viel allgemeineren Sinn hat; Vermählung
bezeichnet zwar ursprünglich eine rechtliche Verhandlung, aber
eine feierliche, und ist nicht bloß edel, sondern zugleich vornehm.
Hochzeit bedeutet ursprünglich Fest überhaupt. Einfach und
bei einiger Derbheit, doch nicht gemein sind die landschaftlichen
Ausdrücke (z. B. in der Schweiz) weiben und mannen, ein
Weib, einen Mann nehmen. Gatte und Gattin ist freilich
edler, weil specieller, als bloß Mann und Frau oder Weib,
und sogar die Franzosen (!) haben ja mari und épouse, aber
bezeichnend ist für die romanischen Sprachen das Zusammenfallen von Mann und Mensch in homo; es liegt darin offenbar eine Degradation des Weibes, auf welche ja auch die von
diesen Nationen ausgegangene Galanterie, trotz allen Scheines
des Gegentheils, schließlich immer hinausläuft. Fast das Umgekehrte liegt vor im engl. woman, aus wif-man, weil man
ursprünglich Mensch, nicht Mann bedeutete, daher im Angel-
sächsischen auch mägden man, virgo üblich war.

Aber wir können uns hier nicht auf vergleichende Sy-
nonymik dieser Art einlassen, so lehrreich und nothwendig sie
sonst wäre, sondern die nächste Aufgabe ist nun, an den Begriffen edel und gemein selbst, welche wir bisher brauchen
mußten, ohne sie vorerst genauer definirt zu haben, diese Arbeit
vorzunehmen. Dadurch werden wir dann auch von selbst zum
zweiten Theil unserer Abhandlung hinübergeführt, indem der
Sprachgebrauch von edel und gemein zugleich ein Beispiel
einer andern Spracherscheinung ist, welche auch im Bisherigen
schon da und dort auftauchte, aber einen viel weiteren Umfang hat.

Die Ausdrücke edel und gemein sind auf die Sprache
übertragen aus der ästhetischen und ethischen Sphäre. Fragen
wir aber, welchen Begriff sie dort mit sich führen, so suchen
wir vergeblich eine feststehende Bestimmung desselben und finden
uns hineingezogen in gerade gegenwärtig schwebende Streitfragen
betreffend die Grenze zwischen Ethischem und Aesthetischem und

das Verhältniß zwischen Stoff und Form innerhalb des letztern. Der Begriff des Edeln kommt dabei gelegentlich auch vor, aber er wird nicht ausdrücklich in Behandlung gezogen, sondern als bekannt vorausgesetzt, während doch der wirkliche Gebrauch des Wortes Differenzen und Schwankungen genug zeigt. Nur darüber scheint man einverstanden, daß edel in correlatem Gegensatz zu gemein stehe, so daß der eine Begriff wesentlich in Negation des andern seinen Inhalt finde. Es ist aber noch die Frage, ob diese Voraussetzung ganz richtig sei, auch würde sie ja zu keiner positiven Festsetzung führen. Es muß also wenigstens der Versuch gemacht werden, beide Begriffe zunächst unabhängig von einander zu bestimmen, und dies scheint mit dem des Gemeinen fast noch eher möglich, als mit dem des Edeln, weil jenem Wort daneben noch ein allgemeinerer, indifferenter Sinn beiwohnt, aus welchem sich der Gegensatz zu edel erst herausgebildet hat.

Das „Gemeine" ist doch ursprünglich und zunächst noch unverfänglich das Gemeinsame, Allgemeine innerhalb gewisser Gesammtheiten. In diesem Sinne sprechen wir von: gemeiner Schuldigkeit, gemeinem Recht, gemeinem Menschenverstand (common sense), auch von gemeinem Sprachgebrauch. „Gemeines Verbrechen" ist zwar nicht ein allgemein verbreitetes, aber ein häufig in einer gewissen Gestalt, ohne ausnahmsweise Erschwerungen vorkommendes. Das Compositum „Gemeingeist" oder „Gemeinsinn" zeigt eine eben durch die Composition veredelte Bedeutung des ersten Wortes und bezeichnet bereits ein sittliches Gut von unzweifelhaftem Werthe, ein der Gesellschaft und Einzelnen als besonders lebendigen Gliedern derselben inwohnendes Bewußtsein der eigenthümlichen hohen Aufgaben der Gemeinschaft. Für sich allein konnte das „Gemeine" zunächst nur einen mittlern Durchschnitt sittlicher Zustände (Kräfte und Leistungen) bezeichnen, das relativ unter den Menschen am meisten Gemeinsame. Da nun aber der Mensch, trotz seiner Bestimmung zur Geselligkeit, seine höchste Bestimmung nur in individueller Ausbildung findet, für welche die Geselligkeit bloß als Mittel dienen soll, und jene Bestimmung bei Weitem nicht allen Menschen bewußt, leider auch noch lange nicht gleich-

mäßig erreichbar ist, so ist das „relativ Gemeinsamste" unter
den Menschen zugleich gerade das, was sie auch noch mit den
Thieren am meisten „gemein" haben, welche ja ebenfalls
manche Anlagen und Anfänge von Geselligkeit besitzen, ohne
daß sie in gleichem Maße seelisch oder geistig höher ständen.
Es läßt sich nun glücklicher Weise nicht behaupten, daß Alles,
was der Mensch noch mit dem Thiere gemein hat, und gerade
das „gemein" im engern und schlimmen Sinne sei (so wie umgekehrt manche menschliche „Gemeinheit" bei Thieren keine
Analogie findet), auch nicht daß „Gemeinheit" in jenem Sinne
verhältnißmäßig das Gemeinsamste unter den Menschen sei;
aber daß größere Anlage zu solcher Gemeinheit in jenem
Durchschnitt der Menschennatur liege, als zum Edeln, wird
sich kaum bestreiten lassen. Das Edle bildet zwar auch Gemeinschaft und beruht, wie wir bald sehen werden, ursprünglich
auch auf Naturanlage; aber in dem ethischen Sinne, in welchem
wir es heute dem Gemeinen entgegensetzen, ist seine Gemeinschaft
weit verbreitet eben nur, indem sie zugleich weit zerstreut
ist, und es selbst ist mehr Errungenschaft als Erbschaft; d. h.
edel sind Einzelne, Wenige, die durch innere Durchbildung sich
selbst zum Dienste des Allgemeinen erhoben haben, und das
Gemeine ist im Gegentheil vor Allem der Eigennutz, der die
Bedeutung der gemeinsamen Interessen für das wohlverstandene
eigene gar nicht kennt oder wissentlich mißachtet.

Wir wollen nun zunächst die Frage erheben, ob der Begriff edel dem ästhetischen und ethischen Gebiete gleichmäßig
und gleich ursprünglich angehöre, oder ob er vom einen auf
das andere erst übertragen sei.

Auf dem Gebiete der Aesthetik finde ich einzig bei Zei-
sing (Aesthetische Forschungen S. 225—228) eine förmliche
Begriffsbestimmung des Edeln ohne ausdrückliche Entlehnung
ethischer Merkmale. Das Edle wird dort bestimmt als eine
Art des Schönen, welche von der Anmuth das Leichte, Ge-
fällige, von Würde eine immerhin maßvolle Haltung aufgenommen hat. Edle Formen kommen am nächsten den rein
schönen, durch Abwesenheit aller Absicht auf besondere Effecte
wie Reiz, Bewunderung u. dgl. Das Edle stellt sich ganz dar

und giebt sich hin, ohne doch in Nachlässigkeit oder Leidenschaft
sich gehen zu lassen. Ebenmaß und Ungezwungenheit sind seine
Hauptfactoren, und wenn es nach ethischer Seite einen unver=
kennbaren Zug zum Guten zeigt, so grenzt es andrerseits durch
seine verhältnißmäßige Einfachheit und Klarheit eben so nahe
an das Wahre und erhält dadurch eine centrale Stellung inner=
halb der höchsten Geistessphären. — Jenen Zug des Edeln zum
Guten hatte schon Kant bemerkt, und obwohl er dasselbe mit
ästhetischen Begriffen nahe zusammenstellt, schreibt er ihm we=
sentlich ethische Natur zu. In seinen „Beobachtungen über das
Gefühl des Schönen und Erhabenen" (Sämmtl. Werke, Ausg.
v. Hartenstein, Bd. 7, S. 379) stellt er das Edle in eine
gewisse Mitte zwischen jene beiden im Titel genannten Begriffe
und giebt manche treffliche Bemerkung über einzelne Erschei=
nungen desselben, ohne jedoch seiner eigenthümlichen Doppelnatur
auf den Grund zu gehen. Edel nennt Kant die echte Tu=
gend, welche aus Gesinnung und Grundsätzen, nicht bloß aus
einem guten Herzen fließt, und welche durch Beherrschung der
schwankenden Triebe auch den edeln Anstand erzeuge, der die
Schönheit der Tugend sei. Weiterhin stellt er aber dem weib=
lichen Geschlecht als dem schönen das männliche als das edle
gegenüber, natürlich nur im Sinne relativen Vorwiegens, so,
daß die weibliche Tugend vorzugsweise schön, die männliche
edel sei, indem jene weniger auf dem strengen Sollen, als auf
natürlicher Neigung beruhe, auf Wohlgefallen am Guten als
einem Schönen. Doch nennt er auch wieder weibliche Beschei=
denheit eine Art edler Einfalt und zugleich edeln Selbstver=
trauens.

Diese von dem Vater aller modernen Philosophie, insbe=
sondere auch der Ethik und Aesthetik, gemachten Bemerkungen
(welche nachher in eine merkwürdige Charakteristik der europäi=
schen Nationen nach sittlichen Temperamenten auslaufen), zeigen,
daß er schon, troß aller Neigung zu scharfen Begriffsbestim=
mungen, mit dem Sprachgebrauch von „edel" nicht ganz ins
Reine kam; aber sie sind darum nicht ohne Folge geblieben,
sondern Nachklänge davon oder Anklänge daran ziehen sich durch
die ganze Litteratur der classischen Zeit hindurch. Goethe, ob=

wohl nicht unmittelbar aus Kant schöpfend, schuf sein Bild der „schönen Seele“ aus Ingredienzien, welche in jenen Bemer=kungen Kant's großentheils enthalten sind. W. v. Hum=boldt behandelt in seinen Abhandlungen über männliche und weibliche Form und über den Geschlechtsunterschied die von Kant aufgestellte Polarität dieses Gegensatzes zwar nur nach der natürlichen und ästhetischen Seite, und ohne ausdrückliche Hervorhebung des Edeln; aber doch so, daß die Anwendung auf das sittliche Gebiet nahe liegt. Am gründlichsten und offenbarsten hat Schiller die Kant'schen Anregungen verar=beitet und ausdrücklich weiter geführt; die von ihm mit bewun=dernswürdiger Feinheit und Tiefe aufgefaßten Gegensätze von Anmuth und Würde, Naivetät und Sentimentalität sind Va=riationen desselben Thema's. Dem Begriff des Edeln, um den es uns doch hier eigentlich allein zu thun ist, hat er in den Briefen über ästhetische Erziehung (Bd. 18, S. 122—125) eine ausführliche Note gewidmet.

Das Edle erscheint dort als eine nothwendige Vorstufe und Vorübung des Guten, eine Vermittlung des letztern mit dem Schönen; es bezeichnet eine Beherrschung der sinnlichen Natur des Menschen auf sittlich noch indifferentem Gebiete; „eine geistreiche und ästhetisch freie Behandlung gemeiner Wirk=lichkeit ist das Kennzeichen einer edeln Seele. Edel ist über=haupt ein Gemüth zu nennen, welches die Gabe besitzt, auch das beschränkteste Geschäft und den kleinlichsten Gegenstand durch die Behandlungsweise in ein Unendliches zu verwandeln. Edel heißt jede Form, welche dem, was seiner Natur nach bloßes Mittel ist, das Gepräge der Selbstständigkeit aufdrückt. Ein edler Geist begnügt sich nicht damit, selbst frei zu sein; er muß alles Andere um sich her, auch das Leblose, in Freiheit setzen. Schönheit ist der einzig mögliche Ausdruck der Freiheit in der Erscheinung ... Der Mensch muß vor Allem lernen, edler begehren, damit er nicht nöthig habe, erhaben zu wollen.“ In der Abhandlung „über Anmuth und Würde“, welche 1793 (zwei Jahre vor den Briefen über ästhet. Erziehung) erschien, bestimmt Schiller (Bd. 17, 235) das Edle als Annäherung

der Würde an Anmuth und Schönheit. Was er aber in dem
Distichon (Gedichte 1807, 1, 304):

> Adel ist auch in der sittlichen Welt; gemeine Naturen
> Zahlen mit dem, was sie thun, edle mit dem, was sie
> sind.

„edle Natur" nennt, wird 17, 222 (vgl. 234) mit wesentlich
denselben Prädikaten als „schöne Seele" beschrieben. Dieses
letztere Ideal scheint Schiller noch vor Goethe erfaßt zu
haben, der das sechste Buch von W. Meisters Lehrjahren, die
„Bekenntnisse einer schönen Seele" enthaltend, erst gegen Ende
des Jahres 1795 schrieb, nachdem seine persönliche Bekannt=
schaft mit Schiller in der zweiten Hälfte des Jahres vorher
begonnen hatte. Aber Jahrzahlen beweisen in solchen Dingen
noch weniger als bei wissenschaftlichen Entdeckungen Priorität,
und die Hauptsache bleibt, daß Schiller und Goethe wesent=
lich übereinstimmend dasselbe Ideal einer zur Natur gewordenen
Sittlichkeit „schöne Seele" nannten. Daß Goethe eine solche
unter Einfluß herrenhutischer Frömmigkeit entstanden darstellt,
ist für den Begriff nicht wesentlich; wichtiger ist, daß auch
Schiller (17, 224 ff.) die schöne Seele mehr dem weiblichen
Geschlechte zutheilt, obwohl er (18, 255) auch die spottende
Satyre aus einem „schönen Herzen" fließen läßt. Was übri=
gens das Edle anbetrifft, so ist der von Schiller in der zu=
erst angeführten Stelle aufgestellte Begriff desselben zwar fein
ausgedacht und erklärt, aber er deckt offenbar den so gewöhn=
lichen Sprachgebrauch des Wortes edel nicht und ist auch von
dem frühern (17, 253) etwas verschieden. Goethe, der sich
persönlich und künstlerisch offenbar mehr dem weiblich Schönen
als dem männlich Edeln zuneigte, spricht sich auch über den
Begriff des letztern, so viel mir bekannt, nirgends näher aus;
in Wilh. Meisters Lehrjahren (5. Buch, Cap. 16) wird nur
gegenüber dem vornehmen der edle Mensch dadurch unter=
schieden, daß er gelegentlich sich vernachlässigen, d. h. wohl
seine edeln Affecte aus der sonstigen Haltung hervorbrechen
lassen dürfe.

Eine ganz klare und genügende Bestimmung dieses schwie=

rigen Begriffs finden wir also auch bei unsern Classikern nicht,
welche doch am ehesten dazu fähig waren und in ihrer schrift=
stellerischen Praxis allerdings in Sprache und Charakterdar=
stellung die herrlichsten Beispiele des Edeln geschaffen haben.
Wir müssen also, möglichst in ihrem Sinne und an der Hand
des durch sie mitbestimmten allgemeinen Sprachgebrauchs, das
Fehlende selber aufsuchen. Das Edle nimmt eine eigenthümliche
Mittelstellung zwischen dem Guten und Schönen ein, und wenn
irgend ein Begriff zur Vermittlung dieser beiden dienen kann,
so wird es der des Edeln sein. Das Edle ist das Gute, so=
weit dieses in schöne Erscheinung durchdringen und darin auf=
gehen kann; das Edle ist das Schöne, so weit dieses das Gute
durchscheinen läßt. Das Gute und Schöne, im tiefsten Grunde
und in letzter Instanz identisch, sind in idealer Auffassung die
wahre, zweite Natur des Menschen, d. h. sie sollen in Wirk=
lichkeit dazu werden, und in dieser Entwicklung bezeichnet das
Edle eine Stufe, wo auf Grund specifischer Anlage oder ge=
wonnener Ausbildung die Bestimmung zum Guten die Natur
des Menschen in Gestalt beharrlicher Neigung ergriffen hat.
Das Edle ist eher eine Art des Guten als des Schönen, aber
diejenige, welche zugleich besondere Fähigkeit zum Guten aller
Art in sich trägt, und eben dieses Streben nach einer Totalität,
einem lebendigen Ganzen ist ein Zug zum Schönen. Wenn
wir daher Affecten oder Leidenschaften wie Ehrgeiz, Rache,
Zorn das Beiwort edel ertheilen, so wird dadurch das Un=
schöne und Ungute, was denselben sonst anhaftet, oder ihr sonst
indifferenter Naturcharakter, aufgehoben; edler Zorn ist ein ge=
rechter, heiliger; edle Rache ist keine mehr. Nicht höhere
Pflichten anerkennt und übt der Edle, auch geht er nicht (wie
Schiller meint) über das Gebiet der Pflicht überhaupt hin=
aus, sondern sein persönliches Verhalten zum Umfang und
Inhalt der Pflichten ist ein höheres; die Pflicht selber existirt
für ihn nicht als eine äußere Forderung, sondern als eingeborene
freiwillige Neigung; sie findet ihn wenigstens ihren Anforde=
rungen immer aus eigenem Antriebe entgegenkommend. Daß
es ihm darum auch immer gelinge, ihr vollständig nachzukom=
men, liegt gar nicht im Begriff; der Edle ist als solcher noch

lange nicht der vollkommene Mensch; es können ihm sogar
ganz bestimmte und offenbare Schwachheiten anhaften; aber
so weit ihm sein Streben gelingt, ist dies nicht Resultat
schweren Kampfes, mühsamer Selbstüberwindung, sondern ein
freier, leichter Zug und Schwung der Seele. Der Sprachge=
brauch kennt allerdings nicht bloß edle Triebe, die vielleicht
auf halbem Wege stehen bleiben, sondern auch edle Handlungen
und Thaten, und zwar in dem Sinne, daß damit das ge=
wöhnliche Maß des Guten übertroffen, etwas unter Umständen
besonders Schweres geleistet worden sei, z. B. Verzeihung
und Wohlthun gegenüber einem Feinde. Aber in allen solchen
Fällen ist das Prädikat edel auf die Handlung erst über=
tragen von dem handelnden Subjecte, dem es eigentlich allein
zukommt; wir nennen die Handlung so, weil wir finden, sie
setze einen Menschen voraus, welcher auch anderer solcher
Handlungen fähig sei, und nicht im Gedanken an ihn, sondern
an Andere finden wir sie schwer. Wir können uns dabei im
einzelnen Falle täuschen, aber wenn wir wüßten oder erführen,
daß der Betreffende dabei ausnahmsweise über sein sonstiges
Vermögen hinausging, so würden wir nicht bloß ihn selbst,
sondern auch seine Handlung nicht mehr edel nennen. Wenn
wir endlich sagen, große Aufgaben seien „des Schweißes der
Edeln werth“, also die Edeln mit Schwierigkeiten kämpfen
lassen, so liegen auch in diesem Falle die Schwierigkeiten nicht
in den Personen, sondern es handelt sich um Unternehmungen,
welche die Kräfte jedes Einzelnen übersteigen, aber dennoch
nur solchen können zugetraut werden, welche ihrer Natur nach
an manchem Aehnlichem sich schon versucht haben.

Die Anwendung von edel auf seelenlose, also auch keiner
sittlichen Werthbestimmung fähige Gegenstände der Natur und
Kunst, z. B. Farben, Töne, und auch auf Stilformen der ein=
zelnen Künste ist entweder erst spätere Uebertragung von den
ästhetischen Stimmungen, in welche wir durch jene Gegenstände
versetzt werden und die wir dann leicht ihnen selbst unterlegen,
oder sie fließt unmittelbar aus der sogleich anzugebenden ur=
sprünglichen Bedeutung des Wortes.

Als wesentliches Merkmal des Edeln ergab sich der Charakter

einer angeborenen oder zur Natur gewordenen Art (des Schönen
oder Guten), und damit stimmt auch Etymologie und Geschichte des
Wortes. Edel ist ursprünglich Adjectiv zu Adel, dieses aber be=
deutet zunächst natürliche Abstammung, Geschlecht, Herkunft über=
haupt, dann κατ᾽ ἐξοχήν vornehmes, ausgezeichnetes Geschlecht,
und denjenigen socialen Stand, der auf solchem Geschlechtscharakter
und dessen Aufrechthaltung wesentlich beruht. Edel ist also
urspr. = adellich (nicht adelig), und denselben Grundbegriff
haben nobilis, gentilis, generosus (in den rom. Sprachen);
εὐγενής, γενναῖος, ἐσθλός, nur daß adellich (vgl. den Titel
„wohlgeboren“) auf leiblichen Adel beschränkt geblieben ist,
edel aber, so wie jene Synonymen aus den verwandten
Sprachen, mit dem fortschreitenden Geist der Zeiten zur Be=
zeichnung innerer Vortrefflichkeit vorgedrungen ist, so daß es
dann mit vornehm sogar in schneidenden Gegensatz treten
kann. Da der Adel als Stand zunächst an körperlichen
Eigenschaften, Schönheit und Stärke, kenntlich war, so konnte
edel auch von Thieren, Pflanzen und selbst von Mineralien
gebraucht werden; in Edelstein und Edelmann hat das erste
Wort ganz dieselbe Bedeutung, soweit sie nicht durch das zweite
modificirt wird. Später machte sich, je mehr der Adel seine
frühere Bedeutung vergaß und verlor, das Schiller'sche Wort
geltend: „Adel ist auch in der sittlichen Welt“ (s. o.), vom
Edelmann schied sich der edle Mann auch im Bürger= und
Bauernstand mit persönlichem Werthe und Bewußtsein: es bil=
dete sich der Seelenadel, der über die Schranken der Stände,
Orte und Zeiten hinweg freie Geister unsichtbar verbindet
durch Edelsinn, Edelmuth und Edelthaten.

Aber diese Entwicklung des Wortbegriffs schließt sich doch
zunächst an die Eigenschaften an, welche der Adel kraft seiner
geschichtlichen Stellung besaß oder erwarb, so daß hier ein
völkerpsychologisches Interesse mit einem sprachwissenschaftlichen
zusammentrifft. Der Adel mußte ein natürliches Interesse und
eine Art von Verpflichtung fühlen, jene zunächst mehr leiblichen
Vorzüge, durch die er sich von Geburt auszeichnete, auch zu
bewahren und seine Ansprüche auf vorzugsweise Geltung im
Volke durch entsprechende Leistungen zu bewähren: Schönheit

verlangt zu ihrer Erhaltung Reinheit, Stärke verpflichtet zu
Tapferkeit. Neben diesen Fundamentaltugenden des Adels ent=
wickelten sich im Umgang seiner Glieder unter sich und im
Gegensatz zum übrigen Volk allmählich in Kleidung, Haltung,
Benehmen und Sprache alle jene Formen gemessenen Anstandes
und zugleich seiner Gewandtheit, welche noch heute zum Begriff
des ästhetisch Edeln gehören. Aber gleichzeitig keimte auch
das ethisch Edle in Gestalt von Ehrgefühl, Aufopferung,
Freigebigkeit, Milde, Großmuth und Gerechtigkeit, alles Tu=
genden, welche dem Adel gewissermaßen zur Pflicht wurden,
wenn er seine centrale Stellung im Fortschritt der Zeiten be=
haupten wollte, und welche abermals noch heute im Begriff des
ethisch Edeln enthalten sind. Wie nun diese Lebensverfassung,
— wo Sittlichkeit noch nicht viel Anderes bedeuten konnte
als Halten der großentheils im Adel (mit Einschluß der
Priesterschaft) verkörperten Sitte, — wie diese ganz naive
Weltordnung allmählich durchbrochen, Sittlichkeit zu freier Selbst-
bestimmung jedes Einzelnen aus seinem Innern vertieft und
auch die Bildung „Gemeingut" wurde, dies auszuführen gehört
nicht hierher, wohl aber einige Bemerkungen darüber, wie im
Zusammenhang dieser Bewegung der Begriff des Gemeinen
als Gegensatz des Edeln sich entwickeln konnte.

So lange der Adel in unangefochtenem Besitz der politi=
schen Macht stand, konnte zwar eine Bezeichnung des Gegen=
theils oder Mangels seiner „edeln" Eigenschaften nicht wohl
ausbleiben, aber sie konnte nicht von derselben Anschauung aus=
gehen wie der heutige Begriff des „Gemeinen". So lange es
kein „Gemeinwesen" gleichberechtigter freier Bürger gab, in
welchem auch der Adel auf= und unterging und aus welchem
fortan jeder Einzelne nur durch persönliche Tüchtigkeit sich
hervorthun konnte, mochte der Adel für die Eigenschaften der
untern Stände irgend welche specielle Bezeichnungen gebrauchen,
entweder rein negative wie unedel u. dgl. oder positive wie
lat. plebejus, vulgaris, gregarius, griech. ἀγέλαιος, φορτικός,
φαῦλος; im Altdeutschen entspricht am ehesten das Wort laz
(s. Grimm, Rechtsalterth. 1, 308). Im spätern Griechisch
galt allerdings auch schon κοινός im Sinne unseres heutigen

gemein, dagegen hat sich am lat. communis nur der günstigere Begriff von „leutselig" entwickelt, sowie auch „gemein"
landschaftlich von einem Höherstehenden gesagt wird, der sich
zum „gemeinen Manne" herabläßt, und „niederträchtig" ursprünglich, wie noch mundartlich, eben dieselbe Bedeutung zeigt.
Der heutige Begriff von gemein konnte sich also aus dem des
Gemeinsamen erst herausbilden, als die socialen und politischen
Abstände einer früheren Zeit sich einigermaßen ausgeglichen
hatten, so daß an der ziemlich gleichförmigen Masse eben jetzt
erst das gemeinsame rein Menschliche, und zwar nach der
schwachen Seite, ins Auge fiel. In der That setzt gemein
auch vorgerückte Zustände sittlicher Bildung voraus und unterscheidet sich dadurch von roh, sowie denn dieses meistens (was
bemerkenswerth ist) von Zuständen der ganzen Gesellschaft gilt,
gemein hingegen nur von den Eigenschaften Einzelner. Gemein ist nicht, wer naiv der Masse gleich ist und thut, sondern wer mit Bewußtsein den Maßstab der Masse zum
seinigen macht und hinter bereits vorhandenen, auch ihm bekannten, höhern Anforderungen freiwillig und wissentlich zurückbleibt. Wenn endlich schon in rohen Sittenzuständen einzelne
Regungen edler Gefühle auftauchen können, weil das Edle
wesentlich (reine) menschliche Natur ist, so mögen freilich auch
umgekehrt einzelne Menschen aus längst herrschenden Bildungs-
zuständen in partielle Rohheit zurücksinken; dennoch können wir
uns eher ein allmählich völliges Verschwinden der Rohheit
denken, als der Gemeinheit; denn eine Gleichung zwischen Fortschritten intellectueller und moralischer Cultur ist leider immer
noch nicht gefunden. So bleibt denn auch der Nachweis, ob
und wie viel Zusammenhang insbesondere zwischen Fortschritten
ästhetischer und moralischer Bildung stattfinde (resp. geschichtlich stattgefunden habe), noch eine Aufgabe der Zukunft; so
lange sie aber nicht gelöst ist, kann auch der Begriff des Edeln
nicht endgültig bestimmt werden. Wir haben gesehen, daß er
auf natürlichem Gebiet erwachsen und von da ziemlich gleichzeitig und gleichmäßig auf das ästhetische und ethische übertragen
worden, ja vielleicht die Grundlage beider gewesen ist. Auf
beiden hat er sich dann gehoben und verfeinert, und zahlreiche

Uebertragungen zwiſchen beiden ſind uns faſt ſo geläufig ge=
worden, wie etwa die metaphoriſchen Bezeichnungen „Farben=
töne“ und „Klangfarben“, ſo daß wir uns höhere Unterſchei=
dungen im Ethiſchen faſt nur mit äſthetiſchen Hülfsvorſtellungen
klar machen können, und umgekehrt, wie Wahrnehmungen des
Geſichts und Gehörs durch einander auf dem niedrigeren Ge=
biete der Sinne. Immerhin glauben wir, um die lange Unter=
ſuchung nicht ganz ohne Ergebniß auslaufen zu laſſen, als
ſolches die Anſicht ausſprechen zu dürfen, daß in neuerer Zeit,
d. h. im heutigen Sprachgebrauch, von dem wir ja ausgegangen
ſind und auf den wir hiemit zurücklenken müſſen, das Edle
mehr ethiſche als äſthetiſche Färbung angenommen habe, alſo
auch im äſthetiſchen Sinne des Wortes ethiſche Elemente vor=
wiegen, als deren Analogon oder Symbol wir uns das äſthetiſch
Edle denken.

Dieſes Ergebniß, wenn es eines iſt, ſtimmt mit einem
andern, welches weniger zweifelhaft, übrigens wieder rein ſprach=
wiſſenſchaftlicher Art iſt und uns jedenfalls einen Schritt
weiter, zum dritten und letzten Theil unſerer Aufgabe führt.
Wenn wir nämlich die geſchichtlich entſtandene Bedeutung der
Wörter edel und gemein ſelbſt, mit welchen wir im erſten
Theil äſthetiſche Unterſchiede im Sprachgebrauch bezeichneten,
ins Auge faſſen, ſo zeigen ſie eine Veränderung ihres Begriffs,
welche nicht ſelbſt äſthetiſcher, ſondern ethiſcher Art zu ſein
ſcheint, inſofern nämlich „edel“ von ſeiner urſprünglichen Bedeu=
tung aus an ethiſchem Werth geſtiegen, „gemein“ geſunken
iſt. Aehnliche Erſcheinungen laſſen ſich an vielen andern Wör=
tern beobachten; aber vor allen Verſuchen von Erklärungen
dieſer Thatſache muß die Wirklichkeit derſelben etwas genauer
feſtgeſtellt werden.

Von den im erſten Theil behandelten äſthetiſchen Er=
ſcheinungen im Sprachgebrauch würden ſich dieſe ethiſchen rein
ſprachlich dadurch unterſcheiden, daß wir dort verſchiedene
Wörter zu gleicher Zeit für (ſcheinbar) daſſelbe Ding fanden,
hier umgekehrt daſſelbe Wort zu verſchiedenen Zeiten Ver=
ſchiedenes bedeutet haben ſoll. Dagegen beſtände eine Ver=
wandtſchaft beider Erſcheinungen darin, daß der Gegenſatz von

edel und gemein mit dem von gut und schlecht, nach den
Erörterungen des zweiten Theils, eine Parallele, wo nicht gar
einen innern Causalzusammenhang bildet, also beide Erschei=
nungen sich an einander spiegeln und erklären könnten. Ge=
mein haben sie ferner das, daß es sich beidemal zunächst um
einen logischen Proceß handelt; aber dies gilt hier noch in
höherem Maße als dort, da der ästhetische Gehalt, den ein
Wort auf den oben angegebenen Wegen gewinnen kann, sich
von dem logischen ablösen und als selbständig auffassen läßt,
während von ethischem Werth eines Wortes eigentlich nur in
dem Sinne die Rede sein kann, daß die ganze Begriffssphäre
desselben auf ethischem Gebiet liege, womit seine Bedeutungs=
kraft nicht aufhört eine rein logische zu sein. Stellen wir uns
übrigens auf rein ethischen Boden, so muß jede Versetzung
eines vorher indifferenten Begriffs in diese Sphäre eo ipso
in günstigem Lichte erscheinen, weil dadurch eine Abnahme
ethischer Indifferenz, Zunahme ethischen Interesses bezeugt wird,
auch wenn der Begriff, einmal auf ethisches Gebiet versetzt,
nach der schlimmen Seite ausgeschlagen hat, wie gerade bei
gemein der Fall ist. Dies muß um so mehr hervorgehoben
werden, da bisher nur „ein pessimistischer Zug in der Ent=
wicklung der Wortbedeutungen" beobachtet worden ist, zuerst
von Reinhold Bechstein in Pfeiffer's „Germania" VIII,
330—354, und unter demselben Titel von Eduard Müller
„Zur englischen Etymologie" S. 23—35. Neuestens ist auch
in dieser Zeitschr. V, 332—338 ein Blick auf die fragliche Er=
scheinung gefallen und hat uns in dem Vorsatz bestärkt, eine
erledigende Behandlung derselben zu versuchen. Im Folgenden
soll aber nicht der ganze Stoff, den die angeführten Behand=
lungen beigebracht haben, zusammengetragen und noch einmal
aufgestapelt werden, sondern wir müssen der Kürze wegen, be=
sonders was die genauen Angaben über die einzelnen Wörter
betrifft, auf jene Citate verweisen; für uns handelt es sich um
übersichtliche Gruppirung der Erscheinungen mit kurzer Anfüh=
rung einiger Beispiele; nur wo wir für bereits bekannte Gruppen
neue Beispiele, oder wo wir neue Gruppen selber aufzustellen
haben, werden auch die Details näher angegeben werden müssen.

Ueberblicken wir unsere Stoffmasse und zwar zunächst in Hinsicht auf die vorliegenden Thatsachen, noch ohne Rücksicht auf Ursachen, so wiegt allerdings das Phänomen eines gewissen „Pessimismus" in der Entwickelung der Wortbedeutungen vor, aber es gewinnt sogleich einen milderen Anschein, wenn wir gewisse Unterschiede ins Auge fassen, die ebenso klar wie der Gesammteindruck sich geltend machen. Lassen wir uns allgemeine Ausdrücke wie „pessimistischer Zug", „deterioristische Neigung" oder ähnliche gefallen, so müssen wir doch sogleich fragen, ob dabei an moralische Verschlechterung des Charakters der Menschen im Einzelnen oder in der Gesellschaft zu denken sei, oder bloß an Zunahme physischen und socialen Uebels in der äußern Welt, wovon die innern Qualitäten nicht nothwendig angesteckt werden und wovon sie auch nicht der Grund sein müssen. Es finden sich nun in der That sprachliche Beispiele von beidem neben einander, aber eben darum muß es auseinander gehalten werden, wenn nicht der Thatbestand von vornherein verfälscht und schlimmer als er wirklich ist, dargestellt werden soll; denn daß physisches und auch sociales Uebel mit moralischer Schuld in keinem unmittelbaren Zusammenhang stehe, lesen wir schon im Alten Testament und lehrt uns noch jeder Tag, sowie das Umgekehrte, daß große Fortschritte auf physischem und socialem Gebiet als solche nicht auch schon eine Verbesserung der Moralität bedeuten und mit sich führen. Wenn also z. B. das Wort Mähre, welches ursprünglich das weibliche Pferd überhaupt bezeichnet, heutzutage meist nur von abgenutzten Pferden gebraucht wird, und wenn auch daraus (was aber aus andern Gründen gar nicht angeht) auf eine Degeneration der Pferdezucht geschlossen werden dürfte: so wäre eine solche Verschlechterung doch nicht in gleiche Linie zu stellen etwa mit derjenigen, welche das Wort frech zu bezeugen scheint, das im Mittelhochdeutschen nur frischen Muth bedeutete, nun aber diese unschuldige Bedeutung ganz verloren hat. Es ist allerdings bemerkenswerth, daß eine scheinbare Verschlimmerung der Bedeutung auch an Wörtern für Natürliches vorkommt, wie engl. weeds, Unkraut, von ags. veód, welches herba überhaupt bezeichnete; saufen, welches

z. B. im Angelsächs. auch von Menschen nicht unedel galt (vgl.
Suppe, frz. souper); stinken, welches jetzt nur noch übel
riechen bedeutet, in der alten Sprache aber ebenso gut oder
mehr von Wohlgerüchen gebraucht wurde; Wampe, welches
einst den Mutterschooß der Jungfrau Maria bezeichnen durfte,
jetzt nur noch Hals und Bauch der Thiere (von Menschen nur
Wanst, zunächst aus Wams, wambes, Bekleidung dieses
Körpertheils); aber solche Beispiele (von denen übrigens saufen
und Wampe mehr ästhetische Unterschiede zwischen Mensch
und Thier betreffen) können doch nicht auf eine allgemeine Corruption deuten, deren ja die Natur nie in gleichem Sinne wie
der Geist fähig wäre. — Elend bedeutet bekanntlich etymologisch „fremd, heimatlos"; .daher dann „arm, jämmerlich" und
zuletzt auch „schlecht, nichtswürdig"; aber man muß doch diese
moralische Verkommenheit von jener socialen unterscheiden, durch
welche sie so oft veranlaßt und einigermaßen entschuldigt wird.
Dieser Fall führt uns zu der Bemerkung, daß auch sonst mehrfach die Bedeutung moralischer Schlechtigkeit erst aus derjenigen
von schwächlicher Natur oder unglücklichem Schicksal erwachsen
ist und dadurch, wenn nicht milder, doch erklärlicher wird. Die
älteste Bedeutung von böse ist nicht Verderbtheit des Willens,
sondern äußere Mangelhaftigkeit, welche dann so leicht in innere
Verbitterung und positive Bosheit ausschlägt. Dem elend
am nächsten kommt das engl. wretch, lautlich identisch mit dem
altdeutschen recke, welches urspr. einen Verbannten bezeichnet,
der sich zu Heldenthum aufraffen, aber auch als Abenteurer
verkommen kann. Daran schließt sich engl. caitiff, welches von
der milderen Bedeutung des franz. chétif (ärmlich) bis zu der
von „Schurke" fortgeschritten ist, aber mit jenem auf lat.
captivus zurückgeht; vergl. auch erbärmlich = elend im
schlimmern Sinne. Das Fremdwort frivol bedeutete im Lateinischen auch nur „armselig"; eitel geht aus innerer Leerheit
(in letzter Quelle vielleicht von bloß äußerem Glanz); auch
Sucht ist urspr. leibliche Krankheit (zu siech). Die heute
einzige Bedeutung von feig erklärt sich nicht aus der im Mhd.
vorherrschenden: dem Tode verfallen, unselig, verwünscht, sondern mit dieser zugleich aus der Grundbedeutung: schwach,

morſch, wonach es auch von Geſtein und Holzwerk gebraucht
wurde, noch im ältern Nhd., ſ. Grimm, Wörterb. So läßt
ſich auch fluchen aus goth. flêkan oder flôkan, lautlich und
begrifflich = lat. plangere, griech. πλήσσειν, leicht erklären,
da Klage oft in Verwünſchung übergeht und im griech.
ἀράομαι, lat. precari, hebr. bērēkh durch urſprüngliche Polarität
des Begriffs ſogar beten und ſegnen mit fluchen unmittelbar verknüpft ſind. Noch begreiflicher iſt es, wenn auf Grundlage einer bereits moraliſch ſchlechten Bedeutung ſich eine
eben ſolche höheren Grades entwickelt hat. Der Urbegriff von
arg war „feig", dann „geizig"; daraus konnte ſich die heutige
durch Allgemeinheit geſteigerte Bedeutung ergeben. Das engl.
wanton iſt von der unſchuldigeren Bedeutung „loſe" zu der
von „wollüſtig" geſtiegen, ebenſo die Subſtantiva harlot und
lecher (altfrz. lécheor auch ſchon von raffinirter Wolluſt) von
„Leckerei" und Schlemmerei ausgegangen; rogue, Schelm (freilich auch in milderem Sinne üblich wie das deutſche Wort) von
frz. rogue, übermüthig, altnord. hrôkr, anmaßend. Hieher
gehört auch Laſter, obwohl deſſen ältere Bedeutung „Schmach,
Schimpf", noch in läſtern fortlebend, durch die objective
Faſſung des Begriffs (Gegenſtand gerechten Vorwurfs)
gewiſſermaßen auch wieder gehoben wurde. Wichtiger iſt aber
eine andere Einſchränkung, die der Peſſimismus erleidet und
die ihn zugleich auch da, wo er wirklich eingetreten iſt, erklären
hilft. Er hat nämlich von einer großen Anzahl Wörter gar
nicht ausſchließlich Beſitz genommen, ſondern dieſelben gleich
ſam erſt zur Hälfte angeſteckt, ſo daß ſie neben einem allerdings
oft merklich übeln Beigeſchmack in andern Fällen noch einen
ethiſch indifferenten, harmloſen Grundbegriff bewahren und
höchſtens eine Zweideutigkeit mit ſich führen, die durch den
Zuſammenhang und Ton der Rede oder beſondere Attribute
nach der einen oder andern Seite entſchieden wird. Hierher
gehören Wörter wie: Knecht, Jungfer, Magd, die nur inſofern
geſunken ſind, als ſie urſprünglich nicht bienenden Stand bezeichneten (engl. knight, buchſtäblich = Knecht, konnte daher
eben ſo gut zu „Ritter" emporſteigen), aber gar nichts Unehrenhaftes mit ſich führen. Bube neigt ſich in der heutigen

Schriftsprache allerdings zu vorherrschend übler Bedeutung, aber
Kerl, obwohl es an socialem Rang ebenfalls verloren hat, da
es in der alten Sprache zwar den gemeinen Mann, aber
immer noch als Herrn seines Hauses und Weibes bedeutete),
läßt doch ein Attribut wie brav noch immer zu; nur das engl.
churl bezeichnet kaum noch Anderes als den bäurischen Tölpel.
Was das Wort Bauer anbetrifft, so sind die Zeiten vorbei,
wo es den Begriff der Rohheit mit sich führte; die moderne
Cultur und Litteratur (der Dorfgeschichten) hat diesen Stand
und Namen vollständig (etwa ausgenommen das in letzter Zeit
aufgekommene „verbauern") in seine alten Ehren wieder eingesetzt; in England, wo die Landwirthschaft mit freiem Grund-
besitz mehr in den Händen des Adels ruht, haben boor, clown
(aus colonus), villain (frz. vilain, aus villanus) ungünstigere
Bedeutung angenommen. Was von Bauer, gilt auch von Volk
im Sinne von ländlicher Bevölkerung, welcher das früher feststehende und tautologische Attribut gemein kaum mehr zuläßt;
nur dem Fremdworte Pöbel (aus dem frz. peuple, lat. po-
pulus) bleibt mit dem Sitz in den Hauptstädten seine verdorbene
Bedeutung. Die Volksschule hat sich ja bereits so gehoben
und verbreitet, daß der an sich sehr ehrende Titel „Schul-
meister" dem vornehmeren „Schullehrer" weichen mußte,
nur weil er Erinnerungen an gewisse nun abgethane Methoden
von Unterricht und Zucht mit sich führte.

Daß ein Wort wie Muthwille, welches in der alten
Sprache noch indifferent, rein psychologisch, Regung und Uebung
des freien Willens bezeichnet, zu dem zweideutigen Sinne gelangen konnte, wonach es (übrigens schon im Mittelhochdeutschen)
eine nicht mehr unschuldige Ueberschreitung der natürlichen Frei-
heitsluft mit bewußter Verletzung ethischer Interessen bedeuten
kann, ist nicht zu verwundern, es ist ein Gleiten auf schiefer
Ebene; aber von anderer Art und bedeutsamer scheint die Thatsache, daß Wörter, welche moralische Güte oder wenigstens Un-
schuld bezeichneten, zu Bezeichnungen für Mangel an Intelligenz geworden sind. Bekannt genug ist die abgeschwächte
Bedeutung von gut, durch das Medium von „gutmüthig"
bis zur Meinung von „einfältig", welches letztere Adjectiv be-

reits faſt nur Schwäche des Verſtandes beſagt, während das
Subſtantiv Einfalt doch auch noch von kindlicher Unſchuld des
Herzens verſtanden werden kann, allerdings mit Beziehung auf
die damit verbundene Unerfahrenheit; vgl. frz. niais aus plattlat.
nidax, Neſtling. Aehnlich hat ſich im engliſchen silly aus dem
Begriff von ſelig durch Vermittelung von harmlos, arglos
der von einfältig (übrigens neben dem von einfach, ſchlicht)
entwickelt, und ebenſo das deutſche alber(n) aus altem ala-wâri,
für welches übrigens wahrſcheinlich nicht der Begriff „ganz
wahrhaft", ſondern „freundlich, wohlwollend, gutmüthig" anzu=
nehmen iſt (ahd. mandawâri, mitiwâri, mhd. wære [Walt.
v. Vogelw. 76, 22: vil ſüeze wære minne?], altn. vær).
Eine Parallele in umgekehrter Richtung, daher eher ein Beiſpiel
von Milderung des Begriffs, bietet das mhd. tumb (dumm)
mit der häufigen Bedeutung „jung".

Eine letzte Gruppe bilden Wörter, die zwar im Vergleich
mit ihrer urſprünglichen Bedeutung eine Abſchwächung erfahren
haben, ohne jedoch etwas Uebles oder Böſes zu enthalten.
Hieher gehören beſonders manche durch Euphemismus und Höf=
lichkeit entſtandene Bezeichnungen für bloße äußere Ehrbarkeit,
Anſtand in Kleidung und Benehmen, während die betreffenden
Wörter urſprünglich eine höhere, innerlich ſittliche Qualität be=
deuteten. Das lateiniſche honestus war doch mehr als das
franz. honnête, welches je nach ſeiner Stellung vor oder nach
dem Subſtantiv in ſehr bedenklicher Weiſe zwiſchen „recht=
ſchaffen, anſtändig, höflich, gefällig" hin und her ſchwankt; vgl.
z. B. une excuse honnête, eine annehmbare, aber doch nur
ſcheinbare Entſchuldigung; un honnête débauché, ein Schwelger
mit Maß (!). Auch das ital. garbo (aus ahd. garwi, Rüſtung,
Schmuck) ſchwebt in einer unſichern Mitte zwiſchen Recht=
ſchaffenheit und Anſtand, nur daß das letztere hier der Grund=
begriff iſt und inſofern eher eine Vertiefung ſtattgefunden hat,
die aber noch wenig zuverläſſig iſt und ſich ebenfalls mit dem
bloßen Schein begnügen kann. Das engl. respectable bezog
ſich urſprünglich auf innern Werth des Charakters, wird aber
jetzt Jedem beigelegt, der eine leibliche Exiſtenz und Stellung
in der Geſellſchaft beſitzt. Daß man mit dem Titel gentleman

ebenso freigebig geworden ist, wäre wohl erfreulich, wenn damit
eine zunehmende Verbreitung innern Adels bezeugt würde.
Das Adjectiv demure soll aus der franz. Phrase de müre
conduite entstanden sein; es vereinigt aber mit der Bedeutung
„ehrbar" die von „spröde, zimpferlich", worin doch auch eine
innere Unwahrheit oder eine Uebertreibung enthalten ist, wie
frz. prude aus prudus, providus. So hat sich auch an
quaint, welches urspr. „zierlich", in gutem Sinne von „an-
muthig" bedeutete (aus altfranz. cointe, lat. cognitus, vielleicht
vermengt mit comtus) der Nebenbegriff des Gezierten, Gesuchten und durch Sonderbarkeit eher Abstoßenden als An-
ziehenden entwickelt.

Man sieht also, daß ungünstige Nebenbegriffe sich nur
allzuleicht allenthalben anhängen, aber auch Wörter wie Gift
und List unter diesen Gesichtspunkt zu stellen ist doch nicht
nöthig, zumal da in Mitgift die unschuldige Bedeutung des
alten gift = Gabe (Dosis) noch fortlebt und List nicht immer
Mißbrauch von Kunst und Kenntniß (dies die alte Bedeutung
des list, von lesen) zu sein braucht, was auch von den engl.
Wörtern craft und cunning gilt.   Wenn endlich Wohlstand
noch im vorigen Jahrhundert dasselbe bedeutete, was heute
Anstand, so ist es sehr zweifelhaft, ob darin dieselbe Abschwächung des Begriffs vorliege, wie in den kurz vorher angeführten und allerdings sinnverwandten Fällen; denn es können
sich an einem Worte im Lauf der Zeit oder sogar gleichzeitig
zwei oder noch mehr Bedeutungen entwickeln, ohne daß die
eine aus der andern hervorgeht, sondern von einander unabhängig aus einer mehrfachen Grundbedeutung.   Dies findet
besonders statt bei Zusammensetzungen mit oft vieldeutigen
Partikeln.   Im Mittelhochd. vereinigt das Verbum versprechen
die Bedeutungen: vertheidigen und schelten; versprechen
(in dem heute einzig fortlebenden Sinne von „zusagen") und
ablehnen, und von diesen Bedeutungen ist keine aus einer
von den andern, sondern es sind alle vier aus der ursprünglichen Vielseitigkeit der Partikel ver- erwachsen.   Wenn dergleichen möglich war, so konnte um so leichter im Laufe eines
halben Jahrhunderts aus verschiedener Anwendung der Phrase

„wohl ſtehen" die veränderte Bedeutung von Wohlſtand her=
vorgehen.

Erſt nach allen dieſen Einſchränkungen wären nun die
allerdings nicht ſeltenen Fälle aufzuzählen, wo aus einer unver=
fänglichen Bedeutung ſich eine ausſchließlich und wirklich
moraliſch ſchlechte entwickelt hat. Aber da eine genügende
und wohl ziemlich erſchöpfende Anzahl von Beiſpielen aus dem
Deutſchen und Engliſchen in den Anfangs citirten Abhandlungen
von Bechſtein und Müller zu finden ſind, ſo können wir
uns auf wenige Nachträge dazu beſchränken.

Karg enthält, von Perſonen gebraucht, den tabelnden Be=
griff übertriebener Sparſamkeit, gegen ſich ſelbſt und Andere;
die ältere Bedeutung war nur „klug, ſchlau, liſtig", alſo noch
indifferent; aber aus dem Begriffe „auf ſeinen Vortheil bedacht
ſein, ängſtlich ſorgen" (mitteldeutſch kargen, von ahd. chara,
Sorge, Klage, charac, traurig, agſ. cearig, ängſtlich beſorgt
und vorſichtig) konnte ſich der heutige leicht entwickeln. Geiz
(mhd. und noch ſchweiz. gît) hatte immer die üble Bedeutung
des heutigen Gier (welches dagegen in der ältern Sprache auch
in edlerem Sinne gebraucht wurde, als etwa heute noch in
Neugier); wenn ſchweiz. gîtig auch „haushälteriſch" bezeichnen
kann, ſo iſt dies ſchwerlich ein Reſt einer ältern noch unſchul=
digen Bedeutung, ſondern eher eines der jedenfalls ſeltenen
Beiſpiele, wo ſich eine bereits ſchlecht gewordene Bedeutung
wieder milderte und zu urſprünglicher Indifferenz zurückwandte.
Da wir mit dieſer Bemerkung die ſonſt innegehaltenen Schran=
ken der Schriftſprache überſchritten haben, ſo wird dies noch
eher erlaubt ſein bei einem Worte, deſſen Gebrauch in der
heutigen Schriftſprache ſich wirklich nur aus älteren, landſchaft=
lich erhaltenen Bedeutungen erklärt. Das Wort niederträchtig,
das wegen ſeiner Sinnverwandtſchaft mit gemein bereits oben
einmal angeführt wurde, zeigt in der That merkwürdige Ver=
ſchiedenheit von Bedeutungen, und es erneuert ſich an ihm die
vorhin bei Wohlſtand erhobene, für unſere ganze Unterſuchung
wichtige Frage, ob dieſelben alle aus einander ſich entwickelt
haben oder nicht; denn im letztern Fall verliert die Annahme
einer Verſchlechterung der Bedeutungen noch mehr Gewicht, als

ihr bereits bisher entzogen wurde. Das mhd. nidertrehtic bedeutete: „gering geschätzt, niedergeschlagen, gedrückt im Gemüth", ursprünglich aber wohl in der Haltung vom „nieder Tragen des Hauptes", im Gegensatz zu „hochtragend (ält. nhd. hochträchtig = stolz), -trabend oder -fahrend (hoffährtig)". Gleich alt oder noch älter sein muß die im ältern Neuhochd. und in Mundarten vorkommende Bedeutung „unansehnlich, klein von Gestalt, niedrig", z. B. von Schafen und Stühlen mit kurzen Beinen oder auch von einem nur wenig hervorragenden Fels. Dann folgt die Bedeutung: von gemeiner Herkunft und (darum vielleicht) demüthig; doch unterscheidet Gellert: „Man kann seinen geringen Werth fühlen, weil man zu träg ist, sich Verdienste zu erwerben; dies ist Niederträchtigkeit und nicht „Demuth". Andererseits hieß gerade der Vornehme, wenn er nämlich sich herabließ, „niederträchtig", und so auch ein gemein faßlich (populär) geschriebenes Buch. Aus welcher von diesen Bedeutungen nun die heutige abzuleiten sei, wonach das Wort nicht bloß gemeine Gesinnung, sondern zugleich die Absicht bezeichnet, Andern heimtückisch zu schaden, vermögen wir nicht zu entscheiden; da jene andern Bedeutungen erloschen sind, deuten wir das Wort leicht vom „Trachten" nach Niedrigem, aber es wird doch am ehesten auf die Bedeutung „von gemeiner Herkunft" zurückgehen, indem solche Menschen, in der Gesellschaft mißachtet und zu einer gedrückten Haltung genöthigt, aus Verzweiflung und Ingrimm darüber jenes Verhalten zu ihrer Lebensregel machen.

Bemerkenswerth ist die doppelte Bedeutung des Wortes tiefsinnig, welches auch = schwermüthig gilt, nur daß diese beiden Bedeutungen das moralische Gebiet nicht berühren, so wie auch Wahn, welches früher neben der heutigen Bedeutung auch die günstigere von „Hoffnung, Erwartung, Meinung, Absicht" besaß. Als Beispiel eines Verbums möchten wir zum Schlusse nicht lügen anführen, dessen schon im Althochdeutschen feststehende Bedeutung mentiri natürlich nicht am gothischen liugan, nubere, sondern nur an der auch diesem zu Grunde liegenden Urbedeutung „verhüllen" zu messen ist, wohl aber das sinnverwandte trügen, verglichen mit goth.

driugan, Kriegsdienst thun (drauht, Heer, Volk, Gefolge, ahd. truhtin, Führer, Herr), obwohl auch hier nicht das Gothische die Grundbedeutung zeigt, sondern das Angelsächsische. Hier bedeutet nämlich dreógan: 1) ertragen, leiden, und auch 2) aus= üben, thun. Aus der letztern Bedeutung, besonders aus Ver= bindungen wie: gevin dreógan, Krieg führen, ellen dreógan, Kraftthaten thun, sîdas dreógan, Wege machen, reisen, erklärt sich zunächst das goth. driugan, durch eine Einschränkung des Begriffs, ähnlich wie in der Schweiz „Dienst" schlechthin für „Kriegsdienst" gesagt wird, oder griech. ἔρδω, ῥέζω, urspr. „thun" überhaupt, speciell für sacra facere, opfern und beten; vgl. auch wirken, von weiblicher Arbeit κατ' ἐξοχὴν, = sticken, u. a. Der Begriff „trügen" aber, der wie „lügen" schon im Ahd. der einzige ist, läßt sich schwerlich aus dreógan 1) welches überdies selbst erst aus 2) abzuleiten ist (Mittel= begriff „durchmachen") etwa wieder durch die Betrachtung er= klären, daß das „Leiden" in dienendem Stande oder unterge= ordneter Stellung leicht jenen Hang zu Verstellung u. f. w. erzeuge, wovon bei niederträchtig die Rede war; sondern da dreógan auch intranf. = thätig, „geschäftig sein" vorkommt, so wird sich wahrscheinlich aus dem Begriff gesteigerter Thä= tigkeit und Geschäftigkeit, verbunden mit Gewandtheit und Schnelligkeit, wie dgl. gerade bei Absicht auf Täuschung leicht stattfindet, die Bedeutung des „Truges" vorzugsweise entfaltet haben und dann, wie in den vorigen Beispielen und insbesondere wie militari im goth. driugan, allein herrschend geblieben sein. Im altnord. driugr finden wir die Bedeutung „ausdauernd" auch bis zu „trotzig" gesteigert. Das begriffliche Zusammen= treffen unsers Wortes Trug mit sanskr. drogha ist auffallend, und die von Kuhn (Zeitschr. I, 179 ff.) angenommene Iden= tität mit demselben ist möglich, dagegen hat die weitergehende mit lügen und mit griech. ἀ-τρεκής, θέλγω, Τελχίν (deren Bedeutung wohl stimmen würde) lautliche Bedenken gegen sich.

Nunmehr kommen wir zum positiven Theil unserer Aufgabe, d. h. zu dem Nachweis, daß Bedeutungen auch nach der guten Seite hin sich geändert, also eine aufsteigende Entwicklung eingeschlagen haben, allerdings nicht von schlimmer,

sondern nur von indifferenter Grundlage aus. Hieher ge=
hören mehrere Adjectiva, welche von Bezeichnung bloßer Brauch=
barkeit oder Leistungskraft überhaupt sich zur Bedeutung sitt=
licher Tugend erhoben oder vertieft haben. Fromm, dessen
ältere Bedeutung noch im Verbum frommen = helfen, nützen,
und in der Formel „zu Nutz und Frommen" fortlebt, hat seine
jetzt vorherrschende Beziehung auf den religiösen Grund sitt=
licher Tüchtigkeit durch das Moment des Sanften, Willigen
angenommen, wonach es auch von zahmen Thieren gebraucht
werden kann. Bieder, heute von gradem, ehrlichem Charakter,
bezeichnet in seiner älteren Form biderbe (urspr. mit Accent
auf der zweiten Silbe, zu darben, verderben) nur „brauch=
bar", wie χρηστός von χράομαι. Wacker ist urspr. nur:
wachsam, aufgeweckt, munter, rührig. Tapfer = slav. dobr
bonus, geht aus vom Begriff gravis, auch von Körperschwere,
dann „gewichtig, ernst", welcher Begriff sich im altnord. dapr
sogar zu „trübe, traurig" verwandelt hat. Weise wurde früher
selten absolut gebraucht und bezeichnete auch nicht Kenntniß der
höchsten sittlichen Weltordnung, sondern galt überhaupt = kun=
dig irgend welcher Dinge. — Das engl. nice vom altfranz.
nisce, lat. nescius, ist von der sogar ungünstigen Bedeutung
„unwissend, thöricht, albern" durch den Mittelbegriff „achtsam
auf Kleinigkeiten, peinlich genau" zu der günstigen Bedeutung
„sorgfältig, zierlich" aufgestiegen. Das adjectivische Particip
trunken brauchen wir heute, im Unterschied von betrunken,
nur noch von edler Begeisterung. Bescheiden, urspr. eben=
falls Particip, bedeutete im Mhd. nur „verständig", dann wohl
auch „billig und mäßig in Anforderungen". Das Substantiv
Fleiß hat nur in der Verbindung „mit Fleiß" = mit Absicht,
seine frühere indifferente Bedeutung behalten, sonst bezeichnet es
absolut und prägnant „Eifer in Gutem, im Beruf." Ver=
geben hieß früher „schenken" überhaupt, dann auch „vergiften"
(wie noch mundartlich), ist nun aber = verzeihen geworden,
welches mhd. ebenfalls noch allgemein „entsagen" (auch ver=
sagen) bedeutete.

Eine zweite Gruppe dieser Reihe bilden Wörter, welche
zwar nicht zu einer wirklich guten Bedeutung gelangt sind, aber

eine ursprünglich ungünstige merklich gemildert haben. Aus
dem lat. calumnia entstand altfrz. chalonge, welches nicht mehr
„Schmähung, Verleumdung", sondern nur Bestreitung eines
gegnerischen Anspruchs bedeutet und im engl. challenge auch
positiv „Anspruch, Herausforderung, Wettstreit". Aus lat.
vagus entwickelte sich im ital. vago die Bedeutung „reizend"
und sogar die substantivische „Liebhaber", wobei freilich nicht
Treue das wesentliche Merkmal sein kann. Vitium milderte
sich im ital. vezzo successiv zu den Bedeutungen „Unart, Ge=
wohnheit, Lust"; avvezzare heißt „gewöhnen", vezzoso „rei=
zend", wohl mit dem Hintergrund „verführerisch"; im Spa=
nischen bedeutet vicio auch „üppiges Wachsthum der Pflanzen"
(sowie umgekehrt üppig, im Deutschen auch von Menschen
gebraucht, Neigung zu geschlechtlicher Ausschweifung bezeichnet).
Moralisch, nicht logisch betrachtet kann freilich die Milderung
des Begriffs „Laster" zu dem von „Gewohnheit" und „Lust"
nur als eine Beschönigung und insofern als Verschlimmerung
erscheinen und ist bezeichnend für die laxere Auffassung der sitt=
lichen Verhältnisse, besonders der geschlechtlichen, bei den Ro=
manen. Ital. meschino, frz. mesquin haben ihre jetzige Be=
deutung aus der des Grundwortes, arab. meskîn, arm, elend,
entwickelt; aber im Altfranz. hieß meschin auch „schwach, zart,
jung" und wurde als Subst. zur Bezeichnung dienender Knaben
und Mädchen gebraucht. — Auf deutschem Boden finden wir,
die Bedeutung des Wortes Schalk in neuerer Zeit insofern
gemildert, als es wie „Schelm" auch bloßen Muthwillen ohne
böse Absicht bezeichnen kann, während im Mhd. aus der unver=
fänglichen Bedeutung „Knecht" sich die eines knechtischen, heim=
tückisch treulosen Sinnes entwickelt hatte. (In der Schweiz
bedeutet Schalk einen übellaunischen, eigensinnigen, im Umgang
unartigen Menschen.) Ahd. vreidi bedeutete „abtrünnig (aus
ver-eidi, per jurus?) flüchtig". Daraus entwickelten sich im
Mhd. vreide, vreidec die Bedeutungen „verwegen, kühn, trotzig,
übermüthig, keck, leichtsinnig, wohlgemuth, muthig". Auf ro=
manischem Boden finden wir das Wort in übeln Sinn über=
gegangen und festgehalten; provenzal. fraiditz, fraidel, afrz.
fradous, elend, gottlos, mit derselben Begriffsentwickelung wie

zwischen altdeutsch recke und engl. wretch. Am auffallendsten
haben die Bedeutungen auf und ab geschwankt bei dem eben=
falls nur der alten Sprache angehörigen Worte gemeit.
Im Goth. bezeichnete gamaids körperliche Gebrechlichkeit; ahd.
gameit ist „stumpfsinnig, thöricht, eitel", ebenso ags. gemâd,
amens, engl. mad, toll; im Mhd. aber erhebt sich der Begriff
zu „fröhlich, stattlich, tüchtig". Goth. dvals ist „thöricht",
ags. dval, dvol, dol ziemlich dasselbe, engl. dull etwas milder
„träge, stumpf, langweilig", deutsch toll völlig geisteskrank oder
wenigstens bis an Wahnsinn streifend; (in der Schweiz freilich
ist das Wort durch den Mittelbegriff ausgelassener Lustigkeit zu
„lustig, hübsch, üppig gesund" aufgestiegen, so wie steif im
Kanton Bern „stattlich, sauber, hübsch" bedeutet). Gemilderte
Bedeutung zeigt auch noch verlegen, welches nach heutigem
Sprachgebrauch nicht nothwendig irgend eine Verschuldung vor=
aussetzt, während im Mhd. das Moment einer Versäumniß
(zu lange liegen geblieben sein und dadurch einen Termin
verfehlen) wesentlich ist. Endlich führen wir hier noch an häß=
lich, welches amhd. subjectiv „voll Haß, feindselig" bedeutet,
dann objectiv „hassenswerth, verhaßt", nun aber sich gemildert
hat, insofern ästhetische Mängel (an die wir jetzt bei dem
Worte denken, auch wenn es zugleich moralisch verstanden wird)
einen persönlichen Vorwurf begründen wie ethische.

　　Bei einer dritten Gruppe besteht die Erhöhung des Be=
griffs nur darin, daß er überhaupt enger, geistiger, d. h. dann
aber oft eben geradezu und ausschließlich sittlich, gefaßt wird.
Hieher gehören die zum Theil in der Zeitschr. V, 334—5 an=
geführten Wörter: Muth, jetzt nur noch in Zusammensetzungen:
Demuth, Wehmuth u. s. w. = Sinn, Gemüth überhaupt, sonst
= franz. courage; Tugend, früher = Brauchbarkeit, Tüch=
tigkeit (zu taugen), Kraft, auch von Dingen, von Menschen
höchstens = Schicklichkeit, Lebensart; Liebe, früher objectiv
= Freude, Lust; Reue = Betrübniß, Trauer überhaupt, ethisch
höchstens = Mitleid; Gewissen, früher = Wissen, Bewußt=
sein überhaupt, ähnlich wie Witz aus der Bedeutung „Verstand"
sich verengt hat; Schuld und Buße, beide auch noch von
rechtlichen Verhältnissen, daneben aber von rein moralischen.

Pflicht war im Mhd. ein sehr vielseitiges Wort; es konnte bedeuten: Fürsorge, Dienst, Theilnahme für Personen, Verkehr mit ihnen, dann aber auch persönlicher Besitz, Gewohnheit, Lebensweise, alles entsprechend den Bedeutungen des Verbums pflegen, der heutige Begriff von Pflicht war inbegriffen in dem des mhd. reht; Ehe, ahd. êwa, war urspr. Zeit (= lat. aevum), dann: durch die Zeit geheiligtes Gesetz, rechtliches Institut oder Verhältniß (so noch in manchen landschaftlichen Zusammensetzungen, wie: Ehefaden, Ehegraben). Ehrlich, einst = ehrenwerth, ehrenhaft, ehrenvoll, wie etwa noch heute: ehrliches Begräbniß; nun aber hat sich der Begriff ungefähr ebenso viel verinnerlicht wie honestus, in frz. honnête u. s. w. (s. o.) veräußerlicht. Redlich galt in der alten Sprache = verständig, ordentlich, redewerth; aus den auch dort schon vorkommenden Bedeutungen „gebührlich" und „echt" konnte die heutige erwachsen.

Als letzter Theil unserer Aufgabe bleibt nun noch die Erklärung aller dieser Erscheinungen, so weit sie überhaupt noch und in ausdrücklicher Form gegeben zu werden braucht, nachdem sie durch die Anordnung der Thatsachen selbst und manche eingestreute Bemerkung bereits theilweise anticipirt worden ist. Am meisten scheint natürlich der sogen. Pessimismus eine Erklärung zu verlangen, aber er ist ja mehrfach eingeschränkt und zwar nicht aufgehoben, aber aufgewogen worden durch das entgegengesetzte Phänomen, das eine Erklärung, wenn sie überhaupt noch nöthig ist, im Grunde eben so sehr erheischt. Wahrscheinlich werden die Ursachen beider Erscheinungen, welche ja in einzelnen Fällen, je nach dem Standpunkte der Betrachtung, fast in einander zu verfließen schienen, theilweise dieselben sein; da aber immerhin die pessimistischen der Zahl nach überwiegen mögen, so wollen wir zunächst fragen, ob sich irgend welche besondere Gründe für diese Neigung denken und nachweisen lassen. Vorher wollen wir nur noch bemerken, daß das Aufkommen von Benennungen für schlimme Erscheinungen, wenn diese einmal da sind, wenigstens insofern auch ein gutes Zeichen ist, als dadurch ein unerloschenes, vielleicht sogar geschärftes moralisches Bewußtsein immerhin bezeugt wird.

Die einfachste Erklärung, welche aber kaum diesen Namen verdienen würde, wäre die dem gewöhnlichen Sinne von „Pessimismus" entsprechende Annahme, daß die Zunahme schlimmer Färbung der Wortbedeutungen eine Folge zunehmender Verschlimmerung der wirklichen Zustände in der menschlichen Welt sei, welche in der Sprache einen mehr oder weniger unmittelbaren und unvermeidlichen Abdruck finden. Abgesehen nun davon, daß die fortschreitende Verschlechterung der Welt selber ebenso wenig bewiesen ist wie das Gegentheil, also auch nicht etwas Anderes erklären kann, darf der zum Behuf der Erklärung als selbstverständlich angenommene Einklang und Causalzusammenhang zwischen Welt und Sprache ebensowenig zugegeben werden. Vom Ursprung der Sprache an, durch ihre ganze Geschichte hindurch gilt der schon in Platons Kratylos ausgesprochene Satz, daß die Sprache nicht eine Offenbarung der objectiven Welt sei, sondern als eine eigenen Gesetzen folgende Welt zunächst innerhalb des menschlichen Geistes selbst und dann zwischen ihm und der äußern Welt sich festgesetzt habe. Es ist nun zwar kein Zweifel, daß die in der Sprache selbst geschaffene Objectivität des denkenden Geistes mit der wirklichen, sachlichen in irgend einem gesetzlichen Zusammenhang stehe, ja auch daß sie den Veränderungen der letztern irgendwie nachrücke, aber die Weite des Abstandes und das Tempo der nachrückenden Bewegung hat noch Niemand ermessen. Bevor also dieses Mittelgebiet abgesteckt und eingetheilt ist, müssen Schlüsse von sprachlichen Bedeutungen auf wirkliches Geschehen oder umgekehrt abgewiesen werden. Ausnahmsweise kann es wohl vorkommen, daß einzelne Wörter ziemlich rasch in Folge von Veränderungen, welche mit den betreffenden Dingen durch bestimmte Ereignisse vorgegangen sind, in ihrer Bedeutung steigen oder sinken. Aber solcher Wechsel trifft ja selten die Grundbegriffe der sittlichen Welt, sondern meist nur einzelne Produkte der äußern Cultur. — Auch die subjectivere Erklärung, welche Bechstein (a. a. O. 331) giebt, daß nämlich das Sinken der Bedeutungen eine Folge der Unzufriedenheit und mißtrauischen

Vorsicht sei, womit jede spätere Zeit, wie der einzelne Mensch
im reiferen Alter, ihre Weltansicht strenger und kälter als in
der Jugend gestalte — auch diese Erklärung ist unhaltbar,
schon weil die ganze Parallele zwischen geschichtlichen und in=
dividuellen Lebensperioden haltlos ist, indem sie selber schon
auf optischer Täuschung und pessimistischer Neigung beruht.
Ohne Zweifel hat sich die dem Alter eigenthümliche Bedenklich=
keit und Unbehaglichkeit schon bei den Greisen des höchsten
Alterthums eingestellt; auch die Sagen vom geschwundenen gol=
denen Zeitalter sind uralt und so finden sich auch Spuren von
gesunkener Wortbedeutung schon in den ältesten Sprachdenk=
mälern; oder wo in späterer Zeit sollte denn das Altern und
die Trübung der Lebensansicht erst begonnen haben? Jeden=
falls müßte, bevor von diesem Gesichtspunkte aus ein Zeitalter
als schlechter denn das vorherige erklärt werden dürfte, der
Wortschatz auch des letztern nach der schlimmen Seite hin mög=
lichst vollständig erwogen werden. Eine fernere Ansicht wäre,
durch den bloßen langen und häufigen Gebrauch selbst
schleifen sich Wörter wie Münzen ab und es hänge sich an sie
aus dem alltäglichen Verkehr allerlei Unreines, sobald ihre Be=
deutung auch nur den kleinsten Raum dafür lasse. Aber dazu
müssen doch besondere sachliche Gründe hinzukommen. Man
kann die tröstliche Ansicht hegen, daß im großen Ganzen der
Weltgeschichte das Gute dem Bösen stets die Waage gehalten
habe und sogar, daß es bestimmt sei, nach altpersischer und
christlicher Ansicht das Böse immer mehr, schließlich vielleicht
ganz zu überwiegen, so wird man doch immerhin dem Bösen
den Vorzug (wenn es einer ist) vor dem Guten einräumen
müssen, daß es in der sichtbaren Welt einen breitern Raum
einnehme, eine größere Mannichfaltigkeit von Erscheinungsweisen,
gleichsam Spielarten, erzeuge, also wohl auch mehr „von sich
reden“ mache und darum einen größern Aufwand von sprach=
lichen Bezeichnungsweisen erfordere. Das Gute ist im Ver=
gleich mit dem Bösen das Einfachere, das reine ungebrochene
Licht; die vielfarbigen Ausstrahlungen, in denen auch es sich
darzustellen scheint, rühren eben von Mischung mit Elementen
her, die sonst ebenso sehr oder noch mehr dem Bösen dienen,

deſſen Gefahr weſentlich in der Vielgeſtaltigkeit liegt, womit es uns allenthalben umgiebt und anzieht. Das Böſe iſt ja leider auch immer das Leichtere, alſo in zweifelhaften Fällen das Wahrſcheinlichere; die Uebergänge zu ihm ſind ebenſo zahlreich wie ſeine eigenen Nüancen. Dieſe Auffaſſung mag mehr oder weniger richtig ſein, — ſie ſoll nicht Alles erklären, ſondern wir müſſen nun das Weſen der Sprache ſelbſt hinzunehmen, in welcher ſich ja dieſe Weltordnung irgendwie reflectiren ſoll, wenn auch durch mehrfache Medien hindurch. Die Sprache hat von Haus aus den Drang und eigentlichen Beruf, mög= lichſt anſchaulich und individuell abzubilden, was in der Vor= ſtellung Phyſiſches und Ethiſches lebt. Sie greift alſo in die Erſcheinungswelt friſch hinein, ſie nimmt das bunte Leben, wie es ſich lebendiger Phantaſie darbietet, ſie iſt nicht ängſtlich in der Wahl der Mittel, um die vom Geiſt an ſie geſtellten For= derungen von Symbolen oder Stützpunkten ſeines Denkens zu befriedigen, und ſie darf es um ſo weniger ſein, je mehr der Geiſt, ſelber fortſchreitend, jene Forderungen ſteigert. So mitten in jenes wirre Treiben der Welt hineingeſtellt und von dieſen Anſprüchen gedrängt — iſt es da zu verwundern, wenn ſie hie und da vor lauter Dienſtwilligkeit fehlgreift, wenn ſie, mit fortgeriſſen von den trügeriſch wechſelnden Erſcheinungen, am Guten einen nachhinkenden oder vorauseilenden Schatten des Schlechten erhaſcht und ſchnell verwendet, öfter als umgekehrt, weil das Gute überhaupt weniger Schatten wirft? Daß dann das Böſe, einmal in die Namengebung eingeſchlichen, meiſtens haften bleibt, fortwirkt, ſich ſelbſt vermehrt und nächſte Umge= bungen anſteckt, auch das begreift ſich aus dem Weltlauf. Auf der Sprache nahe liegenden oder wirklich angehörenden Ge= bieten beobachten wir Aehnliches: Charaktere der deutſchen Hel= denſage, welche von Anfang etwas zweideutig angelegt waren, neigen ſich in der dichteriſchen Behandlung folgender Zeiten immer entſchiedener dem Schlechten zu; Citate aus Claſſikern werden zu „ſchlechten Witzen“ parodirt (ſ. d. Zeitſchr. IV, 491), und Wackernagel (Pfeiffer, Germania 5, 317—354) hat nachgewieſen, daß ſogar Eigennamen von Perſonen, dieſe un= lebendigſten Beſtandtheile des Wortſchatzes, nachdem einmal

durch Häufigkeit ihres Gebrauchs innerhalb der untern Stände
ein appellativer Sinn (Bezeichnung stehender Charakterzüge aus
jener Sphäre) in ihnen wieder auferweckt worden, denselben
durchgängig nach der schlimmern oder gemeineren Seite weiter
entwickeln (vgl. Groß=Hans, Janhagel, Furcht=Gret, Heinzel,
Namen von Thieren und Geräthen, wie engl. Jack, Struwel=
peter, Saumichel, Pumpernickel; Metze, Verkürzung von Mech=
tild, Mathilde).

Als ein besonderes Moment, welches den Ausschlag nach
der schlimmern Seite geben kann, führen wir hier noch einmal
die fremde Herkunft an, die manchen Wörtern, auch wenn
sie oder gerade wenn sie nationalisirt sind, eine besondere
Neigung zu ungünstiger Bedeutung aufprägt. Beispiele davon
haben wir gelegentlich da und dort bemerkt; es werde hier nur
noch nachgetragen: franz. bouquin, Scharteke, zunächst aus
dem niederländ. boekin, Diminutiv von Buch; Libell, Schmäh=
schrift, engl. censure, Tadel; franz. hère, Tropf, aus dem
Deutschen Herr. Daß aber auch die Romanen gegen ein=
ander unartig sein können, zeigt das franz. habler, prahlen;
aus span. hablar, sprechen (lat. fabulari), was die Spanier
mit parlador, Schwätzer, vergolten haben. — Wenn die
Italiener das Vorzügliche leicht pellegrino (peregrinus,
fremd) nennen, so ist das Ausfluß eines auch andern Nationen
eigenen Hanges zu Ueberschätzung des Fremden und findet über=
dies in strano (frz. étrange, lat. extraneus) sein Gegengewicht,
welches nicht bloß „seltsam, wunderlich", sondern auch „grob,
trotzig, zornig" bedeutet. Merkwürdig ist auch noch das Wort
brav, welches vielleicht ursprünglich deutsch (ahd. hraw, das
heutige roh), aber erst im siebzehnten Jahrhundert aus dem
Französischen neu herübergekommen, die Bedeutung ungestümer
Tapferkeit (ital. span. bravo, wild, unbändig, auch von
Thieren und Pflanzen) bedeutend veredelt und zu der von
Rechtschaffenheit erweitert hat, während freilich daneben die
von Leistungsfähigkeit überhaupt, z. B. in Künsten (bravo!
hat's brav gemacht! als Beifallsruf) und in der Volkssprache
(der Schweiz) auch die von rein körperlicher Stärke und Ge=
sundheit fortdauert. — Beispiel eines wirklichen Fremdworts

mit zunehmend verschlechterter Bedeutung ist Idiot, was
bei den Griechen doch noch lange keinen Blödsinnigen be=
zeichnete.

Ein anderes Specialmotiv von nicht ganz nur sprachlich
formaler Art, für Verschlechterung der Bedeutung, ist Euphe=
mismus, aus der Scham in natürlichen und geschlechtlichen
Dingen, aus Schonung und Vorsicht in Nennung schweren
Unglücks, aus Scheu vor Entweihung heiliger Namen in schwur=
artigen Betheuerungen. Wenn nämlich der Euphemismus nicht
einfach bei umgehendem Verschweigen unanständiger („un=
höfischer" im Mittelalter, s. Pfeiffer, Freie Forschung S. 354)
Wörter stehen bleibt, sondern nothgedrungen irgend einen Ersatz
bieten will, so wird er leicht veranlaßt, ein sonst ganz unschul=
diges und möglichst allgemeines Wort wie etwa Ding durch
solchen stellvertretenden Gebrauch mit einem Anflug der Qua=
lität des Verschwiegenen zu behaften oder geradezu die gegen=
theilige Benennung anzuwenden, wie z. B. im Mhd. saelec
auch = unsaelec im Sinne von „verwünscht" gebraucht
wurde. Es kann sich dazu Umdeutung und Umformung ge=
sellen, wie im schweiz. „Gutschlag" (Gehirnlähmung, Apoplexie),
wenn es nicht aus frz. goutte, Gicht, sondern aus dem mhd.
gotes slac entstanden ist, in der Meinung, daß solche Zufälle
unmittelbar von Gott kommen (oft als wirkliche Wohlthaten,
z. B. in kränklichem Alter oder bei schwerem Unglück), sowie
Wahnsinn und Blödsinn nach der Ansicht des Alterthums und
Mittelalters unter besonderer göttlicher Obhut standen.

Doch sind das Alles Nebendinge und Ausnahmen: für
den ganzen Rest, d. h. die überwiegende Mehrzahl von Be=
deutungsänderungen, welche das ethische Gebiet auf seinen
Grenzen oder in seiner Mitte berühren und nicht besondere
sachliche oder sprachliche Gründe obiger Art haben, dürfen
wir nur dieselben rein sprachlichen, logisch=psychologischen Mo=
tive annehmen, welche den Bedeutungswandel überhaupt,
auch auf indifferentem Gebiete, zur Folge haben. Das
Wunderbare — wenn ein solches hier vorliegt — ist eigentlich
gar nicht der Wechsel zwischen höherem und niederem
ethischen Werthgehalt mancher Wörter, sondern daß überhaupt

Wörter von ethischem Inhalt vorhanden sind; sind sie ein=
mal da, so verfallen sie, zunächst als rein logische Größen,
von selber dem Spiel aller möglichen Associationen, Anziehungen
und Abstoßungen, Verdichtungen und Wiederauflösungen, welche
den natürlichen Verlauf und Zusammenhang unserer Gedanken
ausmachen; nur an gewissen Knotenpunkten des allgemeinen
Ideenverbandes findet die freie Bewegung ihre ebenso natür=
liche Schranke und empfängt bestimmte Richtung durch den
Einfluß herrschender Vorstellungsmassen, welche herrschenden
Strömungen des wirklichen Lebens entsprechen. Im Uebrigen
dürfen wir nie vergessen, daß die Auflösung der Sprache in
einzelne Wörter eine künstliche Abstraction ist; die Wörter leben
ja mit allen ihren Bedeutungen nicht in den Spalten und Ru=
briken des Wörterbuches, sondern am Ende doch nur im Zu=
sammenhang der lebendigen Rede, und dieser sorgt jederzeit
dafür, daß auch kühne Uebertragungen nicht mißverstanden
werden. Dadurch, daß die Formel „schlecht und recht", wo
schlecht noch seine alte Bedeutung = schlicht hat, heute noch
fortlebt, wird das Bewußtsein über den sonstigen Gegensatz
von schlecht und recht nicht verwirrt, weil hundert andere
Verbindungen ihm zu Hülfe kommen. Umgekehrt erklärt sich
manche auf den ersten Blick seltsame Bedeutungsänderung eben
nur daraus, daß das betreffende Wort zu einer Zeit, wo seine
Bedeutung noch weniger entschieden ausgeprägt war, häufig
mit gewissen andern verbunden vorkam, welche ihm allmählich
etwas von ihrem bestimmteren Sinne mittheilten und so seine
eigene Bedeutung in engere Kreise bannten. Diese letztere Folge
konnte auch eintreten, wenn ironischer Gebrauch gewisser
Wörter, im Sinne ihres Gegentheils, irgendwie veranlaßt und
üblich geworden war und man sich dann mit Recht scheute,
das einmal so anrüchig gewordene Wort auch wieder in seinem
früheren, unschuldigen Sinne anzuwenden. Gleichmäßig fort=
schreitende Verengerung und Erweiterung des Begriffs
ist überhaupt der allgemeinste und fruchtbarste Trieb in der
Entwicklung der Wortbedeutungen; denn jede Erweiterung wird
doch nur mit Verengerung auf einer andern Seite erkauft; neue
Verbindungen machen ältere auf die Länge unmöglich. Auf

diesem Wege kann es geschehen, daß Wortbegriffe bloß durch
schärfere Faffung aus ursprünglicher Indifferenz heraus in eine
neue Sphäre, z. B. die geistige und speciell die ethische, gerückt
werden und hier sofort nach der guten oder schlimmen Seite
sich entscheiden müssen; quantitative Veränderungen haben also
auch hier qualitative zur Folge. Ein Begriff, auf die äußerste
Grenze seines Umfangs getrieben, kann in sein Gegentheil um=
schlagen, wie ja die Extreme auch in der Wirklichkeit sich be=
rühren; er kann aber auch, seine bisherige Sphäre überschreitend,
disparat, heterogen werden, indem er in eine niedrigere zurück=
sinkt oder in eine höhere auffteigt. Beispiele sind gerade die
Centralbegriffe unserer ganzen Untersuchung: gut und schlecht,
edel und gemein; andere zu wiederholen und neue anzuhäufen
ist hier nicht mehr der Ort.

Dagegen wollen wir zum Schluß zweier Thatsachen ge=
denken, welche zunächst die Möglichkeit rein sprachlicher Ursachen
von Begriffsunterschieden bestätigen, anderseits auch die Parallele
zwischen ethischen und äfthetischen Erscheinungen im Sprachge=
brauch noch einmal hervortreten laffen.

Bechstein hat richtig bemerkt, daß nicht nur an selbst=
ständigen, ganzen Wörtern, sondern auch an Ableitungs=
sylben eine Neigung zu übler Bedeutung sich kund gebe. Dies
gilt vor allem von der Bildungssylbe =isch an Adjectiven
welche im Mhd. noch keine specifische Färbung hatte, während
im Neuhochdeutschen „kindisch, weibisch, herrisch, höfisch" von
den mit =lich aus denselben Substantiven gebildeten Adjectiven
fühlbar ungünstig abstehen („heimisch" im Vergleich mit „heim=
lich" bildet dazu keinen Gegensatz). Zufällige Analogie mag
hier mitgewirkt haben; doch könnte ein tieferer Grund darin
gelegen sein, daß schon in der alten Sprache mit -isk Adjectiva
von Völkernamen gebildet wurden, also der Begriff von etwas
Ausländischem, Fremdem sich daran hängte, was dann mit der
übeln Bedeutung von Fremdwörtern stimmen würde. Aehnliches
gilt von der Sylbe =ei, mit welcher weibliche Substantiva
gebildet werden und welche selber romanischen Ursprungs ist
(franz. -ie, ital. lat. griech. -ia, mhd. -ie). Auch =ling hat
an Benennungen von Personen etwas Zweideutiges, zum Theil

vielleicht noch herrührend von der urſprünglichen Bedeutung der
Elemente =l= (Verkleinerung) und =ing (Abkunft), ſo daß in
einzelnen Fällen der Begriff von Verkümmerung und Zwitter=
haftigkeit dadurch angedeutet werden konnte.

Nun giebt es aber, ganz ohne materiellen Bedeutungs=
unterſchied, auch Formen der Flexion, welche, rein äſthetiſch,
mehr oder weniger edel im Gebrauche ſind. Manche Verkür=
zung von Endungen durch Ausſtoßung oder Abſtreifung des
tonloſen =e= ſind nur in der gemeineren Sprache erlaubt und
gangbar, ſie ſtehen ihr auch recht gut, während die edlere die
vollen Formen verlangt, vollends kein 's für es, 'nen für
einen u. dgl. zuläßt. Beſonders gehören hieher einzelne
Präterita der ſtarken Conjugation, welche etwas veraltet und
in der gewöhnlichen Sprache meiſtens durch ſchwache Formen
verdrängt, im edlern Stil aber, der überall das alte begünſtigt,
noch immer wohl angeſehen ſind. Z. B. roch, gerochen für
rächte, gerächt (letzteres einigermaßen gerechtfertigt durch das
Zuſammentreffen mit riechen); erſcholl, =en, neben er=
ſchallt, =e; gemolken und molk; ſchnob — geſchnoben,
von ſchnauben; geheiſchen; auch ward iſt edler (überdies
richtiger) als wurde (urſpr. Conjunctiv). In der Declination
verhalten ſich ähnlich einzelne Formen wie: Thale, Lande zu
den umlautenden Formen mit =er, nur daß hier die Spaltung
der Formen auch feine Modificationen der Bedeutung mit ſich
führt. —

L. Tobler.

G. B. Vico. Studii critici e comparativi di Carlo Cantoni. (Torino, Civelli 1867.)

---

1. Göthe und Gans über Vico.

Göthe erzählt in seiner „Italiänischen Reise" in einem Briefe vom 5. März 1787:

Filangieri, der berühmte Rechtsgelehrte, habe ihn mit einem alten Schriftsteller bekannt gemacht,

„an dessen unergründlicher Tiefe sich diese neueren Italiänischen Gesetzfreunde höchlich erquicken und erbauen, er heißt Johann Baptista Vico; sie ziehen ihn dem Montesquieu vor. Bei einem flüchtigen Ueberblick des Buchs, das sie mir wie ein Heiligthum mittheilten, wollte mir scheinen, hier seien Sibyllinische Vorahnungen des Guten und Rechten, das einst kommen soll oder sollte, gegründet auf ernste Betrachtungen des Ueberlieferten und des Lebens. Es ist gar schön, wenn ein Volk solch einen Aeltervater besitzt."

Der flüchtige Blick hatte Göthe nicht irre geleitet.

Gans stimmt mit ihm überein. In seiner Vorrede zu Hegel's Philosophie der Geschichte sagt er: Die Philosophie der Geschichte ist der am spätesten angefangene und zugleich am dürftigsten bekannte Theil der sogenannten praktischen Philosophie.

„Erst mit dem Anfange des achtzehnten Jahrhunderts beginnt in Vico das Bestreben, der bis dahin theils als eine Aufeinanderfolge zufälliger Begebenheiten, theils als ein geglaubtes, aber unerkanntes Werk Gottes betrachteten Geschichte, den Gedanken ursprünglicher Gesetze und einer Vernunft unterzulegen, der die Freiheit des Menschengeschlechts so

weit entfernt ift zu widerſprechen, daß ſie vielmehr den Boden
ausmacht, auf dem jene ſich erſt hervorthun kann "

Er ſagt dann weiter:

„Vico's Leben und ſchriftſtelleriſche Arbeiten fallen in
eine Zeit, wo die alten Philoſophieen von der carteſianiſchen
verdrängt wurden." „Wenn er in der Scienza nuova die
Principien der Geſchichte aufweiſen möchte, kann (er) dieß nur
an der Hand des Alterthums, nur durch die klaſſiſchen Philo=
ſopheme der Vorzeit, er wird daher in ſeinen Unterſuchungen
mehr an die alten Vorgänge als an die neuen gewieſen ſein;
die Feudalität und ihre Geſchichte iſt mehr eine Beilage zu der
Entwickelung Griechenlands und Roms."

„Dann aber hat er ſich noch mit den Grundlagen des
menſchlichen Geiſtes, mit der Sprache, mit der Dichtkunſt, mit
Homer zu beſchäftigen, er hat als Juriſt in die Tiefen des
Römiſchen Rechts zu ſteigen und dieſe zu betrachten, und alles
dieſes, Urgedanke, Epiſode, Ausführung und Zurückkommen auf
das Princip, iſt mit einer Luſt zu Etymologieen und zu Wort=
erklärungen verbrämt, die ſich oft mehr hemmend als ſtörend
den ſchwierigſten Entwickelungen entgegenſetzen. Die Meiſten
werden ſo durch Aeußerlichkeiten vor Tiefen abgehalten,
weil ſie nicht reinlich genug auf der Oberfläche ausgelegt ſind,
und die Golderze werden mit den Schlacken wegge=
worfen, die ſie umhüllen."

2. Cantoni.

Dies zu verhüten iſt Cantoni's Werk wohl geeignet.
Der Verfaſſer, jetzt Profeſſor am Liceo Parini und an der
Academia Scientifica letteraria in Mailand, giebt nach einer
geharniſchten Vorrede, in welcher er ſeinen Standpunkt dem
an der Turiner Univerſität vorwiegenden theologiſchen und
philoſophiſchen Dogmatismus gegenüber rechtfertigt, eine Lebens=
Skizze Vico's.

3. Vico's Leben (im Anschluß an seine Autobiographie).

Am 23. Januar 1668 ist Vico von armen Eltern zu Neapel geboren.

Sein Vater, ein geringer Buchhändler, hinterließ ihm nichts als einen guten Namen. In seinem zehnten Jahre begann er das Studium der Logik, dann das der Metaphysik, dann begeisterte er sich für die abstracten und allgemeinen Grundsätze der Billigkeit in der Jurisprudenz und für die Macht der Worte und Formeln des Römischen Rechts.

Dies war die Art, in der er es unternahm, theoretische und praktische Vernunft zu studiren. Schon in seinem 16. Jahre trat er öffentlich als Jurist auf, und gewann einen Prozeß für seinen Vater. Neun Jahre verlebte er dann auf Ischia, auf dem Schlosse des Bischofs, dessen Neffen er in der Jurisprudenz unterrichtete.

Dies war die fruchtbringende Zeit seines Lebens. In der herrlichen Luft der Insel konnte er in ungestörter Einsamkeit, sorgenfrei, die reichhaltige Bibliothek des Bischofs zu seinen Studien benutzen; Augustinus, Plato, Aristoteles las er wohl drei Mal durch. Er dankt jenen Wäldern, in denen lustwandelnd er sich erholte, die Befestigung in seinen Principien der antiken Philosophie, Geschichte und Jurisprudenz, mit denen er später den Vorurtheilen der wissenschaftlichen Welt entgegentrat. Zurückgekehrt nach seiner Vaterstadt Neapel, fühlte er sich da fremd, und blieb es auch sein ganzes Leben hindurch.

Der Zustand der Literatur und Wissenschaft war tief gesunken. Nachdem er sich vergeblich um eine seinen Lebensunterhalt sichernde Stellung längere Zeit bemüht, wurde er dort in seinem 29. Jahre Professor der Rhetorik mit einem Gehalt von jährlich 100 Scudi. Nach zwei Jahren heirathete er die Tochter eines Schreibers, welche aber selbst ihren Heirathscontract nur unterkreuzen konnte.

Sie war von reinen und edlen Sitten, aber sonst sogar derjenigen Fähigkeiten entbehrend, welche man von einer mittelmäßigen Hausfrau erwartet. Seine Söhne schlugen aus der Art; der Eine wurde liederlich, und kam in das Gefängniß; der Andere folgte ihm zwar später auf das Katheder der Beredsamkeit, aber ohne Auszeichnung. Aber seine Töchter waren sein Trost. In ihrer Gesellschaft erholte er sich von seinen schweren, anstrengenden Arbeiten. Müssen doch große Männer einige Stunden ihres Lebens wiederum ein Kind werden. Eine dieser Töchter unterrichtete er in der Dichtkunst; ihre Gedichte wurden gedruckt.

Als Lehrer der Universität der Einsamkeit entrückt, war Vico gezwungen, sich Anderen mitzutheilen; seine Ideen stießen auf entgegengesetzte; sie mußten sich klären und befestigen. Glücklicher Weise war er keiner der trägen Geister, welche sich in irgend eine Nische der Wissenschaft zurückziehen, und dort sich bis zu ihrem Tode behaglich fühlen. Vielmehr war sein Geist in beständiger Bewegung und immerwährender Umbildung. Bei jeder Lektüre, bei jeder Unterhaltung, erweiterten sich seine Ansichten; so wurde ihm Baco von Verulam's Werk de augmentis scientiarum zu einer neuen Quelle der Philosophie, aber regte zugleich ihn an, sich zu einem höheren, alle Zeiten und alle Nationen umfassenden, Standpunkt zu erheben. In Hugo Grotius bewunderte er einen Anlauf hierzu. Sein eigenes Ziel war fortan eine Versöhnung der platonischen (nach ihm, der christlichen Religion untergeordneten) mit einer wahrhaft wissenschaftlichen, die Geschichte der Sprache und der Dinge umfassenden Philosophie. Im Jahre 1708 schrieb er die Werke de ratione studiorum, 1710 de antiquissima Italorum sapientia, 1720 de universi iuris uno principio et fine uno, 1721 folgte darauf sein Werk de constantia iuris prudentis, welches wiederum in die zwei Theile: über die Beständigkeit der Philosophie und die der Philologie, zerfällt, und mit dem 1720 erschienenen, de universi iuris principio, die beiden Bücher „del diritto universale" bildete.

Nach dem Erscheinen dieses Werks bewarb er sich vergeblich um den Lehrstuhl der Jurisprudenz mit 600 Ducaten Gehalt; ein unbedeutender Mann, den die Geschichte nicht mehr kennt, wurde ihm vorgezogen. Man verzieh es ihm nicht, daß er als ein zu kühner Neuerer aufgetreten war.

Wenige Jahre zuvor scheiterte Leibnitz an einer Deutschen Universität, aber er erhielt reichlichen Ersatz durch andere Erfolge; nicht so Vico, dem das Geschick nie wieder lächelte, der der Mittel zur Erhaltung seiner Familie und zu erfolgreicher Mittheilung stets entbehrte. Doch grollte er deswegen seinem Vaterlande nicht, sondern freute sich, daß er selbst wenigstens Anderen habe helfen können.

Nun ließ er von Bewerbungen um eine Professur ab, schrieb aber 1725 seine scienza nuova, voll Dank für die Universität, die ihn auf die eigenen schriftstellerischen Kräfte zurückgewiesen. Als er 1730 in erster Ausgabe auch die anderen Theile der scienza nuova veröffentlichte, mußte er einen Ring verkaufen, um die Druckkosten bestreiten zu können, indem der Cardinal Corsini, später Papst Clemens XI., der sie zu übernehmen versprochen hatte, sein Wort brach.

Nach fünf Jahren publicirte Vico seine neue Ausgabe der scienza nuova, eine gänzliche Umarbeitung der ersten. Bis an das Ende seines Lebens, in welchem die letzte Ausgabe dieses seines Lieblingswerkes erschien, lieferte er lehrreiche Verbesserungen und Zusätze hierzu.

Kurz vor seinem Tode hatte ihn der Bourbon Carl III. zum Historiographen des Königreichs Neapel mit 100 Dukaten Gehalt ernannt, eine Wohlthat, die er nicht lange genoß. Zuletzt verließ ihn das Gedächtniß, kaum konnte er seine Kinder wieder erkennen. Er starb krank und schwach am 20. Januar 1744.

Dies das einförmige Leben eines Mannes, den Göthe zuerst in Deutschland verkündigt, um dessen Besitz er Italien glücklich preist, den Gans als den Begründer der Philosophie der Geschichte bezeichnet.

Doch wurde er selbst in Italien vorzüglich erst seit Anfang dieses Jahrhunderts studirt; mit den neu erwachenden socialen und politischen Reformbestrebungen stieg und verbreitete sich seine Bedeutung; seitdem giebt es wohl keinen Gelehrten, keinen Dichter Italiens, der nicht Vico bewundert. Giuseppe Giusti, der noch zu wenig gekannte Béranger der Italiäner, preist ihn 1836 in einem schönen Sonett.

schämen. Die Deutschen könnten statt dessen mit mehr Grund sich rühmen, daß Vico die allermeisten seiner kosmologischen Ideen dem Leibniz entlehnt, wenn Vico's kosmologisches System überhaupt ein solches wäre, dessen irgend eine Nation sich rühmen könnte. Es ist schon zu viel, es ein System zu nennen, so groß sind die Mißverständnisse, die Widersprüche, das Zusammenhangslose, denen man bei jedem Schritt begegnet.

Es ist keine Uebertreibung, wenn man sagt, daß, was die metaphysischen Dinge anbetrifft, Vico selbst wenig von dem verstand, was er schrieb.

Erst zehn Jahre später kehrte Vico von philosophischen Abwegen zu seiner eigentlichen Bahn, der philosophischen Ge- schichtsforschung, in seinem Buche

de uno universi iuris principio

zurück; er sucht das Problem des Verhältnisses des Wahren zu der Thatsache, der Vernunft zu der Autorität, der Philo- sophie zur Philologie hier praktisch zu lösen.

Alle die Gedanken über die Wichtigkeit der historischen Studien, welche jetzt ein Gemeingut geworden, in Beziehung auf die Art und den Sinn, in welchen man den Lauf der menschlichen Ereignisse prüfen muß, über das Band, welches alle diese Dinge miteinander verknüpft [Cantoni S. 61], über die neue Auslegung, welche man für alle menschlichen Gedanken und Thaten daher ableitet, — alle diese Ideen waren vor Vico gänzlich unbekannt, und blieben es auch noch viele Jahre nach seinem Tode, vorzüglich bei den Italiänern.

Mit diesen einleitenden Worten [Cantoni S. 62] geht Cantoni im 4. Capitel zu Vico's Rechtsphilosophie über, und entwickelt dessen Standpunkt.

6. Vico's Rechtsphilosophie in ihrem Zusammen- hange mit der Entwickelung des Naturrechts.

Im 17. Jahrhundert nahm die juristische Bewegung der philosophischen gegenüber anfangs eine Sonderstellung ein.

Dem Hugo Grotius standen Selden, Hobbes, Milton, Puffendorf gegenüber.

Bald aber reihten die Philosophen Spinoza, Leibnitz, Locke die Rechtsidee in ihre Systeme ein, während man in Italien die Jurisprudenz in organische Verbindung mit der Philologie zu bringen trachtete. Vico kannte Grotius und Puffendorf, aber wohl nur die allgemeinen Principien von Selden und Hobbes.

Grotius war es, der der Philosophie des Rechts und der Moral eine von der des Alterthums und Mittelalters ver= schiedene Richtung gab [Cantoni S. 63]. Den Griechen fehlten die Fundamentalbegriffe des Naturrechts. Kamen doch Plato und Aristoteles darin überein, daß das Individuum im Staate sein größtes Glück finden müsse, indem es nur für den Staat lebe und ihm diene. Der Schutz der schon vor dem Staat existirenden, der Menschen=Rechte, war ihnen nicht Zweck des Staats. Sie verkannten die allgemeine, natürliche Gleichheit der Menschen. Bei den Römern war das Gefühl der Ge= rechtigkeit, die man jedem Bürger schuldet, schon viel stärker als bei den Griechen. Aber es fehlte ihnen der speculative, verallgemeinernde Sinn [Cantoni S. 64]. Ihre juristischen Aphorismen waren nicht das Product wissenschaftlicher Werk= thätigkeit (lavorio), sondern ihres Verstandes (senno), ihres tiefen Sinnes für das juristische Recht und der eigenthümlichen Fähigkeit praktischer Geister: Gegenstände in alle ihre fein= lichen Windungen (minutezze) und Unterschiede zu verfolgen, und darüber, nicht nach allgemeinen Principien, sondern ver= möge der Idee, welche aus solcher Analyse sich ergiebt, zu urtheilen.

So entwickelte sich das Römische Recht in einem dem wissenschaftlichen entgegengesetzten Proceß. Schon deshalb war es diesem Volke sehr schwer, sich zum Naturrecht zu erheben.

Es fehlte ihm der Sinn für die wesentlich gleichartige Natur und Rechtsgleichheit der Menschen.

Nur Sklaven, wie Terentius, hatten das homo sum, nihil humani a me alienum puto gelernt, aber auch bitter empfunden.

Auch die Römer faßten das Recht nur als eine Schöpfung des Staates auf.

Als das Christenthum sich bei den Völkern der Erde be=
festigt hatte, mußten natürlich Moral und Recht sich tief um=
wandeln. Wie es ein neues göttliches Reich den Menschen
verkündete, dessen Bild auf Erden die Kirche war, und das
Ziel des Menschen nicht hienieden, sondern in dem anderen
Leben suchte, so wandte es sich natürlich auch auf das Indi=
viduum und zerstörte den Begriff der Unterordnung desselben
unter den Staat, unterwarf Politik und Moral der Religion
[Cantoni S. 65], in welcher sich die wahre Politik und die
wahre Moral finden sollten.

Man unterschied nicht die Moral von der geoffenbarten
Religion, wenngleich man zugab, daß es in uns ein natürliches
Gesetz gebe, welches Antheil an dem ewigen Gesetz Gottes habe,
doch durch die Erbsünde verdunkelt sei.

[66] Uebrigens hielten die Juristen während der Herrschaft
der Scholastik an dem untrügbaren corpus iuris, wie die
Gläubigen am Evangelium, die Philosophen an Aristoteles fest.

In Grotius sieht man die menschliche Natur zuerst als
Quelle des Rechts anerkannt und aus der gesellschaftlichen Na=
tur des Menschen das Recht weiter abgeleitet. Gründen sich
aber Moral und Recht auf Gesellschaftlichkeit, so sind sie von
dem Dogma des Daseins Gottes unabhängig, und dies wagt
Grotius schon in seinen Prolegomenis auszusprechen, die hier
zur Unterstützung der Cantoni'schen Behauptung ihre Stelle
finden mögen:

Inter haec autem quae hominis sunt propria est ap-
petitus societatis, id est communitatis, non qualiscunque,
sed tranquillae et pro sui intellectus modo ordinatae,
cum his, qui sui sunt generis.

und weiter:

Haec vero, quam rudi modo iam expressimus societatis custodia humano intellectui conveniens, fons est
eius iuris, quod proprie tali nomine appellatur.

und ferner:

Et haec quidem, quae iam diximus, locum aliquem
haberent, etiam si diceremus, quod sine summo scelere
dari nequit,

non esse deum aut non curari ab eo negotia humana.

[Cantoni 68.] In jenen Zeiten, als nach dem dreißigjährigen Kriege Alles der Allgewalt des Papstes oder des Kaisers unterworfen war und die Religion Alles entscheiden sollte, rief H. Grotius, wie Cantoni geistreich ausführt, den Völkern oder vielmehr den Königen Europa's zu: Halt, wenn ihr auch jeder Pflicht und wechselseitiger Rechte los wäret, wenn ihr Gott so oder so anbetet, so würdet ihr deswegen doch noch nicht solcher Pflichten los sein. Wenn ihr auch gar keinen Gott anbetetet, ihr würdet immer Rechte und Pflichten haben; denn diese gründen sich auf unsere intelligente Natur, welche fest und gleichförmig ist in allen Menschen, insofern sie sich in der gemeinschaftlichen Tendenz zur Gesellschaft manifestirt.

[68] Aber nach Grotius giebt es nicht blos unter den Individuen, sondern auch unter den Völkern, unter welchen nicht der Zustand des Krieges, sondern des Friedens der natürliche ist, Naturrechte.

Außerdem läßt Grotius als natürliches Recht im weiteren Sinn die Moral gelten, welche das strenge und positive Naturrecht begrenzt und mildert.

Cantoni schildert dann, wie wenig philosophisch und wie geschmacklos Grotius seine Theorieen durchgeführt, und stellt damit die Theorie Selden's zusammen, nach dem das Naturrecht [74] sich auf den Willen Gottes, der ihm geoffenbart ist, nicht auf die menschliche Natur gründet.

Hobbes hingegen (1647. 1670.) giebt auch zu, daß das Naturrecht sich auf die menschliche Natur gründe, aber diese sei nicht die Gesellschaftlichkeit, sondern das eigene, particulare Wohlbefinden, die ursprüngliche wesentliche Tendenz des Menschen [75] sei deswegen der Egoismus. Daraus entspringt der Krieg Aller gegen Alle, weil Jeder gleiches Recht auf alle Dinge hat.

Aus dem Triebe der Selbsterhaltung heraus hätten die Menschen Staaten und die menschliche Gesellschaft gegründet; so haben Recht, Politik und Tugend zu ihrem letzten Grunde nur das eigene Interesse.

Der Staat ſetzt zweierlei Vereinigungen voraus: die eine eines Jeden mit einem Jeden [76], die andere eines Jeden mit dem Herrſcher; in Kraft der letzteren muß man voraus= ſetzen, daß Jeder auf alle ſeine Rechte zu Gunſten des Souveräns verzichtet hat, mit Aufgebung jedes Rechts des Widerſtandes.

Der Souverän iſt abſoluter Herr ſeiner Unterthanen, ver= fügt frei über ſie und ihre Güter, iſt einzige Quelle der Moral wie der Geſetze, die er giebt, und hat die Macht, den Cultus und die chriſtlichen Glaubensbekenntniſſe zu reguliren, wie es ihm gefällt.

Die vorzüglichſten Gegner des Hobbes waren, im An= ſchluß an Grotius, — Cumberland, Puffendorf und Locke.

Cantoni beſchäftigt ſich nur mit Puffendorf, als noth= wendig zu einer gerechten Würdigung Vico's. Puffendorf unterſcheidet drei Quellen des Rechts:

das Naturrecht, gegründet auf die menſchliche Vernunft,

das Civilrecht, gegründet auf die Civilgeſetze,

und

die moraliſche Theologie, gegründet auf göttliche Offenbarung, und ſpricht nicht

von der Moralphiloſophie, welche er,

verſchieden von Grotius,

mit dem Naturrecht zuſammenwirft.

Er beginnt auch, wie Hobbes, mit dem Naturzuſtande, hält aber einen ſolchen, in welchem Jeder nur iſolirt lebt oder nur in zufälliger Verbindung mit Anderen, für eine reine Hy= potheſe.

Er verſteht darunter nur den Zuſtand der Menſchheit vor der Gründung der Staaten und der Feſtſetzung der Civilgeſetze.

Da ſind aber die Menſchen nicht in ewigem Kriegs= zuſtande mit einander, ſondern es gilt unter ihnen das Naturrecht, und die Triebe des Wohlwollens und der Men= ſchenliebe machen ſich weniger geltend, als die des Uebelwollens [77] und der Mißgunſt (avversione).

Der Menſch liebt ſich ſelbſt in der That mehr als alle

Anderen, aber er thut dies in vernünftiger Weise, d. h. er liebt sich mit Seinesgleichen; die Eigenliebe und die der Anderen müssen sich in solcher Weise mäßigen, daß daraus die Liebe zum Gemeinwohl (l'amore commune) entspringt, worauf das Naturrecht sich gründet.

[77] Nach Puffendorf ist es das Princip der eigenen Erhaltung, was uns zur Gesellschaft treibt.

Er beschreibt, was der Mensch wäre, wenn er vereinsamt in die Welt geworfen würde, und zeigt, wie er hülfsbedürftig geboren wird, wie es nichts Unglücklicheres gebe, als einen sich selbst überlassenen Menschen, und wie alles Gemach und alle Güter des Lebens von der Gesellschaft kommen; sie sind um so größer, je mehr die Gesellschaft geordnet ist. Die Staaten gründen sich also gewissermaßen in freier Uebereinkunft.

Der Staat ist die höchste Macht, die den allgemeinen Willen repräsentirt und sich der Güter und der Kraft eines Jeden zur Sicherheit und zum socialen Frieden bedienen darf. Die Souveränetät ist absolut, aber sie ist begrenzt durch den gemeinschaftlichen Zweck und das Nationalrecht: sie muß in ihren Anordnungen auf das Wohl Aller abzielen [78]; aber es hat dies nur theoretische Bedeutung, denn Puffendorf nimmt den Untergebenen das Recht des Widerstandes. Er nimmt auch an, daß der Souverän, weil selbst das Gesetz, von den Gesetzen gelöst ist.

Während Puffendorf einerseits das Recht auf die menschliche Natur gründet, giebt er ihm andererseits [79] Gott zum Fundamente. Gott ist, nach Puffendorf, der Urheber des Naturrechts, aus dem die Souveränetät der den einzelnen Staaten Vorgesetzten abgeleitet wird.

Doch ist der Gedanke Gottes, kein übernatürlicher Glaube, ihm die Quelle des Rechts; er macht die Anerkennung des Rechts unabhängig von der Offenbarung, es hört bei ihm jedes Verhältniß des Rechts zum Glauben auf.

Puffendorf hatte keinen geringen Einfluß auf Vico.

Bis auf ihn, den Vico, blieb die ganze juristisch=philo=

sophische Bewegung Italien fremd; es war ganz unter der Herrschaft ultramontaner Theorieen.

Die politische Sklaverei hatte alle Quellen der Moral=wissenschaft ausgetrocknet. Die letzten Repräsentanten der großen philosophischen Bewegung des sechszehnten Jahrhunderts, Va=nini und Campanella, starben der Eine auf dem Scheiter=haufen, der Andere in Verbannung.

Italien schien sich wegen seines politischen und philoso=phischen Verfalls durch die mathematischen, physikalischen und medicinischen Studien zu entschädigen, in welchen es den Vor=rang bewahrte, wie in den schönen Künsten, in welchen eine neue, eine große Entwickelung in dieser Zeit begann, nämlich die der Musik.

7. Die historisch=philologischen Untersuchungen Vico's.

Aber Vico knüpft nicht bloß an die philosophisch=juristische Bewegung seiner Zeit an, sondern auch an historisch=philologische Untersuchungen über das Alterthum. Im Zusammenhange mit diesen sollen seine Systeme und seine Forschungen nach Can=toni hier geschildert werden.

Ueber die philologischen ist viel weniger zu sagen als über die juristischen. Die Philologie hatte noch nicht ihren wahren Weg gefunden; sie konnte sich noch nicht eine wahre Wissen=schaft nennen.

Die Geschichte des Alterthums sammelte nur die That=sachen, wie sie überliefert waren.

Die Kritik und Auslegung der Quellen, jede abgesondert, ohne vergleichendes Studium, war das einzige Tagewerk, welches sich damals die Philologie vornahm, und statt daß sie der Ge=lehrsamkeit und der Geschichtskunde hätte dienen sollen, dienten Gelehrsamkeit und Geschichte vielmehr jener aller wahren Prin=cipien entbehrenden Kritik.

Auch in diesen Studien blieb Italien, einst Lehrmeisterin der anderen Nationen, zurück. Sie gingen nach Frankreich hinüber, dann nach Holland und England, dann nach Deutsch=

land [81], wo sie ihren Sitz aufschlugen und noch das Feld behaupten, eine Schule für ganz Europa.

Fruchtbarer waren die Studien aber der römischen Juris=prudenz. Darin gab Italien, die Mutter dieser Studien, auch schon in damaliger Zeit keiner anderen Nation nach. Neapel war das Centrum derselben und lieferte eine sehr große Zahl Bebauer des römischen Rechts, deren große Fruchtbarkeit in den gleichzeitigen Revüen erwähnt ward, in der Leipziger von 1732 mit dem Beisatze:

> sie seien mehr dazu geeignet, die Ideen zu verwirren,
> als aufzuklären,

so die von Gravina und Vico.

Ein sehr ungerechtes Urtheil!

[82] Der Mittelstand in Neapel bestand damals bloß aus Advocaten. Sie waren stolz, habgierig, geschwätzig und streit=süchtig; aber doch erwarben sie sich eine merkwürdige Schärfe und Fertigkeit in der Auslegung und Kenntniß der unzähligen Gesetzgebungen, welche damals im Königreiche galten.

Anfangs war es ein einfacher Empirismus von Menschen, welche in Prozessen geboren waren und darin aufgingen; aber dann erhoben Einzelne auserwählten Geistes diesen Empi=rismus zu Wissenschaftlichkeit, und es entstand eine Schule tüch=tiger Juristen in Neapel, die man zu den wenigen Ueberbleibseln des Ruhms rechnen muß, welcher das Land unter der vice=königlichen Herrschaft erleuchtete. Am Ende des siebenzehnten Jahrhunderts traten in der That in Neapel ungeheure Rechts=compilationen an das Licht, große Abhandlungen, in welchen schon die historische Auslegung zu blühen begann; aber es waren mehr Beweise der Geduld und Ausdauer als des Geistes; sie sammelten kostbare Materialien für die Wissenschaft.

Es entstand indeß, angeregt durch einen charaktervollen Mann, Francesco d'Andrea, ein Wetteifer der Studien und des wissenschaftlichen Lebens.

Bei seinem Tode verließ die Wissenschaft das Forum und bestieg das Katheder; es bildete sich von da an eine edle Schule wahrer Wissenschaft.

[83] Gleichzeitig gingen aus dieser Schule

> Mariano, Aulisio, Cupasso, Gravina und
> Vico

hervor.

Gravina (1664—1718), später Professor in Rom,
schrieb ein berühmtes Werk:

> de origine iuris.

[84] Er ging von der Forschung nach dem höchsten Gute
aus, und fand es in der Tugend, verbunden mit dem Glück,
und erworben durch die Wissenschaft, darin den eklektischen
Epikuräern folgend. Die Vernunft, wie sie uns, unserer wahren
Natur nach, handeln läßt, führt uns auch zur Verbindung
unter den Menschen, und wie sie im Individuum herrscht, so
[85] muß sie es auch in der Familie, im Staate, in der Mensch=
heit; darauf gründet sich die Gerechtigkeit.

Diese verschafft den Menschen in der Gesellschaft Nutzen
und Vortheil, und um sie zu sichern, bedarf es einer höchsten
Autorität, welche ihren Grund in dem Volkswillen hat.

Er war ein erbitterter Gegner der Jesuiten und der Ka=
suistik.

[86] „Das Volk hat das Recht, sich gegen den zu er=
heben, der die Freiheit unterdrückt, welche ein göttlich Ding ist."

Aber das vorzügliche Verdienst Gravina's ist seine histo=
rische und doctrinelle Auslegung des Römischen Rechts. Hierin
war er der Vorläufer Vico's, [87] der seinen Spuren folgte.
Vorzüglich beseelt schon Jenen das Princip, daß das Römische
Recht unabhängig [88] vom Griechischen und eine Entwickelung
der natürlichen Vernunft sei. Die Römer seien das gerechteste
Volk der Welt gewesen, und hätten deswegen den anderen
Völkern ihr Recht, ihre Sprache, ihre Civilisation gegeben.

[89] Vico's, seines Nachfolgers, moralische und juristische
Philosophie ist in dem Buche

> del diritto universale

enthalten.

Es beginnt mit Hülfssätzen:

> es giebt zwei Arten des Seins, Geist und Materie,

der Mensch ist aus beiden zusammengesetzt, von dem einen ent=
lehnt er die Vernunft, von der anderen die Sinnlichkeit.

[90] Jede klare Idee eines Gegenstandes muß sich in ihm finden.

Hierin acceptirt der Gegner des Cartesius offenbar seine Principien.

Die höchsten, ewigen, absoluten Ideen der Vernunft sind es, welche die Menschen vereinigen, welche alle ihre Grundlage in der Idee

der Ordnung

haben; es muß dies die Idee einer ewigen Ordnung sein, wie die Principien es sind, [91] welche sich darauf gründen.

Diese kommt von Gott, dem Urheber der ewigen Wahrheit.

Alles dieses ist offenbar cartesianisch.

Gott ist:

Posse, Nosse et Velle Infinitum;

der Mensch:

nosse, velle, posse Finitum, quod tendit ad infinitum.

[92] Cantoni nennt dies Phrasen, womit man

Mythen und Zweideutigkeiten

in den philosophischen Wissenschaften aufrecht erhält. Denn es kommt darauf an, festzustellen, welches die Kriterien des Wahren, des Gerechten seien.

Vico definirt zwar das Wahre, als mentis cum rerum ordine confirmatio,

aber die Ordnung der Dinge ist von Gott festgesetzt, und Alles läuft also darauf hinaus, sich diesem göttlichen Willen zu conformiren.

[93] Ein großer Fehler der Vico'schen Doctrin ist, daß er das Recht von der Moral nicht zu trennen weiß. Aber er hat ein folgenreiches Princip der menschlichen Gesellschaft [94] aufgestellt, indem er davon ausgeht, daß die Grundlage der Einigung unter den Menschen das Wahre und die Vernunft seien, welchen die Verbindung um des Nutzens willen untergeordnet ist.

[95] Durch diese Unterordnung der Nützlichkeit unterscheidet er sich von Grotius.

[95] Aus den Principien des Wahren und des Nutzens

entstehen ihm alle die Gesellschaft regelnden Vorschriften. Aber er vermischt hierbei auch das Recht mit der Moral, deren Sanction er allein in der Scham (pudore) findet.

Der zweite Theil des Cantoni'schen Werks behandelt Vico's Geschichtsphilosophie, wie sie sich aus jenen abstracten Principien entwickelt hat.

[104] Die Philosophie und die Philologie umfassen, nach Vico, alles menschliche Wissen unter zwei verschiedenen Formen, die eine ist die Wissenschaft des Absoluten, Unveränderlichen, die Wissenschaft des Wahren; die andere die des Veränderlichen, Relativen, des menschlich Gewissen.

Die erste betrachtet die Ideen, welche der Gegenstand der Vernunft sind, die andere die Thatsachen, [104] welche das Product menschlicher Willkür sind.

Die Thatsachen, fährt Vico dann fort, d. h. die Gesetze und die civilen und moralischen Gewohnheiten des Menschen, können nicht eine Anwendung der philosophischen Idee sein, [105] da sie nicht von den Menschen erfunden sind.

Denn nach dem Sündenfall verwilderte der Mensch, und es blieb ihm nur eine eingeborne Fähigkeit, auf natürlichem Wege von Neuem zur Humanität zu gelangen.

Diese ist für ihn der Ausgangspunkt für die historische und allmähliche Entwickelung der Civilisation, in welcher sich die Menschen immer mehr [106] in ihren Thaten den absoluten Ideen, ihren eigenen Naturgesetzen, nähern. Sie kommen so dazu, ihre sociale Natur zu verherrlichen (celebrare la loro natura sociale). Hierin findet sich ein Gegensatz zu den Systemen seiner Zeit und den späteren Rousseau's; für Vico ist gerade der Zustand unnatürlich, den sie den Naturzustand nennen, und gerade die Civilisation natürlich.

Die Menschen, sagt Vico, sind natürlich von dem, was sie sind, zu dem geführt, was sie leiten soll. [108] Cantoni vergleicht hier diese Theorie mit der Bossuets, nach der, wie nach der absoluten Vernunft Hegels, die großen Eroberer nur bloße Werkzeuge in Gottes Hand sind, und diese seine Vorherbestimmung muß der eifersüchtige Gott Bossuets auch noch durch Wunder der [109] Menschheit vorherverkündigen.

Die Laster der Heiden seien eine nothwendige Durchgangs=
stufe, damit die Menschen das Bedürfniß der Erlösung erkannten.

[110] Bei Vico hingegen sind wir vom Mysterium zu
der Wissenschaft gelangt, von einem Gott, der despotisch die
Menschen beherrscht, zu einem, der sie auf natürlichen Wegen
zum Guten zieht.

Vico sagt:

> er wolle die Vorsehung in der Welt der Nationen
> betrachten, wie seine Vorgänger
> in der Welt der Natur.

Die Vorsehung wirkt deswegen, nach Vico, nur durch
secundäre Ursachen ein, und diese hat Gott selbst nach ihrer
eigenen Natur und nach ihren eigenen Gesetzen erschaffen, läßt
sie folgerecht nach diesen wirken und sich entwickeln, seine Pro=
videnz besteht gerade darin, sie fortwährend in ihrem eigenen
Wesen zu erhalten.

[111] Die Metaphysik und das natürliche Gefühl müssen
uns nicht weiter gehen heißen, sie müssen in diesem, in allge=
meinen Grenzen sich bewegenden Dogma die Befriedigung ihrer
Bedürfnisse finden.

[111] Die Vorsehung steht nicht am Anfang, sondern am
Ende der Natur und der Geschichte; sollen wir mit jener die
einzelnen Thatsachen erklären, so zerstören wir sie; nur in den
Thatsachen, wie sie sich natürlich entwickeln, können wir sie
wieder erkennen.

Vico sagt: Gott regiert die Welt in der einfachsten Weise,
weil er ihr nur eine Richtung giebt, in der leichtesten, weil er
jedes Ding über sich nach eigenem Impulse verfügen läßt, in
der besten, weil er in jedes Ding die Fähigkeit legt, sich vor
der Zerstörung zu behüten, woraus natürlich die Erhaltung
entspringt.

Er hat so verfügt und so die Dinge geordnet, daß die
Menschen um ihres eigenen Nutzens, um ihrer natürlichen
Bedürfnisse und Triebe willen, ohne daß sie es wollten, sich
den bürgerlichen Anordnungen wie Anordnungen der Gerechtigkeit
fügen.

[112] Gott ist niemals unmittelbar die Ursache der mensch=

29*

lichen Handlungen; wir sind es, als secundäre Ursachen; das andere Princip Vico's ist nämlich die menschliche Willens= thätigkeit.

Ist die Vorsehung die Baumeisterin der Nationen, so ist das freie Ermessen ihr Werkführer (fabbro).

[113] Aber Vico's Vorsehung, sagt Cantoni mit Recht, läßt sich mit dem freien Willen (arbitrio) vereinigen; man muß jedoch, nach Cantoni's eigener Ansicht, sich damit begnügen, den Zufall, das Verhängniß als in den natürlichen Zusammen= hang [113] der Dinge eingreifend zu erkennen, während Vico und die religiösen Gemüther darin einen höheren Willen finden, der präventiv das Ganze regelt.

[114] 8. Die Methode und der psychologische Kanon der Geschichtsphilosophie Vico's

(Cap. VII.)

geht, dem Princip desselben entsprechend, daß es darauf an= kommt, die Willensthätigkeit mit den Principien der Vorsehung zu versöhnen, davon aus, daß die bürgerliche Welt von den Menschen gemacht ist, woraus folgt, daß ihre Principien sich in der menschlichen Vernunft finden müssen, und dies muß man um so mehr auf die älteste Geschichte anwenden, da sie, bei dem Mangel durch die Philologie beigebrachter bestimmter Nach= richten, gewissermaßen res nullius ist, in Beziehung auf welche die Vernunftregel gilt, daß sie

occupanti conceduntur.

[115] Man könnte hieraus schließen, daß er einer Geschichts= philosophie a priori huldige. [119] Seine Methode ist aber vielmehr wesentlich der Erfahrung Rechnung tragend (espe= rimentale).

Seine psychologisch=socialen Principien sind theils wohl die Frucht seiner freien psychologischen Beobachtung, theils aber auch seiner tiefen Studien über das Alterthum und seines großen Sinnes für historische Realität.

Weber, der 1822 die Scienza nuova übersetzte, hat sich die wahrhaft deutsche Mühe gegeben, alle Belagstellen Vico's

nachzuschlagen und hat sie größtentheils genau und richtig ge=
funden.

[121] Vico kam zu einer Völkerpsychologie. Seine scienza
nuova sollte sich aber mit den Thatsachen beschäftigen und
diese sollten ihm sagen, welches die Meinungen der verschiedenen
Völker seien, um aufzusteigen zu dem, was sie Gemeinsames
hätten.

Aber er wollte auch sehen, wie diese verschiedenen Mei=
nungen, aus denen das Gemeinbewußtsein sich componirt, die
Empfindungen, Gesetze, Einrichtungen und Sitten, welche da=
von abhängen, entstanden seien, wie sie sich entwickelt, welche
Grundlage, welche Ursache sie hätten, welche Winke und Normen
man befolgen müsse, um die Wahrheit zu erkennen, und dieses
mußte ihm von den Thatsachen gegeben sein. Daher entnahm
er die Elemente seiner scienza nuova.

[123] Als der fruchtbarste dieser Elementarsätze erscheint der:
daß die gewöhnlichen Ueberlieferungen im öffentlichen
Leben gegebene (pubblici) Motive des Wahren gehabt
haben müssen, woher sie entstanden und bei ganzen
Völkern durch lange Zeiträume sich erhielten.

(Cap. VII.)
[126] 9. Vico's Principien der Civilisation und der politisch=juristischen Entwickelung der Menschheit

[127] schließen sich in der Auffassung des Naturzustandes an
Hobbes an; die Menschen wälzen sich in moralischem und
äußerlichem Schmutz.

[128] Erschreckt durch den Blitz kommen sie zur Mono=
gamie, zum Begraben ihrer Todten, humare, und so zur Hu=
manität.

Die Scham wird ihnen zur Quelle der Religion, der
Ehrlichkeit.

[130] Familie, Religion, Tugend sollen sich zuletzt, nach
Vico, auf den Glauben an Gott stützen, als auf die ewige
und unendliche Vernunft, welche alle Geister der Menschen
durchdringt, allwissend und allmächtig ist.

[131] Die Winke dieser Gottheit zu erkennen dient die Wahrsagung, die Prophezeiung, divinazione, welche eine große Rolle in der Geschichtsphilosophie Vico's spielt.

Sehr verschieden, und zu ihrem Nachtheile verschieden, sind diese Principien von den bei Beurtheilung der Zustände der ältesten Zeiten von Vico angewandten.

Er vermischt jetzt die Principien allgemeiner geschichtlicher Betrachtung mit denen der Erforschung der primitiven Zustände der Römer, zum großen Nachtheile beider.

Einer der Gegenstände, denen er hier vorzüglich seine Aufmerksamkeit zuwendete, war das Verhältniß der Patricier zu den Plebejern und den Clientelen.

Er fand, daß alle Nationen Patricier und Plebs, Patrone und Clienten hatten, [134] und suchte das Problem im menschlichen Sinne zu lösen.

Die aus dem Subjectionsverhältniß der Schwachen unter die Starken entstandenen Staaten sind nicht Monarchieen, sondern Aristokratieen, und König ist nur primus inter pares; die höchste Macht bleibt den verbundenen Vätern, welche, ihre Familiengewalt zusammenfügend, der bürgerlichen Macht den Ursprung geben, indem sie der Privatgewalt entsagen, die höchste Herrschaft begründen, indem sie ihre Güter und ihr Vermögen dem Staatsbedürfniß unterwerfen, das eminente Recht erschaffen und das öffentliche Vermögen begründen.

Diesen Complex öffentlicher Angelegenheiten nennen sie Vaterland, res patrum.

Jetzt kommt es darauf an: die Ordnungen der Religion, die Familie und das Recht aufrecht zu erhalten. In Beziehung auf die Ordnungen haben die Patricier allein die Regierung, sie haben die Auspicien, die Gerichte, die feierlichen Heirathen. In Beziehung auf die Familie sollte die Gewalt des Hausvaters mit derselben Strenge erhalten werden, und in der Religion nichts ohne Befragung der Götter geschehen.

Da nach dem Wahren die Menschen sich noch nicht regieren konnten, [136] wurden sie durch strenge Formeln gebunden, welche den Willen Gottes ausdrücken sollten, und die

Strafen sollten die härtesten sein, um ein Exempel zu geben und Schrecken einzuflößen.

[137] Aber die Edlen konnten nicht für immer der immer wachsenden Macht der Clienten, Famuli oder Socii, widerstehen, die angewiesen waren, die Ländereien der Edlen zu bebauen; diese verlangten den Besitz der Ländereien, der ihnen gegen einen Tribut gewährt wurde; so entstand das erste agrarische Gesetz des Servius Tullius.

Dieser Besitz war jedoch anfangs nur precär, die Plebejer beruhigten sich dabei nicht, sie verlangten das Eigenthum; doch konnten sie dies nicht auf ihre Erben übertragen, dazu fehlte ihnen:

    die Mittheilung der Auspicien,
    das Connubium,
    die politischen Rechte.

Als sie dies erlangt hatten, endete das heroische Zeit= alter, es fing das der Menschen an, die populäre und bürgerlich=monarchische (Bürger=König!) Regierung; die Auf= rechthaltung der Standesunterschiede, die Formular=Jurisprudenz hörte auf; es begann die Geltung der natürlichen Billigkeit, das gemeine Recht der als gleich anerkannten Menschen, [138] das Reich der Gesetze und der den verschiedenen Zufälligkeiten des Lebens angepaßten und diesen gemäß von der Gerechtigkeit, welche sich auf die Natur und Vernunft der Menschen gründet, abgeänderten Gewohnheiten.

So entwickelt Vico im Gegensatz zu Macchiavelli und Montesquieu die Regierungsformen nicht nach einem gewissen Typus, den die Vernunft ersonnen, und der willkürlich bei den Menschen sich realisirt, sondern er sucht den Charakter, die Na= tur und die Phänomene auf, welche uns unter denselben Um= ständen, unter welchen bestimmte Regierungsformen hervortreten, erscheinen.

Er entwickelt in seinem principio unico del diritto einen Vorläufer der scienza nuova, wie die Staatsformen sich dem Charakter der Nationen anschmiegen, [139] wie die weichlichen Asiaten dem Despotismus verfallen, wie die Staatsformen bei den starken und scharfsinnigen Griechen sich auf Gesetze und

Demokratie gründen, wie die starken, aber nicht so feinen Römer länger unter der ursprünglichen Aristokratie bleiben.

Jede Form der Regierung könnte nach Vico das Wohl= befinden und Glück einer Nation befördern, wenn die Sitten= verderbniß (corruzione) sich nicht einstellte.

Die Aristokratie könnte sich lange erhalten, weil in ihr sich eine große Vaterlandsliebe entwickelt, indem das Interesse am Staate den Wenigen näher liegt. Die Aristokraten ver= säumen es aber, die socialen Interessen der unteren Klassen genugsam zu berücksichtigen. Gelangen diese in der Volksherr= schaft zu Macht, so verliert sich das Interesse am Staate, weil so Viele daran Theil nehmen; eben deswegen machen sich aber Alle zu Beförderern des Rechts, der Gleichheit und des Ge= meinwohls, man will, daß der Nutzen gleich vertheilt sei.

Aber sich den Privatinteressen ergebend, [140] lassen sie Ehrgeizige emporsteigen, welche, indem sie ihrer Macht die Volksfreiheit unterwerfen, Zwietracht, Factionen, Bürgerkrieg erregen, Alles dem Untergange zuführen.

Ermüdet flüchtet sich das Volk unter die Herrschaft eines Einzigen, [140] der, über Allen stehend und nichts mehr zu wünschen habend an Herrschaft und Reichthümern, natürlich mit Gerechtigkeit und volksthümlich zu regieren sucht, zuerst mit den Gesetzen, durch welche die Monarchen alle Unterthanen gleich stellen wollen, dann durch Erniedrigung der Mächtigen, um die Menge von der Unterdrückung zu befreien, dann durch Befrie= digung der Mittel des Unterhalts und der natürlichen Freiheit; dann durch Privilegien, die sie Freiheiten nennen, welche sie ganzen Ordnungen, Klassen (ordini), ertheilen, und dann, in= dem sie einzelne Personen von außerordentlichem Verdienst zu bürgerlichen Ehren erheben.

Vico schließt hieraus, daß die Monarchie die angemessenste Regierungsform für die Menschheit bei entwickelter Vernunft sei.

[141] Er nennt dies civile Monarchie, womit er meint, daß sie zum Nutzen der Mehrzahl (dei più) die Regierung führen müsse.

Es ist nicht zu verkennen, sagt Cantoni, daß Vico hierbei in historischen Dogmatismus verfällt, indem er, was sich in der Wirklichkeit herausgestellt, als das wahre Wesen für alle Ewigkeit betrachtet. Auch hatte er nur die Rechtsge= schichte vor Augen.

Recht und Politik sind aber nicht die einzigen Elemente der Civilisation, so fährt Cantoni fort, sie sind eng verknüpft mit der Sprache, mit den religiösen Begriffen und Vorstellun= gen, der Literatur, den Künsten.

10. Vico's Principien der Sprachwissenschaft.

Vico faßt dies zusammen unter den Begriff der Prin= cipien der Wissenschaft rücksichtlich der Sprache.

Er nimmt an, daß Recht, Sprache, Religion, Kunst innere Beziehungen zu einander haben.

[143] Die Sprachen sind nach ihm kein künstliches oder conventionelles Product eines Volkes, sondern sie entwickeln sich natürlich nach den Eindrücken des Volksgeistes.

Er glaubte, man könnte ein Universal=Etymologikon machen, welches nach der Wortbezeichnung darstellte, wie dieselbe Sache von den verschiedenen Völkern verschieden angeschaut ward. Der Aufstellung seiner drei Zeitalter gemäß nimmt er an, daß es eine göttliche, heroische und menschliche Sprache gebe.

[144] Doch bestehen sie gleichzeitig neben einander fort, Eine mehr articulirt als die andere.

Er nimmt an, alle Wurzeln seien einsilbig und construirt danach eine [145] Weltgrammatik.

[147] Die linguistischen Probleme selbst, sagt Cantoni, waren ihm völlig unbekannt.

Eigenthümlich ist ihm die Vorstellung, daß jedes Volk sich abgesondert entwickelt habe, und daß die Uebereinstimmung nur aus der Gleichheit der menschlichen Natur zu erklären sei.

11. Vico's Ursprung der Poesie und Mythologie, insbesondere auch in Beziehung auf die Urgeschichte Roms.

[149] Glücklicher ist Vico in der Darstellung des Ur= sprungs der Poesie- und Mythologie.

Er entwickelt diese in seinem Werke de constantia phi-
lologiae.

Die Poesie ist ihm die primitive Sprache der Menschheit.
Man muß [150] darunter nicht sowohl die Form, als die Natur und den Charakter ihrer Sprache verstehen.

Vico stellt uns diese Menschen wie geniale Kinder vor,
mit wenig entwickelter Vernunft und Reflexion, ganz den
sinnlichen Dingen, nach der Eigenthümlichkeit der menschlichen
Gesellschaft, in der sie sich bewegten, zugekehrt, auf ihre
Vertheidigung und auf die Erhaltung ihres Lebens bedacht,
wodurch sie scharfe Sinne erlangten, Beobachtungsgabe, eine
kühne Phantasie, welche Alles in ihren Augen vergrößerte, eine
natürliche Tendenz den unbelebten und thierischen Dingen Bewegung und Vernunft, überhaupt allen Wesen — unsere eigene
Natur beizumessen.

Dies, sagt Vico, ist das größte und eigenthümlichste Werk
der Poesie.

Daher die Metapher, die Comparation, die Metonymie,
die Synekdoche und die poetischen Metamorphosen.

[153] Den Mythus bezeichnete er als den natürlichen
Ausdruck der ursprünglichen Begriffe der Menschen, vorzüglich
seiner religiösen Begriffe, [154] welche zuerst und am meisten
spontan in der Menschheit entstehen.

Dann ist ihm der Mythus nur der Effect der Armuth
der Sprache, des Mangels an Reflexion und Abstraction, aber
auch der poetischen Fähigkeit, mit der die ersten Menschen Leben,
Sinn und Verstand allen Dingen verleihen.

Er versteht darunter den poetischen Charakter, der sich unter
dem Impulse der religiösen Empfindung bildet.

[150] Zuerst waren nach Vico die mythologischen Begriffe
naturalistisch:

Jupiter, der Himmel,

Diana, das perennirende Wasser,

Neptun, das Meer;

in der zweiten Periode symbolisiren die Götter die menschlichen
Dinge:

Vulcan, das Feuer im Gebrauch der Menschen,
Ceres, das Getreide;

in der dritten drücken sie die bürgerlichen Verhältnisse aus:

Jupiter, der König der Götter und Menschen,
Minerva, der Rath der bewaffneten Helden,
Mercur, der erste Agrargesetzgeber;

in der vierten fangen die Menschen an, ihre Dinge gewisser=
maßen unabhängig von den Göttern herzustellen, machen aus
den Göttern Menschen, lassen sie auf die Erde niedersteigen, mit
ihnen sich unterhalten: das sind die Homerischen Götter.

Vico that, wie Cantoni ausführt, wohl daran, diese
Entwickelungsstufen [157] als sich eine aus der anderen ent=
wickelnd, nicht als bloße Corruption der früheren, hinzustellen.

[159] Er zieht die Folgerung, daß die Mythologie die
älteste Geschichte der Völker enthält.

[160] Es fehlte ihm die vergleichende Sprachforschung,
um sein Werk zu vollenden.

[163] Er versetzt zu Unrecht viele historische Charaktere in
die Mythologie, so den Solon, doch diesen nicht unbedingt.
Er erklärt ihn nur für einen Derjenigen, welche die Plebs auf=
stachelten, sich von der Unterdrückung des Adels zu befreien.
[163] Er sei wegen des Nosce te ipsum als Begründer der
demokratischen Republik angesehen worden.

So bezweifelt er auch nicht schlechthin die Existenz der
Römischen Könige.

Er erachtet nur den Charakter und den Lebenslauf, den
ihnen die Tradition giebt, für mythenhaft.

So werden dem Romulus alle Gesetze über die Standes=
unterschiede, Numa über die Religion, Tullus Hostilius die
Militaireinrichtungen, Servius der Census und alle Gesetze über
die bürgerliche Freiheit, Tarquinius Priscus die Fahnen und
Feldzeichen zugeschrieben.

Die Existenz des Draco und Aesop leugnet er schlechthin,
der Eine ist ihm die Charaktermaske für die Optimaten, der
Andere für die Clienten.

Mythisch ist ihm die Pontusfahrt um des goldenen Vließes
willen, der Trojanerkrieg, [164] dem entspricht der Albanische

Krieg und die Belagerung von Veji, ebenso die Irrfahrten der Heroen, [165] welche nach ihm nur unterdrückte Erhebungen der Plebs und ihrer Führer bedeuten.

Er nimmt an, daß die Thaten Vieler häufig einem my= thologischen Heros zugeschrieben würden, so die Thaten des Horatius Cocles, der Fabier.

Zum Theil ließ er sich hierbei Uebertreibungen zu Schulden kommen, aber ihm gebührt das Verdienst, zuerst den that= sächlichen Kern von dem mythologischen Nebel zu sondern ver= sucht, [166] insbesondere aber zuerst über die Entstehung der Homerischen Dichtungen Licht verbreitet zu haben.

Die leitenden Begriffe sind ihm bei dieser Untersuchung die

sapienza volgare o poetica

und

sapienza riposta o filosofica.

Die erste entsteht von selbst und unbewußt in dem Men= schen und in den Völkern, ist phantastisch und imaginair; die andere ist das Werk der Reflexion und des Raisonnements, daher nennt Vico die Dichter den Sinn, die Philosophen den Geist (l'intelletto) der Menschheit.

Die sapienza volgare herrscht in den beiden ersten Zeit= altern (dem der Götter und Heroen), die Philosophie im letzten (dem der Menschen).

Die sapienza poetica hat ihre vollständige Mythologie so gut wie die sapienza riposta.

Alles menschliche Wissen empfing von jener die Veran= lassung, die Anregung und die nothwendigen Principien.

[174] Die antike römische Geschichte ist ihm nur eine historische Mythologie von eben so vielen griechischen Fabeln.

12. Die Entstehung der Homerischen Rhapsodieen nach Vico.

Die römische und griechische Geschichte vereint sind ihm die Geschichte der ganzen Menschheit. Die Gedichte Homers sind ihm das wichtigste Document der griechischen, wie die 12 Tafeln der römischen Geschichte. Beide werden die beiden größten Schätze des Naturrechts der Völker.

[179] Er findet, daß die Odyssee dem occidentalischen, die Ilias dem orientalischen Griechenland angehört, und die erste viel später als die zweite, etwa 460 Jahre nach der Zerstörung Troja's [179], im Zeitalter des Numa, geschrieben sei. Er fand dann aber auch weiter, daß die verschiedenen Gesänge in verschiedenen Zeitaltern und von verschiedenen Händen ausgearbeitet und zu Ende geführt seien. Die Homerischen Charaktere sind nicht die Schöpfungen eines Individuums, sondern des Gemeinsinns (senso commune) eines ganzen Volkes.

[181] Die Tradition selbst berichtet von Rhapsoden, der Eine den einen, der Andere den andern der Homerischen Gesänge singend; aber sie erhielten als cyklische Poeten in ihren Gesängen die ganze fabelhafte Geschichte Griechenlands nach dem allgemeinen Gebrauch primitiver Völker. Homer selbst wird uns als ein solcher Rhapsode geschildert.

[181] Er ist blind, wie alle Sänger bei den Gastmälern der Großen, indem es die Eigenthümlichkeit der menschlichen Natur ist, daß die Blinden viel durch ihr Gedächtniß vermögen. Er hinterließ seine Gedichte nicht schriftlich, welche daher auch nicht von den Pisistratiden eingetheilt werden konnten, weil damals die Kunde der Schrift noch nicht allgemein verbreitet war.

So haben wir denn Vico als den wahren Schöpfer der Homerischen Frage zu verehren, wie sie jetzt studirt wird, und die Wolf unsterblichen Ruhm verlieh.

13. Kritik der inneren römischen Geschichte.

Gleicher Ruhm gebührt Vico in Beziehung auf die Kritik der römischen Geschichte.

Als die wichtigste Thatsache der römischen Geschichte erkannte er, wie schon angedeutet, das Verhältniß der Patricier zu den Plebejern.

Hat man den Ursprung und das Verhältniß dieser beiden Volksklassen erklärt, so hat man den Schlüssel zu der inneren und äußeren Geschichte Roms.

[188] Vico tritt hier in Uebereinstimmung mit den späteren deutschen Forschungen der Begründung Roms von Griechenland entgegen.

Der Ursprung Roms muß in Italien gesucht werden.

Die Ramnes, Tities (Sabiner) und Luceres (Lateiner) bildeten Anfangs drei gesonderte Gemeinschaften, welche später in eine Gesammtgemeinde zusammenflossen, in der das lateinische Element überwog.

Cantoni liefert hier eine vortreffliche Vergleichung der Forschungen Vico's mit denen Niebuhrs, Schlegels, Schweglers und Mommsens und vindicirt mit Vico Rom und den Italiänern, den deutschen Forschungen gegenüber, die Unabhängigkeit von Griechenland.

Aber die naturwüchsige Bedeutung der Geschlechter für die Ausbildung des aristokratischen Elements in Rom [194] hat vor Mommsen zuerst Vico an das Licht gestellt; sie bildeten gleichsam einen Staat im Staate. [195] Die Identität der Plebs mit den Clienten ist eine der anderen Ideen, denen Vico schon vor Mommsen Ausdruck verliehen. Ebenso war es Vico's geniale Intuition, [196] daß die Plebs vorzugsweise der ackerbauende Stand, worin er mit Mommsen überein=stimmt. Hieran knüpft Vico die ganze Entwickelung des Kampfs mit den Patriciern an. [197] Doch verhehlt Cantoni nicht die Bedenklichkeit dieser Auffassung. Die Plebejer erhielten Eigenthum gegen Zins an die Patricier; daher die große Schuldenlast der Plebejer. Statt des Precarium erhielten die Plebejer durch die 12 Tafeln quiritarisches Eigenthum. Um dies auf die Erben zu transmittiren, bedurften sie des connubii patrum. Diese erlangten sie durch die lex canuleja.

Durch die publilischen Gesetze erlangten sie dann die Gleich=heit, mit dem Vordringen der tribunicischen Gewalt: das Ueber=gewicht. Dies ist Vico's Darstellung des Entwicklungsganges des Parteikampfes in Rom.

Mommsen, dem Cantoni beipflichtet, nimmt an, daß den ursprünglich armen Elementen der Plebs sich reiche Kauf=leute beimischten, die sich unter das Patrocinium der Patricier stellten, daß aber auch die Plebejer zum Theil in Armuth ver=sanken und Proletarier wurden.

Dies ist eine Verbesserung des Vico'schen Standpunktes.

[200] In Beziehung auf die militairische Bedeutung der

Servianischen Constitution, wonach dieselbe eine vorzugsweise militairische und eine die Pflichten, aber nicht die Rechte der Plebs erhöhende war, findet wiederum eine merkwürdige Ueber= einstimmung der Vico'schen mit den Mommsen'schen Ansichten Statt; durch die Centurien wurden die Plebejer, welche Anfangs militairfrei waren, zum Dienste und zur Entrichtung des Census herangezogen; nur mittelbar gelangten die Plebejer dadurch zu einem Uebergewicht an Macht, [201] nach Vico sowohl wie nach Mommsen.

Beide stimmen darin wiederum überein, daß die Vertrei= bung der Könige nur im Adelsinteresse erfolgte.

In Beziehung auf die Agrargesetzgebung hat Vico über= sehen, daß sich dieselbe vorzugsweise auf den **ager publicus**, [208] das eroberte Land, die Staatsdomainen bezog, was die deutsche Schule hervorgehoben hat; die Culturländereien wurden zum Besten des Aerars verkauft, [209] die unbebauten den Pa= triciern gegen Zins verliehen.

Vico hingegen knüpft die ganze Entwickelung der Partei= kämpfe an das Bestreben der Plebs, den Patriciern die diesen gehörigen Ländereien abzunehmen.

Als der Kriegsdienst der Plebejer mit der Centurialver= fassung des Servius eingeführt wurde, verlangten die Plebejer Antheil an den eroberten Ländern, dem sich die Patricier wi= dersetzten.

Dieser Streit wurde keineswegs, wie Vico annimmt, durch die 12 Tafeln gelöst.

[209] Wäre dies der Fall, so hätte es nicht noch der lex Poetelia (428—444) bedurft, durch welche die Schuldhaft auf= gehoben ward.

Nach der Vertreibung der Könige wollten die dadurch mächtiger gewordenen Patricier nicht bloß den Plebejern Antheil an der Ackervertheilung versagen, sondern selbst keinen Zins von den ihnen zugetheilten Aeckern nachzahlen.

Vico erkennt dann mit der deutschen Schule die Versuche der Patricier Spurius Cassius, Manlius und Maelius [210] zur Herstellung des Rechts der Plebs an Ackervertheilung und Erleichterung seiner Lasten an. Aber er dringt nicht so in die

Verschiedenheit der Elemente, aus denen die Plebs zusammen=
gesetzt war, ein.

Sehr übersichtlich entwickelt Cantoni an der Hand
deutscher Forschung die rasch auf einander folgende Machtent=
faltung der Plebejer, namentlich auch [211] in Bezug auf die
Plebiscite und die politischen Vereine.

Es ist ein Triumph für die deutsche Wissenschaft, daß ihre
Errungenschaften so in Italien sich verbreiten.

[214] Die erste kritische Behandlung der römischen Staats=
einrichtungen ist aber von Vico ausgegangen.

[210] Gegen Savigny hat Niebuhr des Vico erwähnt.
1822 war er schon übersetzt. Doch ignorirt ihn Niebuhr
vollständig, Mommsen nimmt wenig Rücksicht auf ihn, [220]
Schwegler nur in sehr unvollkommener Weise.

Das ist das Loos des unglücklichen Italiens; es wird
ausgebeutet von Anderen, und seine Schönheit und Originalität
in den Hintergrund gedrängt.

14. Die rückläufige und die fortschreitende Bewe= gung in der Geschichte.

Die fortschreitenden und die rückläufigen Bewegungen in
der Geschichte der Völker hervorzuheben, gehört zu den origi=
nairen Ideen der Vico'schen Philosophie und Geschichte.
Cantoni bezeichnet sie aber mit Recht als einen Irrthum,
[232] als einen Haufen von Phantasieen und Sophismen.

Aber Cantoni bezeichnet auch das Gesetz des ewigen
Fortschritts [235] mit Recht als ein noch zu erweisendes.

Er glaubt vielmehr an die Fortdauer des Kampfes des
Guten mit dem Bösen.

Pflicht des Menschen und jeder Nation ist es, gegen das
Uebel und das Böse anzukämpfen.

Daß beide jemals gänzlich verschwinden werden, hält er
für einen Traum.

15. Cantoni's Schlußkritik Vico's.

Im 13. Capitel faßt Cantoni seine Kritik dahin zu=
sammen,

daß Vico der Schöpfer der Philosophie der Geschichte war, indem er sie auf die richtige Grundlage,

die menschliche Natur,

stellte, und auf das Studium derselben das unerläßliche Werkzeug,

die Kritik,

anwendete.

Er lieferte eine psychologische Geschichte des menschlichen Geschlechts, kritisch geordnet und mit den positiven Thatsachen ausgeglichen.

Vico, seit einem Jahrhundert todt, nimmt keinen Rang mehr in den modernen Studien ein.

Italien versteht Vico durch die Deutschen, die ihn überflügelt haben.

Der italiänischen Bildung selbst ist er noch voraus. In die Schulen, auf die Straßen sind seine großen Ideen in Italien leider noch nicht gedrungen.

Es fehlte aber dem Vico die Kenntniß der orientalischen Welt, er hatte deswegen nicht den Schlüssel zu vielen großen griechischen und römischen Dingen, da ihm die vergleichende Forschung nicht zur Seite stand. [242] Daher kannte er nicht den Einfluß einer Nation auf die andere. Es fehlte ihm eben deswegen auch die Kritik der Quellen. Ihm fehlte außerdem die Selbstkritik.

[245] Die Italiäner haben in ihm den Enthusiasmus der Freude an neuen Gedanken zu suchen.

[245] Diese Poesie der großen Denker erweckt die Gemüther und kräftigt die Geister.

[248] Er hat zuerst die freie Willensthätigkeit der Menschen in der Geschichte in Einklang mit den Gesetzen der Natur zu bringen gewußt; deswegen ist er einer der ersten Meister in der Wissenschaft.

Er tritt der Confusion Derjenigen entgegen, welche mit dem Alterthum vom Zufall und vom Schicksal (destino) sprechen, so wie denen, welche eine mysteriöse Vernunft als unmittelbare Werkmeisterin der menschlichen Handlungen, die nach Belieben die Gesetze der Natur bricht, hinstellen, sowie den Systemen einer Nothwendigkeit der Dinge, einer absoluten Vernunft,

welche sich verhängnißvoll in jeder menschlichen Handlung ma=
nifestirt, sowie den Ideen, welche wie ein logisches Fatum
das Gemüth, die Handlung und Einrichtungen der Menschen
beherrschen.

Während in den beiden ersten Theilen seines Werkes Can=
toni die Methode und das geschichtsphilosophische System
Vico's behandelt, wendet er sich in dem dritten seinem Ver=
halten zu seinen Zeitgenossen und Nachfolgern zu.

Dieser Theil des Cantoni'schen Werks hat vorzüglich
eine literarhistorische, aber nicht minder große Bedeutung als
die beiden ersten.

Doch wird hier nur Einzelnes, aus Mangel an Zeit,
Raum und Kräften, hervorgehoben werden können.

16. Kritik des Cantoni'schen Werks.

Bewunderung erregt die Gelehrsamkeit, mit der Cantoni
Alles, was über die Entstehung der Staaten in neuerer Zeit
erdacht worden ist, mit Vico's Ideen vergleicht. Es entgeht
ihm hier nichts aus der deutschen, französischen und italiänischen
Literatur.

Das Buch Cantoni's ist eine merkwürdige Erscheinung.
Wie es das größte Verdienst Felix Mendelssohns war, die
großen Werke Bachs wieder in das Bewußtsein der Gegen=
wart zurückgerufen, zum Gemeingut gemacht zu haben, wie
dadurch ein neues musikalisches Leben in Deutschland entstand,
wie aber der Geist Mendelssohns sich darüber entzündete,
und sich zu Schöpfungen, würdig des Meisters, den er wach ge=
rufen, erhob, wie Mendelssohn gerade auf diesem Wege die
musikalische Verbindung unter den verschiedenen Ständen, ja
unter den verschiedenen Nationen herstellte, so hat Cantoni
durch seine Wiederbelebung Vico's sich selbst zu einem philo=
sophischen Geiste herangebildet, und eine Brücke zur Verbindung
italiänischer und deutscher Cultur geschlagen, welcher wir zur
Stärkung unseres wissenschaftlichen Geistes nicht minder be=
dürfen, als zur Verinnerlichung des Völkerbundes, der von jetzt
ab, soll die Menschheit nicht in Kriegswirren untergehen, Italien
und Deutschland mit England verbinden muß. Vorzüglich ver=

dient aus dieser Literaturgeschichte hervorgehoben zu werden, daß Vico beinahe ein Zeitgenosse Montesquieu's war.

Er lebte von 1668—1744, Montesquieu von 1689 bis 1755.

Doch hatten sie keinen Einfluß auf einander. Italien war durch seine üble Regierung damals zu sehr von der Gelehrten= republik ausgeschlossen.

[273] Die Juristen aber hielten Vico hoch, so Filan= gieri, der seiner gegen Göthe erwähnte.

[285] Das System Vico's, im Gegensatz zu dem seiner Zeitgenossen und denen der Gegenwart, auch zu dem antiken Staatsbegriff, ist das des Individualismus.

Der Staat ist ihm nur ein Mittel für das Individuum; [285] das Ziel ist die Einwirkung des Individuums an die Stelle der des Staats selbst zu setzen; er sucht nach einer moralischen und wirthschaftlichen Harmonie der Menschheit im Gegensatz zum Staatsmechanismus, gegründet auf freie Ver= einigung, auf inniges und gegenseitiges Wohlwollen [286] der Mehrzahl.

Das Individuum ist nicht mehr bloß das Ziel der bürger= lichen Gesellschaft, es wird der Hauptwerkmeister der Civilisation. Man betrachtet nicht mehr die tiefen und edlen Geistesregungen der Menschen als Mittel, die Zwecke des Staats zu fördern; — die Entwickelung dieser Tendenzen, die Erziehung dieser [286] Geistesregungen ist vielmehr das wesentliche Ziel des Le= bens der Menschen geworden.

[288] Dies ist auch das Ziel Vico's, der tiefe und wahre Sinn seiner Lehre.

[412] Lerminier nennt Vico den Vorläufer von Wolf, Niebuhr und Hegel.

———

Nachschrift. In einem Artikel der „Perseveranza" vom 28. August v. J. wird Cantoni's Werk das beste, das bis jetzt über Vico geschrieben worden, genannt; gewiß, so sagt der Recensent, kein kleines Lob, aber kein übertriebenes, wenn man erwägt, daß die früheren über Vico erschienenen Werke sehr unvollständig und phantastisch waren, wovon auch die berühm=

testen, von Ferrari und Tommaseo, nicht freizusprechen; beide gänzlich ungeeignet zu einem vollständigen, natürlichen und umfassenden Verständniß des Gegenstandes, den sie behandeln, so wie zu einer wahren und ruhigen Auseinandersetzung desselben, ohne ihn in die Farben ihres eigenen Geistes zu tauchen. Cantoni hingegen stellt uns einen wahren Vico dar und reproducirt ihn, so wie er war (aus dem Studium seiner Werke).

Cantoni hat auch in dieses Studium und in die Kriterien des Vico etwas ihm Eigenes, zugleich Gutes und Neues, dadurch hineingetragen, daß er den Culminationspunkt des Vico= schen Geistes nicht in der angeblichen (presunta) Entdeckung des nothwendigen Verlaufs der menschlichen Dinge, sondern in der neuen Methode selbst, welche Vico auf die Geschichtswissenschaft anwandte, indem er sie aus einer Erzählung von Begebenheiten in die Wissenschaft von der Entwickelung des Menschen umwandelte, — und in den scharfsinnigen und genialen Gesichts= punkten (intentioni) fand, durch welche Vico so viel und so neues Licht über alle Theile dieses großen Feldes des Wissens verbreitete, in dessen Bereich er zuerst den bis dahin so bescheidenen (umile) (dann aber darin verbleibenden) Namen der Philologie hineinschrieb.

Der Rec. rühmt sodann die umfassende Kunde und das gewiegte Urtheil Cantoni's über die verwandten Studien der Deutschen. Nur eine einzige Lücke entdeckt der Rec. in der Literaturgeschichte Cantoni's über Vico, nämlich, daß er die Uebersetzung der scienza nuova (erudizione) von der Prinzeß von Belgiojoso, welche 1844 in Paris erschien, nicht angeführt.

Doch tadelt der Rec. Cantoni's Stil und wirft ihm grammatische Schnitzer vor; darüber erlauben wir uns kein Urtheil. Der Rec. schließt mit der Betrachtung, daß Vico näher dem Anfange als dem Ende seines Ruhmes sei, und daß das Bewußtsein seiner zukünftigen Größe den unglücklichen Dulder getröstet.

Dr. Gustav Eberty.

L. Geiger, Ursprung und Entwicklung der menschlichen
Sprache und Vernunft. Stuttgart, Cotta 1868.
486 u. XXVIII S. 8vo.

Es scheint Pflicht der Kritik, sowohl dem Vrf. als den
Lesern gegenüber, über einen so stattlichen Band, wie der vor=
liegende, Bericht zu erstatten, obwohl mit demselben das Werk
noch unvollendet ist. Indessen dürfen wir doch in diesem Falle
unsere Ansicht über Ziel und Leistung nur unter dem entschie=
denen Vorbehalt äußern, nach Erscheinen der folgenden Theile
vielleicht alles oder einen Theil dessen, was wir gesagt haben,
zurückzunehmen, wenigstens zu modificiren. Denn so stattlich
der Band ist, den wir jetzt schon haben, so enthält er doch vom
Ganzen noch so wenig, daß man sich vom Gang und Charakter
des Werkes durchaus noch keine Vorstellung machen kann; er
ist wesentlich Einleitung, und zwar in anderem Sinne, als uns
der Vrf. in der Vorrede zu glauben veranlassen will. Der
Band giebt nämlich eine Einleitung (S. 3—90) und dann das
erste Buch in neun Abschnitten nebst vielen excursartigen An=
merkungen. Wie viel Bücher folgen sollen, wird kaum ange=
deutet (S. IX); es müssen aber mindestens noch drei sein, ver=
muthlich werden es mehr. Die Einleitung nun sollte (S. VIII)
„einen Ueberblick über die Resultate im Allgemeinen" vor der
Einzeldarstellung bieten. Ich sehe aber kaum, wie sie das hätte
leisten können, noch auch, daß sie das geleistet hat. Vielmehr
hat der Vrf. selbst (S. 82) ausgedrückt, daß er von diesem
Abschnitte eine andere Ansicht hatte; derselbe sollte nämlich die
Entwickelungsgeschichte der Form der Vernunft enthalten, im
Gegensatze zu Buch II u. ff., welche den geschichtlichen Ursprung
und Fortgang des Inhalts der Vernunft zum Gegenstande
haben sollen. Ich kann aber auch dieses Verhältniß nicht her=

ausfinden; mir scheint vielmehr, daß des Brf.s Einleitung und
erstes Buch die principiellen Voraussetzungen zu den folgenden
historischen Untersuchungen darstellen, insofern jene das Verhältniß der Sprache zur Vernunft im Ganzen oder das Wesen
der Sprache überhaupt, dieses specieller das Verhältniß zwischen
Laut und Bedeutung bespricht. Mit der Feststellung dieser
Punkte aber, wie sie hier vorgenommen ist, wird noch nicht
einmal eine wirkliche Grundlage, eine positive Vorbereitung,
eine Ausrüstung für die in Angriff zu nehmende Arbeit gewonnen, sondern bloß die Einsicht in die Natur dieser Aufgabe
eröffnet. Prüfen wir nun, so gut es sich wird thun lassen,
was uns für jetzt dargeboten ist.

Der Brf. tritt zum ersten Male als Schriftsteller auf, aber
nicht mit einer Jugend-Arbeit, sondern eher mit einem Lebens-
Werk. Er besitzt eine so umfassende und dabei gründliche
Sprachkenntniß wie nur wenige Sprachforscher; übertreffen wird
ihn in dieser Beziehung wohl Niemand. Ja, ich bin geneigt,
ihn den gelehrtesten Sprachforscher unserer Zeit zu nennen.
Und eine Dialektik begegnet uns in ihm von einer Gewalt und
Selbständigkeit, wie wir sie seit Wilhelm von Humboldt
nirgends angetroffen haben.*) Von der Naturwissenschaft zeigt
er so viel Kenntniß, wie vielleicht der Hochgebildete haben muß,
wie aber thatsächlich nur Wenige, die nicht Naturforscher sind,
sich erworben haben; vielleicht, ich kann es nicht bestimmt sagen,
reicht sein Wissen auch hier sogar noch weiter an das des Fach-
mannes heran.

Und so muß ich erklären, daß ich nicht den geringsten
Zweifel daran hegen kann, der Brf. werde in den folgenden
Büchern seines Werkes eine Leistung zu Stande bringen, welche
den vielversprechenden Titel „Ursprung und Entwicklung der
menschlichen Sprache und Vernunft" vollständig rechtfertigen
und wohl verdienen wird. Dagegen kann ich die Befürchtung
nicht unterdrücken, die principielle Grundlage, welche der Brf.
seiner Darlegung in dem vorliegenden Bande theils unterbreitet,

---

*) Zu seiner Dialektik steht der bauschige Styl des Brf.s in Miß-
verhältniß.

theils ſtillſchweigend vorausſetzt, werde ſich als viel zu ſchmal
und zu ſchwach erweiſen.

Man darf mit Niemand darüber rechten, daß von ihm
dieſe und jene litterariſche Erſcheinung, welche ihn wohl ange-
gangen hätte, unbeachtet geblieben iſt; mit Manchem aber ſoll
man ſelbſt darüber nicht rechten, daß er eine Erſcheinung unbe-
rückſichtigt gelaſſen, die für epochemachend gilt. So will ich
nun dem Vrf. keinen Vorwurf daraus machen, daß für ihn
alles das, was von Lazarus und mir geleiſtet iſt, nicht vorhanden iſt; aber mir muß aus dieſem Grunde ſeine Grundlage
ungenügend erſcheinen. Ich würde aus bloß innern Gründen
behaupten, der Band ſei vor dem Jahre 1855 geſchrieben; der
Vrf. berichtet (S. IX), daß die Einleitung „im Entwurf 1852
beendet war“ und daß „Theile des erſten und zweiten Bandes
ſich Anfangs 1859 in den Händen der Verlagshandlung befanden“. Der Vrf. äußert bei derſelben Gelegenheit in einer
für mich ganz myſteriöſen Weiſe: „Mich beruhigt einigermaßen
der Gedanke, daß die hier ausgeſprochenen Anſchauungen während der langen Reihe von Jahren (ich darf faſt ſagen: Jahrzehnten), in denen ihre Ausbildung und Durchführung mich beſchäftigt hat, zum Theil von einer ganz andern Seite
ihre unabhängige Beſtätigung gefunden und in den Ueberzeu-
gungen der Gegenwart Wurzel zu ſchlagen angefangen haben“
— von welcher Seite? das wüßte ich im mindeſten nicht zu
ſagen. Wenn aber ſolch ein Wink ſeitens des Schriftſtellers,
wie hier gegeben iſt, von einem Leſer nicht verſtanden wird,
ſo beweiſt dies, daß zwiſchen beiden eine Kluft beſteht und zwar
eine verdeckt gebliebene.

Sehen wir zunächſt, wie der Vrf. ganz im Allgemeinen
ſeine Aufgabe beſtimmt. Er ſagt (S. V.): „Ueberall auf
Erden, wo der Menſch erſcheint, iſt die Vernunft ſeine unter-
ſcheidende und gemeinſame Eigenthümlichkeit ... Die Menſchen
ſind nirgends ohne Anfänge der Cultur, der Staatenbildung
und Sitte, und ohne eine gewiſſe Kunſt und Induſtrie gefunden
worden.“ Dies beſtätigen auch die unterirdiſchen Funde von
Geräthen und Werkzeugen einer uralten Menſchheit. „Es ſteht
alſo feſt: ſo weit unſre Beobachtung reicht, iſt der Menſch ver-

nünftig. — Und dennoch ist es nicht immer so gewesen. Die
Vernunft ist nicht von ewig her; denn das organische Leben
und die Erde selbst sind nicht von ewig. Die Vernunft hat,
wie alles auf Erden, einen Ursprung, einen Anfang in der
Zeit. Sie ist aber, wie die Gattungen des Lebendigen, nicht
plötzlich, nicht in aller ihrer Vollkommenheit sofort fertig, gleich=
sam durch eine Art von Katastrophe entstanden, sondern sie hat
eine Entwicklung. Dies einzusehen haben wir in der Sprache
ein unschätzbares, aber auch ein unentbehrliches Mittel.“ Denn
wie sehr uns auch das Denken aus der unendlich wunderbaren
Erscheinung lebendiger Mechanismen als das Wunderbarste und
Vollkommenste entgegentritt und unbegreiflich erscheint (S. 1—6),
so hat doch „die Gedankenthätigkeit von einem gewissen Punkte
an eine nachweisbare Geschichte, mit welcher ihre Entstehung
selbst der Empirie verfällt und aufhört, etwas zu sein, worauf
die Wissenschaft als auf etwas Jenseitiges und Versagtes, Me=
taphysisches und für die Einzelerscheinung Gleichgültiges ver=
zichten müßte oder dürfte“ (S. 7.). Sonderbar! Alles was
nicht der Empirie verfällt, ist der Wissenschaft versagt! Und
dabei fällt zugleich eine Definition des Metaphysischen ab, da=
hin gehend, metaphysisch sei das eingebildete Wissen von dem,
was der Wissenschaft, weil es nicht der Empirie verfällt, ver=
sagt ist.

Und wo liegt jener Punkt, von dem an die Gedanken=
thätigkeit der Empirie verfällt? „Es ist dies der Punkt, wo
das Denken mit der Sprache zuerst eine Beziehung eingeht:
eine Thatsache, die eben so gewiß geschichtlich ist, wie das erste
Auftreten des Menschengeschlechts auf der Erde“ (das.). Dies
ist ungenau ausgedrückt. Denn wenn es hiernach scheint, als
nähme der Vrf. an, das Denken habe zunächst für sich be=
standen, einige Entwickelungsstufen ohne Sprache durchlaufen
und sei dann erst in eine Beziehung zu derselben getreten: so
ist vielmehr die Ansicht des Vrf.s die, „daß der Sprachlaut,
gemäß seinen aus der Sprachgeschichte empirisch für ihn nach=
weisbaren Eigenschaften, vollkommen befähigt ist, Begriffsbil=
dung, Denkthätigkeit und Selbstbewußtsein zu erzeugen“ (S. 29).
Also der Sprachlaut gilt dem Vrf. in causaler Betrachtung als

das Prius gegen Vernunft und Denken, und hierunter sind
nicht nur die höhern Formen der Geistesthätigkeit zu verstehen,
wie die eben citirte Stelle zu besagen scheint; sondern sogar
das „einfachste Urelement des Geistigen", d. h. „die Vorstellung, das ist die Erinnerung der Empfindung" (S. 30. Denn
die Empfindung ist, als bewußtlos, von der Grenze des eigentlich Geistigen noch ausgeschlossen; das.) „tritt erst durch die
Sprache vollständig und regelmäßig ein; denn durch sie erst
wird, worin ihm kein Thier gleicht, der Mensch in ausgedehn-
terem Maße auch zu Gesichtsvorstellungen fähig" (S. 37.).
Genauer wird wohl des Vrf.s Ansicht so ausgedrückt werden
müssen, daß der Laut zuerst die Empfindung vergeistigt, ver-
menschlicht; er entwickelt sich dann, „erleidet aber inmitten dieses
Fortschrittes eine noch bedeutsamere Umbildung seiner Natur
dadurch, daß er, anstatt aus Eindrücken der Sinne zu entspringen und an Wahrnehmung zu erinnern, nun fähig wird,
Begriffe auszudrücken und Dinge zu bezeichnen, oder was das
Nämliche ist: er selbst wird Sprache, sein Inhalt Vernunft"
(S. 29.).

Die Sprache ihrerseits erscheint nicht minder wunderbar
als die Vernunft (S. 7—9.). Obwohl höchst zweckmäßig und
kunstvoll, kann doch in ihrer Anwendung wie in ihrer Schöpfung
nur eine instinctive Thätigkeit gesehen werden, die sich mit einer
organischen vergleichen läßt, wie die Sprache selbst einigermaßen
mit einem Organe oder Organismus. Wenn hier der Vrf.
der bekannten Becker'schen Ansicht nur „einigermaßen" beipflichtet, so kommt doch auch er, wie schon aus dem bisher
Angeführten hervorgeht, nicht über den Fehler hinaus, den ich
vor zwei Jahrzehnten zu bekämpfen begonnen habe und dem
ich heute nicht mehr begegnen zu können meinte, nämlich: „unser
heutiges Denken sei nichts als leises Sprechen"; die Sprache
habe das Denken durchdrungen und sei eine innige Verbindung
aller ihrer Theile mit ihm eingegangen (S. 12.). Kurz, beim
Vrf. zeigt sich die falsche Identität von Denken und Sprechen,
wobei die Sprache an sich zum gedankenlosen Laute werden
muß. Wie sich der Vrf. etwa dagegen wehrt, wehren kann,
zeigt folgender Satz (S. 13): „Fassen wir die Sprache in Be-

treff dieser ihrer Beziehung zur Vernunft ins Auge, so finden
wir, daß von ihren Theilen, den Worten, jeder schon zugleich
als Laut einen Sprachtheil und als Begriff einen Theil der
Vernunft enthält" (S. 13.). So finden wir! So meine ich,
man sollte vielmehr von Sprache und Vernunft gar nicht
reden. Sprechen ist ja Denken, soll es nach dieser Ansicht sein;
wie kann also von Sprechen noch außerhalb des Denkens die
Rede sein? ebensowenig wie von Denken außerhalb der Sprache.
Der Vrf. ist in der Dialektik stecken geblieben.

Die Frage vom Verhältniß zwischen Laut und Begriff,
wie kann sie erledigt werden ohne Beachtung der innern Sprach=
form? So erscheint denn der Vrf. im ersten Buche, wo diese
Frage behandelt wird, wie ein Heros, der mit Proteus ringt,
aber von der Eidothea unbelehrt.

Die Begriffe, meint der Vrf., wie sie sich in den Sprachen
aller Völker und Zeiten finden und in denen die Dinge nach
Aehnlichkeiten und Gattungen geordnet sind, haben, wie zweck=
mäßig sie auch in Wahrheit sind, ganz irrthümlich die Bewun=
derung der Philosophen und Sprachforscher erregt; sie stammen
nämlich nicht aus der menschlichen Weisheit, sondern aus der
Unfähigkeit der Unterscheidung in den Urgeschlechtern der Mensch=
heit, wie „in der Geschichte aller Erkenntniß stets die Wahrheit
aus dem Irrthum entspringt, und Unterscheidung aus Ver=
wechslung" (S. 91—94.). — So lautet, möchte man sagen,
die neue Auflage von Tiedemann (vergl. meine Schrift: der
Ursprung der Sprache, 2. Ausgabe, S. 10). Solche Sätze,
wie der, daß die Wahrheit stets aus dem Irrthum entspringe,
können freilich nicht an jeder Stelle, wo man sich auf sie be=
zieht, bewiesen werden; sie können aber auch nicht überall, wo
sie, wie hier von mir, zurückgewiesen werden, widerlegt zu
werden beanspruchen. Ich bemerke darum nur wieder: wo sich
der Schriftsteller auf einen Satz als allgemein anerkannte, des
Beweises überhaupt nicht oder nicht mehr bedürftige Wahrheit
beruft, in welchem dagegen der Leser seinerseits vielmehr Un=
wahrheit sieht, da muß eine Kluft zwischen beiden vorhanden
sein. — Hören wir den Vrf. vollständiger.

Er sagt (S. 93 f.): „Das Zweckmäßigste, was ein leben=

diges Wesen überhaupt zu thun vermag, ist stets nur Verwen=
dung der ihm von Natur verliehenen Organe, mit welcher die
Anwendung der Sprache selbst auf gleicher Höhe steht, indeß
ihre Erschaffung (als ob ein Thier sich selber Hände schaffen
sollte!) auch unter Voraussetzung der höchsten menschlichen Na=
turbegabung ganz unglaublich wäre... Keinem Geschöpf kann
ein Bedürfniß nach dem ihm völlig Unbekannten, über seinen
Zustand hinausliegenden zugeschrieben werden. Das Thier fühlt
kein Bedürfniß nach Kleidung; der sprachlose Mensch würde
eines Bedürfnisses nach sprachlicher Mittheilung nicht fähig ge=
wesen sein. Schon dies, sowie die Undenkbarkeit, die darin
liegt, daß die Sprache, dieses Mittel der Mittheilung, selbst
mitgetheilt worden sei, ferner ihr ganzer Inhalt und ihre ganze
Natur machen es unmöglich, sie als Erfindung zu betrachten
und das Zweckmäßigste in ihr auf weise Berechnung zurückzu=
führen. Wir müssen daher von dem entgegengesetzten Wege
ausgehn und auch" die Begriffsbildung der Sprache, „die Be=
schränkung der Benennung auf Arten und Gattungen nicht als
Fähigkeit der Vergleichung, sondern als Unfähigkeit der Unter=
scheidung in den Urgeschlechtern der Menschheit auffassen". Ist
das eine richtige Folgerung? Also, da das Thier z. B. sich
sein Auge nicht schaffen konnte, so muß dieses aus der Blind=
heit und dem Nichtsehen entspringen? Und warum nicht lieber
so: da das sprachlose Geschöpf nicht einmal ein Bedürfniß nach
Sprache haben kann, so muß die Sprache ein dem Menschen
von Natur verliehenes Organ sein, welches er bloß anwendet.
Ferner: wenn irgend eine Erkenntniß, die noch nicht gebildet
war, jetzt entstanden ist, ist sie durch Mangel an Erkenntniß
geschaffen? Wird etwas aus nichts? Der Vrf. aber wieder=
holt (S. 250), Vernunft und Sprache seien aus Unvernunft
und Sprachlosem hervorgegangen. Er scheint unbeachtet ge=
lassen zu haben, daß ein Thier nicht bloß kein Bedürfniß nach
Kleidung und Sprache hat, sondern daß es darum auch völlig
außer Stande ist, sich Kleidung und Sprache, wenn man sie
ihm darbietet, sich anzueignen, weil sie nämlich völlig „über
seinen Zustand hinausliegen". Wenn also nur der Mensch zu
Vernunft und Sprache gelangt, so müssen diese nur innerhalb

seines Zustandes liegen; und kann man nun diesen Zustand kurzweg, eben so wie man den thierischen mit vollem Rechte bezeichnet, Unvernunft und Sprachlosigkeit nennen? Wer spricht, macht Anwendung von der Sprachfähigkeit; also muß die Sprachfähigkeit vor der Wirklichkeit des Sprechens da sein: dies gilt vom heutigen Menschen wie von dem Urgeschlecht. Dieses kann nicht in dem Sinne stumm und unvernünftig ge= wesen sein, wie das Thier bis heute es zu allen Zeiten war.

Daß die sprachlichen Begriffe, wie sie in den Wörtern liegen, unserer heutigen Wissenschaft völlig ungenügend erscheinen (S. 99), ist richtig. Aber unterscheidet die Wissenschaft nicht mehr zwischen Pferd und Esel, Hund und Katze, Rose und Lilie? Und wenn die Spaltungen, welche die Sprache vollzieht, unter unsern Händen zerrinnen (das.), wieso sind denn diese Unterscheidungen, welche sie gemacht hat, aus Verwechslungen hervorgegangen? Bekunden die Begriffe Groß und Klein, Viel und Wenig, Laut und Leise, Berg und Thal (das.), wie relativ sie sein mögen, nicht eine Fähigkeit der Vergleichung?

So habe ich durchweg den Eindruck, als sei der Vrf. noch so sehr in der Dialektik stecken geblieben, daß er einer genetischen Erkenntniß sich kaum annähert, wenigstens nicht das entschieden ausgesprochene Bedürfniß nach ihr hat. Seine Weise, mit den Kategorieen Wahrnehmung, Vorstellung, Begriff umzugehen muß dem Psychologen ganz laienhaft erscheinen. So hätte der Vrf. in seiner „Einleitung" die Entwicklung der Denkfähigkeit zu zeigen gehabt. Es sollte dort gezeigt werden, wie zu den mannichfachen Zielen, welche der Vernunft gesteckt sind, überall in der Sprache ein unentbehrliches Erforderniß, ja die eigentlich treibende Ursache vorliege. Man könnte dem Vrf. unbedingt alles was er bemerkt zugestehn; nur von einer Entwicklungsgeschichte ist weiter nichts gegeben als der Umriß, der aber ganz unausgeführt bleibt. Wie etwas, irgend eine Form der Vernunft und der Sprache wird, davon ist nicht die Rede. Der Unterschied zwischen den menschlichen und den thierischen Seelen=Aeußerungen wird ausführlich, fein und tref= fend bezeichnet; aber eben nur bezeichnet, und darauf wird hin= zugefügt, die Sprache habe ihn bewirkt. Wie die Sprache dies gemacht habe, davon kein Wort. Und warum hat das Thier keine Sprache? Das ist nicht mit Stillschweigen übergangen (S. 37—39), aber keineswegs wirklich erörtert. Nur dies muß ich hier noch hervorheben, daß der Vrf. so sehr den Unterschied zwischen Menschen und Thier bloß aus der Sprache ableitet, daß er z. B. von der Hand gar nicht redet. Auch gilt ihm der Tastsinn als völlig untergeordnet.

Wie die Sprache ihre große Aufgabe, Vernunft, Bewußtsein zu erzeugen, solle lösen können, wird um so weniger begreiflich, als nach des Vrf.s Ansicht Laut und Begriff nur zufällig zusammengerathen, ein nothwendiger Zusammenhang aber zwischen beiden gar nicht stattfindet. Der Laut entwickelt sich für sich, der Begriff entwickelt sich abermals für sich an der Seite der Laute, jeder unberührt vom andern. Wie sich der Vrf. dies denkt, ist mir völlig unklar, und ich kann darum nur die betreffenden Stellen citiren, welche zugleich die Ansicht des Vrf.s vom Ursprunge der Sprache enthalten.

Die Sprache, sagt der Vrf. (S. 13), stellt nicht „die sinnlichen Gegenstände dar, sondern Gedankendinge, Bestandtheile einer schon durch das Denken hindurchgegangenen und in Gedankenstoff verwandelten Welt." Dagegen „kommt das einzige eigentlich und ausschließlich sinnliche Element der Außenwelt, nämlich die Empfindung in der Sprache, nicht zum Vorschein" (S. 15). Da nun das Wort nicht aus denkender Berechnung und willkürlicher Wahl hervorgegangen sein kann, so muß es einem außerhalb des Bewußtseins liegenden Naturdrange, einer in dem Begriffe selbst liegenden Nothwendigkeit, laut zu werden, entsprungen sein; „und die Sprache würde demnach, gleichsam als ein Organ der Vernunft, zwar in ihr noch ihre Ursache haben, aber doch so, daß sie dabei nicht als vernünftige, sondern als blinde Ursache, nicht als denkendes Motiv, sondern als physiologischer Reiz wirksam wäre: es würde die Vernunft die Sprache nicht erschaffen, sondern diese nur aus ihr durch Nöthigung des Organismus bewirkt und hervorgerufen werden, und das Wort sich zu dem Begriffe gewissermaßen so verhalten, wie der Schrei sich zur Empfindung verhält. Die Begriffe bestimmter Zahlen z. B., oder

der Verneinung und des Ich, sowie das Verhältniß der Hin=
weisung und Rückbezüglichkeit, der Zeiten und sonstigen Be=
ziehungen des Zeitwortes, müßten einer solchen Auffassung zu
Folge nur stark genug zum Bewußtsein kommen, um sofort die
entsprechenden Laute und Formen aus sich zu erzeugen und sich
gegenüber zu stellen, etwa vermöge eines dichterischen Triebes,
wie derjenige, welcher die erregten Gefühle sich auszusprechen
drängt" (S. 16.).

Wer meine Ansicht vom Ursprunge der Sprache kennt,
kann sich selbst sagen, wie ich die soeben angeführte Stelle be=
urtheilen muß. Der Vrf. stand am Anfange derselben der
richtigen Erkenntniß ganz nahe; weil er aber von dem Wesen
der Vorstellung, wie sie sich in der innern Sprachform ent=
wickelt, gar nichts weiß, so hat er sich augenblicklich vom rich=
tigen Wege völlig abgewandt. Er meint, es sei nicht zu be=
greifen, wie „etwas an sich vielfach Freies, wie der Begriff,
einen organisch nothwendigen Ausdruck zur Seite haben sollte",
(das wäre ja wirklich unbegreiflich; aber handelt es sich denn
um den Begriff?) „vollends da dieser Ausdruck tausendfältig
verschieden gefunden wird, nämlich als verschiedene Sprache.
Sollte z. B. dem Begriffe gehen oder brüllen ein Ausdruck
naturnothwendig entsprechen und dennoch einem Deutschen auf
diese, einem Franzosen auf eine andere Weise naturnothwendig
sein?" Solchen Einwand erhebt ein Mann, dem nicht nur
die neue Sprachwissenschaft vertraut ist, sondern der ein Werk
unternimmt, welches voraussetzt und nachweisen soll, daß unser
heutiger geistiger Besitz nicht in sich selbst, sondern in der Ver=
gangenheit, in der er geworden ist, seine Nothwendigkeit hat!

Also, meint der Vrf. (S. 19), nicht die Vernunft in ihren
begrifflichen Elementen hat die Worte hervorgebracht. Und nun
folgt eine Stelle (S. 19—21), welche die Vermuthung erregt,
der Vrf. wolle wieder auf den rechten Weg einlenken. Aber
unglücklicherweise geräth er auf Schallnachahmung, und diese
verwirft er mit Recht. Aber wie? „Der Begriff geht stets
aus einem andern Begriffe, der Laut aus einem andern Laute
hervor" (welch ein logischer und grammatischer Formalismus
ist das!) „und beide, Begriff und Laut, verbleiben dabei immer

und überall innerhalb der Sprache und der ihr eigenthümlichen
Gesetze . . . Der Begriff entspringt erfahrungsgemäß niemals
aus einem Object" (das wäre ja auch wunderbar!), sondern
immer aus einem andern Begriffe. „So scheint freilich noth=
wendig zuletzt eine Anzahl von Urbegriffen oder ein einziger
übrig bleiben zu müssen. Allein es ist nicht so; denn während
dieser Entwicklung, welche die jüngern Begriffe aus den ältern
entstehen läßt, verändert und gestaltet sich das eigentliche Wesen
des Begriffes selbst zugleich so sehr, daß wenn wir diesen ganzen
Proceß rückwärts verfolgen, wir an dessen Anfang nach einer
beständigen Abnahme zuletzt etwas der begrifflichen Natur voll=
kommen Entkleidetes gewahren" (S. 21.). Hieran kann nichts
weiter überraschen als die Emphase, mit welcher der Vrf. es
ausspricht. Ihm zu allermeist muß es ja auf der Hand zu
liegen scheinen, daß der Begriff aus etwas, was nicht Begriff
ist, entsprungen sein muß. Und nun stehn wir wirklich vor
dem Ursprunge der Sprache nach des Vrf.s Ansicht.

Er fährt nämlich fort (S. 22): „Die Sprache ist in diesem
ihrem Anfange ein thierischer Schrei, jedoch ein solcher, der
auf einen Eindruck des Gesichtssinns erfolgt"; aber nicht auf
jede Gesichtswahrnehmung, „sondern eine einzige bestimmte".
Also hört! hört! Es giebt im ganzen Kreise menschlicher Ge=
sichtseindrücke einen einzigen, der den Anfang zum Ausdruck
überhaupt bot. Der Vrf. meint, bloße Speculation wäre wohl
schwerlich geneigt gewesen, gerade diesen aus der Gesammtmasse
alles Ausdrückbaren als Quell der Sprache auszusondern. Ich
weiß nicht, ob der Leser begierig ist, diese merkwürdige Gesichts=
wahrnehmung zu kennen. Nicht ohne Schmerz habe ich hier
zu bemerken, wie ein Mann von dem Geiste des Vrf.s, von
solcher Kenntniß, solcher Energie und Schärfe des Geistes, aus
der Dialektik in die Schrulle versinkt. Wie das möglich ist?
Dazu wirkt gewiß vieles; die Hauptsache aber ist: es fehlt dem
Vrf. die Psychologie. Ich citire (S. 24): „Der Sprachschrei
erfolgt ursprünglich nur auf den Eindruck, den der Anblick eines
in krampfhafter Zuckung oder gewaltiger wirbelnder Bewegung
befindlichen thierischen oder menschlichen Körpers, eines heftigen
Zappelns mit Füßen oder Händen, der Verzerrung eines mensch=

lichen oder thierischen Gesichts, insbesondere des Verziehens des
Mundes und der Wimperbewegung der Augen macht".....
(S. 24): „Das Ergebniß, welches das Object des ersten
Sprachlautes betrifft, ist übrigens ganz unabhängig von der
Vorstellung, die man sich von der Art machen mag, wie dieses
Object den Sprachlaut bewirkt; es selbst, und besonders seine
vorwiegende Sichtbarkeit, ist nicht im Mindesten hypothetisch,
sondern vielmehr völlig durch die thatsächliche Erfahrung fest=
zustellen" (S. 26).

Uebrigens erfordert nicht nur die Gerechtigkeit gegen den
Vrf., sondern auch die Sache selbst, daß ich erwähne, wie ge=
rade bei dieser Gelegenheit der Vrf. über den Sprachlaut, die
Bedeutsamkeit und das Verständniß desselben treffende Bemer=
kungen macht, die sich meiner Ansicht ganz anschließen. Un=
mittelbar daran knüpft aber der Vrf. Folgendes (S. 27): „Auf
diese Weise wird der Sprachlaut nicht nur wie der Schrei
sympathetisch, sondern auch erinnernd wirken; und daß dies in
der That seine eigentliche Wirkungsart ist, zeigt seine Verän=
derlichkeit oder Entwicklungsfähigkeit und sein ganzes Verhalten
während seiner derartigen Veränderung. Denn wenn er in
seinem Ursprung noch einigermaßen für naturnothwendig und
mit seinem Objecte in irgend einem, dem menschlichen Orga=
nismus entspringenden, Zusammenhange befindlich gelten könnte,
so machen nunmehr beide, der Sprachlaut und sein Object,
für sich gesondert einen eigenen Entwicklungsgang durch, und
die zwischen beiden herrschende Verbindung bleibt in ihrer Be=
sonderheit für jeden einzelnen Fall nur ein Werk der Gesetze
des Zufalls. Der Laut vervielfältigt und verwandelt sich; sein
Inhalt vermehrt sich und spaltet sich zugleich in Gruppen, die
sich auf die vervielfältigten Laute vertheilen... Er schreitet
über die wälzende und tummelnde Bewegung des Thieres zur
sichtbaren heftigen Bewegung auch anderer Dinge vor, sofern
diese von der thierischen nicht unterschieden und ein rollender
Steinblock keineswegs sofort als unbelebt erkannt, sondern viel=
mehr ganz mit denselben Augen wie ein laufendes oder sich
wälzendes Thier betrachtet wird; er geht von den mächtigeren
Eindrücken zu den schwächeren, von dem Sichtbaren zu Gegen=

ständen der andern Sinne über, zunächst diese mit dem Sicht=
baren, das mit ihnen verbunden ist, zusammenbezeichnend, dann
aber dasselbe verlassend; er verbreitet sich auf gleiche Weise von
der die Empfindung bergenden und verrathenden Bewegung
aus auf die Empfindung selbst und die gesammte unsinnliche
Welt des Geistes, erleidet aber inmitten dieses Fortschrittes eine
noch bedeutsamere Umbildung seiner Natur dadurch, daß er
anstatt aus Eindrücken der Sinne zu entspringen*) und an
Wahrnehmungen zu erinnern, nun fähig wird, Begriffe auszu=
drücken und Dinge zu bezeichnen, oder was das Nämliche ist:
er selbst wird Sprache, sein Inhalt Vernunft."

Wie das aber geschehen soll, woher sich der Laut ver=
mehren, wie der Inhalt fortschreiten und sich umbilden soll,
das bleibt unerörtert. Ausdrücklich lehnt (S. 182) es der Vrf.
ab, wenigstens in dem vorliegenden Bande — oder bloß in
diesem Abschnitte? — den Ursprung des Sprachlautes aufzu=
suchen und stellt nur die Behauptung hin, „daß Entstehung des
Lautes, soweit sie sich beobachten oder wahrscheinlich machen
läßt, niemals wirkliche Neubildung, sondern stets Umbildung
vorhandener Laute ist; daß diese stets durch lautliche Nothwen=
digkeit und gewissermaßen mechanisch, niemals frei und aus
Absicht oder Trieb der Bezeichnung erfolgt; daß die letzte Ur=
sache seiner Nothwendigkeit ... Zusammensetzung ist". Damit
aber Zusammensetzung stattfinden könne, muß es doch minde=
stens zwei Urlaute gegeben haben; nach dem Vrf. könnte aber
doch immer nur von einem einzigen die Rede sein. Er nimmt
aber (mit welchem Rechte?) eine beschränkte Zahl von einfachen
Urlauten an (S. 183), denen er aber eine große Vieldeutigkeit
zuschreibt, so daß der Kreis der Begriffe ursprünglich viel

---

*) „Aus Eindrücken der Sinne entspringen"! Das kann der Vrf.
doch nur mit völligem Vergessen des eben Behaupteten sagen. Nach ihm
entspringt ja nur ein einziger Laut aus einem einzigen Gesichtseindrucke, der
sich dann lediglich aus sich vervielfältigt, und dessen neue Gestalten sich dann
zufällig mit irgend etwas von dem gleichfalls vermehrten Inhalt verbindet.
Aber auch schon vorher ist von einer „Vermehrung der Ursachen des Sprach=
lautes" die Rede und auch S. 52 wird der Sprachlaut eine „Wirkung der
Empfindung" genannt, als könnte jede Empfindung einen Laut bewirken.

größer war als der der Laute. Von diesen sind die Wurzeln
noch verschieden. Die Wurzeln entstehen zwar durch Verbindung von Lauten; aber diese Verbindung ist nicht Zusammensetzung, d. h. nicht sinnvolle Verbindung dereinst selbständiger
Begriffsbestandtheile (S. 185), sondern erfolgt ganz unabhängig
von der Begriffsentwicklung (S. 188). Also waren die Wurzeln im Anfange nur verschiedene lautlich bereicherte Ausdrücke
eben desselben Begriffsinhaltes wie die Urlaute, aus denen sie
gebildet wurden (das.). Der Vrf. behauptet (S. 189), „daß
die Sprache niemals eine bestimmte Begriffssphäre an einen
bestimmten Laut gebunden, sondern, dem Principe nach, All-
deutigkeit zu ihrem Grundgesetze erkoren habe." Also jeder
der Urlaute, wie der Urwurzeln bedeutete Alles. Hier nun
(S. 191) „treten uns die gewichtigen, das größte aller Räthsel
des Geistes betreffenden Fragen entgegen: wie ward der Laut
erzeugt? wie wirkte er? wie drang Begriff in etwas an sich
dem Geiste nicht Entsprechendes? und vor Allem, welche Auskunft erklärt uns die Möglichkeit des Verständnisses bei so großer
Vieldeutigkeit?" Und endlich müssen wir uns fragen (S. 192),
„wie und auf welchem Wege es gekommen sei, daß Vieldeutigkeit und Unbestimmtheit des Lautes in der Folge in bestimmte,
dem Zwecke des Verständnisses entsprechende Bedeutung über-
ging?" Für jetzt aber sagt uns der Vrf. von all dem nichts.

Nun die Kehrseite, die Begriffswandlung. Sie geschah
ganz ohne Rücksicht auf den Laut; und also ist es ganz angemessen, daß sie sich an einem einzigen Laute vollzieht (S. 219).
Die Entfaltung des Begriffs geschieht nach eigenen unveränderlichen Gesetzen „in den Lauten und dennoch von den Lauten
unabhängig" (das.). „Dem Sprachlaute ist eine zufällige und
unentwickelte Wirkung eigen, vermöge deren er nicht sowohl
naturgemäß ergreift, als gleichsam durch künstliche Verbindung
an seinen Gegenstand erinnert" (S. 229). Erinnerung ist das
Band zwischen Laut und Begriff, und zwar eine Erinnerung,
welche „in einem zufälligen Zusammenauftreten dessen, was erinnert, mit ihrem Gegenstande ihren Grund hat".

Diese Ansicht von der zufälligen Entwicklung der Sprache
wird verdeutlicht durch Hinweis auf unsere Synonyme Magd

und Maid, Roß und Pferd und Mähre, Odem und Athem,
Haut, Fell und Balg (S. 231 f.), und erhält dann ihre tiefste
Begründung durch eine metaphysische Betrachtung des Zufalls
(S. 232—250). Jener Hinweis enthält viel Richtiges und
Schönes, und dieser metaphysische Abschnitt ist ausgezeichnet;
aber ich sehe nicht, daß sie leisten, was der Vrf. beabsichtigt.
Daß für die Sprachgestaltung der Zufall nicht auszuschließen
ist, wird Niemand leugnen; jeder nach seiner Ansicht von demselben wird ihm einen Raum anweisen. Nur die Anwendung,
welche der Vrf. von seiner Theorie vom Zufall für die Sprache
macht, kann ich nicht begreifen. Daß sich gerade hier und jetzt
Sauerstoff und Wasserstoff begegnen, mag Zufall heißen; aber
daß, da sie sich nun einmal begegnet sind, sie sich zu Wasser
verbinden, während Sauerstoff und Stickstoff immerhin zusammen
sein können, ohne daß daraus eine chemische Verbindung ent-
stände: das ist doch causal nothwendig. Wie vieles begegnet
sich im Bewußtsein, ohne sich zu verbinden! wie vieles, was
hier verbunden war, wird von einander wieder gelöst. Wie
kommt es nun, daß sich eine gewisse Laut- und Gedanken-Ent-
wicklung so innig vereinen, daß sie untrennbar werden? Und
wenn es geschehen kann, daß sich zwei Elemente des Bewußtseins verbinden, ohne daß es zu ihrem Wesen gehörte, solche
Verbindung einzugehen, so ist doch damit nicht bewiesen, daß
es im Laute und im Begriffe nicht ihrer eigensten Natur nach
gegeben sei, sich zu vereinen. Der Vrf. hat nur diese Natur,
so fürchtet man, nicht begriffen, hat den Mechanismus, den die
Sprache schafft, weder „erklärt“ noch „eingesehen“ (S. 246).
Er hat nirgends gesagt, was Sprache ist, noch auch was
Begriff ist. Nur gelegentliche Aeußerungen lassen wohl eine
Definition entnehmen. So wäre etwa S. 49. 268 zu ersehen,
was nach dem Vrf. der Begriff ist. Solche nur zufällige Erklärungen aber werden kaum völlig und sicher verstanden oder
erregen bloß Verwunderung.

Es ist Zufall, daß ein Mensch gerade in dem Augenblicke
an der Stelle sich befindet, wo ein Stein vom Dache fallend
ihn treffen muß und tödtet: das Zusammentreffen dieses Falles
mit der Stellung des Mannes ist Zufall; aber nicht nur ist der

lange nicht der vollkommene
ganz bestimmte und offenbare
so weit ihm sein Streben
schweren Kampfes, mühsamer
freier, leichter Zug und Schwun
brauch kennt allerdings nicht bl
auf halbem Wege stehen bleiben,
und Thaten, und zwar in de
wöhnliche Maß des Guten über
besonders Schweres geleistet
und Wohlthun gegenüber einem
Fällen ist das Prädikat edel
tragen von dem handelnden S
zukommt; wir nennen die Hant
setze einen Menschen voraus,
Handlungen fähig sei, und nicht
an Andere finden wir sie schwe
einzelnen Falle täuschen, aber w
daß der Betreffende dabei ausn
Vermögen hinausging, so würd
sondern auch seine Handlung n
wir endlich sagen, große Aufgabe
Edeln werth", also die Edeln
lassen, so liegen auch in diesem
in den Personen, sondern es ha
welche die Kräfte jedes Einzel
nur solchen können zugetraut we
an manchem Aehnlichen sich scho

Die Anwendung von edel
sittlichen Werthbestimmung fäh
Kunst, z. B. Farben, Töne, un
zelnen Künste ist entweder erst
ästhetischen Stimmungen, in we
versetzt werden und die wir da
oder sie fließt unmittelbar a
sprünglichen Bedeutung des M

Als wesentliches Merkmal

ζῷον aber insofern unsern Begriff Thier überschreitet, als es den Menschen mit einschließt (weswegen sich das berühmte Lied „Mensch und Thiere schliefen feste" nicht in das Griechische übersetzen ließe: während der Vrf. behauptet, es lasse sich alles aus jeder Sprache in jede übertragen), daß das Hebräische dagegen neben dem allgemeinen und den Art-Begriffen den mittlern Begriff צֹאן für Schafe und Ziegen zusammengefaßt besitzt.

Nach all dem aber muß ich schließlich bemerken, daß der Vrf. nicht nur fast durchweg anregend und vielfach belehrend ist, sondern daß er auch die Aufgabe seines Werkes tief erfaßt und klar ausgesprochen hat, und zwar ganz in Uebereinstimmung mit der Weise, wie unser Mitarbeiter dieselbe bezeichnet hat in dieser Zeitschr. V., S. 398. Freilich bin ich nach Vorstehendem nicht sicher, inwieweit das, was der Vrf. „empirische Kritik der menschlichen Vernunft" (S. 101) nennt, dasselbe sein mag, was dort „historisch-psychologische Analyse als nothwendige Ergänzung der deductiven Kritik der Begriffe" genannt wird. Was mich zweifeln macht, ist gerade der Umstand, den ich noch zum Ruhme des Vrf.s erwähnen muß, daß sein Begriff einer Entwicklungsgeschichte der Vernunft in großartigem Zusammenhange mit seiner Theorie vom Zufall überhaupt steht.

Von dem Reichthum und der Gediegenheit der historischen Einzelbemerkungen in dem vorliegenden Bande ist es nicht möglich, an diesem Orte eine volle Vorstellung zu geben. So nehmen wir für diesmal Abschied vom Vrf. in der Hoffnung, ihm bald wieder zu begegnen, und dann mit nicht geringerer Freundlichkeit als Hochachtung.

Steinthal.

R. Westphal. Philosophisch-historische Grammatik der deutschen Sprache. Jena 1869.

Im Vorwort erklärt der Verfasser, in seiner Schrift sei das eigentlich Grammatische mit dem Sprachphilosophischen zu einem einheitlichen Ganzen verwebt; das Sprachphilosophische sollte nicht bloß als Einleitung zu den einzelnen Abschnitten der Grammatik dienen, sondern beide Bestandtheile eine gleichberechtigte Stellung einnehmen, sowie überhaupt die Lehre von der Genesis der grammatischen Formen mit der systematischen Verzeichnung und Vergleichung derselben zusammengefaßt erst den Begriff der Grammatik erfülle. Es ist nun klar, daß eine Schrift, die solche Forderungen stellt, auch wenn sie ihnen nicht ganz genügt, von hohem Interesse für diejenige Richtung der Sprachwissenschaft sein muß, welche in unserer Zeitschrift vertreten ist; und wenn wir das, was in diesem Buche für die germanische Grammatik im Einzelnen geleistet ist, den Specialzeitschriften dieses Faches zur Beurtheilung überlassen müssen, so werden wir um so mehr auf das allgemein Sprachwissenschaftliche und Methodische einzugehen haben. Glück wünschen darf sich jedenfalls die germanische Philologie, in kurzer Zeit nach einander zwei so bedeutende Werke empfangen zu haben, wie das von Scherer „Zur Geschichte der deutschen Sprache" und nun diese Grammatik von Westphal; und da auch das erstere in dieser Zeitschrift besprochen worden ist, so dürfen wir wohl einige vergleichende Bemerkungen vorausschicken. Gemeinsam ist beiden Werken, neben der historisch-vergleichenden Methode, die Zuthat von Philosophie; doch erscheint diese bei Scherer nur stellenweise, gelegentlich, während sie bei Westphal ausdrücklich in die Anlage des Ganzen aufgenommen ist. Auch ist dieses letztere Buch, trotz geringerem Umfang und obwol es nur ein erster Theil sein will, vollständiger, zusammenhängender und mehr in sich geschlossen als die Untersuchungen von Scherer, welche zwar im Einzelnen viel weiter in das

historische Material eindringen, aber als Ganzes nur äußerlich
an Einem Faden aufgereiht sind. Einstimmig sind beide wieder
in der Hervorhebung des eigenthümlich nationalen, den ganzen
Sprachbau durchdringenden Princips der Betonung, welches
nach W. den germanischen Wurzeln eine durchsichtige Treue,
Festigkeit und Lebensfrische bewahrte, durch welche auch unsere
Reimpoesie im Vergleich mit der romanischen vertieft wurde
(S. VI.—VIII.). Eigenthümlich charakteristisch findet Hr. W.
ferner (S. IX. X.) den auch von Sch. vielfach bemerkten Sub-
jectivismus der altdeutschen Schriftsprache, d. h. die freie Verwendung aller lebendigen Dialekte zu litterarischem Gebrauch,
gegenüber der größeren Stetigkeit der antiken Schriftsprachen.

Hr. W. findet aber auch in den germanischen Flexionsformen, obwol diese im Ganzen eben zum Vortheil der Wurzeln stark abgeschliffen wurden, einzelne Reste von hoher Alter-
thümlichkeit, welche jedoch nur durch eine von der herrschenden Methode abweichende Grundansicht von
Sprachbildung können bloß gelegt werden, und in diesen
Nachweis scheint der Vrf. selbst das hauptsächliche Verdienst
seiner Arbeit zu setzen, für welche ihm übrigens die Vorlesungen
von Gildemeister über vergleichende Grammatik wesentlich
maßgebend gewesen seien (S. XIII.). In der That handelt
es sich hier um eine principielle Verschiedenheit der Ansichten
über Entstehung der Sprachformen, und es ist sehr zeitgemäß,
daß diese Streitfrage neu erhoben wird, auch wenn das Germanische zur Entscheidung derselben weniger beitragen kann,
als Hr. W. anzunehmen geneigt scheint. Er formulirt schon
S. XI ff. einen Gegensatz zwischen der von Bopp aufge-
brachten Agglutinationstheorie, wonach die Flexionen entstanden
durch Verbindung der Wurzel mit einem vorher selbständig
gewesenen pronominalen Element, und der durch Becker und
Gildemeister vertretenen Ansicht, daß die Pronomina erst
aus Bestandtheilen der Flexion sich zu nachherigem selbständigen
Dasein abgelöst haben. Agglutination kommt nach W. in den
indogermanischen Sprachen erst später vor, und auch in den
semitischen läßt sich der ältere Bestand der Flexionen nicht auf
Pronominalwurzeln zurückführen; sondern zu Grunde liegen

ihnen an sich bedeutungslose Laute, welche eine bestimmtere
Bedeutung erst mittelbar in ihrer successiven Anwendung erlangen.

Diese Grundansicht wird nun im Verlauf des Buches an
verschiedenen Stellen ausführlicher und nicht ohne polemische
Lebhaftigkeit vorgetragen (vgl. besonders S. 92 ff., 114, 126 ff.,
160 ff., 178 ff., 192 ff.) und macht, wie uns dünkt, so ziemlich den philosophischen Gehalt aus, der dem Werke beigemischt
ist; denn was sonst noch einigermaßen Philosophisches vorkommt,
als Einleitung zu den einzelnen Kapiteln der Formenlehre, scheint
uns mehr nur eine logische Zurechtlegung der in der Sprache
vorgefundenen Kategorien als eine psychologische Erklärung derselben, obwol die historisch-genetische Grundansicht nirgends zu
verkennen ist und zerstreut manche einzelne Ansicht philosophischen
Blick verräth. Jene Hauptansicht aber ist in der That bedeut-
sam, daß wir noch etwas näher auf sie eingehen müssen. Sie
tritt zwar nur als Hypothese auf, aber mehr ist auch die ent-
gegenstehende nicht, wie ja die höchsten Probleme überhaupt,
auch in der Naturwissenschaft, nur auf diesem Wege zugänglich
gemacht werden können. Als Hypothese aber scheint uns die
Westphal'sche Theorie wenigstens ebenso annehmbar wie die
Bopp'sche, welche allerdings bisher praktisch zur Analyse der
Sprachformen treffliche Dienste geleistet, aber die Grundfrage
nach dem eigentlichen Hergang der Agglutination und nach der
ursprünglichen Bedeutung der Suffixe nicht beantwortet hat,
woraus denn auch die Schwierigkeiten und theilweisen Widersprüche sich erklären, in welche z. B. Scherer in den betreffenden Partieen seines Werkes sich verwickelt hat. Wenn verhältnißmäßige Einfachheit ein untrügliches Merkmal der Wahrheit oder wenigstens Wahrscheinlichkeit wäre, so hätte die Westphal'sche Theorie von dieser Seite ein günstiges Vorurtheil
für sich, obwol auch sie uns schwerlich alle Räthsel lösen wird.
Der Vrf. selbst nennt seine Ansicht idealistisch oder sogar supra-
naturalistisch gegenüber einer mechanisch-materialistischen, und
schildert die Sprachschöpfung stellenweise in platonischem Stil;
aber wenn er sie mehrfach mit den Processen der Krystallisation
oder mit den instinctiven Trieben der Ernährung und Zeugung
vergleicht, so daß der menschliche Geist allerdings nur unbewußt

dabei thätig ist, weil eben die Alles durchdringende göttliche
Lebenskraft in ihm wirkt, so werden ihm die meisten heutigen
Sprachforscher beistimmen. Nicht hier also liegt der Differenz=
punkt, sondern in der Ansicht von den bestimmten, constitutiven
Elementen der vorliegenden oder vorauszusetzenden ältesten
Flexionsformen, zunächst des Verbums. Westphal denkt sich
(S. 96—97) ein bewegliches System von verhältnißmäßig we=
nigen Urlauten (die Vokale a, i, u, die Nasale m und n, die
Dentale t, welche leicht in th und s übergeht), die physiologisch
ihre bestimmte Stelle im gesammten Sprachorgan und gegen
einander einnehmen und demgemäß nun auch berufen sind, ent=
sprechende psychologische Funktionen zur Andeutung der elemen=
tarsten Kategorieen des Sprachdenkens zu übernehmen. Die
jedesmalige Auswahl eines jener Laute für einen bestimmten
Zweck richtet sich danach, ob derselbe einerseits physiologisch
dem Sprachorgan näher oder ferner liegt (zur Hervorbringung
leichter oder schwerer fällt), andrerseits ob die betreffende Kate=
gorie psychologisch näher oder ferner liegt (ein mehr oder
weniger dringendes Bedürfniß des sich an der Sprache ent=
wickelnden Denkens ausmacht). Von der letztern, der psycho=
logischen Seite geht natürlich der Anstoß aus; dem psychologisch
nächst liegenden Bedürfniß entspricht der physiologisch ebenso
nahe liegende Laut, und diese Correspondenz erleidet eine aus=
nahmsweise Verschiebung nur dadurch, daß im Verlauf der
Sprachforschung die bereits zu irgend einem Zweck verbrauchten
Laute nicht sogleich wieder einem andern dienen können, sondern
dann der Reihe nach durch die in zweiter Linie u. s. f. nächst
liegenden ersetzt werden. So wird z. B. S. 102—103 ange=
nommen, die Vokale a, i, u seien darum nicht als Personal=
suffixe verwendbar gewesen, weil sie bereits zur Bildung voka=
lisch auslautender Wurzeln oder Nominalstämme gedient hatten.

Diese Ansicht ist im Ganzen gewiß plausibel und gelegent=
lich auch schon von Andern benutzt worden; sie ist auch ohne
Zweifel die einzige, welche eine rationelle Erklärung der in der
Wurzelbildung selbst waltenden Lautsymbolik möglich macht;
das Eigenthümliche besteht also nur darin, daß W. dieselbe
principiell und ausdrücklich auch für die Suffixe aufstellt.

Auch hiefür mag er übrigens noch Beistimmung der Meisten
finden; der Widerstand wird aber beginnen, wo er (S. 126)
es undenkbar findet, daß selbständige Pronominalstämme ma,
tu, ta die Personalendungen des Verbums ergeben haben, viel=
mehr umgekehrt behauptet, die erstern haben sich erst aus den
letztern verselbständigt. Hier können auch wir ihm nicht ganz
beistimmen (zumal da er von S. 115 an eine ganze Reihe von
„Pronominalstämmen" aufzählt, welche er nirgends alle als erst
aus Flexionen abgelöst bezeichnet); aber die Controverse gewinnt
hier ein specifisch psychologisches Interesse und schon darum
müssen wir sie noch einen Schritt weit verfolgen. Es handelt
sich nämlich besonders um das Pronomen der ersten Person,
dessen Bedeutsamkeit für die Entwicklung des Selbstbewußtseins
bekannt ist. Mit Recht behauptet Hr. W., die ältesten Menschen
seien mit dem „Ich" ebenso wenig wie unsere Kinder gleich
bei der Hand gewesen, und dem Ich als Subjectscasus seien
die Casus obliqui vorausgegangen. Aber auch für diese gab
es ursprünglich keine selbständigen Formen, sondern das mir
und mich wurden (S. 127) abstrahirt aus dem Suffix des
Mediums (m-a), wie auch die Stämme der beiden andern
Personen (was doch schon für die zweite Person ziemlich un=
wahrscheinlich ist, und noch mehr für die dritte, auch wenn man
ihn für sich gelten läßt). Hr. W. findet aber ein besonderes
Zeugniß für seine Auffassung in dem Umstande, daß auch wirk=
lich nur die Casus obliqui der drei persönlichen Pronomina
mit den entsprechenden Verbalendungen identisch seien. Wie er
dies für die zweite und dritte Person beweisen will, ist mir
nicht klar; für die erste ist allerdings der Abstand der mit m
anlautenden Formen von den guttural inlautenden aham, ἐγών
u. s. w. auffallend und bemerkenswerth, obwol auch der nasale
Auslaut jener Formen nicht zu übersehen ist. Immerhin wird
es seine Richtigkeit haben, daß das Ich eine spätere, ja die
späteste Pronominalform war, aber die von W. (S. 129) ver=
suchte Erklärung derselben aus einem ganzen parenthetischen
Satz von der Bedeutung „sag=ich" ist schwerlich richtig (es
wäre etwa an die Wurzel von lat. ajo, agio zu denken), und
im Uebrigen ist es doch psychologisch noch die Frage, allerdings

eine interessante, ob die Casus obliqui von Ich, also auch das entsprechende Pronomen possessivum, dem Subjectscasus lange vorausgegangen sein oder überhaupt ohne denselben (wenigstens ohne daß er bereits im Hintergrund vorhanden war) haben ge= dacht werden können. Interessant wäre auch die Frage, ob das Wir als wirklicher Plural von Ich gedacht worden sei, also dieses voraussetze, was gar nicht selbstverständlich, aber hier nicht weiter zu erörtern ist.

Am meisten direct und ausdrücklich gegen Bopp wendet sich W. (S. 177 ff.) mit seiner Grundansicht einer Triplicität der ursprünglichen Verbalendungen (auf a, i, u) gegenüber der herrschenden Annahme eines Dualismus von primären und secundären Endungen, welche letztern aus den erstern sollen ab= gestumpft sein. W. findet solche Abstumpfung, insbesondere eines ursprünglich auslautenden a sämmtlicher Verbalformen in i, den Lautgesetzen durchaus widersprechend, und die Endungen auf u, welche sich gerade im Germanischen am deutlichsten er= halten haben, von Bopp nicht gewürdigt. Er selbst thut nun sein Möglichstes, um diese letztern in ihren wahren Werth ein= zusetzen, indem er die Annahme, daß das -au der ersten Person Sing. des gothischen Conjunctiv (einen solchen findet der Vrf. wirklich neben dem Optativ des Präteritums auf -j-au, S. 188. 228) aus -amu entstanden sei mit Ausfall des m, durch eine ähnliche Erscheinung im Medium des Sanskrit zu rechtfertigen sucht, was zwar etwas gewagt, aber immerhin nicht unerlaubter scheint, als die gewöhnliche Erklärung des -au aus -am und -aim.

Doch wir können dem Vrf. in das Einzelne der germa= nischen Formen und auch mancher entsprechender des Lateini= schen und Griechischen hier nicht mehr folgen und begnügen uns, nur in Kürze noch einige bemerkenswerthe Auslassungen über verschiedene Punkte zu notiren.

In der Note zu S. 28 verwirft Hr. W. die herkömmliche Theorie von doppelter Steigerung des Wurzelvokals und nimmt einfacher nur doppelte Gestalt (lang vokalische und diphthongische) des gesteigerten Lautes an (vgl. übrigens auch Scherer S. 19). — S. 37 ff. giebt er eine sorgfältige Ver=

gleichung der Vokalſchwächung (auf die er den Namen „Ab=
laut" beſchränkt) im Germaniſchen und Griechiſchen, wobei er
findet, daß ε und ο zum Theil ſchwerer als α gelten. — In
der Anmerkung zu S. 242 weiſt er nach, daß von den beiden
Formen der 3. P. Pl. des lateiniſchen Perfectums die auf -ēre
die ältere ſei (tutudere = ſkr. tutudus(i), -er-unt eine para=
gogiſche Erweiterung. — Im lateiniſchen Impf. Ind. nimmt
er (S. 108) den erſten Theil nicht als bloßen Verbalſtamm,
in der dritten Conjugation mit Bindevokal nach falſcher Ana=
logie der ſchwachen Verba, ſondern als alten Infinitiv auf -ĕ
= griech. (σ)-αι im I Aoriſt; das -rem des Impf. Conj. =
griech. -σαιμ(ι) des Optativs (S. 113). Schwerlich richtig iſt
die Meinung (S. 112), die Formen legĕris, legĕtur, legĕntur
haben pleonaſtiſch noch das Medialſuffix r (s) angenommen, da
ſie aus legĕro, legĕto, legĕnto = λεγοι(σ)ο, λέγοιτο, λέγοιντο
entſprungen bereits das ο (α) als Zeichen des Mediums hatten
(S. 164). Hier muß man doch die Analogie der Medialbil=
dung im Ganzen gelten laſſen und das paſſive Futurum auch
in den älteſten Verben ſchon direct aus dem activen durch Re=
flexbildung entſtehen laſſen. Hr. W. iſt freilich dem Princip
der Analogie überhaupt weniger günſtig als Hr. Scherer.
(Vgl. S. 109.)

Doch ſolche Erörterungen gehören mehr in die Zeitſchrift
für vergleichende Sprachforſchung, und wir ſchließen hier mit
dem Wunſche, daß der Vrf. bald ſeinen zweiten Theil folgen
laſſe, der ſeine Principien auch in der Nominalflexion durch=
führen und uns in Stand ſetzen wird, die Tragweite derſelben
noch vollſtändiger zu ſchätzen.

Bern, März 1869.

Ludwig Tobler.

Dr. Georgius Autenrieth. Terminus in quem
syntaxis comparativae particula. Erlangae
1868. Sumptibus Deichertianis. 54 p.

Der Vrf. ſchlägt auf dem Gebiete der vergleichenden Syn=
tax einen andern Weg ein als ſeine wenigen Vorgänger. Sind

liefe von der grammatischen Form der einzelnen Casus ausge=
gangen, deren Gebrauch in den indogermanischen Sprachen sie
verfolgten, so geht er von dem Begriffe aus und fragt, welche
Casus zum Ausdruck einer bestimmten Begriffssphäre, nämlich
des terminus in quem gedient haben. Wir würden wol nicht
irren, wenn wir hierauf im Allgemeinen erwiderten, was zu
wiederholten Malen Steinthal besonders in dieser Zeitschrift
über eine solche Untersuchungsweise erörtert hat, die den Aus=
druck von Vorstellungen und Vorstellungsformen sucht, deren
Existenz selber noch nicht erwiesen ist. Denn die Vorstellungs=
form des terminus in quem mag lateinisch, mag griechisch,
mag germanisch sein, ist damit bewiesen, daß sie indogermanisch
ist? Doch hiervon abgesehen, scheint uns jene Weise der Be=
handlung noch nicht an der Zeit zu sein. Denn sie hat die
Erkenntniß der Gründe und mancher anderen Bedeutung der
Casus, die aus jener sich entwickelt hat, zu ihrer Voraussetzung.
Sind jene erkannt, dann und nur dann läßt sich zwischen der
einen und der anderen eine Grenze ziehen, die eine dieser, die
andere jener allgemeineren Vorstellungsform zuweisen; bis da=
hin aber muß man wissenschaftlich wenigstens mit der Erfor=
schung und Kenntniß der einzelnen Bedeutungen sich begnügen.
Nun steht aber über der Grundbedeutung der Casus im Indo=
germanischen durchaus nichts fest. Der heftige Kampf zwischen
den Localisten und ihren Gegnern hat zwar, wie der Vrf. (S. 6)
bemerkt, aufgehört, aber ein rechter Friede unter festen Bedin=
gungen ist nicht geschlossen; hat er bestanden, so bestand er nur
vor der Verbreitung der vergleichenden und historischen Erfor=
schung der Sprache. Ihre Resultate haben ihn wider gestört
und an seine Stelle und an Stelle der mit ihm verbundenen
Behaglichkeit des Wissens zwar nicht den Kampf, aber Unge=
wißheit und Unsicherheit gesetzt. Das lehren am besten die De=
batten, die Curtius, Lange und Steinthal in der Philo=
logenversammlung zu Meißen 1863 über die ursprüngliche Be=
deutung der Casus geführt haben. Seitdem aber sind wir,
wenn man von der Anregung absieht, die jene Verhandlungen
durch die Klarstellung dessen, was wir nicht wissen, geboten
haben, nicht weiter gekommen. Der Vrf. freilich scheint über

die Grundbedeutung der Casus im Klaren und zwar scheint ihm
dieselbe localer Art zu sein. Scheint, denn entschieden spricht
er sich hierüber nur beim Locativ aus cuius primariam signi-
ficationem fuisse eam, ut locum universe describeret sive
quo quid fieret sive qui peteretur (!) iam paene affirmat
(S. 23 u. 24). Vom Accusativ sagt er (S. 11): qui ut
actionis ipsum obiectum ita motionis quasi propositum et
petitum finem significat; über die ursprüngliche Bedeutung
des Genetiv, Ablativ und Dativ findet sich keine bestimmte Bemerkung. Denn was (S. 20 u. 30) über den Ablativ und
Genetiv gesagt wird, läßt zwar über des Verf.s Ansicht nicht
im Unklaren, ist aber doch keine entschiedene Aeußerung derselben. Oder benimmt der in der Einleitung (S. 6) hinge-
stellte Satz: at ne quis opinetur me id agere, ut e locali
usu casuum ceteros omnes fluxisse evincam: procul
absum a ratione Hartungi etc. jeden Zweifel daran, daß dem
Vrf. der localis usus wenn auch nicht der Ursprung aller anderen Bedeutungen, so doch der älteste gewesen ist?

Gehen wir nun zu einer kurzen Darlegung des Inhalts
der Abhandlung über, so zerfällt dieselbe in zwei Theile, deren
erster den Casus, die zur Bezeichnung des terminus in quem
— dieser sei räumlicher oder zeitlicher Art — dienen, deren
zweiter den Präpositionen von gleicher Bedeutung gewidmet ist.
In dem ersten Theil lehrt der Vrf. und belegt mit einer mehr
oder minder reichen Zahl von Beispielen zumeist aus den Veden,
dem Baktrischen, Griechischen und Lateinischen, daß außer dem
Accusativ auch der Dativ und Locativ, der Instrumentalis, endlich der Genetiv und Ablativ zur Bezeichnung jenes terminus
verwendet worden sind. Er beschränkt sich hierbei nicht auf
die mit Verba verbundenen Casus, sondern geht auch ausführlich auf die den einzelnen Casus angehörigen Adverbia ein, von
denen er einige etymologisch zu erklären sucht.

Daß er beim Accusativ die Grenzen des terminus in quem
nicht streng innehält, daß er nicht blos die auf die Fragen quo?
quorsum? quoad? sondern auch auf in quantum spatium?
quam altus? quam longus? u. s. w. (denn von solchen Fragen,
als auf die der Accusativ antwortet, geht der Verf. bei diesem

Casus aus) antwortenden Adverbia und mit Verba verbundenen Accusative anführt, gereicht — auch vom allgemeinen Stand- punkt des Verf.s aus beurtheilt — der Untersuchung nicht zum Vortheil. Denn wir stimmen dem Vrf. nicht bei, wenn er in Betreff jener zwei Arten von Fragen (S. 11) bemerkt: quae quamquam diversae videntur, tamen ratione magis quam rerum veritate sunt disiunctae. Auch wenn wir nicht, was er mit Recht vermieden wissen will, aus der Reihe der Bei- spiele eins herausnehmen, sondern mehrere nebeneinander be- trachten, dürfte sich das Falsche jener Bemerkung erweisen. Oder lassen sich — wenn man von des Vrf.s oben erwähnter Er- klärung des Accusativ: ut actionis ipsum obiectum ita mo- tionis quasi propositum et petitum finem significat ausgeht — die (S. 16) von ihm neben einander gestellten Sätze rtam yatî Saramâ gâ avindat: rectâ incedens (viâ) S. invenit boves und madhupeyam yâtam: ad dulcem potum venite beide der zweiten, muß man nicht vielmehr jenen der ersten, diese der letzteren Bedeutung zuweisen? und verhalten sich nicht τὴν ταχίστην, μακράν, τὴν ὀρθήν, χρόνον, ἦμαρ δήν, primum, iterum (vielleicht auch protinam) in gleicher Weise zu ἀκμήν, ἄντην, rus, foras (vgl. S. 12 u. 13)?

Thut hier die Vermischung von nicht Zusammengehörendem Eintrag, so ist andrerseits die Weise der Sonderung der ein- zelnen Casus in Betreff des terminus in quem über's Ziel hin- ausgehend: So soll der Acc. locum qui peteretur, der Locat. eum ad quem perveniretur (weiter unten (S. 24) gilt, wie schon erwähnt, auch vom Locat. ut locum universe describeret, sive quo quid fieret sive qui peteretur), der Ablativ directio- nis finem, unde penderet ipsa directio (S. 20) bezeichnen. Das letztere scheint der Vrf. selbst einer gesunden Anschauung zuwider gefunden zu haben, denn als wollte er Seltsames mit Seltsamerem erklären, fährt er fort: quid quod vel geneti- vus idoneus visus est, qui iungeretur cum iis verbis, quae eminus vel animo magis aliquid appeti significant (ebend.).

Die besondere Aufmerksamkeit, die der Vrf. den (S. 8 u. 9) Adverbien zuwendet, begründet er damit, daß sie die ursprüng- liche Bedeutung der Casus am besten kennen lehren; sie als